RACINES DU FUTUR

TOME IV : DE 1918 À NOS JOURS

Directeurs de collection

LÉOPOLD GENICOT
Professeur émérite à l'Université Catholique de Lou......

JEAN GEORGES
Maître de Conférences à l'Université Catholique de Louvain
et professeur au Collège Notre-Dame, Wavre

Auteurs

MICHEL DUMOULIN
Professeur à l'Université Catholique de Louvain
Titulaire de la Chaire Jean Monnet d'Histoire de l'Europe Contemporaine

DANIELLE MALOENS
Professeur au Collège Notre-Dame, Wavre
et à l'École Normale Catholique du Brabant Wallon, Louvain-la-Neuve

Avec la collaboration de

HENRI DE MULDER
Professeur au Collège Notre-Dame, Wavre

JEAN-LOUIS JADOULLE
Assistant en didactique de l'histoire à l'Université Catholique de Louvain
et professeur à l'Institut Sainte-Marie, La Louvière

EDDIE MASSART
Professeur au Collège Notre-Dame, Wavre

DIDIER HATIER

CONVENTIONS

Les documents écrits ont été placés dans des cadres grisés quand ils sont des témoignages de l'époque étudiée et dans des cadres blancs lorsqu'il s'agit d'avis d'experts, rédigés plus tard.

Pour les tableaux chronologiques, les sigles suivants ont été utilisés :

† mort d'une personnalité

⇔ conflit, tensions

La rubrique **À voir, À lire** a été établie en fonction de quelques critères pratiques.

Les livres renseignés sont disponibles dans une collection de poche.

Concernant la rubrique **À voir**, les films mentionnés sont disponibles à la Médiathèque de la Communauté française de Belgique sous la forme de vidéocassettes. Dans quelques cas, fort rares, il est fait référence à des films existant en 16 mm auprès du Ministère de l'Éducation, de la Recherche et de la Formation de la Communauté française. Ces films sont désignés par le signe *. Plus rarement encore, certains films disponibles uniquement dans le circuit commercial (salles de cinéma, vidéothèques, diffusion télévisée) sont renseignés par le signe °.

Le lecteur trouvera dans ces ouvrages des renvois à l'*Atlas historique* de L. Genicot, J. Georges et A. Bruneel paru aux Éditions Didier Hatier.

DÉJÀ PARUS DANS LA MÊME COLLECTION :

Racines du Futur I : du Ve siècle avant J.-C. au Xe siècle après J.-C.
Racines du Futur II : du XIe siècle au XVIIe siècle.
Racines du Futur III : du XVIIIe siècle à 1918.

CHEZ LE MÊME ÉDITEUR :

   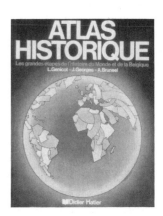

Dépôt légal D/1993/3030/3
ISBN 2-87088-796-5

AVERTISSEMENT

Les lignes qui suivent ne remplacent pas mais complètent l'avertissement qui figure en tête des trois premiers tomes de RACINES DU FUTUR. En effet, la période contemporaine présente au moins un trait caractéristique par rapport aux autres périodes de l'histoire en ce sens qu'elle n'est pas achevée.

Période inachevée, la période contemporaine pose aussi un problème quant à la date de son début. Celui-ci a longtemps été situé, en France et partant en Belgique, en 1789 à cause de la rupture avec l'Ancien Régime que constitua la Révolution française. Mais, d'une part, d'autres histoires nationales ne répondent pas à ce découpage chronologique et, d'autre part, le temps, en passant, nous conduit aujourd'hui à plus de deux siècles de 1789. C'est pourquoi de profondes remises en cause de la périodisation sont intervenues au point de conduire certains historiens, et non des moindres, à écrire que l'Ancien Régime se terminait avec la première guerre mondiale. L'histoire contemporaine commencerait dès lors à la fin de celle-ci, ce dont témoignent les historiographies allemande, anglo-saxonne, italienne notamment, qui parlent respectivement de *Zeitgeschichte, Contemporary History, Storia contemporanea* à partir de 1918.

Ce constat relatif à l'introduction de nouveaux repères marquants dans l'histoire des hommes et des sociétés s'applique aussi à la période débutant à la fin de la première guerre mondiale. Au plus le temps passe depuis ce que les contemporains nommèrent « la der des der » (la dernière des dernières), au plus ce qui n'était qu'une succession d'événements, une chronique, acquiert un sens. Des lignes de force apparaissent, la continuité ou la solution de continuité se révèle plus ou moins évidente. Et les trois quarts de siècle écoulés depuis la fin de la première guerre mondiale de réclamer à leur tour une périodisation au sujet de laquelle les débats fleurissent. C'est pourquoi le découpage adopté dans ce quatrième tome de RACINES DU FUTUR est subjectif. Il l'est au sujet du choix d'intégrer la deuxième guerre mondiale (1939-1945) dans le cadre d'une décennie (1938-1948) prenant en compte les prolégomènes du conflit et, surtout, ses suites immédiates en termes de mise en place du bras de fer planétaire qui allait opposer, à partir de 1948/1949, deux blocs idéologiquement opposés.

Choix subjectif aussi que de privilégier l'année 1989 comme celle d'un tournant majeur de l'histoire contemporaine car il s'agit de l'histoire de notre temps, d'*histoire immédiate*. Or, de cette évidence découle au moins une question essentielle : l'histoire de notre temps relève-t-elle encore de l'histoire en tant que discipline scientifique? La réponse traditionnelle serait négative. L'historien propose une interprétation de l'histoire basée sur l'exploitation de sources soumises à la panoplie des techniques de la critique historique. Dès lors, en vertu des lois et règlements organisant notamment les délais à respecter avant la consultation des archives - trente ans au mieux - il serait vain de prétendre écrire l'histoire des quarante dernières années. Pourtant, cette histoire est écrite, elle est également racontée en radio, en télévision. Devant la masse documentaire dont la quantité détourne trop souvent l'attention de l'essentiel, l'historien est démuni. Il le confesse volontiers. En revanche, il n'abdique pas l'ambition de proposer une lecture historique de son temps en cherchant à intégrer toujours mieux et toujours plus les apports des autres disciplines des sciences humaines et des sciences sociales. La *lecture de notre temps* peut ainsi devenir une lecture à plusieurs voix que l'historien place en perspective. Soucieux de conférer consistance au temps historique, soulignant les analogies, mettant en garde contre les amalgames, les comparaisons douteuses, le télescopage chronologique, il s'efforce non pas de dire le vrai mais de contribuer, dans la mesure de ses moyens, à la réflexion sur **l'élaboration de l'avenir qui se fonde sur une compréhension actuelle du passé.**

DOCUMENTS DES COUVERTURES

1. **HERGÉ**, *Dessin extrait de « Objectif Lune »*, Tournai, 1953, p. 56.

2. **Michel POLAK**, *La piscine privée du « Résidence Palace »*, 155, rue de la Loi, à Bruxelles (1923-1926).

TABLE DES MATIÈRES

Troisième partie : DES IDÉOLOGIES AU PRAGMATISME (1949-1989)

Première partie : DE LA « DER DES DER » À MUNICH
(1918-1938)

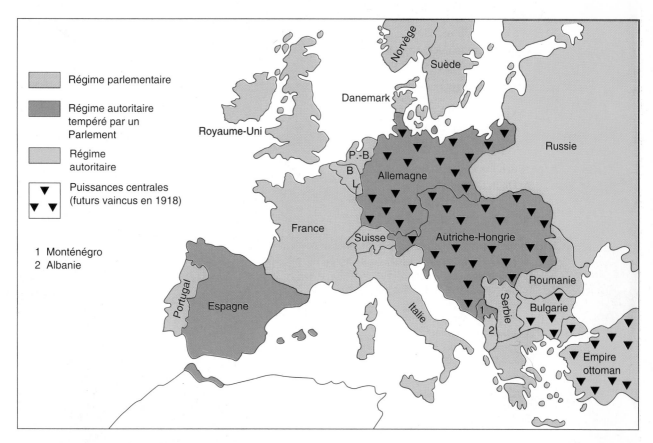

1. *L'Europe en 1914.*

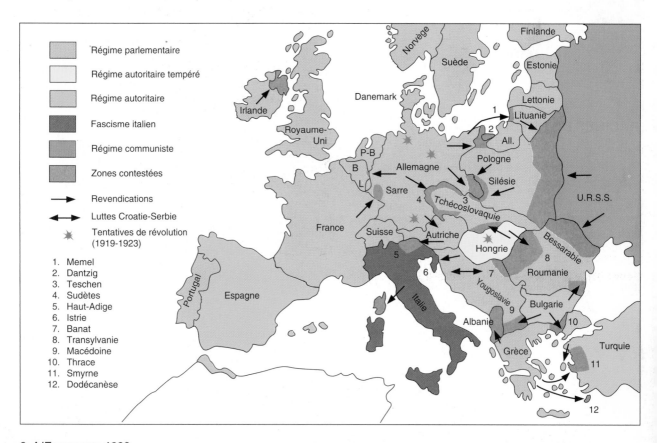

2. *L'Europe en 1923.*

Georg GROSZ, *Crépuscule,* Aquarelle (1919-1920).

CHAPITRE 1 : LES CONSÉQUENCES DE LA GUERRE

⇒ **Atlas,** 39 A-C
           40 A-B
           52 A

1. CEUX QUI SONT REVENUS

Ils étaient aveugles ou paralysés. Ils boitaient. Une balle leur avait brisé la colonne vertébrale.
Ils attendaient d'être amputés, ou étaient déjà amputés. La guerre était loin, très loin derrière eux. Ils avaient oublié le dressage, l'adjudant, le capitaine, la compagnie, l'aumônier, le jour anniversaire de l'Empereur, l'ordinaire, les tranchées, l'assaut. Eux avaient déjà fait la paix avec l'ennemi. Et déjà ils s'armaient pour une nouvelle guerre : contre la douleur, contre les prothèses, contre les jambes paralysées, les dos tordus, les nuits sans sommeil, et contre les hommes valides.

Joseph ROTH, *Die Rebellion,* Berlin, 1924 (trad. franç., Paris, 1991, p.7).

3. « *NOUS AUTRES CIVILISATIONS, NOUS SAVONS MAINTENANT QUE NOUS SOMMES MORTELLES* »

Les faits (...) sont clairs et impitoyables : il y a des milliers de jeunes écrivains et de jeunes artistes qui sont morts. Il y a l'illusion perdue d'une culture européenne et la démonstration de l'impuissance de la connaissance à sauver quoi que ce soit; il y a la science, atteinte mortellement dans ses ambitions morales, et comme déshonorée par la cruauté de ses applications; il y a l'idéalisme, difficilement vainqueur, profondément meurtri, responsable de ses rêves; le réalisme déçu, battu, accablé de crimes et de fautes; la convoitise et le renoncement également bafoués; les croyances confondues dans les camps, croix contre croix, croissant contre croissant; il y a les sceptiques eux-mêmes, désarçonnés par des événements si soudains, si violents, si émouvants, et qui jouent avec nos pensées comme le chat avec la souris, — les sceptiques perdent leurs doutes, les retrouvent, les reperdent, et ne savent plus se servir des mouvements de leur esprit.

Paul VALÉRY, *La crise de l'esprit. Première lettre* (avril 1919), dans *Variété,* Paris, 1924, p.16.

Le premier conflit mondial provoque des conséquences multiples dans de nombreux domaines : démographique, économique, géo-politique, social et culturel. Si certaines sont immédiates tandis que d'autres ne se feront sentir qu'à plus long terme, une chose est certaine : au sortir de la « der des der », le monde a changé de manière irréversible...

Pays	Population	Mobilisés	Tués et Disparus
Allemagne	64,9	13,25	2
Autriche-Hongrie	50,6	9	1,543
France	39,6	8,5	1,4
Grande-Bretagne	45,4	9,5	0,744
Italie	36,1	5,6	0,750
Russie	142,6	13	1,7
États-Unis	92	3,8	0,116
Belgique	7,4	0,38	0,041

2. ***Bilan des pertes militaires*** en millions (D'après J. CARPENTIER - F. LEBRUN [dir.], *Histoire de l'Europe,* Paris, 1992, p. 557).

4. ***Fraternelles d'anciens combattants français et belges devant le monument aux morts de Lille en 1926.***

5. UN POINT DE VUE SUR LE TRAITÉ DE VERSAILLES

Le jour de gloire.

(...) La journée d'aujourd'hui n'apparaît pas dans toute sa grandeur à la plupart de ceux qui la vivent. Nous sommes trop près du monument : il faudra pour le bien juger, le recul du temps. Mais le traité n'en est pas moins l'événement le plus considérable des âges, depuis la fin du monde antique. Qu'est-ce que la prise de Constantinople par les Turcs à côté du démantèlement par les modernes croisés de la Bastille allemande, dernier rempart de la Barbarie parmi les peuples civilisés ? La journée du 28 juin 1919 apparaîtra assurément d'une importance plus haute encore aux regards de l'Histoire universelle (...).

Les patries et les races ont combattu et vaincu une nation de proie qui prétendait imposer à toutes les autres une insupportable domination militaire et commerciale (...).

Le Versailles d'aujourd'hui, ce n'est plus le droit du poing qui l'emporte, mais le point de Droit. Date fulgurante ! Événement d'immense portée ! Oui, le traité contient en germe toutes les justices, toutes les garanties, tous les progrès. Mais, en raison même de sa prodigieuse complexité et du caractère perfidement tenace de l'ennemi, il a besoin du concert maintenu des grands Alliés et associés pour porter tous ses fruits féconds (...).

Éditorial de Georges BERTHOULAT dans *La Liberté,* Paris, 2e édition, 28 juin 1919, p. 1.

6. LES QUATORZE POINTS DU PRÉSIDENT WILSON (8 JANVIER 1919)

1. Des conventions de paix publiques, ouvertement conclues, (...) une diplomatie qui agira toujours franchement;
2. Liberté absolue de navigation sur les mers (...) aussi bien en temps de paix qu'en temps de guerre;
3. Suppression, en tant qu'il sera possible, de toutes les barrières économiques;
4. Garanties convenables (...) que les armements nationaux seront réduits au dernier point compatible avec la sécurité du pays;
5. Libre arrangement (...) de toutes les revendications coloniales (...). Les intérêts des populations intéressées devront avoir un poids égal à celui des demandes équitables du gouvernement dont le titre (statut) doit être déterminé;
6. Évacuation de tous les territoires russes (...). Donner à la Russie l'occasion de déterminer (...) l'indépendance de son propre développement et de sa politique nationale, pour lui assurer un sincère accueil dans la société des nations libres, sous des institutions de son choix (...);
7. La Belgique (...) doit être évacuée et restaurée (...);
8. Le tort fait à la France (...) en 1871, en ce qui concerne l'Alsace-Lorraine (...) devra être réparé;
9. Le rétablissement de la frontière italienne devra être effectué suivant les lignes des nationalités (...);
10. Aux peuples d'Autriche-Hongrie (...), on devra donner plus largement l'occasion d'un développement autonome;
11. (...) Des relations entre les divers États balkaniques devront être fixées amicalement (...) d'après les lignes des nationalités établies historiquement (...);
12. Une souveraineté sûre sera assurée aux parties turques de l'Empire ottoman actuel, mais les autres nationalités (...) devront être assurées (...) de se développer de façon autonome;
13. Un État polonais indépendant devra être établi (...);
14. Une association générale des nations devra être formée (...).

(D'après Général MORDACQ, *Le Ministère Clémenceau,* I, Paris, 1930, pp. 120-122).

Le Tigre : « C'est curieux ! Il me semble entendre pleurer un enfant ! »

7. **La paix et la future chair à canon.** Caricature publiée dans le journal britannique travailliste *Daily Herald* en 1919. On reconnaît Georges Clémenceau, « Le Tigre », au premier plan, le président Wilson, l'Italien Orlando et derrière lui, le Britannique Lloyd George.

8. LE DÉCLIN DE L'EUROPE

Jusqu'ici, c'était un fait élémentaire de géographie économique que l'Europe dominait le monde de toute la supériorité de sa haute et antique civilisation. Son influence et son prestige rayonnaient depuis des siècles jusqu'aux extrémités de la terre. Elle dénombrait avec fierté les pays qu'elle avait découverts et lancés dans le courant de la vie générale, les peuples qu'elle avait nourris de sa substance et façonnés de son image, les sociétés qu'elle avait contraintes à l'imiter et à la servir.

Quand on songe aux conséquences de la grande guerre, qui vient de se terminer, sur cette prodigieuse fortune, on peut se demander si l'étoile de l'Europe ne pâlit pas et si le conflit dont elle a tant souffert n'a pas commencé pour elle une crise vitale qui présage la décadence (...). La guerre n'aura-t-elle pas porté un coup fatal à l'hégémonie de l'Europe sur le monde ? (...) Déjà la fin du XIXe siècle nous avait révélé la vitalité et la puissance de certaines nations extra-européennes, les unes comme les États-Unis nourries du sang même de l'Europe, les autres comme le Japon, formées par ses modèles et ses conseils. En précipitant l'essor de ces nouveaux venus, en provoquant l'appauvrissement des vertus productrices de l'Europe, en créant aussi un profond déséquilibre entre eux et nous, la guerre n'a-t-elle pas ouvert pour notre vieux continent une crise d'hégémonie et d'expansion ?

Albert DEMANGEON, *Le déclin de l'Europe*, Paris, 1920, pp. 13-15.

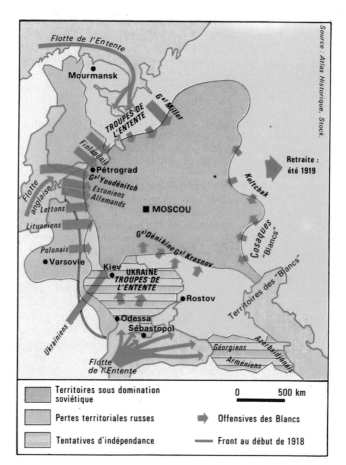

9. *Guerre civile et intervention de l'Entente en Russie.*

	1915-1919	1920-1924
Textile	152	185
Métaux	162	244
Chimie	186	252
Alimentation	123	170
Électricité et gaz	198	356
Divers	248	190

10. **Production manufacturière japonaise** [indice 100 = 1910-1914] (D'après P. LÉON [dir], *Histoire économique et sociale du monde*, IV, Paris, 1977, p. 54).

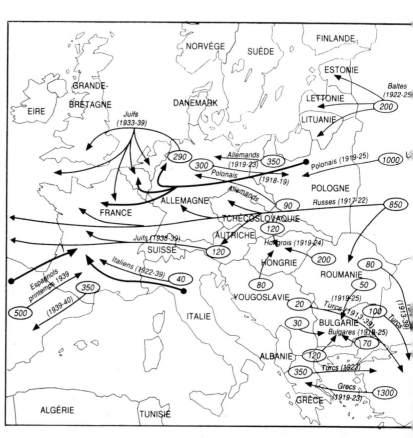

11. **Mouvements migratoires non économiques dans l'Entre-deux-guerres.** (D'après *La Documentation Photographique*, n° 7009, Paris, février 1992, fiche 9).

I. LES CONSÉQUENCES DÉMOGRAPHIQUES

La Grande Guerre provoque **un carnage** : 65 millions de mobilisés, près de 10 millions de morts et disparus. Parmi ceux qui sont revenus, 6,5 millions d'invalides, dont 300 000 à 100%. Mutilés et gazés sont « les morts-vivants » de l'indicible horreur.

Pertes et *handicaps humains* n'ont pas que des effets immédiats. Veuves et orphelins, respectivement 4,25 et 8 millions d'individus, assument aussi les conséquences du cataclysme. Au surplus, si les hostilités ont entraîné un premier *déficit de la natalité*, les pertes dues au conflit en provoquent, à terme, un second : les hommes morts à la guerre étaient en âge de procréer. Les enfants qu'ils auraient engendrés ne sont pas nés et n'ont donc pas assuré leur part dans le renouvellement des générations. En France, dès 1935, la durée du service sera portée à deux ans afin de combler ce que l'on appelle les « classes creuses ».

Au plan économique, la production est affectée. La généralisation du *taylorisme* * en Europe est sans doute due, en partie, à ce déficit persistant. Ce sont aussi des consommateurs, dont le nombre équivaut à celui de la population belge d'aujourd'hui, qui sont décédés.

Socialement, veuves, orphelins, invalides représentent non seulement un coût important mais aussi la marque d'une société meurtrie et vieillissante.

Au plan culturel, la guerre décime notamment le monde littéraire. En France, Charles Péguy, Alain Fournier, Ernest Psichari et Guillaume Apollinaire; en Allemagne, Ernest Stadler, Gustav Sack, Alfred Lichtenstein et d'autres encore ne sont pas revenus...

II. LES CONSÉQUENCES GÉOPOLITIQUES

Les conséquences géopolitiques se situent dans le court et le long terme. Dans le court terme, elles sont sensibles jusqu'en 1921; dans la suite, elles expliquent notamment des attitudes et décisions adoptées dans le contexte de la seconde guerre mondiale et, pour une part, l'éclatement de l'URSS et de la Yougoslavie en 1991.

1. LES QUATRE GRANDS DÉCIDENT

Quatre puissances (Angleterre, États-Unis, France et Italie) décident du destin de l'Europe, qui passe de 18 à 26 États, et d'autres régions du monde, en cherchant à concilier deux principes qui vont se révéler contradictoires : *punir les vaincus* et affirmer la *liberté des peuples à disposer d'eux-mêmes*. Mais les nations punies et démembrées rêveront de révision tandis que le problème des minorités sera loin d'être réglé.

2. LA PUNITION DES VAINCUS

Les traités de Versailles, Saint-Germain-en-Laye, Neuilly, Trianon et Sèvres règlent chacun le sort d'un vaincu.

L'**Allemagne** est l'objet du **traité de Versailles** (28 juin 1919) qui porte sur ses frontières, son désarmement et les réparations auxquelles elle est tenue.

L'ancien Reich perd 1/7e de son territoire et 1/10e de sa population. **À l'ouest**, elle restitue l'Alsace et la Lorraine à la France. La Belgique annexe les cantons d'Eupen, Malmédy et Saint-Vith. La Sarre est placée sous le contrôle de la Société des Nations (SDN), mais en union douanière avec la France qui voit dans le charbon sarrois une compensation pour les pertes subies dans le Nord - Pas-de-Calais. **À l'est**, le « corridor » de Dantzig et le sud de la Haute-Silésie passent à la Pologne qui partage le territoire de Teschen avec la Tchécoslovaquie. **Au nord**, le Schlesvig est rattaché au Danemark après plébiscite.

---

12. LES PAYSANNES ET LA GUERRE À VILLENEUVE-SUR-LOT.

Ici la veuve a continué l'exploitation avec le concours de son père trop vieux et de son fils trop jeune. Elle a tenu le coup avec ses réserves d'avant la guerre et sa pension de veuve. Elle est riche. Là il y avait deux fils et une fille. Les deux fils sont restés là-bas. La fille, aidée de la pension du vieux est riche. Plus loin, c'est un couple de métayers avec un enfant : la veuve a attaché l'enfant sur son corps et s'est jetée dans la Garonne. Une autre est partie à la ville et a roulé dans un ruisseau. Ceux-ci avaient trois fils, deux y sont restés, le troisième est parti ailleurs et les deux vieux étaient naguère, après quatre-vingts ans, chacun de leur côté du foyer désert. Le père est parti à son tour et la mère est seule.

A. SALÈRES, *Mon pays, ma maison. Deux monographies*, (s.l.), 1936.

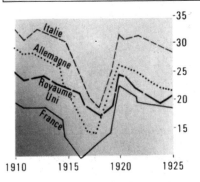

13. *Taux brut de natalité* en ‰, 1910-1925.

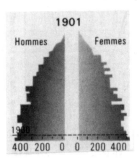

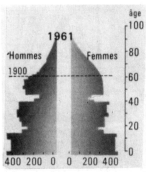

14. *Pyramides des âges de la France,* 1901 et 1961, en milliers.

Afrique du Sud	Italie
Argentine	Japon
Australie	Libéria
Belgique	Nicaragua
Bolivie	Norvège
Brésil	Nouvelle-Zélande
Canada	Panama
Chili	Paraguay
Chine	Pays-Bas
Colombie	Pérou
Cuba	Pologne
Danemark	Portugal
Espagne	Roumanie
France	Salvador
Grande-Bretagne	Siam
Grèce	Suède
Guatemala	Suisse
Haïti	Tchécoslovaquie
Honduras	Uruguay
Inde	Venezuela
Iran	Yougoslavie

15. *La SDN en 1919.*

Année	Admissions	Retraits (à l'expiration du préavis)
1920	Autriche Bulgarie Costa Rica Finlande Luxembourg Albanie	
1921	Estonie Lituanie Lettonie	
1922	Hongrie	
1923	Irlande Éthiopie	
1924	République dominicaine	
1926	Allemagne	
1927		Costa Rica
1928		Brésil
1931	Mexique	
1932	Turquie Irak	
1934	URSS * Afghanistan Équateur	
1935		Japon Allemagne
1937	Égypte	Paraguay
1938		Guatemala Nicaragua Honduras Autriche **
1939		Salvador Italie Éthiopie ***
1940		Chili Venezuela
1941		Pérou Hongrie Espagne
1942		Roumanie
1943	Éthiopie****	
1944		Haïti
1946		

* Exclusion de l'URSS en 1939.
** Perte de la qualité de membre à la suite de l'Anschluss.
*** Perte de la qualité de membre par suite de la reconnaissance par les États membres de la SDN de l'annexion de ce pays par l'Italie.
**** Rétablissement de la souveraineté de l'Éthiopie qui recouvre automatiquement sa qualité de membre.

Ces territoires, peuplés de fortes minorités allemandes, constitueront un facteur déterminant dans la naissance d'un esprit et d'une politique de revanche en Allemagne qui n'acceptera pas le « *diktat* » de Versailles.

Les **traités de Saint-Germain-en-Laye** (19 septembre 1919) et de **Trianon** (2 juin 1920) disloquent l'**Empire austro-hongrois.** Ravalant l'Autriche au rang de petit pays, ils satisfont en partie les revendications italiennes sur le Trentin – Haut-Adige et la Slovénie. Les Serbes se retrouvent au coeur d'un nouvel État, la *Yougoslavie,* agité dès l'origine par un fort mouvement autonomiste croate. Ces traités créent aussi la *république tchécoslovaque,* proclamée dès le 28 octobre 1918, en détachant la Bohême de l'Autriche et la Slovaquie de la Hongrie. Celle-ci perd en outre la Transylvanie au profit de la Roumanie.

Le **traité de Neuilly** (27 novembre 1919) ampute la **Bulgarie** au profit de la Grèce, de la Roumanie et de la Yougoslavie.

Le dépeçage de l'**Empire ottoman** résulte du **traité de Sèvres** (10 août 1920) dont l'ampleur des dispositions suscita une violente réaction conduite par Mustapha Kemal (Atatürk). Le traité de Lausanne (10 août 1923) y met fin. Réduite à ses frontières actuelles, la Turquie conserve la Thrace orientale et la côte d'Asie mineure au détriment de la Grèce. Elle échange ses nationaux des territoires qu'elle perd contre les populations grecques de ceux qu'elle garde. Les territoires arabes sont quant à eux placés sous mandat de la Société des Nations.

3. LES CONSÉQUENCES DE L'EFFONDREMENT RUSSE

L'ancienne Russie connaît des mouvements centrifuges nombreux et violents après la révolution de 1917 (voir p. 23). La *Finlande* proclame son indépendance (5 décembre 1917). Trois *États baltes* voient le jour : Estonie, Lettonie et Lituanie. La *Pologne,* dont la reconstitution a été décidée durant la Conférence de Versailles, exige le retour à la frontière de 1772 et part en guerre contre les Soviétiques. Le traité de Riga (12 mars 1921) lui cède des territoires à fortes minorités ukrainiennes et bessarabiennes. Ailleurs, des *mouvements autonomistes* conduisent à la proclamation de républiques indépendantes (Géorgie, Azerbaïdjan) reconnues par les Alliés. Déstabilisées, elles seront transformées en républiques soviétiques sans toutefois renoncer à leur volonté d'indépendance (voir p. 35). Malmenée, l'URSS parvient toutefois à conférer une certaine homogénéité à la mosaïque de peuples et de régions qui la composent. Mais elle est isolée de l'Occident, de la Baltique à la Mer Noire, par un chapelet d'États qui reçoit le nom évocateur de « *cordon sanitaire* ».

4. LA CRÉATION DE LA SDN ET LES MANDATS

Mentionné dans le programme de Paix de Wilson, le Pacte de la *Société des Nations* est inclus dans les traités. Née le 10 janvier 1920, elle comprend une Assemblée, un Conseil, un Secrétariat et des organismes auxiliaires parmi lesquels la Commission permanente des *mandats ** en vertu desquels la tutelle sur les anciennes colonies allemandes fut principalement exercée par le Royaume-Uni et la France. Il en alla de même au Proche-Orient où la France (Liban et Syrie) et le Royaume-Uni (Irak et Palestine) affirment leur présence. La Palestine, divisée en 1921, doit accueillir, à l'ouest du Jourdain, le Foyer National Juif promis par la « déclaration » Balfour du 2 novembre 1917. L'Italie, grugée (voir p. 38), et les États-Unis, dont le Sénat avait rejeté le traité de Versailles, n'eurent pas voix au chapitre.

←

16. *La SDN, 1920-1946.*
(D'après *La Documentation Photographique,* n° 7009, Paris, février 1992, fiche 9).

III. LES CONSÉQUENCES ÉCONOMIQUES

La guerre a provoqué d'énormes *destructions d'infrastructures* industrielles et saccagé d'immenses espaces ruraux. Mais ces ravages ont été un facteur de modernisation par le biais de la reconstruction. En revanche, le financement de l'effort de guerre de chaque belligérant a provoqué de *graves perturbations de l'ordre financier et monétaire.* Les gouvernements ont dû financer un colossal effort en recourant à l'impôt, à l'emprunt et à la planche à billets. Ils ouvrent ainsi la voie, d'une part, à des déficits publics impensables avant 1914, à l'*inflation* * et au désordre monétaire international (voir p. 31) et, d'autre part, à un transfert du leadership monétaire vers les États-Unis.

1. HAUSSE DES PRIX ET AUGMENTATION DE LA MASSE MONÉTAIRE EN CIRCULATION

La *hausse des prix* est caractéristique de la période de guerre. Une fois les stocks épuisés, la demande se maintenant voire augmentant pour certains produits, les prix grimpent d'autant plus que sévit un important *marché noir.* Cette hausse des prix justifie une *hausse des salaires* car les gouvernements ne peuvent risquer des explosions sociales qui compromettraient l'effort de guerre. Prix et salaires en hausse obligent les banques centrales à augmenter la quantité de monnaie en circulation. Cette *inflation* * de guerre se révèlera et se renforcera une fois la paix revenue (voir p. 28).

2. ENDETTEMENT DES BELLIGÉRANTS ET TRANSFERT DES RÉSERVES D'OR

L'effort de guerre des belligérants a nécessité d'importants approvisionnements auprès des pays neutres, y compris les États-Unis jusqu'en 1917. Cela entraîne un *endettement* dont le remboursement du capital et le versement des intérêts doivent être **réglés en or.** Tous les belligérants européens paient durement la note. Seule la France paraît faire exception mais c'est un leurre. Si les réserves de la Banque de France ont augmenté, c'est que le gouvernement a su mobiliser le « bas de laine » des Français, ce qui ne signifie pas absence de sortie du « métal jaune » vers les créditeurs.

Le tableau est encore plus sombre si, aux importantes sorties d'or, on ajoute les avances que les Alliés se sont consenties entre eux. Angleterre, France et États-Unis sont les prêteurs; mais seuls ces derniers ne doivent rien à personne tandis que les deux autres, tout en ayant avancé des montants importants à des débiteurs douteux comme la Russie, sont également endettés vis-à-vis des USA. Ce problème des *dettes de guerre,* empoisonnera les relations internationales durant l'Entre-deux-guerres alors qu'à Versailles tout paraissait simple puisque l'Allemagne était tenue de réparer les dommages causés.

3. LE PROBLÈME DES RÉPARATIONS

Selon la formule démagogique du ministre français Klotz « *l'Allemagne payera* », les Alliés attendaient des réparations (132 milliards de marks or à liquider jusqu'en 1988 !) les moyens de rembourser leurs dettes. Mais l'Allemagne étant incapable de rencontrer les exigences de ses vainqueurs, réunis au sein de la *Commission des Réparations,* des troupes franco-belges pénétrèrent dans le bassin de la Ruhr le 11 janvier 1923. Cette « prise de gage » ouvrit la voie à une renégociation des Réparations connue sous le nom de *Plan Dawes* (15 août 1924). Le montant des réparations était sérieusement amputé et un emprunt international, levé essentiellement aux États-Unis, aida l'Allemagne à régler une partie de sa dette. Celle-ci fut une nouvelle fois revue à la baisse dans le cadre du *Plan Young* en 1929.

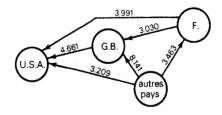

17. **Les dettes de guerre entre les Alliés**, en millions de dollars. (D'après Marc RONCAYOLO, *Nos Contemporains*, IX, Paris, 1968, p. 107).

18. **Un regard sur les relations États-Unis - Allemagne - France.** Caricature de DEL MARLE dans *Le Rire,* Paris, 10 avril 1920.

19. LE TRAITÉ DE VERSAILLES ET LES RÉPARATIONS

Art. 231. Les gouvernements alliés et associés déclarent, et l'Allemagne reconnaît, que l'Allemagne et ses alliés sont responsables pour les avoir causés, de toutes les pertes et de tous les dommages subis par les gouvernements alliés et associés et leurs nationaux en conséquences de la guerre, qui leur a été imposée par l'agression de l'Allemagne et de ses alliés.

Art. 232. Les gouvernements alliés et associés reconnaissent que les ressources de l'Allemagne ne sont pas suffisantes (...) pour assurer complète réparation (...). Les gouvernements alliés et associés exigent toutefois (...) que soient réparés tous les dommages causés à la population civile.

République Française, Ministère des Affaires étrangères, *Le Traité de Versailles,* Paris, 1919, p. 52.

20. MANIFESTE DU MOUVEMENT DADA

Plus de peintres, plus de littérateurs, plus de musiciens, plus de sculpteurs, plus de religions, plus de républicains, plus de royalistes, plus d'impérialistes, plus d'anarchistes, plus de socialistes, plus de bolcheviques, plus de politiques, plus de prolétaires, plus de démocrates, plus de bourgeois, plus d'aristocrates, plus d'armées, plus de police, plus de patries, enfin assez de toutes ces imbécillités, plus rien, plus rien, *rien, rien, rien.*

De cette façon, nous espérons que la nouveauté qui sera la même chose que ce que nous ne voulons plus, s'imposera moins pourrie, moins égoïste, moins mercantile, moins obtuse, moins immensément grotesque.

Vivent les concubines et les concubistes. Tous les membres du mouvement DADA sont présidents.

Francis PICABIA, *Littérature*, 1ère série, n° 13, 1920.

– J'vous avais dit de m'réveiller à la gare de l'Est, mais c'est pas une raison pour m'secouer comme ça !
– Non, mais des fois...Qu'est-ce que vous espériez ?... Que j'allais vous embrasser dans le cou?

21. **Albert GUILLAUME, *Conductrice*.** Caricature parue dans *Le Rire Rouge,* Paris, n° 54, 27 novembre 1915.

22. **Otto DIX**, *Grande Ville,* 1927-1928. Triptyque, huile, 181 x 402 cm, panneaux de gauche et du centre (Stuttgart, Galerie der Stadt Stuttgart).

IV. LES CONSÉQUENCES SOCIALES ET CULTURELLES

La guerre a été l'occasion d'un extraordinaire *brassage entre les hommes* de toutes conditions et origines qui ont partagé la boue des tranchées, puis l'euphorie de l'armistice. Marqués à jamais, ils retournent à la vie civile avec la conviction qu'un monde plus juste s'ouvre à eux. Des réformes électorales et sociales (la loi des 8 heures) semblent leur donner raison. Mais les difficultés économiques *(inflation *)*, de logement (régions dévastées), de même que le spectacle offert par les nouveaux riches (les *Raffkes* en Allemagne, les *Barons Zeep* en Belgique) ayant bâti leur fortune grâce à la guerre suscitent des réactions souvent contradictoires. Le bilan négatif de la guerre plaide chez certains en faveur du *pacifisme*. Chez d'autres, il débouche sur le sentiment de l'absurde et un pessimisme fondamental. En revanche, le souvenir des solidarités passées encourage la naissance d'un fort *esprit « ancien combattant »* et un *nationalisme exacerbé*. Bien des attitudes collectives de l'Entre-deux-guerres s'expliquent par cette contradiction qui conduit les uns à regretter la « Belle Époque », celle d'avant le désastre, et les autres à rêver à l'avènement d'un homme et d'un monde nouveaux.

Si le conflit a profondément marqué les hommes, il a aussi donné un puissant élan à l'*émancipation des femmes.* Sans doute connaissent-elles encore la discrimination dans le travail (au plan des salaires, de l'accès à certaines professions) et la vie politique (droit de vote), notamment. Mais, en revanche, elles sont entrées de plain-pied dans une longue révolution de la vie de famille, de la mode, des mœurs sexuelles. Ici aussi, les réactions seront le plus souvent contradictoires, à l'image des scandales provoqués par la publication de romans tels que *Le Diable au corps* (1923) de Raymond Radiguet ou *La Garçonne* (1922) de Victor Margueritte jugés offensants pour l'image de la femme telle qu'elle a été magnifiée par le courant du patriotisme nationaliste au sortir de la guerre.

24. *Une révolution*. Photographie, 1924 ou 1925.

À voir : Jean RENOIR, *La grande illusion,* France, 1937, N & B; Howard HAWKS, *Sergent York,* États-Unis, 1941, N & B; Stanley KUBRICK, *Les sentiers de la gloire,* États-Unis, 1957, N & B ; Bertrand TAVERNIER, *La vie et rien d'autre,* France, 1989, coul.

À lire : Henri BARBUSSE, *Le Feu, Journal d'une escouade,* 1916; Maurice GENEVOIX, *Ceux de 14,* 1916-1921; Jules ROMAINS, *Vorge contre Quinette,* tome XVII des *Hommes de Bonne Volonté,* 1937; Erich-Maria REMARQUE, *À l'ouest, rien de nouveau,* 1929; Joseph ROTH, *La crypte des capucins,* 1ère traduction française, 1983.

23. GUERRE ET RAPPORTS DES SEXES

[Les femmes] découvrent de nouveaux espaces de liberté (...). L'étau de la surveillance familiale s'est desserré. Les convenances se sont atténuées(...). Les rituels de fiançailles, si prolongés dans l'Angleterre victorienne, se sont dénoués dans l'urgence. La rencontre amoureuse et sexuelle a été (...) transformée par la hantise de la mort. Peut-être le spectacle du champ de bataille a-t-il contribué à l'avènement du couple moderne, centré sur une exigence de réalisation individuelle et non plus patrimoniale (...). Ces changements (...) sont étroitement limités par les rôles sexuels traditionnels qui se trouvent même renforcés. L'infirmière incarne à la fois la femme soignante et la mère (...).
Sur les épaules des filles, le poids des familles, et singulièrement des pères, frustrés de l'avenir de leurs fils, se fait plus lourd. (...). La fraternité des armes nourrit, après guerre, un antiféminisme souvent virulent (...). Confrontées à leurs devoirs féminins, les femmes doivent abandonner, souvent contre leur gré (...), les positions conquises dans le travail (...).

Michelle PERROT, *Sur le front des sexes : un combat douteux,* dans *Vingtième Siècle. Revue d'Histoire,* n° 3, juillet 1984, pp. 71, 74 et 76.

La paix revenue, l'État ainsi que chaque ville et village s'empressent de passer commande pour des monuments destinés à perpétuer la mémoire des soldats morts au champs d'honneur. D'autres monuments sont érigés en hommage aux victimes civiles (représailles, résistance). Ces monuments, choisis le plus souvent sur catalogue, constituent un exceptionnel témoignage du rapport instauré par la Nation avec ses fils « morts pour la patrie ». Tombeaux du soldat inconnu, ossuaires dominant d'immenses cimetières militaires, monuments urbains et ruraux empreints de grandiloquence, de sobriété ou de pacifisme explicite, constituent une typologie des multiples sens donnés à « la grande boucherie » de 1914-1918.

1. *Monument aux Morts de Dinant.* Œuvre du sculpteur Frans HUYGELEN, il honore la mémoire des victimes civiles du massacre d'août 1914 et celle des déportés, des soldats dinantais et des soldats français tombés les 15 et 23 août 1914.

2. LA FÊTE DE LA VICTOIRE (PARIS, 14 JUILLET 1919)

Ils apercevaient sous l'Arc de Triomphe, à travers les lances des dragons, le faîte du grand cénotaphe. Ils savaient (...) qu'il portait en lettres énormes, l'inscription : « Aux morts pour la Patrie» (...). La fête de la Victoire allait être en premier lieu une fête des Morts. Tout le monde le savait, y pensait, y consentait (...). Jamais avant de célébrer la victoire, (les hommes) n'ont été gênés à ce point par la pensée des morts. C'est pourtant cette fois-ci une bien grande victoire; la plus grande, en un sens, qu'il y ait jamais eu. Oui, mais c'est peut-être aussi qu'il n'y a jamais eu tant de morts. Dans cette mathématique de la folie humaine (...) les proportions se disloquent (...). Le tas des morts monte plus vite que le trophée. La victoire a beau grandir, elle ne réussit plus à rattraper les morts. Les patries en arrivent à un point difficile. Autrefois l'idée ne serait pas venue de donner aux morts la vedette dans la cérémonie du triomphe. Les morts s'appelaient les tués et ils appartenaient par définition aux gens d'en face, qu'on avait battus (...). Jadis les morts restaient sur le champ de bataille, plus ou moins confondus avec ceux de l'adversaire. Les corbeaux et la terre se partageaient la besogne d'allégement du souvenir (...). Il y a un grand changement. Les patries (...) n'osent plus compter les morts parmi les frais inévitables (on ne fait pas d'omelette sans casser des œufs). L'on ne cessera plus de demander pardon aux morts d'avoir accepté leur sacrifice, d'avoir été bien obligés de l'accepter. Oh comme la position est devenue fausse pour les patries ! Elles ont recours autant qu'elles peuvent à la littérature et aux rites légués par le passé pour escamoter le problème (...). Une sonnerie retentit (...), une immense sonnerie (...), une sonnerie qui vous entre dans le torse, à la hauteur du diaphragme, comme une grande lame glacée; la sonnerie aux morts.

Jules ROMAINS, *Les Hommes de bonne volonté*, XVII : *Vorge contre Quinette*, Paris, 1937, pp. 265-269.

3. HOSTIES NOIRES

Nous n'avons pas loué de pleureuses, pas même les larmes de vos femmes anciennes.
Elles ne se rappellent que vos grands coups de colère, préférant l'ardeur des vivants (...).
Écoutez-nous, Morts étendus dans l'eau au profond des plaines du Nord et de l'Est.
Recevez ce sol rouge, sous le soleil d'été, ce sol rougi du sang des blanches hosties.
Recevez le salut de vos camarades noirs, Tirailleurs sénégalais,
Morts pour la République.

Léopold Sédar SENGHOR, *Hosties noires : Aux tirailleurs sénégalais morts pour la France* (1938), dans *Poèmes*, Paris, 1974, pp. 62-63.

4. **Monument aux Morts de la commune du Lorrain à La Martinique.**

6. **Monument aux Morts à Hamme-Mille** (commune de Beauvechain).

5. **« Que maudite soit la guerre ! »**. Monument aux Morts dû au ciseau d'une femme, Émilie RODEZ, à Équeurdreville, dans la banlieue de Cherbourg (France, Manche).

7. « UNE DISCRÉTION HONTEUSE »

(...) Le respect mêlé de tendresse dont sont aujourd'hui entourés en France les anciens poilus, même pourvu de cette ironie iconoclaste qui s'exprime dans les dessins de Reiser est refusée à tous les homologues allemands. Emportés dans le maelström hitlérien, les anciens de 14-18 n'ont pas d'existence collective.

(...) Les raisons de cette discrétion honteuse sont faciles à deviner : soucieuse de présenter à ses voisins l'image d'une nation ayant rompu avec un militarisme séculaire, l'Allemagne officielle ignore ses vieux soldats, et ceux de la première guerre mondiale payent également les crimes de la Wehrmacht nazie (...).

Les autorités municipales, bien souvent, prêtent peu d'attention aux monuments aux morts des villes et des villages : à quoi bon faire des efforts puisque ce n'est pas là que les notables viendront se faire photographier par la presse locale ? Les champs de bataille sont à l'étranger, les cimetières où reposent les camarades aussi, et, faute de vraie capitale, aucun monument central n'appelle au ralliement des rescapés.

Luc ROSENZWEIG, *La grande frustration des rescapés allemands*, dans *Le Monde*, 10 novembre 1988, pp. 18-19.

CHAPITRE 2 : LES RÉVOLUTIONS RUSSES

⇒ **Atlas,** 59 D

Au début du XXe siècle, la plupart des pays d'Europe occidentale évoluent vers un système démocratique. Mais les Russes sont encore en pleine autocratie : ils ne disposent ni des libertés fondamentales, ni d'institutions représentatives.

La « grande guerre » va cristalliser des mécontentements que l'autorité du tsar avait jusqu'alors réussi à maîtriser… En 1917, c'est l'explosion. Comment ce peuple, sans habitude de l'autonomie va-t-il gérer un pays immense aux nationalités multiples, plongé dans une crise sans précédent et écartelé entre des modèles contradictoires?

1. LA RUSSIE EN 1904: UNE SITUATION EXPLOSIVE

Toutes les classes de la société russe sont en effervescence: l'indivision des terres dans les communes rurales (...) fait du paysan une proie toute prête pour les agitateurs qui le poussent à (...) prendre de vive force les domaines de la noblesse; le prolétariat, dont la création remonte à quelques années à peine, s'est du premier coup montré révolutionnaire et ses revendications s'expriment sous la forme la plus violente; la jeunesse des écoles est une pépinière d'anarchistes, et les plus modérés des jeunes gens qui sortent des universités, s'ils n'y participent pas, applaudissent du moins aux attentats terroristes; les marchands (...) se composent, sauf quelques très honorables exceptions dans les grandes villes de Russie, de trafiquants rapaces et peu scrupuleux; la noblesse est frondeuse, brouillonne et dénuée de sens pratique; le fonctionnaire est une des plaies du pays.

Puis brochant sur le tout un pouvoir tour à tour débonnaire et arbitraire, des ministres de plus en plus médiocres et divisés entre eux, un souverain monté trop jeune sur le trône, bienveillant mais ignorant des choses et des hommes, hésitant et obstiné à la fois, jaloux de son autorité et incapable de l'exercer, tantôt se livrant par bonté, tantôt se dissimulant pour agir et le faisant sans discernement.

Rapport de BOMPART, ambassadeur de France à Saint-Pétersbourg, 27 août 1904 (D'après R. GIRAULT, *La révolution russe de 1905 d'après quelques témoignages français* dans *Revue historique,* vol. 230, 1963, pp. 99-100).

3. NICOLAS II

(...) Même après avoir accordé la Constitution, Nicolas se considéra toujours comme un souverain absolu dans le sens que nous pouvons exprimer ainsi qu'il suit : « Je fais ce que je veux, et ce que je veux est bien; si le peuple ne le voit pas, c'est qu'il ne se compose que de simples mortels, tandis que moi, je suis l'oint du Seigneur ».

Comte S. WITTE, *Mémoires,* Paris, (1921), p. 161.

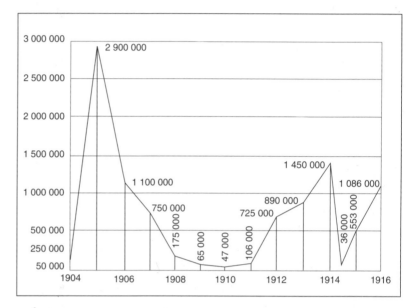

2. *Évolution du nombre de grévistes de 1904 à 1916* (D'après M. LARAN, *Russie-URSS 1870-1970,* Paris, 1973, p. 62).

4. *Dessin anonyme évoquant la répression du « Dimanche rouge » à Saint-Pétersbourg,* janvier 1905.

5. LA RÉVOLUTION DE FÉVRIER

Le 23 février, c'était la « Journée internationale des Femmes ». (...) Pas une organisation ne préconisa la grève pour ce jour-là. (...) En fait il est (...) établi que la Révolution de février fut déclenchée par les éléments de la base (...). Le nombre de grévistes, (...) fut (...), d'environ 90 000. (...) Le lendemain, le mouvement, loin de s'apaiser, est (...) en recrudescence (...). Les travailleurs se présentent dès le matin dans leurs usines et, au lieu de se mettre au travail, ouvrent des meetings, après quoi ils se dirigent vers le centre de la ville. (...) Le mot d'ordre « Du pain » est écarté ou couvert par d'autres formules. « À bas l'autocratie ! » et « À bas la guerre ! ». (...) Le 25, la grève prit une nouvelle ampleur. (...) il se produit des conflits avec la police. (...) Le 26 février était un dimanche. (...) Peu à peu les ouvriers opèrent leur concentration et, de tous les faubourgs, convergent vers le centre. On les empêche de passer les ponts. Ils déferlent sur la glace : car, en février, toute la Néva est un pont de glace. (...) Les soldats ont reçu l'ordre (...) de tirer (...) « Ne tirez pas sur vos frères et sœurs ! » crient les ouvriers (...) le 27 février (...). L'un après l'autre, (...) les bataillons de réserve de la Garde se mutinèrent, (...). Ça et là, des ouvriers ont déjà réussi à s'unir avec la troupe, à pénétrer dans les casernes, à obtenir des fusils et des cartouches. (...) Vers midi , Pétrograd est redevenu un champ de bataille.(...)

Léon TROTSKI, *Histoire de la révolution russe, 1. La révolution de février*, 1950, pp. 144-169.

7. ***Affiche de propagande,*** 1918.

6. LA RÉVOLUTION D'OCTOBRE

Le Comité militaire révolutionnaire engagea les opérations décisives vers deux heures du matin. Trois membres du comité furent chargés d'établir le plan des opérations. Il consistait à occuper d'abord les quartiers de la ville attenant à la gare de Finlande : le côté de Viborg, le côté de l'extrémité de Saint-Pétersbourg, etc. Ensuite on pouvait commencer l'offensive vers le centre de la capitale. Il n'y eut pas de résistance. Vers deux heures du matin, de petits détachements occupèrent l'un après l'autre les gares, les ponts, les centrales électriques, l'agence télégraphique sans rencontrer d'opposition. Les opérations militaires ressemblaient plutôt à des relèves de garde. Les opérations engagées se déroulèrent sans effusion de sang, il n'y eut pas une seule victime. La ville était parfaitement calme, le centre comme les faubourgs dormait profondément, sans se douter de ce qui se passait dans le silence de la froide nuit d'automne(...).
Quand les points importants de la capitale furent occupés sans résistance, le Comité Militaire Révolutionnaire fit sonner les cloches (...).

N.N. SUKHANOV, *La Révolution russe,* 1917, Paris, 1965.

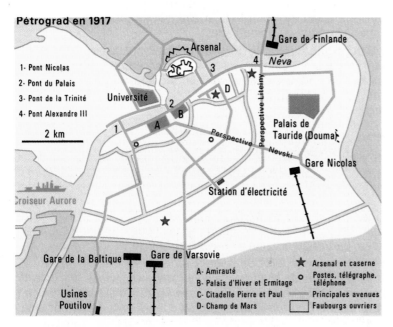

9. ***Périmètre des événements du 24 au 25 octobre 1917.***

8. FÉVRIER 17 : UNE SOCIÉTÉ EN CRISE

Depuis des mois on avait l'impression (...) de danser sur un volcan. Malgré les morts accumulés, malgré les inquiétudes de la guerre, malgré les insuffisances du ravitaillement de la ville, malgré les rigueurs d'un terrible hiver, une folie de plaisir s'était emparée des habitants de Petrograd. Des fortunes scandaleuses s'édifiaient en quelques semaines. Peu sûrs de la valeur du papier après la guerre, les nouveaux riches se hâtaient de le monnayer en jouissances immédiates. Ils éclaboussaient le peuple de leur luxe insolent (...). Jamais on n'avait vu tant d'autos circuler dans les rues, de diamants scintiller sur les épaules des femmes. (...) Dans les restaurants à la mode s'étalait une orgie incessante (...). Pendant ce temps, la famine s'annonçait menaçante (...). Malgré leurs salaires très élevés depuis la guerre, il n'était pas rare qu'en rentrant chez eux, les ouvriers se trouvassent sans pain (...) les prix des denrées les plus indispensables atteignaient des prix exorbitants (...). La vie devenait de plus en plus intolérable chaque jour. Pour ces raisons, et d'autres encore, le gouvernement était haï.

Marylie MARKOVITCH, *La révolution russe vue par une Française*, Paris, 1918 (D'après G. COMTE, *La révolution russe par ses témoins,* Paris, 1963, p. 85).

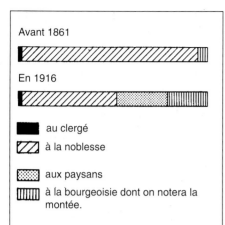

Avant 1861

En 1916

■ au clergé

▨ à la noblesse

▦ aux paysans

▥ à la bourgeoisie dont on notera la montée.

10. *La répartition des terres en Russie avant 1917* (D'après J. LEFÈVRE et J. GEORGES, *Les temps contemporains vus par leurs témoins,* Tournai, 1974, p. 69).

---

11. LE PARTI VU PAR LÉNINE

(...) L'organisation des révolutionnaires doit englober avant tout et principalement des hommes dont la profession est l'action révolutionnaire.

J'affirme (...) qu'il ne saurait y avoir de mouvement révolutionnaire solide sans une organisation de dirigeants stable et qui assure la continuité du travail; (...) qu'(elle) doit se composer principalement d'hommes ayant pour profession l'activité révolutionnaire; (...) que, dans un pays autocratique, plus nous *restreindrons* l'effectif de cette organisation au point de n'y accepter que des révolutionnaires de profession ayant fait l'apprentissage de la lutte contre la police politique, plus il sera difficile de se « saisir » d'une telle organisation (...).

On nous objectera que notre point de vue (...) est en contradiction avec le « principe démocratique ». (Il) implique (...) deux conditions *sine qua non;* premièrement l'entière publicité et deuxièmement l'élection à toutes les fonctions (...) Essayez un peu de faire tenir ce tableau dans le cadre de notre autocratie ! Est-il concevable que chez nous tous ceux « qui reconnaissent les principes du programme du Parti et soutiendront ce dernier dans la mesure de leurs forces » contrôlent chaque pas fait par des révolutionnaires clandestins, alors que le révolutionnaire est *obligé*, dans l'intérêt du travail, de dissimuler aux neuf dixièmes de ces « tous » qui il est (...). L'on comprendra que le « large démocratisme » de l'organisation du Parti, dans les ténèbres de l'autocratie (...) n'est qu'un *hochet inutile et nuisible.*

LÉNINE, *Que faire ?* (D'après S. BERSTEIN, *Lénine et la révolution russe,* Paris, 1971, pp. 19-20).

---

1. UN PAYS ABANDONNÉ À SES CONTRADICTIONS

Nicolas II est faible et influençable, mais imbu d'une autorité qui se veut encore toute puissante et de droit divin. Il règne depuis 1894 sur un immense empire qui compte quelque 200 **nationalités** « *russifiées* » par un État central russe, slave et orthodoxe. Le peuple est en grande majorité occupé dans l'agriculture, isolé, dramatiquement démuni sur le plan intellectuel et plongé dans la misère. Les **Moujiks** * ne possèdent qu'une petite partie du sol, les techniques restent arriérées, les rendements médiocres. Seuls les **Koulaks*** jouissent d'une situation un peu meilleure. L'industrialisation s'est accélérée mais dépend de capitaux étrangers et d'un marché extérieur. Les conditions de vie des **ouvriers** sont désastreuses. La **bourgeoisie,** qui souhaite des changements, manque d'expérience politique et se sent coincée entre l'*autocratie* * qu'elle voudrait combattre et la classe ouvrière qu'elle craint. La Russie est au bord du déséquilibre.

2. DES OPPOSITIONS ?

Le libéralisme

Le mouvement se partage entre deux pôles. **Les modérés,** représentés surtout par les *grands bourgeois* et *grands propriétaires,* souhaitent une chambre consultative destinée davantage à donner au pays la possibilité de s'exprimer qu'à limiter le pouvoir autocratique. **Les radicaux,** parmi lesquels on trouve beaucoup d'*intellectuels,* proposent des réformes sociales et l'élection au suffrage universel d'une assemblée constituante chargée de définir le régime du pays. Tout cela sans recours à la violence.

Les mouvements révolutionnaires

Le Parti Ouvrier Social-Démocrate russe (POSD, 1898), influencé par le marxisme, pense que l'avenir de la révolution repose sur la classe ouvrière en voie de formation, comme ailleurs en Europe. Mais des divergences internes s'expriment rapidement sur l'organisation du Parti et la tactique révolutionnaire. Au congrès de 1903, Lénine préconise un Parti fermé, composé d'un nombre restreint de révolutionnaires professionnels, prêts à agir le plus tôt possible. Martov, rejoint par Trotski, veut l'ouvrir à tous les sympathisants et estime que l'industrialisation et la prolétarisation de la Russie ne sont pas suffisamment avancés pour déclencher une révolution ouvrière. Lors des élections au comité central, les « léninistes » s'imposent. C'est la rupture entre *Bolcheviks* (en russe : majoritaires) et *Mencheviks* (minoritaires).

Les Socialistes Révolutionnaires (SR, 1902) sont surtout implantés dans les campagnes. Ils considèrent qu'en Russie les paysans, et non les ouvriers, sont les agents de la révolution et voient dans la commune rurale (le *Mir)* le point de départ d'un socialisme paysan.

3. 1905 : LA RUPTURE

La défaite russe dans la guerre avec le Japon suscite un choc dans l'opinion publique déjà déstabilisée par de graves difficultés économiques. A l'occasion d'un conflit de travail, une grève se généralise à Saint-Pétersbourg. Le matin du **9 janvier 1905**, des cortèges populaires convergent vers le Palais d'Hiver avec une pétition. Ils demandent des réformes politiques, économiques et sociales. La troupe tire. Ce « **Dimanche rouge** » marque une rupture définitive : le prestige du tsar s'est effondré.

Sous la pression de la population qui reste mobilisée, Nicolas II concède d'abord la création d'une assemblée consultative élue, la **Douma,** puis érige celle-ci en assemblée législative. Cette décision qui fait de la Russie une monarchie constitutionnelle satisfait les libéraux et les sépare définitivement des mouvements révolution-naires. Mais le pouvoir rognera petit à petit ce qu'il a accordé. Les libertés proclamées en 1905 (d'opinion, de réunion, de presse, syndicales...), sans être juridiquement supprimées, sont soumises à un contrôle policier qui les rend illusoires. À partir de 1907, l'opposition n'est plus qu'à peine représentée à la Douma.

Autour des années 1912-1914, l'agitation sociale reprend. Le régime est décidément incapable de se réformer en profondeur. La guerre va en précipiter la chute.

4. LA GUERRE

Contrairement à ce que le gouvernement avait escompté, rien ne présage après quelques mois un arrêt imminent des hostilités. Or la Russie n'a pas les moyens de faire face à un long conflit. Au cours de l'hiver 1915-1916, c'est le **désastre**. On rejette la respon-sabilité de la catastrophe sur l'arrière. La Douma reproche au gou-vernement son incapacité. Le peuple doit apprendre à s'organiser seul. Mais au lieu de favoriser cette évolution, Nicolas II reste accroché à l'image du tsar autoritaire et protecteur.

II. LES RÉVOLUTIONS DE 1917

1. FÉVRIER 1917 : LIQUIDATION DE L'ORDRE ANCIEN

Vers le milieu de février, *Pétrograd* (dès le 2 août 1914 le terme de Saint-Pétersbourg est abandonné à cause de sa consonance trop germanique) connaît de dramatiques problèmes d'approvisionne-ment. Le 23, des ouvriers, petits employés, étudiants... forment un cortège pacifique pour réclamer du pain et la fin de la guerre. La plupart des usines se mettent en **grève**. Les Bolcheviks prennent le mouvement en main. L'agitation s'amplifie. Le 27, les soldats reçoivent l'ordre de tirer sur la foule. Ils se mutinent contre leurs officiers et fraternisent avec les manifestants. Le Palais d'Hiver est investi. La révolution a triomphé avant même qu'on en prenne conscience.

Pour tenter de sauver la dynastie, Nicolas II abdique le 2 mars en faveur de son frère, le grand duc Michel qui décline le lendemain cette succession. La Russie devient *une république de fait*.

2. PREMIÈRES MESURES ET MÉCONTENTEMENTS

Dès le 27 février, les ouvriers de Pétrograd élisent un *soviet* (en russe : conseil). La Province suit : partout les villes se dotent d'une administration révolutionnaire contrôlée principalement par des **socialistes « modérés »** (Mencheviks et SR). La Douma, inquiète de cette évolution, forme un **gouvernement provisoire** composé en majeure partie de **bourgeois** désireux d'instaurer un régime parlementaire à l'occidentale (Constitutionnels Démocrates appe-lés KD ou *Cadets*) et d'un socialiste, Kérensky, également vice-président du soviet de Pétrograd. La Russie se retrouve ainsi avec un **double pouvoir** aux options fondamentalement différentes, ce qui ne pourra mener qu'à une impasse.

Le premier problème auquel il faut faire face, c'est *la guerre*. Le gouvernement veut la poursuivre. Le soviet se rallie à une position centriste : défendre la révolution et prendre des mesures pour conclure une paix sans annexions. Cette divergence contraint le gouvernement à modifier sa composition et s'ouvrir davantage aux socialistes. Mais n'est-il déjà pas trop tard ? Les ouvriers avaient exprimé des revendications modestes. Ils ne se sentent pas soute-nus face à leurs patrons. Les paysans attendent le partage des terres, du matériel agricole, du cheptel... et s'impatientent. Le nou-veau pouvoir avait proclamé l'égalité de tous les citoyens. Rien ne bouge. Les *allogènes** sont déçus. La tension monte.

12. L'ARMÉE RUSSE EN 1915

Nous avons appris que notre vaillante armée, après avoir perdu plus de 4 millions d'hommes, tués, blessés et prisonniers de guerre, non seulement bat en retraite, mais reculera peut-être encore.

De même nous avons appris les causes de cette retraite qui nous cause tant de douleur. Nous avons appris que notre armée, pour com-battre son adversaire, ne dispose point d'armes égales, et que, tandis que notre ennemi déverse sur nous sans répit une grêle de plomb et d'acier, nous ne lui envoyons en réponse qu'un nombre tout à fait inférieur d'obus.

Nous avons appris encore que, tandis que notre ennemi possède en abondance de l'artillerie légère et lourde, nous manquons presque complètement de cette dernière, et quant aux canons légers, ils ont déjà tellement servi que bientôt ils commenceront l'un après l'autre à devenir inutilisables.

Rapport de la Douma d'Empire au Tsar, début 1915 (D'après S. BERSTEIN, *Lénine et la révolution russe,* Paris, 1971, p. 24).

←

La Russie a utilisé le calendrier Julien jus-qu'en février 1918. Il retardait de 13 jours par rapport au calendrier Grégorien utilisé en Occident.

	MARS	AVRIL	MAI	JUIN	TOTAL
A	2	51	59	136	248
B	34	18	19	71	220
C	—	1	11	280	292
D	?	10	7	71	88
E	57	174	236	577	1057

A Occupations de propriétés
B Coupes d'arbres et vols de bois
C Saisies de foin
D Vol de matériel
E Divers

13. **Impatience de la paysannerie en 1917.** (D'après M. FERRO, *La révolution de 1917,* Paris, 1967, p. 411).

14. ***Lénine devant le second Congrès de tous les Soviets de Russie, le 25 octobre 1917 :*** un des tableaux consacrés à cet événement, entre 1947 et 1955, par Vladimir SEROV (1910-1968), un des principaux conservateurs de l'art soviétique dans les deux décennies après la guerre (Musée Lénine, Prague).

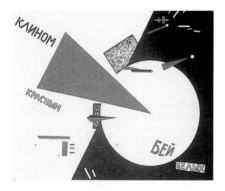

16. **EI LISSITSKY, *Enfonce les blancs avec le coin rouge !* ,** 1920.

15. UN POINT DE VUE ALLEMAND SUR LES ÉVÉNEMENTS RUSSES

La rupture de l'Entente et la mise en place, par la suite, de combinaisons politiques qui aient notre agrément constituent le but militaire essentiel de notre diplomatie. L'anneau le plus faible de la chaîne ennemie s'est trouvé être le maillon russe; il s'agissait en conséquence de le desserrer peu à peu et, si possible, de le détacher. Tel fut le but du travail subversif que nous avons poursuivi en arrière du front russe, soit avant tout (...) soutien des Bolcheviks (...) Les Bolcheviks sont maintenant arrivés au pouvoir; combien de temps le garderont-ils ? Il n'est pas encore possible de le prévoir. Ils ont besoin de la paix pour consolider leur propre position; et il est, d'autre part, entièrement conforme à notre intérêt de mettre à profit le temps où ils sont au pouvoir, et qui peut être de courte durée, pour conclure d'abord un armistice, et, si possible, la paix. La signature d'une paix séparée signifierait la réalisation du but de guerre que nous nous proposions, à savoir la rupture entre la Russie et ses Alliés. Le degré de tension qu'une telle rupture ne manquera pas d'entraîner déterminera le degré de dépendance de la Russie envers l'Allemagne et ses relations futures avec nous. Une fois rejetée et répudiée par ses anciens Alliés, et abandonnée financièrement, la Russie sera contrainte de nous demander notre aide (...). Une telle aide (...) entraînerait, me semble-t-il, un rapprochement croissant entre les deux pays.

Télégramme du secrétaire d'État aux affaires étrangères allemandes Richard von KÜHLMANN au Kaiser, Berlin, le 3 décembre 1917 (D'après F. X. COQUIN, *La révolution de 1917*, Paris, 1974, pp. 39-40).

Rentré d'exil, Lénine réclame « *la paix, la terre aux paysans, le pouvoir aux soviets* » et veut passer à une préparation active de la phase suivante de la révolution (**Thèses d'avril**). Mais soupçonné de s'être entendu avec l'Allemagne pour renverser le gouvernement, il doit s'enfuir en Finlande.

3. OCTOBRE 1917: LES BOLCHEVIKS AU POUVOIR

Entre temps, le processus de *bolchevisation* des soviets s'accélère. La majorité leur est acquise à Moscou et à Pétrograd. Rentré clandestinement le 7 octobre, Lénine préparé soigneusement l'insurrection avec Trotski (qui a rejoint les Bolcheviks). Dans la nuit du 24 au 25, les points stratégiques de la capitale sont occupés. Les ministres du gouvernement provisoire sont arrêtés. Le Congrès des Soviets de Russie élit le 26 un nouveau gouvernement composé exclusivement de bolcheviks et présidé par Lénine : le soviet des commissaires du peuple. Les **Décrets sur la Paix** et **sur la Terre** sont aussitôt lus et approuvés. Lénine lance un appel à la révolution prolétarienne internationale et fonde le *Komintern* en mars 1919.

Reste à s'imposer à l'ensemble du pays. Il faudra quatre années de *guerre civile* et le recours à des mesures autoritaires qui ne seront pas sans influence sur la physionomie du nouveau régime.

III. LES DIFFICULTÉS DU NOUVEAU RÉGIME

1. NÉGOCIER UNE PAIX IMMÉDIATE

Les Bolcheviks entreprennent des négociations avec les Empires centraux mais tentent de gagner du temps dans l'espoir de voir l'esprit révolutionnaire gagner l'armée allemande. En vain. Face à la reprise de l'offensive allemande, Lénine se prononce pour une paix séparée et immédiate quelles que soient les conditions. Le **traité** est signé le **3 mars 1918** à **Brest-Litovsk** au prix d'exigences très dures : pertes territoriales importantes (voir carte p. 10), lourdes indemnités de guerre ...

2. S'IMPOSER : LA GUERRE CIVILE

Dès novembre 1917, les Bolcheviks progressent de ville en ville. Après un mois, ils contrôlent Moscou (qui redevient capitale) ainsi que la majeure partie du Nord et du Centre de la Russie. Mais ils se heurtent au mouvement d'indépendance des nationalités, à la résistance des *Blancs**** et des révolutionnaires écartés du pouvoir (SR, Mencheviks...), aux corps francs allemands et aux anciens Alliés qui, après l'armistice de novembre 1918, se sont engagés ouvertement du côté des anti-bolcheviks. Pour sauver le Révolution, le nouveau régime est acculé à des **actions immédiates et radicales.**

L'armée rouge

La Révolution d'octobre et le Décret sur la Paix avaient achevé la décomposition de l'armée. Pour faire face à la guerre civile, le gouvernement lance un appel aux volontaires, qui reste insuffisant. Il rétablit alors le service militaire obligatoire (9 juin 1918). Mais les paysans-soldats n'ont plus envie de se battre. Face à une vague de désertions, Trotski impose une discipline rigoureuse. Pour assurer le commandement, il fait appel, contre l'avis de certains communistes, aux officiers de l'armée tsariste. Beaucoup parmi ceux qui répondent occupent ensuite des postes de promotion dans la nouvelle société. L'*armée rouge* joue aussi un rôle d'éducation (cours pour les analphabètes) et de formation idéologique. Le Parti y recrute des adhérents qui, après la démobilisation, appartiendront souvent aux cadres de l'administration soviétique.

---

17. THÈSES D'AVRIL

1. Notre attitude envers la guerre qui, du côté russe, sous le nouveau gouvernement (...) en raison du caractère capitaliste de ce gouvernement, est incontestablement restée une guerre impérialiste de brigandage, n'admet aucune concession, si minime soit-elle, au « défensisme révolutionnaire ». (...)

Devant l'indéniable bonne foi des grandes couches de partisans du défensisme révolutionnaire dans les masses, (...) et étant donné que ces masses sont trompées par la bourgeoisie, il importe de leur expliquer avec un soin particulier, (...) leur erreur, (...) de leur démontrer que, sans renverser le capital, il est impossible de terminer la guerre par une paix vraiment démocratique et non imposée par la violence. (...)

2. Ce qu'il y a de particulier dans l'actualité russe c'est la transition de la première étape de la révolution, qui a donné le pouvoir à la bourgeoisie par suite du degré insuffisant de conscience et d'organisation du prolétariat, à la deuxième étape, qui doit remettre le pouvoir entre les mains du prolétariat et des couches pauvres de la paysannerie. (...)

3. Aucun soutien au gouvernement provisoire (...).

4. (...) Expliquer aux masses que les Soviets de députés ouvriers sont la seule forme possible d'un gouvernement révolutionnaire (...).

5. Non pas république parlementaire (...) mais République des Soviets de députés ouvriers, salariés agricoles et paysans (...). Éligibilité et révocabilité à tout moment de tous les fonctionnaires; leurs traitements ne doivent pas être supérieurs au salaire moyen d'un bon ouvrier.

6. (...) Nationalisation de toutes les terres dans le pays : les terres sont mises à la disposition des Soviets locaux de députés des salariés agricoles et des paysans. Formation de Soviets de députés des paysans pauvres.

LÉNINE, *Œuvres*, XXIV, p. 3 (D'après M. FERRO, *La révolution de 1917*, Paris, pp. 130-133).

19. LE DÉCRET SUR LA TERRE
(26 octobre 1917)

1. La grande propriété foncière est abolie immédiatement, sans aucune indemnité.

2. Les domaines des propriétaires fonciers, de même que toutes les terres des apanages, des couvents, de l'Église, avec tout leur cheptel mort ou vif, leurs bâtiments et toutes leurs dépendances, passent à la disposition des comités agraires de canton et des soviets des députés paysans de district, jusqu'à ce que la question soit réglée par l'assemblée constituante.

3. Toute dégradation des biens confisqués qui appartiennent doré- navant au peuple tout entier est pro- clamée crime grave, punissable par le tribunal révolutionnaire. Les soviets des députés paysans de district prennent toutes les mesures nécessaires pour faire observer un ordre rigoureux lors de la confisca- tion des domaines des grands pro- priétaires fonciers, déterminer l'étendue des terrains à confisquer et les désigner exactement, dresser un strict inventaire de tous les biens confisqués et assurer la garde révo- lutionnaire rigoureuse de toutes les exploitations agricoles, construc- tions, outillage, bétail, provisions, etc., qui passent au peuple (...).

4. Les terres des simples paysans et des simples cosaques ne sont pas confisquées...

(D'après John REED, *Dix jours qui ébran- lèrent le monde,* Paris, 1958, pp. 183- 184).

18. LA PÉRIODE DE CRISE RÉVOLUTIONNAIRE

La loi fondamentale des révolutions, confirmée par toutes les révolu- tions, et en particulier par les trois révolutions russes du XXe siècle, la voici : il ne suffit pas, pour que la révolution ait lieu, que les masses exploitées et opprimées aient conscience de l'impossibilité de vivre comme autrefois et réclament des changements. Il faut, pour que la révolution ait lieu que les exploiteurs ne puissent pas vivre et gouverner comme autrefois. C'est seulement lorsque « ceux d'en bas » *ne veulent plus* et que « ceux d'en haut » *ne peuvent plus* continuer de vivre à l'*ancienne manière,* c'est seulement alors que la révolution peut triom- pher. Cette vérité s'exprime autrement en ces termes : la révolution est impossible sans une crise nationale (affectant exploités et exploiteurs). Ainsi donc, pour qu'une révolution ait lieu, il faut : premièrement, obtenir que la majorité des ouvriers (ou en tout cas, la majorité des ouvriers conscients, réfléchis, politiquement actifs) ait compris parfaitement la nécessité de la révolution et soit prête à mourir pour elle; il faut ensuite que les classes dirigeantes traversent une crise gouvernementale qui entraîne dans la vie politique jusqu'aux masses les plus retardataires (l'indice de toute révolution véritable est une rapide élévation au décuple, ou même au centuple du nombre des hommes aptes à la lutte politique, parmi la masse laborieuse et opprimée, jusque-là apathique), qui affaiblit le gouvernement et rend possible pour les révolutionnaires son prompt renversement.

LÉNINE, *La maladie infantile du communisme,* XXI, 1920, pp. 80-81 (D'après C. BACHMANN, *Lénine,* Paris, 1970, p. 136).

20. L'INSURRECTION DE CRONSTADT

Cette protestation contre la prolon- gation de la politique de la réquisi- tion des récoltes (...) n'était rien d'autre que le point culminant des soulèvements paysans qui avaient dévalé sur toute la Russie (...). Les Cronstadtiens ont avancé les mêmes mots d'ordre qu'eux, et ce ne sont pas des généraux blancs, des socialistes révolutionnaires, des mencheviks, des cadets ou des aventuriers de tout poil, qui les ont dirigés (...) mais des matelots du rang et des soldats de l'Armée rouge fraîchement sortis de la pay- sannerie.

I. ERMALAEV, *Le pouvoir aux soviets,* 1989 (D'après J. J. MARIE, dans *L'Histoi- re,* n° 142, mars 1991, p. 66).

21. *L'alphabétisation des campagnes. Affiche de propagande en deux volets de RADAKOFF.*

Le « communisme de guerre »

L'économie du pays est en ruine. Le pouvoir réagit en *nationalisant* un grand nombre d'entreprises. Pour assurer la livraison des produits agricoles, il charge des comités de paysans pauvres soutenus par des ouvriers de *réquisitionner* les surplus auprès des *koulaks* *. Les résultats sont faibles. La contrepartie en biens manufacturés et en monnaie ne satisfait pas la paysannerie. Elle réagit par une limitation des surfaces ensemencées et un retour à une économie de subsistance. Les villes restent mal approvisionnées. Un *marché noir* se développe. La recherche de nourriture monopolise toutes les énergies, au détriment de la production industrielle qui s'effondre.

La dictature politique du parti communiste

Avant la Révolution d'octobre, les Bolcheviks avaient accusé le gouvernement provisoire de retarder la réunion de l'Assemblée Constituante. Ils ne pouvaient refuser de la former, malgré leur inquiétude. À partir de la mi-novembre, des *élections* sont organisées au suffrage universel dans une ambiance confuse. Les SR, forts de l'appui des paysans, remportent un succès écrasant. Devant cette menace, le gouvernement dissout l'Assemblée, restreint la compétence des soviets et *interdit les autres partis*. Comment expliquer cette évolution ? Pour Lénine, la phase démocratique était une étape dépassée à partir du moment où le Parti, appelé communiste depuis 1918, et identifié à la classe ouvrière avait accompli la révolution. La **Tchéka**, police politique, est créée en décembre 1917 pour écraser les tentatives contre révolutionnaires. Elle le fera souvent dans la terreur. La liberté de presse est supprimée, les adversaires du régime emprisonnés, le tsar et sa famille exécutés.

3. BILAN ET REMISE EN QUESTION

Au cours de l'année 1919, les *Blancs* * lancent des offensives mal coordonnées et commettent une série d'erreurs psychologiques et stratégiques. Ils abolissent le *Décret sur la Terre* et s'aliènent ainsi les paysans pourtant mal disposés vis-à-vis du pouvoir à cause des réquisitions. Partisans d'une Russie grande et unie, ils déçoivent les *allogènes* * qui rêvaient d'autonomie ou d'indépendance. Les Bolcheviks par contre ont mobilisé toutes leurs forces et développent avec succès une propagande intense. L'intervention étrangère aux côtés des Blancs leur permet en outre de se présenter comme les défenseurs de la terre russe.

En 1921, la guerre civile se termine à la faveur du nouveau régime. Mais le pays est dans un **état lamentable.** Le communisme de guerre a abouti à une récession inouïe. Les **révoltes paysannes** se multiplient, maintenant qu'on ne craint plus le retour des grands propriétaires. En été, une grave sécheresse s'ajoute aux effets des réquisitions. Une terrible **famine** fait plus de 5 millions de morts. Exacerbés par cette situation, les marins et ouvriers de *Cronstadt,* qui avaient formé l'avant-garde révolutionnaire, lancent une insurrection en mars. Pour le Parti, la situation est cruciale. Trotski fait écraser la rébellion dans le sang. Au même moment, deux décisions fondamentales sont prises : interdiction des fractions au sein du Parti et substitution d'un impôt en nature aux réquisitions. C'est le début d'une autre étape.

À voir : Efim DZINGA, *Les marins de Kronstadt,* URSS, 1936, N & B; Sergei M. EISENSTEIN, *Octobre,* URSS, 1927, N & B; Nikita MIKHALKOV, *Esclave de l'Amour,* URSS, 1976, N & B; Vsevold POUDOVKINE, *La Mère,* URSS, 1926, N & B.

À lire : Nina BERBEROVA, *C'est moi qui souligne,* 1989; Boris PASTERNAK, *Le Docteur Jivago,* 1957; John REED, *Dix jours qui ébranlèrent le monde,* 1958; Alexandre SOLJENITSYNE, *Août 14,* 1972.

VOCABULAIRE

Allogènes : populations non russes qui avaient été intégrées à l'Empire et le resteront sous le régime soviétique.

Autocratie : forme de pouvoir où une seule personne exerce une autorité sans limite.

« Blanc » : à l'origine, nom donné aux officiers de l'armée tsariste en raison de la couleur de leur uniforme; au cours de la guerre civile le terme désigne tous les partisans des mouvements anti- bolcheviques.

Koulak : paysan qui parvient à acquérir des terres et s'enrichit.

Moujik : paysan pauvre.

22. **Dimitri MOOR, *Affiche pour le Conseil militaire révolutionnaire à l'occasion du 2ème congrès du Komintern,*** juillet 1920.

CHAPITRE 3 : LES CRISES ÉCONOMIQUES

⇒ **Atlas,** 41 A-B

L'économie est profondément et durablement affectée par les conséquences de la guerre de 1914-1918. La question se pose d'abord de savoir comment reconstruire. Mais ce défi n'est pas le seul. La crise boursière de 1929 aux États-Unis et l'effet boule de neige qu'elle déclenche indiquent l'existence d'une dépression. Celle-ci n'est-elle pas plus prononcée, plus longue, géographiquement plus répandue que les crises du système capitaliste qui l'ont précédée ? La « grande dépression » n'est-elle pas une crise d'adaptation venant s'ajouter aux difficultés issues de la guerre ?

1. L'AMÉRIQUE EN 1927

À qui me demanderait la meilleure définition des États-Unis, je proposerais volontiers celle-ci : « un pays où la pauvreté est un article d'importation étrangère ». (...) Que l'on se sent donc loin ici du paupérisme londonien et de ses horreurs ! À la place des existences étroites de là-bas, toujours mesquinement limitées par l'éternelle question d'argent, une vie large, facile, toute feutrée par un confort matériel d'une perfection sans exemple en Europe (...).
Atmosphère de paisible assurance, de sérénité confiante, d'optimisme presque candide. Sur ces faces rasées, on lit la sécurité du lendemain, et au luxe du vêtement comme à l'éclat des parures, on devine l'opulence de l'heure présente.

Gustave CHARLIER dans *Le Flambeau* (Bruxelles), 7 octobre 1927, reproduit dans *Vues d'Amérique, 1927-1938*, Bruxelles, (1939), pp. 16-17.

2. *« LE CHÔMAGE TEND À DEVENIR UNE PROFESSION »*

(...) On l'appela. Une tête, là-bas, à un guichet comme à la guillotine, lui faisait signe. – Pierre Demaret ? – C'est moi, Monsieur. –Tenez ! Le guichet lui claqua au nez. Il ne l'entendit même pas. Il restait là, hébété, le livret entre les doigts. (...) Pourquoi le congédier ainsi ? Il n'avait rien fait... rien dit. Pendant la grève, il n'avait pas travaillé, pour sûr, mais les autres non plus... Et jamais il n'avait menacé personne... ni porion, ni jaune...(...).
L'homme s'en était allé, les épaules rabattues et le coeur vieilli de vingt ans. (...) Allez donc vous faire embaucher, vous... à cinquante ans... alors que les jeunes eux-mêmes crèvent sur le pavé comme des mites...
Près de sa porte, il s'arrêta, et noyé de bise s'assit, à même l'escalier. Il n'osait pas entrer (...). Comment la femme allait-elle prendre ça ? Et les petits, dont le plus âgé avait quinze ans et pas de travail (...). Il y avait aussi (...) les dettes qu'on avait poussées à l'extrême, à tel point que plus personne ne voulait rien livrer et que certains, les plus insolents, réclamaient à la mère, avec menaces et gros jurons (...). Faudrait-il que la femme les payât avec son cul, comme l'avait proposé le boulanger ?
(...) Et puis, il se leva, entra (...). La pièce était sombre et vide, et plus froide qu'un coeur de créancier. (...) On avait tout vendu, tout engagé (...). Il ne restait plus rien, plus rien que de la faim et de la douleur accrochés, çà et là, dans les coins.
(...) Le vieux, péniblement, s'approcha du poêle (...). Jusqu'à ce petit feu qui était encore une dette : un seau de charbon emprunté chez la voisine et à rendre dès la première paye. – Ah ! oui, la paye, murmura-t-il...

Louis GÉRIN, *Chômeur...*, dans *Le Rouge et le Noir* (Bruxelles), 8 février 1933 (D'après *Les conteurs de Wallonie*, II, Bruxelles, 1989, pp. 85-90).

3. L'AMÉRIQUE EN 1929

Les êtres qui peuplent aujourd'hui les fourmilières américaines (...) réclament des biens palpables, incontestables. Ils veulent, frénétiquement, des phonographes, des appareils de T.S.F., des magazines illustrés, des cinémas, des ascenseurs, des frigidaires, des autos, des autos, encore des autos (...). Ils n'ont pas d'argent. Pas encore assez d'argent ? Qu'importe, le principal est de vendre, même à crédit, surtout à crédit. Le commerce américain connaît la manière de reculer sans cesse les limites du marché, de remettre sans cesse au lendemain la menaçante saturation. Et l'Amérique entière s'endette avec ardeur pour permettre à l'Amérique de vendre quelque chose de plus. Beau dévouement.

Georges DUHAMEL, *Scènes de la vie future*, Paris, 1930, p. 56.

États belligérants du continent		1913	1921	Variations
France		678,9	683,3	+ 9,4
Italie		288,1	236,5	- 51,6
Belgique		59,1	51,4	- 7,7
Allemagne		278,7	260	- 18,7
Autriche-Hongrie		251,4	0	- 251,4
	Total	1 556,2	1236,2	- 320
Grande-Bretagne		175,2	763	+ 593,1
Neutres et Japon		536,1	2014,6	+1478,5
États-Unis		691,5	2529,6	+1838,1

4. *Réserves d'or entre les mains des gouvernements et des banques centrales* [en millions de dollars] (D'après J. NERE, *La crise de 1929*, 3e éd., Paris, 1971, p. 8).

	Charbon	Acier	Non-ferreux	Pétrole	Produits manufacturés	Indice
1929	96,6	100,4	97	91,3	96,1	90,9
1930	87,7	89,5	70,3	79,4	81	70,6
1931	77,7	68,4	49,5	49,4	60,8	51,2
1932	60,1	50,4	39,7	48,2	49,4	40,3
1933	55	53,9	40,7	40,2	47	37,7
1934	50,6	55,1	38,7	33,8	43,8	35,8
1935	50,4	55	42,7	32,9	44,6	36,4
1936	55,4	56,2	40,8	34,2	46	39,5
1937	73,4	89,2	49,9	41,7	61,7	47,6

5. *Indice des prix industriels mondiaux pendant la grande dépression* [base 100 = moyenne des années 1925-1929] (D'après R. GIRAULT - R. FRANCK, *Turbulente Europe et nouveaux mondes. Histoire des relations internationales contemporaines*, II : *1919-1941*, Paris-Mexico, 1988, p. 168).

---

6. UNE MANIÈRE DE DÉFINIR L'ÉTALON-OR

– Un étalon-or, dit Mattathias.
– Qu'est-ce que c'est ? demanda Salomon.
– Un grand cheval tout en or qu'on met dans les caves de la banque, expliqua Mangeclous. Plus il est gras, plus le change est bon.

Albert COHEN, *Mangeclous*, Paris, 1938, p. 301.

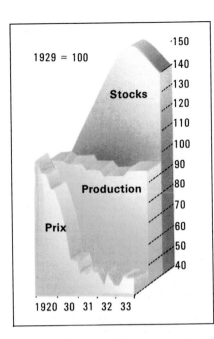

7. *Les matières premières pendant la grande dépression* (D'après P. LÉON, *Histoire économique et sociale du monde*, V, Paris, 1978, p. 304).

---

8. PROTECTIONNISME

Belges
Vous appauvrissez votre pays
Vous favorisez l'activisme
en achetant des
Automobiles
ou des
Machines à coudre
étrangères
Acheter à l'étranger
C'est affamer la main-d'oeuvre
belge.

Publicité parue dans le journal anversois *La Métropole*, 23 avril 1930, p. 7.

10. **Publicité** parue dans *L'Illustration* (Paris), 6 juillet 1930.

9. *Un chômeur en Angleterre (1930)*. Photographie (D'après *La Documentation Photographique*, n° 5-311, Paris, 1971, planche 24).

« Je connais trois métiers
Je parle trois langues
J'ai combattu pendant trois ans
J'ai trois enfants
Et n'ai pas de travail depuis trois mois
Mais tout ce que je demande
C'est UN emploi. »

11. VITESSE DE CIRCULATION DE LA MONNAIE ET INFLATION

À Moscou, à un certain moment, le désir de ne conserver aucune monnaie pour si peu de temps que ce fût atteignit une acuité incroyable. Si un épicier vendait une livre de fromage, il emportait les roubles qu'il venait de recevoir et courait aussi vite que ses jambes pouvaient le porter au Marché Central pour reconstituer son stock, en changeant ses roubles en fromage, à moins qu'ils eussent perdu leur valeur avant qu'il eût le temps d'arriver. Il justifiait ainsi les prévisions des économistes qui avaient baptisé ce phénomène « rapidité de circulation ». À Vienne au moment de la débâcle, d'infimes banques d'échange naissaient à tous les coins de rues. On y pouvait changer en francs suisses les couronnes que l'on venait de recevoir et éviter le risque de baisse que l'on aurait couru si on avait pris le temps d'aller à sa banque habituelle.

John Maynard KEYNES, *La Réforme monétaire*, Paris, 1924, p. 645.

12. ***Affranchir une lettre au plus fort de l'inflation en Allemagne...***

13. MONNAIE ET IMPÉRIALISME

En 1927, (...) la stabilisation du zloty (...) était un problème qui agitait beaucoup les gouvernements occidentaux (...) car les grandes banques centrales avaient vocation à intervenir pour veiller au cours auquel serait fixée la monnaie polonaise. Ces banques étaient des institutions puissantes et indépendantes, et leurs gouverneurs des personnalités de grand poids (...) qui étaient aux prises (...) avec de sérieux problèmes monétaires qui les rendaient solidaires pour l'essentiel. Mais quand il s'agissait des autres petites nations européennes en difficulté, chacun voulait y faire prévaloir l'influence de son pays à travers la tutelle financière. (...) La Banque d'Angleterre ne devait laisser à aucune autre le soin de régler l'affaire polonaise. (...) Mais je n'étais pas prêt à admettre qu'(elle) prît en main la stabilisation du zloty avec des exigences touchant la frontière germano-polonaise.

Jean MONNET, *Mémoires*, Paris, (1976), pp. 122-123.

I. JUSQU'À LA CRISE DE 1929

1. EFFORTS DE STABILISATION

Au lendemain de la guerre, tout le monde est convaincu que les difficultés sont terminées et que, très vite, tout redeviendra comme avant. Dans un premier temps, les pays européens anciens belligérants remettent leur machine économique en route. Mais les États-Unis, les neutres de même que les colonies, qui avaient été mis à contribution pour satisfaire la demande des États en guerre, continuent de produire. Le volume de produits offerts devient vite trop important. Il y a *surproduction*. Dès la fin de 1920, les prix baissent, les échanges ralentissent. La **crise de l'activité économique** provoque un fort accroissement du taux de *chômage,* tant chez d'anciens belligérants (Grande-Bretagne) que chez certains neutres (Suède).

En 1921, la **crise** devient également **financière**, puis **monétaire**. Elle affecte d'abord les pays d'Europe centrale et orientale. Incapables de faire face aux dépenses publiques par l'impôt ou par l'emprunt, ces États, à commencer par l'Allemagne, ont recours à la *« planche à billets »*. La masse monétaire gonfle très vite, entraînant une *chute du pouvoir d'achat*. La monnaie ne vaut plus rien. La réalité dépasse la fiction en URSS, en Autriche, en Allemagne. Dans ce dernier pays, il faut une brouette emplie de billets libellés en millions de marks pour acheter un pain.

Cette situation catastrophique a plusieurs conséquences.

En premier lieu, la **monnaie** acquiert une place nouvelle dans les relations internationales car elle devient une *source de rivalités* et une *arme politique* plus redoutable qu'auparavant. Avant 1914, les *taux de change* * fixes par rapport à l'or maintenaient l'équilibre entre les monnaies. Les difficultés consécutives au retour à la paix révèlent la possibilité d'attaquer ou défendre une devise afin de soutenir ou faire baisser sa valeur d'échange sur le marché monétaire. C'est pourquoi l'hypothèse existe que l'Allemagne qui devait payer des réparations et l'URSS confrontée au danger d'une réaction contre-révolutionnaire auraient délibérément encouragé le véritable cyclone monétaire qu'elles connurent.

En deuxième lieu, la crise est un des principaux facteurs du **mécontentement** persistant qui affecte la société allemande des années 20.

En troisième lieu, son ampleur contraint vainqueurs et vaincus à **chercher des solutions**. Au printemps de 1922, la *Conférence de Gênes*, qui réunit les Occidentaux et l'URSS, prône trois mesures : reconstitution pure et simple des monnaies détruites (Allemagne, Autriche), retour à la parité-or d'avant-guerre (Angleterre) et adoption de la *parité* * après *dévaluation* * (France, Italie, Belgique). Ces décisions destinées à rétablir le bon fonctionnement du système des changes ont aussi des **effets négatifs**. D'une part, les *milieux économiques* découvrent qu'une dévaluation peut donner un coup de fouet aux exportations du pays qui a dévalué puisque ses clients, s'ils n'ont pas dévalué, doivent débourser moins pour régler leurs achats. Ils ont donc tendance à acheter plus. Certains ne s'embarrassent pas de considérations relatives au bien commun et donnent dans la *spéculation* * sur les monnaies. D'autre part, les *opinions publiques* acceptent très mal la dévaluation qui est ressentie comme un gigantesque vol. Elle nourrit les ressentiments de l'électeur et plus particulièrement ceux des détenteurs de revenus du capital. Enfin, les mesures de stabilisation ont exigé d'*importants crédits internationaux*. Les *États-Unis* sont le *principal prêteur.* Ils placent beaucoup d'argent en Allemagne, fournissent des crédits à plusieurs pays d'Europe centrale mais aussi à la Belgique et à l'Italie.

2. UNE AIDE AUX EFFETS PERVERS

L'aide américaine pose problème dans deux directions. En premier lieu, les États-Unis renforcent leur *position créditrice*. En cas de crise, ils réclameront leur dû aux Européens, plaçant ceux-ci dans une situation désespérée. En deuxième lieu, les États-Unis détiennent une part importante des *réserves d'or* et ont tendance à le « stériliser ». Ils exportent plus qu'ils n'importent tout en contrôlant fortement les prix afin de conserver leur compétitivité. Le résultat de cette politique est un **blocage de la redistribution du stock d'or** et un obstacle insurmontable au retour à un système équilibré des échanges. Mais ces effets pervers n'apparaissent pas aux yeux des contemporains. En 1927-1928, l'*optimisme* est de rigueur.

II. LE KRACH DE WALL STREET (1929)

Les États-Unis, à la fin des années vingt, vivent dans un **climat d'euphorie**. L'industrie tourne à *plein rendement*, notamment dans le secteur des produits neufs : automobile, TSF, équipement domestique. Les entreprises s'endettent pour produire plus et plus vite. Le nombre de *titres* * disponibles est impressionnant. Ceux-ci font l'objet d'un *mouvement spéculatif à la hausse*, alimenté par le crédit bancaire, l'épargne des particuliers et les fonds de roulement des entreprises à la recherche de *profits* rapides et importants. Mais dans le même temps, l'*activité économique s'essouffle*. Le marché américain, malgré son importance, ne peut absorber l'ensemble de ces nouveaux produits car de 40 à 45% des ménages n'y ont pas accès faute de revenus suffisants. Dans ce contexte, l'**innovation technologique** qui, à terme, permet de renforcer le rythme de la croissance, est une composante fondamentale de la crise. En effet, l'innovation exige, pour être facteur de développement, *que l'ensemble du système économique et social s'adapte*. Or, à la charnière des années 1920/1930, cette adaptation débute à peine. Par rapport à ce long mouvement de mutation, le *renversement de la tendance à la hausse* qui caractérisait le Stock Exchange, la *bourse* * de New York située dans Wall Street, est un épisode révélateur et non une cause profonde de la crise. L'indice du cours des *actions* * baisse à partir du 19 octobre 1929. La baisse appelant la baisse, le mouvement s'accélère. Des millions de titres sont vendus le « *jeudi noir* » *24 octobre* et les jours suivants. Le krach de Wall Street déclenche la panique, provoque des réactions en cascade et révèle bientôt que la **crise** est **structurelle**.

III. LA CRISE DEVIENT DÉPRESSION

1. AUX ÉTATS-UNIS

Les *conséquences* de Wall Street sont *catastrophiques* à cause de l'importance des liquidités engagées dans la spéculation et du vent de panique qui s'empare de quiconque est touché de près ou de loin par le krach. Les **banques** doivent faire face à des retraits massifs de fonds par les épargnants. Pour des centaines d'entre elles, cette exigence signifie la *faillite* car elles sont incapables de mobiliser leurs propres *créances* * constituées par le crédit consenti à la *spéculation* * qui vient d'être laminée par le krach. Faute d'argent frais, le **commerce** et l'**industrie** sont touchés à leur tour. De plus, les prix baissent de manière significative car la demande est différée, soit que les ressources manquent, soit que l'on espère acheter meilleur marché un peu plus tard. Crise du crédit, de la production, des prix provoquent un *chômage dramatique* dans l'industrie. Dans l'**agriculture**, la surproduction, qui n'est pas directement liée à la crise, complique encore la situation et ajoute à la misère. Des centaines de milliers d'exploitants partent chercher ailleurs un travail qu'ils ne trouveront pas.

	Total	Banques
1929	22 909	642
1930	26 355	1 345
1931	28 285	2 298

15. *Faillites commerciales, industrielles et bancaires aux États-Unis ,1929-1931* (D'après B. MITCHELL, *Depression Decade*, New York, 1947, annexes III et IV).

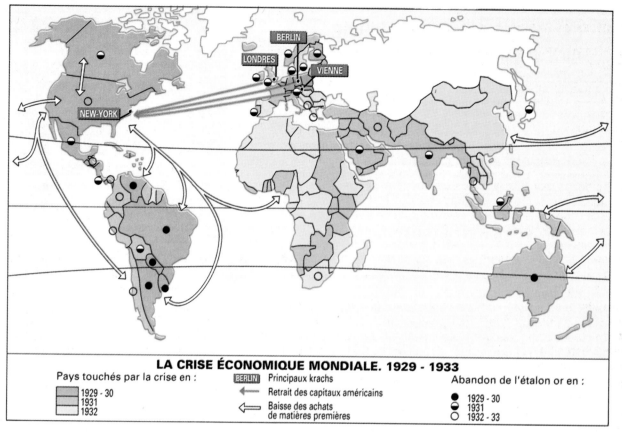

LA CRISE ÉCONOMIQUE MONDIALE. 1929 - 1933

Pays touchés par la crise en :
- 1929 - 30
- 1931
- 1932

BERLIN Principaux krachs
← Retrait des capitaux américains
⇐ Baisse des achats de matières premières

Abandon de l'étalon or en :
- ● 1929 - 30
- ◐ 1931
- ○ 1932 - 33

17. *La crise économique mondiale, 1929-1933*.

18. LES RAISINS DE LA COLÈRE

Le travail de l'homme et de la nature, le produit des ceps, des arbres doivent être détruits pour que se maintiennent les cours (...). Des chargements d'oranges jetés n'importe où (...). Des hommes armés de lances d'arrosage aspergent de pétrole les tas d'oranges (...). On brûle du café dans des chaudières. On brûle le maïs pour se chauffer (...). On jette les pommes de terre à la rivière et on poste des gardes sur les rives pour interdire aux malheureux de les repêcher (...). Les enfants atteints de pellagre doivent mourir parce que chaque orange doit rapporter un bénéfice (...). Dans l'âme des gens, les raisins de la colère se gonflent et mûrissent, annonçant les vendanges prochaines.

John STEINBECK, *op. cit.*, New York, 1939 (trad. franç., Paris, 1947, p. 487).

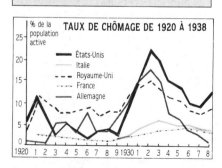

19. *Taux de chômage, 1920-1938*.

Date	Belgique	Danemark	France
30.04.29		Stauning (S)	
29.07.29			Briand (CD)
02.11.29			Tardieu (CD)
04.12.29	Jaspar (C+L)		
21.02.30			Chautemps (CD)
02.03.30			Tardieu (CD)
13.12.30			Steeg (CD)
27.01.31			Laval (CD)
06.06.31	Renkin (C+L)		
13.01.32			Laval (CD)
20.02.32			Tardieu (CD)
23.05.32	Renkin (C+L)		
04.06.32			Herriot (CG)
22.10.32	de Broqueville (C+L)		
14.12.32			Paul-Boncour (CG)
18.12.32	de Broqueville (C+L)		
31.03.33			Daladier (CG)
26.10.33			Sarraut (Ce)
27.11.33			Chautemps (Ce)
20.01.34			Daladier (Ce)
09.02.34			Doumergue (Ce)
12.06.34	de Broqueville (C+L)		
09.11.34			Flandin (Ce)
19.11.34	Theunis (C+L)		
25.03.35	van Zeeland (C+L+S)		
01.06.35			Buisson (Ce)
07.06.35			Laval (Ce)
07.11.35		Stauning (S)	
24.01.36			Sarraut (Ce)
13.06.36	van Zeeland (C+L+S)		
04.06.36			Blum (G)

C = Catholiques
L = Libéraux
S = Socialistes
Ce = Centre

CD = Centre - Droite
CG = Centre - Gauche
G = Gauche

20. *Les gouvernements en Belgique, au Danemark et en France entre 1929 et 1936* (D'après P. FLORA, *State, Economy and Society in Western Europe 1815-1978. A Data Handbook*, I, Londres... Chicago, 1983).

2. DES ÉTATS-UNIS À L'EUROPE PUIS AU MONDE

La crise américaine touche l'Europe, puis le monde dans *tous les secteurs* de la vie économique.

Au plan commercial, les États-Unis instaurent, en juin 1930, un tarif douanier ultra-protectionniste qui augmente considérablement les droits d'entrée sur les importations afin de décourager la concurrence étrangère. Les partenaires des États-Unis réagissent en baissant les prix *(dumping *)* et en érigeant des barrages douaniers toujours plus élevés. En se barricadant chez soi, chaque État contribue au *déclin du commerce mondial* et à l'affirmation d'un *nationalisme économique exacerbé*. Celui-ci se traduit essentiellement par une politique d'*autarcie* qui implique la volonté de satisfaire au maximum la demande intérieure grâce à la production nationale. Systématique dans les États totalitaires, à l'exception de l'URSS qui cherchera à se servir de la crise pour tenter un rapprochement avec les démocraties auxquelles elle offre les perspectives d'un vaste marché, cette politique est plus souple dans les économies libérales.

Dans le secteur du crédit, les banques américaines qui avaient beaucoup prêté à l'Europe exigent d'être remboursées. En Allemagne, en Autriche, puis dans toute l'Europe centrale, le *système bancaire s'effondre* selon le schéma américain, provoquant une crise de la production et le chômage dès 1931.

Dans le domaine monétaire, l'*abandon* par l'Angleterre, le 20 septembre 1931, *de la convertibilité de la livre sterling en or* est un signe majeur. Dorénavant, la livre « flotte ». Sa valeur est soumise aux variations dues à l'offre et à la demande. En six mois, le sterling perd un tiers de sa valeur par rapport à la parité-or antérieure. Les espoirs de la conférence de Gênes sont balayés, le *chaos monétaire* s'installe car l'ensemble des monnaies souffrent durant des années d'une instabilité chronique qui s'exprime dans le recours à la *dévaluation *.*

3. CONSÉQUENCES SOCIALES ET POLITIQUES

La dépression provoque un **chômage dramatique**. Sans doute ceux qui ont conservé leur emploi voient-ils augmenter leur salaire réel car les salaires et les revenus baissent moins vite que le coût de la vie n'augmente. Mais pour les autres, le drame est complet. La masse globale des revenus de la classe ouvrière chute. Cette situation conduit à des **explosions sociales** soudaines (1932,1936). Elle nourrit aussi le **racisme** et la **xénophobie** car la *priorité* est donnée à l'*emploi national* tandis que les étrangers deviennent des boucs émissaires. L'Allemagne nazie n'a pas le monopole des campagnes antisémites comme le démontrent l'Europe centrale et orientale et les campagnes contre les « métèques » en France, les immigrants « prolétaires » aux États-Unis.

Dans le **domaine politique**, la crise ne suscite pas de radicalisation à gauche mais bien une *diversité de situations* qui vont de la stabilité danoise au national-socialisme en Allemagne, en passant par l'instabilité chronique en France favorisant la **montée de l'extrême-droite** (voir p. 51).

À voir : Charlie CHAPLIN, *Les Temps modernes*, États-Unis, 1936, N & B; Julien DUVIVIER, *La Belle Équipe*, France, 1936, N & B; John FORD, *Les Raisins de la Colère*, États-Unis, 1940, N & B; Sydney POLLACK, *On achève bien les chevaux*, États-Unis, 1967, coul.; Henri STORCK, *Misère au Borinage*, Belgique, 1934, N & B; Fred ZINNEMANN, *Julia*, États-Unis, 1977, coul.

À lire : John DOS PASSOS, *La grosse galette* 1936; Sinclair LEWIS, *Babbitt*, 1922; John STEINBECK, *Les Raisins de la Colère,* 1939.

VOCABULAIRE

Action : *titre *à* revenu variable représentant une partie du capital d'une entreprise privée ou publique.

Bourse : il existe deux sortes de bourse, des valeurs et des marchandises. Dans les deux cas, c'est le lieu où acheteurs et vendeurs négocient. Le point de rencontre de l'offre et de la demande permet de fixer le cours.

Créance : somme d'argent exigible par un prêteur auprès d'un emprunteur.

Dévaluation : modification officielle à la baisse, par l'État, de la parité de la monnaie nationale.

Dumping : vente à perte sur un marché étranger afin de le conquérir, en compensant cette perte par les ventes au prix normal sur le marché national.

Parité : *taux de change *officiel par rapport à un étalon qui peut être l'or ou une autre monnaie (dollar par exemple).

Spéculation : devancement de la hausse ou de la baisse des mouvements de l'offre et de la demande afin de vendre ou acheter avec un profit maximum.

Titre : certificat représentatif d'une participation au capital (action *) ou aux emprunts (obligation) d'une entreprise ou de l'État.

Taux de change : quantité de monnaie nationale nécessaire pour obtenir une unité monétaire d'un autre pays.

---

21. FILS DE MAÇON ITALIEN À PARIS DURANT LA CRISE

Les Ritals, on est mal piffés. C'est parce qu'il y en a tellement par ici (...). « Dans votre pays de paumés, on crève de faim, alors vous êtes bien contents de venir bouffer le pain des Français ! » Pardi, c'est normal, non ? S'ils se laissaient mourir sur leur tas de cailloux, on les traiterait de feignants (...). Comme étrangers mal piffés, y a que nous, les Ritals. C'est nous qu'on éponge tout. La crise, c'est de notre faute. Le chômage, c'est nous (...). Pour les Français, pas de problème, ils me traitent de Macaroni (...). Même les profs à l'école, ils peuvent pas s'empêcher de nous faire sentir qu'on est des culs-bénits, de la graine de fascistes. Eux, laïques, républicains.

François CAVANNA, *Les Ritals*, Paris, 1978, pp. 43 et 49-50.

CHAPITRE 4 : LES RÉPONSES AUX CRISES

Les effets de la première guerre mondiale d'abord, ceux de la grande dépression ensuite, ont provoqué des bouleversements formidables de l'économie, de la société et des idéologies. Les réponses fournies à ces crises varient fortement. Quelles sont-elles, où conduisent-elles ?

2. *Mussolini.* Affiche italienne de XANTI, 1934.

⇒ **Atlas,** 40 C
41 C

1. L'ÉPISCOPAT BELGE CONDAMNE LE REXISME

Considérant que « Rex » est devenu un groupement purement politique; considérant que ce groupement poursuit son but par des procédés qui ne peuvent se justifier; considérant enfin qu'il déploie son activité en dehors des cadres du parti catholique et en méconnaissant toute discipline; Nous ordonnons ce qui suit :

1. Il est interdit aux prêtres et aux religieux d'assister à des meetings ou à toutes autres assemblées rexistes, et de collaborer aux journaux rexistes;

2. Nous demandons que le journal REX ne soit pas vendu aux portes des églises. Nous prions M.M. les curés et les recteurs d'églises de veiller, autant que possible, à ce que cette mesure soit observée.

3. Les supérieurs d'établissements d'enseignement, de jeunes gens et de jeunes filles, emploieront tous les moyens nécessaires pour que leurs élèves restent étrangers à l'agitation rexiste.

Donné à Malines, le 30 novembre 1935.

+ J.E. Card. van Roey, Archevêque de Malines; + Thomas-Louis, Évêque de Namur ; + Gaston-Antoine, Évêque de Tournai; + Louis-Joseph, Évêque de Liège; + Honoré, Évêque de Gand; + Henri, Évêque de Bruges

(D'après J.-M. FRÉROTTE, *Léon Degrelle, le dernier fasciste,* Bruxelles, 1987, p. 85).

3. POURQUOI DES ASSEMBLÉES DE MASSE ?

J'ai fanatisé la masse pour en faire l'instrument de ma politique. (...) Dans une assemblée de masse, il n'y a plus de place pour la pensée. Et, comme j'ai précisément besoin de créer une telle ambiance, parce qu'elle me donne seule la certitude que mes discours produiront leur effet maximum, je fais rassembler dans mes réunions le plus grand nombre possible d'auditeurs de toutes sortes et les contrains à se fondre dans la masse, qu'ils le veuillent ou non : des intellectuels, des bourgeois, aussi bien que des ouvriers. Je brasse le peuple et je ne lui parle que lorsqu'il est pétri en une seule masse.

Hermann RAUSCHNING, *Hitler m'a dit,* Paris, 1939, pp. 209-210.

4. CORRESPONDANCES ENTRE DICTATURES

Staline a fait la puissance d'Hitler en éloignant les classes moyennes du communisme par le cauchemar de la collectivisation forcée, de la famine, de la terreur contre les techniciens. Hitler, en faisant désespérer l'Europe du socialisme, ferait la puissance de Staline... Ces fossoyeurs sont faits pour s'entendre. Des frères ennemis. L'un enterre en Allemagne une démocratie avortée, fille d'une révolution avortée; l'autre enterre en Russie une révolution victorieuse, née d'un prolétariat trop faible et livrée à elle-même par le reste du monde; tous les deux mènent ceux qu'ils servent — bourgeoisie en Allemagne, bureaucratie chez nous — au cataclysme...

Victor SERGE, *S'il est minuit dans le siècle,* Paris, 1939, p. 82.

5. LA PAIX PAR LA COOPÉRATION INTERNATIONALE

(...) Le moment est peut-être venu de proposer la conclusion d'un « pacte de collaboration économique », qui s'étendrait au plus grand nombre d'États. (...) Le but de ce pacte serait d'aider les participants à relever le niveau de vie de leurs citoyens, en développant le bien-être général (...). La conclusion de pareil pacte serait un geste capital car c'est elle qui (...) imprimerait au monde l'élan qu'il attend pour reprendre confiance en des destinées pacifiques.

Rapport présenté par M. VAN ZEELAND (...) sur la possibilité d'obtenir une réduction générale des obstacles au commerce international, 26 janvier 1938, dans M. DUMOULIN- É. BUSSIÈRE, éd. *Les cercles économiques et l'Europe au XXe siècle,* Louvain-la-Neuve – Paris, 1992, pp. 130 et 132.

6. RÔLE DU PARTI

Le Parti est la forme surprême d'organisation du prolétariat. Il est le facteur essentiel de direction au sein de la classe des prolétaires et parmi les organisations de cette classe. Mais il ne s'ensuit nullement qu'on puisse considérer le Parti comme une fin en soi (...). Le Parti est nécessaire au prolétariat avant tout comme état-major de combat, indispensable pour s'emparer victorieusement du pouvoir (...). Mais le Parti n'est pas seulement nécessaire au prolétariat pour la conquête de la dictature; il est encore plus nécessaire pour maintenir la dictature, la consolider et l'étendre afin d'assurer la victoire complète du socialisme.

STALINE, *Des principes du léninisme*, Paris, 1952, pp. 83-84.

7. L'ÉGLISE ET LE COMMUNISME

(...) Les ennemis les plus acharnés de l'Église, qui dirigent de Moscou cette lutte contre la civilisation chrétienne, témoignent, par leurs attaques incessantes (...) que la Papauté continue (...) à défendre le sanctuaire de la religion chrétienne (...). Pour comprendre comment le communisme a réussi à se faire accepter sans examen par les masses ouvrières, il faut se rappeler que les travailleurs étaient déjà préparés à cette propagande par l'abandon religieux et moral où ils furent laissés par l'économie libérale (...). Comme aux époques des plus violentes tempêtes (...), le remède fondamental consiste dans une rénovation sincère de la vie privée et publique selon les principes de l'Évangile (...). Et si l'on considère l'ensemble de la vie économique (...) ce n'est que par un corps d'institutions professionnelles et interprofessionnelles, fondées sur des bases solidement chrétiennes, reliées entre elles et formant (...) ce qu'on appelait la Corporation (...) que l'on pourra faire régner dans les relations économiques et sociales l'entraide mutuelle de la justice et de la charité.

PIE XI, *Lettre encyclique sur le communisme athée Divini Redemptoris*, 19 mars 1937.

8. Illustration de PALU reproduite dans l'hebdomadaire *Je suis Partout* (Paris), n° 309, 24 octobre 1936, p. 7.

9. NATION ITALIENNE ET ÉTAT FASCISTE

La nation italienne est un organisme ayant des buts, une vie et des moyens d'action supérieurs en puissance et en durée à ceux des individus, isolés ou groupés qui la composent. C'est une unité morale, politique et économique qui se réalise intégralement dans l'État fasciste.

Giuseppe BOTTAI, *La Carta del Lavoro*, Rome, 1928, p. 115 (Trad. M. DUMOULIN).

10. ***La colonisation modèle.*** Dessin tiré de l'ouvrage scolaire de A. AYMARD, *Histoire de France en images*, Paris, 1933.

11. ***Affiche de propagande allemande*** pour les élections législatives d'avril 1938.

Les pays où la démocratie manque encore d'expérience apparaissent très démunis face aux changements de l'après guerre. À gauche comme à droite, des solutions autoritaires vont s'imposer. Lesquelles ?

12. 1921 : UNE REMISE EN QUESTION

Nous nous sommes trompés; mieux vaut marcher provisoirement avec les béquilles du capitalisme que de ne pas marcher du tout, car ce qu'il faut craindre plus que le capitalisme, c'est la misère (...). Nous répétons souvent que le capitalisme est un mal, que le socialisme est un bien. Oui le capitalisme est un mal par rapport au socialisme, mais c'est un bien par rapport aux conditions médiévales qui en Russie prévalent toujours.

LÉNINE, extrait d'un article du *Krasnoïa Novotni*, avril 1921 (D'après D. FURIA et P.-CH. SERRE, *Techniques et sociétés, Liaisons et évolutions*, coll. U, Paris, 1970, p. 400).

14. TROTSKI CRITIQUE LA NEP

(...) Les machines et le crédit, au lieu de servir de levier à la collectivisation de la campagne, presque toujours tombent entre les mains des Koulaks et des paysans aisés (...). En même temps que s'opère la concentration des terres et des moyens de production entre les mains des gros bonnets de la campagne, ces derniers utilisent de plus en plus la main-d'oeuvre salariée (...). Dans la lutte des classes qui se déroule à la campagne, le Parti doit, non seulement en paroles, mais par ses actes, se mettre à la tête des ouvriers agricoles, des paysans pauvres, de la grande masse des paysans moyens et les organiser pour la lutte contre les tendances capitalistes des Koulaks (...).

TROTSKI, *La Plate-forme politique de l'opposition russe pour le XVe Congrès du Parti de l'URSS, Paris, 1927.*

15. OBJECTIF DE STALINE EN 1931

Notre tâche est de prendre nous-mêmes possession de la technique, de devenir nous-mêmes les maîtres de la besogne (...).
Nous retardons de cinquante à cent ans sur les pays avancés. Nous devons parcourir cette distance en dix ans. Ou nous le ferons, ou nous serons broyés.

STALINE, Discours prononcé à la 1ère Conférence des cadres de l'industrie socialiste de l'URSS, le 4 février 1931 (D'après *Les questions du Léninisme*, Moscou, 1947, pp. 347-348).

13. LA NEP

(...) Lorsque nous prenons les mesures nécessaires pour restaurer la petite industrie, en encourageant l'initiative privée ou collective, nous ne devons pas oublier un seul instant que le problème le plus important de notre État est la restauration, le renforcement et le développement de notre grande industrie (qui) reste entièrement contrôlée par l'État.

La Pravda, 6 août 1921.

(D'après P. et I. SORLIN, *Lénine, Trotski, Staline*, 1961).

16. *Affiche soviétique*, 1932.

1. DE LA RUSSIE À L'URSS DE STALINE

Un communisme international ?

Dès la mise en place du régime bolchevique, Lénine veut déclencher la **révolution prolétarienne** en Europe et dans les pays colonisés. La *IIIe Internationale* communiste ou *Komintern* (1919-1943) se présente comme le relais de ce projet.

L'appel est entendu dans les **pays vaincus,** confrontés à l'apprentissage de la démocratie dans un contexte de graves difficultés économiques et sociales. En **Allemagne,** l'aile gauche de la *social-démocratie* (qui devient le parti communiste allemand) s'empare du pouvoir en janvier 1919. C'est la *révolution spartakiste.* Mais l'expérience sera brève et écrasée dans le sang : deux chefs de file du mouvement, Karl Liebknecht et Rosa Luxemburg, sont assassinés. En **Hongrie,** le communiste Béla Kun instaure une république des Conseils sur le modèle des Soviets (21 mars 1919). Mais mal soutenu à l'intérieur par la paysannerie et la petite bourgeoisie qui refusent de le suivre dans la voie de la collectivisation et combattu par les puissances de l'Entente avec leurs alliés tchèques et roumains, il doit céder la place au régime autoritaire de l'Amiral Horthy (p. 42). Ces deux expériences révolutionnaires se soldent donc par un échec.

Les pays **vainqueurs** connaissent également des troubles sociaux et des grèves. Mais grâce à des structures parlementaires plus anciennes, ils introduisent des réformes, comme l'extension du suffrage universel. L'action communiste n'aboutit qu'à l'éclatement des vieux partis socialistes : leur aile gauche donne naissance aux partis communistes occidentaux (en Belgique : PCB, 1921).

Dans les **pays colonisés,** des jalons (voir p. 54) sont jetés qui aboutiront plus tard à des expériences originales (communisme chinois) et préparent à long terme la décolonisation d'après 1945.

La NEP (1921-1928)

Les désordres de l'année 1921 (voir p. 25) ont été un avertissement. Pour réunir les capitaux indispensables au redémarrage du pays, Lénine lance une **nouvelle politique économique,** la *NEP.* Les réquisitions sont remplacées par un impôt en nature; les échanges commerciaux sont libéralisés, les petites entreprises dénationalisées; la surveillance policière se relâche. Les résultats de cette réorientation ne se font pas attendre : le niveau de la production globale remonte progressivement. Sans doute certains tirent-ils profit de la situation *(nepmen* et *koulaks)* alors que la majorité de la population continue à vivre difficilement. Mais tout le monde jouit d'une paix civile enfin retrouvée.

Toutefois, des réformes moins visibles préparent un nouveau durcissement. L'**autorité** est renforcée au sein du Parti, unique depuis l'interdiction des Mencheviks et des SR en 1921. Une **politique centralisatrice** est imposée aux populations allogènes et menée d'une manière expéditive par Staline, *commissaire du peuple aux Nationalités.* Elle débouche en décembre 1922 sur la création de l'**Union des Républiques Socialistes Soviétiques** *(URSS),* officialisée dans la *Constitution de 1924* : on est désormais citoyen soviétique avant d'appartenir à une république.

Après Lénine ?

Lénine meurt en 1924. S'ouvre alors une période trouble de **rivalités** à l'intérieur même du Parti. Dans une lettre adressée au Congrès le 23 décembre 1922 et qui ne sera pas rendue publique, (le « *Testament* »), Lénine avait exprimé beaucoup de réticences à l'égard de **Staline.** C'est pourtant celui-ci qui s'impose en évinçant Trotski, son principal rival. Cumulant les fonctions de Secrétaire général du Parti, chef de l'État et chef du *Komintern,* il ouvre l'ère d'un **pouvoir personnel** et **autoritaire.**

17. LE TESTAMENT DE LÉNINE

Le camarade Staline, en devenant secrétaire général, a concentré entre ses mains un pouvoir immense, et je ne suis pas convaincu qu'il puisse toujours en user avec suffisamment de prudence. D'autre part, le camarade Trotski, (...) ne se distingue pas seulement par les capacités les plus éminentes. Personnellement, il est certes l'homme le plus capable du Comité central actuel, mais il est excessivement porté à l'assurance et entraîné outre mesure par le côté administratif des choses.

Ces deux qualités des deux chefs les plus marquants du Comité central actuel peuvent involontairement conduire à la scission; si notre Parti ne prend pas les mesures pour la prévenir, cette scission peut se produire inopinément. (...)

Staline est trop brutal, et ce défaut, pleinement supportable dans les relations entre nous, communistes, devient intolérable dans la fonction de secrétaire général. C'est pourquoi, je propose aux camarades de réfléchir au moyen de déplacer Staline de ce poste et de nommer à sa place un homme qui, sous tous les rapports, se distingue du camarade Staline par une supériorité, c'est à dire qu'il soit plus patient, plus loyal, plus poli et plus attentionné envers les camarades, moins capricieux, etc.

LÉNINE, *Lettres au XIIIe Congrès,* 25 décembre 1922 et 4 janvier 1923 (D'après B. LAZITCH, *Le rapport Khrouchtchev et son histoire,* Paris, 1976, pp. 162-164).

Atlas, 59 E-H ⇐

18. *Le régime soviétique.* Dessin de E. SCHILLING, 1936.

19. DES PAYSANS TÉMOIGNENT

Camarades, vous écrivez dans votre journal que tous les paysans pauvres et moyennement aisés adhèrent volontairement au kolkhoze, mais ce n'est pas vrai. Ainsi, dans notre village de Podbuzhye, tous n'entrent pas au kolkhoze de bon gré. Quand circula le registre des adhésions, 25 % seulement signèrent, tandis que 75 % s'abstenaient. Ils ont collecté les semences par la terreur, en multipliant procès-verbaux et arrestations. Si quelqu'un exprimait son opposition, on le menaçait d'emprisonnement et de travail forcé. Vous vous êtes trompés sur ce point, Camarades : la vie collective peut exister seulement à la condition que la masse entière des paysans l'adopte volontairement, et non par force (...). Je vous prie de ne pas révéler mon nom, car les gens du Parti seraient furieux.

Signé POLZIKOV (D'après M. FAINSOD, *Smolensk à l'heure de Staline,* 1967).

20. STALINE RAPPELLE (1933) LES OBJECTIFS DU PREMIER PLAN QUINQUENNAL

(...) La tâche essentielle du plan quinquennal consistait à transformer l'URSS de pays agraire et débile, qui dépendait des caprices des pays capitalistes, en un pays industriel et puissant, parfaitement libre et indépendant des caprices du capitalisme mondial. (...)

La tâche essentielle du plan quinquennal consistait, tout en transformant l'URSS en pays industriel, à éliminer jusqu'au bout les éléments capitalistes, à élargir le front des formes socialistes de l'économie et à créer une base économique pour la suppression des classes en URSS, pour la construction d'une société socialiste.

(...) La tâche essentielle du plan quinquennal consistait à faire passer la petite économie rurale morcelée dans la voie de la grande économie collectivisée, d'assurer par là même la base économique du socialisme à la campagne et de liquider ainsi la possibilité de restauration du capitalisme en URSS.

STALINE, *Doctrine de l'URSS,* Paris, 1938, pp. 183-195.

21. UNE INDUSTRIE : MAIS À QUEL PRIX ?

Pour atteindre le premier but que s'est ainsi assigné la révolution bolchevique, Staline et ses collaborateurs se sont mis à la tâche avec une ténacité héroïque, héroïque jusqu'à la barbarie. Pour créer cette industrie lourde, à la mesure du pays, ils ont sacrifié, momentanément , l'industrie de la consommation et l'agriculture au point de soumettre la poulation à des privations telles que l'on se demande comment elle a pu les supporter (...).

R. COULONDRE, *De Staline à Hitler,* Paris, 1950, pp. 94-95.

22. STALINE ET LES PAYSANS

En bouleversant la société russe, une société majoritairement paysanne, il faut s'en souvenir, Staline a voulu l'atteindre dans sa profondeur. Ce qu'il traque d'abord, c'est ce qui a ses yeux symbolise le retard de son pays, le paysan. Pour Staline, le paysan est organisé en une société fermée sur ses propres valeurs, étrangères et opposées à l'idéologie soviétique. Son attachement viscéral à la propriété terrienne, sa religiosité diffuse, son anarchisme latent, tout en fait, par définition, « l'ennemi de classe » qu'il faut atteindre et détruire. Dans la collectivisation, ce n'est pas seulement aux koulaks que Staline en veut. C'est le moujik et sa culture sociale qu'il met hors-la-loi.

H. CARRÈRE D'ENCAUSSE, *Staline, l'ordre par la terreur,* Paris, 1969, p. 39.

	1913	1928	1939
Ouvriers (O) et employés (E)	16,7 °/°	17,6 °/°	49,73 °/° {O : 32,19 °/° {E : 17,54 °/°
Paysans et artisans	65,1 °/°	74,9 °/°	4,89 °/°
Classes possédantes (sauf les Koulaks)	3,6 °/°	4,6 °/°	—
Koulaks	12,3 °/°	—	—
Divers (étudiants, militaires, retraités)	2,3 °/°	—	0,77 °/°
Kolkhoziens	—	2,9 °/°	44,61 °/°

23. ***Transformation de la société soviétique (1913-1939)*** (D'après J. LEFÈVRE et J. GEORGES, *Les temps contemporains vus par leurs témoins, Textes et documents (1776-1945),* Tournai, 1974, p. 72).

		Ier plan quinquennal (1928-1933, arrêté en fév. 1932)			IIe plan quinquennal (1933-1937)		
Productions (en millions de tonnes)	1928	Prévision 1933	Réalisation 1932	% de réalisation	Prévision 1937	Réalisation 1937	% de réalisation
Fonte	3,4	10	6,2	62 %	18	14,5	81 %
Acier	4,3	10,4	5,9	57 %	19	17,6	92 %
Laminés	3,4	8	4,3	54 %	14	12,9	92 %
Houille	35,2	75	64,3	86 %	152,5	154,7	101 %
Pétrole	12,3	22	22,3	101 %	47,5	30,5	64 %

24. ***Bilan des plans quinquennaux en 1937*** (D'après J. LEFÈVRE et J. GEORGES, *op. cit.,* p. 72).

Dictature de Staline

Alors qu'il avait combattu l'aile gauche du Parti menée par Trotski, à qui il reprochait son hostilité à la *NEP,* Staline engage brusquement l'URSS dans la voie d'une **économie socialiste** pour rejoindre le niveau des puissances occidentales. Un premier **plan quinquennal** lancé en 1928 impose aux Soviétiques la collectivisation des terres et des exploitations agricoles (*kolkhozes* * et *sovkhozes* *),* et donne la priorité à l'industrie lourde où le secteur privé disparaît quasi complètement. Les opposants, qui se manifestent surtout dans les campagnes, sont exécutés sur place, déportés ou envoyés dans des camps de travail gérés par le **Goulag** (administration centrale des camps). La production croît et dépasse même parfois les prévisions. Mais 5 à 10 millions de personnes sont victimes de l'application précipitée et autoritaire de ce programme.

Toute critique, réelle ou supposée, de la dictature et du culte de la personnalité entretenu par Staline est radicalement brisée. Des « purges » frappent le Parti de la base au sommet. Les officiers de l'Armée rouge sont décimés. Des diplomates et des intellectuels sont exécutés. Entre 1935 et 1938, la **terreur** atteint un point culminant *(Procès de Moscou).*

Comment expliquer cette violence ? Par l'ambition démesurée de Staline et la méfiance qu'il nourrit vis-à-vis de tout son entourage. Mais surtout parce qu'elle donne au Secrétaire général l'occasion d'éliminer la vieille garde bolchevique, qu'il ressent comme une menace, et de reprendre en main le Parti. Ces années permettent à l'URSS de se hisser au rang de troisième puissance économique mondiale (1940), mais au prix du travail forcé de tout un peuple réduit à l'angoisse et au silence.

Le Parti et l'État

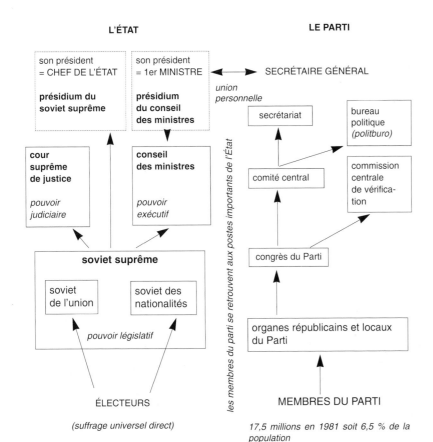

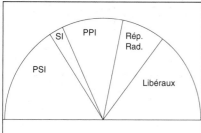

PSI (Parti Socialiste italien) 156 sièges
SI (Socialistes indépendants) 21
PPI (Parti Populaire italien) 100
Républicains Radicaux 70
Libéraux 135

26. **Composition des Chambres en Italie en 1919.**

---

27. LES MÉTHODES FASCISTES

Montées sur des camions (...), les *chemises noires* se dirigent vers l'endroit qui est le but de l'expédition. Une fois arrivé, on commence par frapper à coups de bâton tous ceux (...) qui ne se découvrent pas au passage des fanions fascistes ou qui portent une cravate, un corsage rouges (...). On se précipite au siège du Syndicat, de la coopérative, à la Maison du Peuple, on enfonce les portes, on jette dans la rue mobilier, livres et on verse des bidons d'essence : quelques minutes après, tout flambe. (...) Des groupes fascistes vont à la recherche des « chefs », maires et conseillers de la commune (...) : on leur impose de se démettre, on les bannit pour toujours du pays, sous peine de mort ou de destruction de leur maison. S'ils se sont sauvés, on se venge sur leur famille.

Angelo TASCA, *La naissance du fascisme*, Paris, 1967 (1ère éd. 1938), pp. 129-130.

---

29. SERMENT EXIGÉ DES PROFESSEURS D'UNIVERSITÉ

Je jure d'être fidèle au roi, à ses successeurs, au régime fasciste, d'observer loyalement le Statut et les autres lois de l'État, d'exercer mon métier d'enseignant et de remplir tous mes devoirs académiques avec le but de former des citoyens efficaces, probes, dévoués à la patrie et au régime fasciste. Je jure que je n'appartiens pas et n'appartiendrai pas à des associations ou partis dont l'activité ne se concilierait pas avec les devoirs de ma charge.

(D'après P. MILZA et S. BERNSTEIN, *Le fascisme italien, 1919-1945*, Paris, 1980, pp. 207-208).

---

2. LE FASCISME ITALIEN

L'Italie sort de la guerre dans une situation de **crise**. La fin du conflit ne lui a pas apporté tous les territoires promis (Dalmatie et port de Fiume). La désillusion nationale complique une situation économique et sociale grave qui voit grandir encore l'écart entre le Sud et le Nord du pays. La population paysanne et ouvrière vit mal. Les anciens combattants se réintègrent difficilement dans la société. Le chômage s'étend, l'agitation sociale grandit. La classe politique dirigée par une minorité issue de la haute bourgeoisie ne parvient pas à imposer de programme efficace : l'État libéral est en crise, contesté à gauche par les socialistes, à droite par les nationalistes.

La naissance du fascisme

Benito Mussolini (1883-1945), ancien socialiste en rupture avec son parti et dévoré d'ambition personnelle, va profiter de ce vide politique. Il forme en 1919 les **Faisceaux italiens de Combat** où se retrouvent des mécontents et des insatisfaits de toutes tendances. Leur programme, démagogique, mêle des revendications nationales et sociales qui rencontrent les aspirations d'une grande partie de la population d'après guerre. Mais, en même temps qu'il soutient l'action des masses, Mussolini engage une lutte violente contre les socialistes et les syndicalistes. Il reçoit ainsi l'appui politique et financier de la bourgeoisie inquiète de la tournure des événements (grèves, agitations révolutionnaires). Les *squadristes* (escouades armées et motorisées) en chemise noire s'en prennent à tout ce qui est de gauche et n'hésitent pas à assassiner des adversaires du fascisme.

Ses effectifs grandissant (250 000 membres fin 1921), le mouvement se constitue en **Parti national fasciste** (PNF) en novembre 1921. Rompant avec les thèmes « gauchistes » des premiers faisceaux, il prône un programme *ultra-nationaliste*, le *libéralisme économique*, un *État fort*, une *politique expansionniste*. Les **chemises noires**, « *milice* » du Parti, multiplient les manifestations de masse pour faire la démonstration de leur force. Au printemps 1922, le PNF compte plus de 700 000 adhérents.

---

28. QUELS PARTISANS POUR MUSSOLINI ?

Par une sombre soirée d'automne, le 30 octobre, les bandes de chemises noires, farouches, bien armées, blanchies de la poussière d'une longue route, entrèrent sans résistance comme une horde de conquérants dans la Ville Éternelle muette et frappée de stupeur. Le lendemain apparut le Duce et des acclamations retentirent. Dans son état-major figuraient des généraux et des officiers supérieurs qui avaient revêtu la chemise noire. Le roi eut vite fait de lui confier la tâche de former un gouvernement (...).

Dans la noblesse comme dans l'industrie, (...) victimes, l'une et l'autre, de l'état anarchique qui sévissait en province, l'enthousiasme qu'excita le triomphe de Mussolini fut sincère et spontané. Le patriciat en chemises blanches serra avec effusion la main du fascisme en chemises noires (...). La bourgeoisie citadine, libérale par tradition, mais sentant bien qu'un coup de balai était dans l'air, jugea prudent de se mettre du côté du manche et se rallia à la révolution. Ses adhérents les plus ardents furent les jeunes combattants de la guerre et les adolescents des classes moyennes, impatients de crier au grand jour leurs passions patriotiques et ultra-nationalistes. Mais, comme dans toute révolution victorieuse, il vint aussi au fascisme (...) des éléments indésirables, transfuges d'extrême-gauche, anciens anarchistes, aventuriers, pêcheurs en eau trouble, avides de faire fortune en changeant de peau.

Baron BEYENS, *Quatre ans à Rome*, Paris, 1934, pp. 133-135.

Mussolini au pouvoir

Fort de ce succès mais n'ayant obtenu que 32 sièges aux élections de mai 1921, Mussolini envisage de prendre le pouvoir par l'action directe. Il organise une **Marche sur Rome** (27-28 octobre 1922). Le succès est médiocre, mais pressé par une partie de la classe dirigeante qui espère trouver son intérêt dans le fascisme en neutralisant l'opposition ouvrière, le roi Victor-Emmanuel III invite Mussolini à constituer un **gouvernement.** En plus de la présidence du Conseil (Premier Ministre), il se réserve des postes clés (Ministère de l'Intérieur et des Affaires étrangères) mais maintient des représentants d'autres tendances politiques, à l'exception des communistes et des socialistes, pour conserver une **apparence démocratique.** Les chambres lui accordent les pleins pouvoirs pour un an.

Mussolini compte profiter de la situation pour mettre en place les mécanismes nécessaires à l'**installation d'une dictature.** Il propose une nouvelle loi électorale qui accorderait les 2/3 des sièges à la liste qui obtiendrait au moins 25 % des voix. Les *chemises noires* créent une atmosphère de **violence** entraînant un réflexe de peur qui leur apporte 65 % des voix : un régime autoritaire s'est imposé sous une apparence légale (6 avril 1924).

Le socialiste **Matteoti** dénonce les violations de la liberté électorale et met en doute la légitimité du gouvernement. Il est assassiné le 10 juin 1924. Le meurtre marque un coup d'arrêt pour le fascisme. Beaucoup parmi ceux qui avaient sympathisé avec le mouvement reprennent alors leurs distances. Mussolini, soupçonné lui-même de complicité, fait des concessions pour récupérer la confiance un moment ébranlée. Mais dès le début de 1925, il annonce clairement son intention d'instaurer un pouvoir fort. Il y a peu de réactions. En un an, il fait adopter des lois qui éliminent le principe démocratique à tous les échelons de l'État *(lois fascistissimes).* Pour faire appliquer ce programme, il crée une **police politique** *(OVRA).*

Un État totalitaire

En 1936, l'Italie représente le type même d'un **régime totalitaire.** Outre le pouvoir exécutif, Mussolini dispose maintenant de l'initiative exclusive des lois et du droit de légiférer par *décrets-lois* *. Un véritable culte se développe autour de sa personne, le **Duce.** Pour utiliser l'influence du catholicisme auprès des masses et renforcer la respectabilité du régime parmi les classes dirigeantes et à l'étranger, il se rapproche de l'Église. En 1929, les **Accords de Latran** règlent le différend qui remontait à la formation de l'unité italienne : le Saint-Siège obtient pleine souveraineté sur l'État du Vatican mais renonce à toute revendication temporelle sur le royaume et sa capitale. L'État fasciste entend diriger et contrôler l'action et la pensée de chaque individu. Dans ce but, il entreprend une *« fascisation » des cadres* et une *formation idéologique des jeunes* (mouvements de jeunesse, surveillance étroite de l'enseignement...).Tous les journaux d'opposition sont supprimés.

Le projet économique

Entre 1922 et 1925, le gouvernement opte pour le libéralisme. Mais avant même d'être touché par la crise économique mondiale, il modifie son orientation et engage l'Italie dans la voie du **dirigisme** et de l'**autarcie.** C'est l'État qui fixe les priorités. Il décide, pour limiter les importations, d'augmenter la production intérieure. Mussolini lance ainsi la **« bataille du blé »** soutenu par une propagande intense dont il est lui-même acteur. Il encourage la conquête de **terres nouvelles** (drainage, assèchement des marais pontins, irrigation) et entreprend un vaste programme de **travaux publics** (développement du réseau routier, premières autoroutes à péage d'Europe). Le bilan global, malgré une reprise vers 1925, se solde par un échec.

23343

31. **« *Ce n'est que lorsque tous mes opposants seront sous les verrous que je règnerai sur une Italie vraiment libre.* »** Dessin de SCHULZ, 1925.

32. **Léni RIEFENSTAHL, Photomontage** dans *Illustrierter Film Kurier,* numéro spécial consacré au film *Triomphe de la volonté,* Automne 1936.

33. 17 ANS EN 1933

Ma jeunesse a été celle de toute une génération qui avait grandi dans une bourgeoisie à tendance de droite et qui fournit par la suite au mouvement nazi et à l'armée un grand nombre de ses dirigeants.

Il y avait dans la bourgeoisie, au moment où Hitler prit le pouvoir, une génération mi-enfantine, mi-adolescente qui rêvait de se sacrifier à un idéal. (...) Mon entrée aux Jeunesses Hitlériennes date du 1er mars 1933. L'antisémitisme faisait partie tout naturellement des opinions que nos parents nous avaient transmises. (...) Je dois à cette situation d'avoir pu par la suite servir de toutes mes forces une politique inhumaine sans me poser de questions sur ma propre honnêteté morale.

Hitler réussit à nous communiquer son fanatisme. Le fanatique croit que la fin justifie les moyens. Il ne voit que le but à atteindre, et devient aveugle et sourd à tout le reste. (...)

Ma mère nous ressassait que l'Allemagne avait perdu la guerre bien que ses soldats eussent été les plus valeureux. Une paix infamante avait causé l'écartèlement du pays. L'économie nationale était mise en péril par les dettes de guerre (...). On entendait les adultes s'insurger contre les querelles confuses qui avaient lieu au sein du Parlement, et on comprenait que ce désordre était dû aux partis qui divisaient les Allemands. (...) Parmi les misères dont se plaignaient les adultes, il y avait le chômage.

Les promoteurs du National-Socialisme promirent de supprimer le chômage et la misère de 6 millions d'habitants et je les crus. Je crus qu'ils réaliseraient l'union politique du peuple allemand et qu'ils surmonteraient les difficultés résultant du traité de Versailles.

Melita MASCHMANN, *Ma jeunesse au service du nazisme,* Paris, 1964, pp. 25-26 (Trad. A. ROUFFET).

34. DEUX REGARDS SUR LES JEUNESSES HITLÉRIENNES

En 1935, j'ai passé une partie de l'été (...) dans une famille qui avait dû quitter la Saxe en 1933. Le père était un ancien directeur d'école. Social-démocrate et adepte de théories pédagogiques progressistes, il avait été chassé de son poste par les nazis et était parti pour le Brandebourg où il avait trouvé un emploi de garde-forestier. (...)

Éva, leur fille, (...) était résolument hostile à la Jeunesse hitlérienne. (...) Elle me disait : « Ce pays est effrayant, j'ai beaucoup de mal à rester en rapport avec mes anciens amis depuis 1933, et puis, on ne sait jamais à qui se fier. » (...) Nous avions (...) des discussions à la maison, parfois sur des sujets politiques : son père, alors, laissait cours à son amertume et son désespoir. (...) Les impressions que j'ai ramenées du Brandebourg m'ont montré un peu de l'envers du décor : des jeunes qui refusaient le nazisme, des familles retirées à la campagne dans une atmosphère de crainte et d'oppression, vivant dans leur pays comme des étrangers. (…)

Je connaissais chez les Français les scouts, mais la Hitlerjugend était différente et, surtout, il y avait , à la fois spontané et dirigé, un plaisir à défiler ensemble, (...) un enthousiasme à chanter ensemble. (...) Les textes, je les ai oubliés, ils n'avaient pas beaucoup d'importance, mais chanter ensemble était un acte important. (...) Et tout cela faisait une atmosphère toute nouvelle pour moi, totalement inconnue : c'était comme un enivrement (...) quelque chose qui attirait, mais semblait redoutable, comme un mythe redevenu vivant.

Témoignages tirés de *Un étudiant français en Allemagne : Pierre Grappin, souvenirs des années 1934-1938* (D'après l'*Histoire*, n° 118, janvier 1989, p. 85).

Vers la guerre

Le Duce s'accroche à une **politique nataliste** qui prépare une guerre expansionniste (conquête de l'Éthiopie en 1935) et engage le **réarmement** de l'Italie.

L'*Axe Rome-Berlin* est signé en 1936. À partir de 1938, le modèle hitlérien devient une obsession. Mussolini en arrive même à adopter une **législation raciste** (qui ne sera jamais appliquée avec rigueur). Tout est en place pour mener le pays à la guerre. Mais contre la volonté de la majorité des Italiens : la fascisation de la nation ne s'est pas réalisée en profondeur.

3. L'ALLEMAGNE

De la république de Weimar (1919-1933) au IIIe Reich

Quand le IIe Reich s'effondre en novembre 1918, l'Allemagne se lance sans grande expérience dans la **démocratie parlementaire**. Menacée par la révolution *spartakiste* de janvier 1919 (voir p. 35), la jeune république réussit à l'écraser parce que la population craint le communisme et elle se dote à Weimar d'une Constitution démocratique. Mais née dans le contexte humiliant de la défaite et mal soutenue par une classe dirigeante qui, si elle n'est pas hostile à l'idée de république, n'est pas pour autant favorable à un régime démocratique, elle rencontre très vite d'énormes **difficultés** économiques et sociales. Le point culminant de la crise est atteint en 1923. **L'inflation** galopante touche durement la classe ouvrière et les classes moyennes qui sont victimes du chômage et d'une baisse importante de leur pouvoir d'achat. Déjà exacerbé par le *Diktat de Versailles*, l'**esprit nationaliste** est entretenu par l'occupation du bassin de la Ruhr. Le 8 novembre 1923, **Adolf Hilter,** chef du NSDAP (*Nazi*onal-*Socialistische Deutsche Arbeiterpartei* = Parti ouvrier national-socialiste allemand) créé en 1921, tente un putsch à Munich mais échoue. Arrêté, il passe neuf mois en prison et écrit *Mein Kampf (Mon Combat)* où il développe son programme.

Entre 1925 et 1929, la république semble trouver son équilibre et connaît une prospérité apparente. Mais le répit sera bref. Sous le coup de la **crise économique** de 1929 (voir p. 31), le chômage touche une fois de plus les travailleurs qui expriment, lors des élections de septembre 1930, leur désaffection pour le régime par un soutien aux partis extrémistes, communiste mais surtout nazi. Hitler a eu le temps de mûrir son projet. Il a appris à utiliser ses talents d'orateur et est passé maître dans l'art de manipuler les foules. Il exploite dans les discours qu'il multiplie le **nationalisme déçu**, les **désordres sociaux**, l'**anti-sémitisme**, la **xénophobie**, l'**anti-bolchevisme**, l'**anti-parlementarisme**. Il promet de rendre du travail aux sans-emploi et sa grandeur à l'Allemagne. Le parti national-socialiste progresse d'une manière spectaculaire malgré quelques reculs ponctuels liés aux excès des *SA (Sturmabteilungen :* Sections d'Assaut), la **milice** du parti en *chemises brunes*.

Aux élections de juillet 1932, les Nazis obtiennent 14 millions de voix, soit 230 sièges sur 607. Le 28 janvier **1933**, Hitler obtient de Hindenburg, président de la République, le poste de **chancelier** (premier ministre) et dissout le Reichstag (Parlement). De nouvelles élections sont organisées le 5 mars 1933, dans un véritable climat de terreur. Elles n'accordent cependant que 44 % des voix aux nazis qui auront besoin de l'appui du Centre *(Zentrum)* pour arriver à la majorité constitutionnelle des 2/3. Les **pleins pouvoirs** sont accordés pour quatre ans à Hitler par le Reichstag qui vote ainsi lui-même la fin de l'État de droit...

« Femmes, voici votre place dans le IIIe Reich ! Votre réponse : " La lutte contre les nazis pour la social-démocratie". »

35. *Affiche du Parti social-démocrate allemand,* vers 1930.

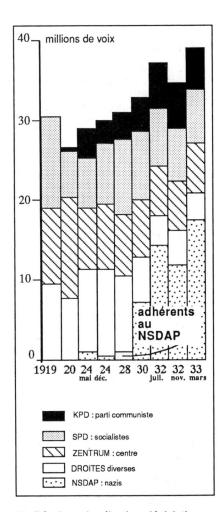

36. *Résultats des élections législatives en Allemagne,* de 1919 à 1933.

38. *Image d'un livre pour enfants.* Dessin d'Elvira BAUER, Nuremberg, 1936.

37. LE NAZISME ET LES JUIFS : DÉCLARATIONS DE GOEBBELS

(...) J'estime nécessaire de publier une ordonnance interdisant aux Juifs de fréquenter les théâtres, les cinémas et les cirques allemands. La situation actuelle nous le permet. Les théâtres sont remplis de toute manière : c'est à peine si on y trouve de la place. Je suis d'avis qu'il n'est pas possible de permettre aux Juifs de s'asseoir aux côtés des Allemands dans les salles .(...)

De plus, il faut qu'ils disparaissent partout de la circulation publique, car ils exercent un effet provocateur. Il est par exemple encore possible aujourd'hui qu'un Juif utilise le même compartiment de wagon-lit qu'un Allemand. Une ordonnance devrait être publiée par le ministre des Communications, introduisant des compartiments pour les Juifs, qui ne seraient mis à leur disposition que lorsque tous les Allemands sont assis, et sans qu'ils puissent se mélanger à eux. S'il n'y a pas assez de place, ils doivent rester debout dans le couloir. (...)

Finalement, il faut s'occuper de ceci : il se présente aujourd'hui encore des cas où les enfants juifs vont dans les écoles allemandes. J'estime qu'il est impossible que mon garçon soit assis à côté d'un Juif dans un lycée allemand et se voie enseigner l'histoire allemande. Il est absolument indispensable d'éloigner les Juifs des écoles allemandes, et de les laisser se charger eux-mêmes d'élever dans leurs communautés leurs enfants.

Conseil des ministres allemands au lendemain de « La Nuit de Cristal », 12 novembre 1938 (D'après L. POLIAKOV, *Le bréviaire de la haine*, Bruxelles, 1986, pp. 23-24).

Pays	Dictateurs	Dates	Parti unique ou dominant	Parti ou mouvement fasciste d'opposition
Europe méridionale				
Portugal	Oliveira Salazar	1928-1968	Union nationale	
Espagne	Gal Primo de Rivera	1923-1930	Union patriotique	
	Gal Franco	1936-1975	Phalange	
		1939-1975		
Grèce	Gal Metaxas	1936-1941		
Turquie	Mustapha Kemal	1923-1938	Parti républicain du peuple	
Europe centrale et balkanique				
Pologne	M^{al} Pilsudski	1926-1935	Bloc national	Jeune Pologne
	Col. Beck	1935-1939	Camp de l'Unité nationale	Falanga
Hongrie	Amiral Horthy	1920-1944		Croix fléchées (Ferenc Szalasi)
Autriche	E. Dollfuss	1932-1934	Heimwehr (jusqu'en 36)	
	K. von Schuschnigg	1934-1938		Parti national-socialiste (Seyss-Inquart)
Slovaquie	Mgr Tiso	1938-1945	Parti populaire	Parti national-socialiste (Bala Tuka)
		1939-1945	slovaque	
Yougoslavie	Alexandre Ier	1929-1934	Parti yougoslave national	Oustacha (Ante Pavelic) en Croatie
	Milan Stojadinovic	1935-1939		Zbor (Dimitri Ljotic) en Serbie
Bulgarie	Boris III	1934-1943		
Roumanie	Carol II	1930-1940	Front de la Renaissance nationale	Garde de Fer (Corneliu Codreanu) jusqu'en 1938
	Gal Antonescu	1940-1944		
Europe du Nord				
Lituanie	A. Woldemaras	1926-1929		
Lettonie	K. Ulmanis	1934-1940		Croix de tonnerre (Gustav Zelmin)

39. *Les dictatures européennes de l'Entre-deux-guerres.* (D'après B. DROZ et A. ROWLEY, *Histoire générale du XXe siècle, Première partie : jusqu'en 1949, 1. Déclins européens*, Paris, 1986, pp. 286-287).

Formation de l'État nazi

Dès son accession au pouvoir, Hitler prend une série de **mesures répressives.** Tous les partis d'opposition, à commencer par le parti communiste, sont interdits ou prononcent eux-mêmes leur dissolution. De nombreuses organisations sociales, économiques et culturelles, sont supprimées (par exemple l'École du *Bauhaus,* voir p. 64), absorbées dans de **nouvelles structures** (*les syndicats*) ou se rallient au nouveau régime. Les SA, qui critiquent l'orientation capitaliste du régime et dont les velléités d'indépendance dérangent, sont neutralisés par l'assassinat de leurs chefs lors de la *Nuit des longs couteaux* (30 juin 1934). L'**armée** est astreinte au serment de fidélité à Hitler qui, depuis la mort d'Hindenburg (2 août 1934), cumule les fonctions de chancelier et de président et devient le **Führer** du *IIIe Reich.* Les Allemands qui expriment leur désapprobation ou sont simplement soupçonnés de s'éloigner de la ligne du parti sont poursuivis, maltraités, persécutés par la *Gestapo (Geheime Staats Polizei,* police secrète), ou envoyés dans des **camps de concentration** créés dès 1933. Une partie importante de l'élite intellectuelle et artistique allemande prend le chemin de l'exil. L'**antisémitisme,** inhérent dès l'origine au programme nazi, s'exprime d'une manière de plus en plus ouverte. Les Juifs sont exclus de la fonction publique, des universités... En 1935, des **lois raciales** instaurent une ségrégation et multiplient les interdits. Tsiganes, homosexuels, handicapés en sont aussi les victimes désignées. Lors de la *Nuit de Cristal* (9-10 novembre 1938), des milliers de magasins juifs sont détruits, des synagogues incendiées. Le **mécanisme destructeur** est engagé.

Parallèlement à l'élimination de toute opposition, l'intégration de la société allemande dans le projet nazi se réalise d'une manière violente ou insidieuse. Un **État policier** méthodiquement organisé soumet la population à une surveillance constante. Les *SS (Schutzstaffeln : Brigades de protection)* y jouent un rôle croissant : d'abord garde personnelle de Hitler, ils accroissent leurs activités (service d'espionnage et de contre espionnage) quand Himmler en prend le commandement en 1930. En 1936, des unités SS à la tête de mort sont créées pour surveiller, puis diriger les camps de concentration jusque-là confiés aux SA. Le régime utilise d'une manière systématique la **propagande,** confiée à un ministère dirigé par Goebbels. Cinéma, radio, presse, littérature… sont mis au service de l'idéologie nazie (pp. 68-69). Toute la jeunesse est enrôlée dans les organisations du parti *(Hitlerjugend).* L'**endoctrinement** sera beaucoup plus profond que dans l'Italie fasciste. Même si une fraction importante d'Allemands refusera jusqu'au bout une adhésion authentique.

À partir de 1936, des plans organisent l'Allemagne en autarcie, de **grands travaux** sont entrepris (défrichement, assèchement, construction de chemins de fer, de routes...). Les résultats sont convaincants (chômage en régression et croissance de la production) mais au prix du viol systématique des valeurs démocratiques. Ce redressement explique le soutien des banquiers et industriels (Thyssen, Krupp, I.G. Farben, Hamburg-Amerika...) qui trouvent en Hitler le garant de la réalisation de leurs projets politiques et financiers. Le Führer entreprend une politique de **réarmement** intense. La guerre apparaît de plus en plus comme un aboutissement du régime.

⇒ **Atlas,** 40 B
41 E-G

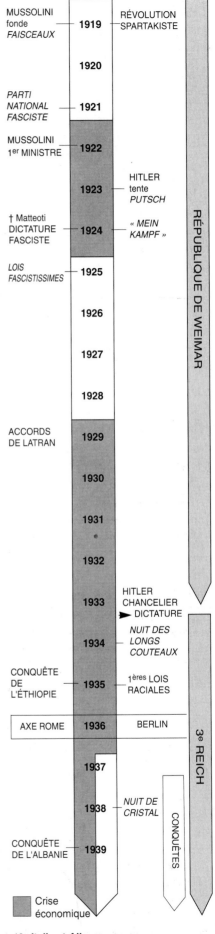

40. *Italie et Allemagne.*

LA GUERRE CIVILE EN ESPAGNE (1936-1939)

1. **Les Nationalistes.** Affiche de l'Espagne républicaine, 1936-1939.

2. EXCÈS DES NATIONALISTES

(...) Chaque nuit, des équipes (...) opérèrent dans les hameaux et jusque dans les faubourgs de Palma. Où que ces messieurs exerçassent leur zèle, la scène ne changeait guère. (...) « Suivez-nous ! » (...) Puis c'est l'escalade du camion , où l'on retrouve deux ou trois camarades, aussi sombres, aussi résignés, le regard vague (...). Hombre ! La camionnette grince, s'ébranle. Encore un moment d'espoir, aussi longtemps qu'elle n'a pas quitté la grand-route. Mais voilà déjà qu'elle ralentit, s'engage en cahotant au creux d'un chemin de terre. « Descendez ! » Ils descendent, s'alignent, baisent une médaille, ou seulement l'ongle du pouce. Pan ! Pan ! Pan ! Les cadavres sont rangés au bord du talus, où le fossoyeur les trouvera le lendemain, la tête éclatée, la nuque reposant sur un hideux coussin de sang noir coagulé. Je dis le fossoyeur, parce qu'on a pris soin de faire ce qu'il fallait non loin d'un cimetière. L'alcade écrira sur son registre : « un tel, un tel, un tel, morts de congestion cérébrale ». (...) Au début de mars 1937, après sept mois de guerre civile, on comptait trois mille de ces assassinats.

Georges BERNANOS, *Les grands cimetières sous la lune*, Paris, 1938, pp. 128-129 et 132.

À voir : André MALRAUX, *Espoir (Sierra de Teruel)*, France, 1939-1945, N & B; Frédéric ROSSIF, *Mourir à Madrid*, France, 1962, N & B; Alain RESNAIS, *La guerre est finie*, France-Suède, 1966, N & B.

À lire : Georges BERNANOS, *Les grands cimetières sous la lune*, 1937; Ernest HEMINGWAY, *La cinquième colonne*, 1938 et *Pour qui sonne le glas*, 1940; Arthur KOESTLER, *Un testament espagnol*, 1938; André MALRAUX, *L'espoir*, 1937.

3. PRONUNCIAMIENTO

L'orage qui menaçait depuis si longtemps finit par éclater. Le 18 juillet 1936 l'Espagne se réveilla en sursaut. C'est du Maroc que partirent les premiers coups de canon du soulèvement. L'écho des détonations se propagea dans toute l'Espagne, semant l'effroi. De bouche à bouche, d'immeuble à immeuble, de rue en rue courait la nouvelle : « Les forces militaires stationnées au Maroc se sont soulevées contre la République ! » Les informations, brèves mais alarmantes, poussaient des dizaines de milliers de personnes à sortir dans la rue, les paysans comme les citadins, tous animés du souci patriotique de s'informer de ce qui se passait et de manifester leur volonté d'aider le gouvernement à défendre la République.

Dolorès IBARRURI, *Mémoires de la Pasionaria*, 1964 (D'après *Les Mémoires de l'Europe*, VI, *L'Europe moderne, 1914-1972*, Paris, 1973, p. 301).

4. UNE RÉPÉTITION GÉNÉRALE ?

En septembre 36, tout observateur intelligent se rendait parfaitement compte que la guerre dont l'Espagne était le théâtre n'était pas une guerre civile; elle n'avait d'ailleurs pas débuté comme une guerre civile au sens propre du mot. La participation militaire de Hitler et de Mussolini était préparée de longue main et les troupes allemandes et italiennes affluaient maintenant vers l'Espagne.
Il s'agissait de mener la guerre contre la démocratie (...). L'Espagne était appelée à servir de champ d'expérience. C'est sur son territoire que devait avoir lieu la répétition de la guerre totalitaire contre la liberté.

C.G. BOWERS, *Ma mission en Espagne, 1933-1939*, Paris, 1956 (D'après *Formation historique*, t. 6 : *Les sociétés actuelles*, Liège, 1979, p. 61).

5. EXCÈS DES RÉPUBLICAINS

Dans l'ensemble du territoire tenu par la République, les églises et les couvents furent invariablement incendiés et pillés (...). Les assauts contre les édifices du culte s'accompagnèrent d'attentats en nombre colossal et incontrôlable contre des membres de l'Église et de la bourgeoisie. Depuis la guerre, les nationalistes ont indiqué que tous les meurtres connus exécutés en Espagne républicaine se sont élevés à 85 940. Il ne s'agit certainement pas d'une sous-estimation, bien que ce chiffre soit largement inférieur aux trois ou quatre cent mille meurtres dont on a accusé les Républicains pendant la guerre . Parmi les tués, 7 937 étaient des religieux : 12 évêques, 283 religieuses, 5 255 prêtres, 2 492 moines et 249 novices. L'exactitude approximative de ces chiffres est confirmée par tous les autres témoignages. (...) Il est certain qu'il y eut plusieurs prêtres brûlés vifs. À Barcelone, une foule importante fut attirée par l'exposition des corps de dix-neuf sœurs salésiennes qui avaient été exhumées.

Hugh THOMAS, *La guerre d'Espagne*, Paris, 1961, pp. 179-181.

L'Espagne est une République depuis 1931. Aux élections de février 36, les partis de gauche réunis en un Front populaire emportent la majorité des sièges. Le nouveau gouvernement (les *Républicains*) a des projets de réformes agraires et sociales mais une attitude très anticléricale. Quelques mois plus tard, un soulèvement militaire éclate *(pronunciamiento)*. Le général Franco s'impose à la tête des rebelles (les *Nationalistes*), soutenus par les grands propriétaires, le haut clergé et l'armée. Mais le coup d'État ne réussit pas complètement : le pays s'engage dans une guerre civile où les atrocités se répondent dans les deux camps.

L'Europe s'inquiète d'une extension du conflit. Un comité de non-intervention est mis sur pied à l'initiative de la France et de l'Angleterre. Il n'empêche pas l'aide italienne et allemande (Légion Condor) aux Nationalistes. Les Républicains obtiennent du matériel soviétique et le soutien des Brigades Internationales, constituées à l'initiative du Komintern. La guerre se termine en 1939 par la victoire des Nationalistes. Elle aura fait un million de morts. Franco, désigné généralissime depuis octobre 36, *Caudillo* et chef de l'État depuis août 37 installe une dictature personnelle qui s'achèvera à sa mort, en 1975.

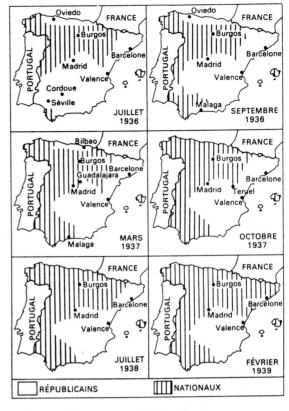

7. **Guerre d'Espagne : 1936-1939** (D'après G. HERMET, *L'Espagne de Franco,* Paris, 1974, p. 74).

6. ATTITUDE DE LA FRANCE

Après trois semaines d'oscillations, la politique française se fixa, le 8 août, dans le sens de la non-intervention. Mais qu'est-ce que cette expression signifie ? Personne n'a plus l'air de s'en souvenir. La non-intervention n'était pas, comme on semble l'imaginer, une décision unilatérale du gouvernement français, prise par lui seul et n'engageant que lui. C'était une convention conclue entre un certain nombre d'États, parmi lesquels figuraient l'Allemagne et l'Italie, mais aussi l'Angleterre et le gouvernement soviétique.

La France en a pris l'initiative, c'est exact. Mais pourquoi ? Parce que nous voulions empêcher l'Allemagne et l'Italie d'envoyer à Franco des armes et des hommes. Et pour l'interdire à l'Allemagne et à l'Italie, nous nous l'interdisons à nous-mêmes.

Était-il possible, pour nous, d'aider le gouvernement légal de l'Espagne sans qu'Hitler et Mussolini aidassent à la rébellion ? C'est ce que nous avons voulu; c'est ce que j'ai tenté entre le 20 juillet et le 8 août.

Léon BLUM, dans *Le Populaire*, 15 octobre 1936.

8. APPEL À L'AIDE

Nous voulons l'aide (des États démocratiques) et nous croyons que de cette façon ils défendront leurs propres intérêts. Nous essayons de le leur faire comprendre et d'obtenir leur aide... Nous savons parfaitement que les agresseurs fascistes trouvent dans tous les pays des groupes bourgeois pour les soutenir, comme les conservateurs en Angleterre et la droite en France, mais l'agression fasciste progresse à un tel rythme que les intérêts nationaux, dans un pays comme la France, par exemple, doivent convaincre tous les hommes qui désirent la liberté et l'indépendance de leur pays de la nécessité de se dresser contre cette agression. Et aujourd'hui il n'est pas de voie plus efficace que d'aider concrètement le peuple espagnol.

José DIAZ, *Frente Rojo*, 30 mars 1938, dans *Tres Anos de Lucha,* pp. 461-463 (D'après P. BROUÉ, *La révolution espagnole 1931-1939*, 1973, p. 140).

9. **Pablo PICASSO,** *Guernica,* 1937, 351 x 782 cm (Centro de arte Reina Sofia, Madrid). ↓

Face aux difficultés, nées de la crise, les démocraties cherchent des réponses. Certaines sont classiques, d'autres s'efforcent d'innover. Certaines sont nationales, d'autres visent la scène internationale. Ces efforts montrent à tout le moins qu'une mutation est en cours. Mais les conditions sont-elles favorables ? Les tensions politiques exacerbées du fait de l'existence de courants idéologiques extrémistes permettent-elles le développement de programmes à long terme ? Les gouvernements ne sont-ils pas constitués sur la base de la recherche d'un consensus tellement large que les réformes perdent beaucoup de leur caractère fondamental ?

41. INTERDÉPENDANCE

Cher Ministre,

J'ai lu (...) une communication de Genève où l'on parle d'un projet d'entente entre le Danemark, les Pays-Bas, la Suède et la Norvège, en vue de la Conférence sur la mise en vigueur de la convention internationale sur la trêve douanière.

Ne pensez-vous pas que la Belgique aurait tout intérêt à participer sans tarder aux négociations qui vont s'ouvrir à cette fin entre ces États (...) ? C'est peut-être le moment de faire entrer l'idée dans la voie des réalisations et de donner l'exemple aux Grandes Puissances un peu récalcitrantes.

Cette même idée d'entente entre petits pays de l'Europe occidentale serait d'ailleurs à méditer, à d'autres points de vue encore, dans la situation internationale du moment. (...)

Albert.

ALBERT Ier à Paul HYMANS, 3 octobre 1930, dans P. HYMANS, *Mémoires*, t. II, Bruxelles, 1958, p. 820.

43. *Couverture d'une brochure du Front Populaire,* 1935.

42. *Affiche de Yo. Mich contre le Front Populaire* (après mars 1937).

44. PROGRAMME D'ORGANISATION EUROPÉENNE

A. Subordination du problème économique au problème politique (...). C'est sur le plan politique que devrait être porté tout d'abord l'effort constructeur tendant à donner à l'Europe sa structure organique (...).
B. Conception de coopération politique européenne comme devant tendre à cette fin essentielle : une fédération fondée sur l'idée d'union et non d'unité, c'est-à-dire assez souple pour respecter l'indépendance et la souveraineté de chacun des États (...).
C. Conception de l'organisation économique de l'Europe comme devant tendre à cette fin essentielle : un rapprochement des économies européennes réalisées sous la responsabilité politique des gouvernements solidaires. À cet effet, les gouvernements pourraient fixer eux-mêmes (...) dans un acte d'ordre général (...) le but qu'ils entendent assigner comme fin idéale à leur politique douanière (établissement d'un marché commun pour l'élévation au maximum du niveau de bien-être sur l'ensemble des territoires de la communauté européenne). À la faveur d'une telle orientation générale pourrait s'engager pratiquement la poursuite immédiate d'une organisation rationnelle de la production et des échanges européens par voie de libération progressive et de simplification méthodique de la circulation des marchandises, des capitaux et des personnes, sous la seule réserve des besoins de la défense nationale dans chaque État (...).

Memorandum sur l'organisation d'un régime d'union fédérale européenne présenté le 17 mai 1930 par le gouvernement français, dit « plan BRIAND-LÉGER », publié dans *L'Europe Nouvelle,* (Paris), 13e année, n° 641, 24 mai 1930,

47 UN PLAN DE TRAVAUX PUBLICS EUROPÉENS

Le seul moyen de réduire le chômage, c'est de donner aux ouvriers du travail et pour cela d'entreprendre de grands travaux (...). La crise actuelle vient de ce que l'industrie ne trouve pas de débouchés (...) pour ses produits. Entre l'Europe industrielle (...) et l'URSS, (...) 60 millions de paysans vivent encore sous un régime d'économie primitive (...). Ils ne vendent ni n'achètent presque rien aux usines de l'Ouest (...). Or (...) on peut doubler ou tripler le pouvoir d'achat des paysans de l'Est. Ceci à deux conditions : a) doter les campagnes de l'Est d'un système moderne de transports (...); b) créer des banques de crédit à court terme (...). Il faut prévoir la construction de grandes voies dans la direction Nord-Sud (...). On peut prévoir que, sur les 70 milliards avancés par l'Europe industrielle, 45 au moins lui reviendront en commandes diverses(...).

Francis DELAISI, *Note sur un plan quinquennal de travaux européens,* Paris, 1931, pp. 1-4.

48. ***Partie centrale (1235 m) du tunnel de Waasland,*** percé de 1931 à 1933, reliant les deux rives de l'Escaut à Anvers.

45. UN TÉMOIN DE LA PROPOSITION BRIAND

5 septembre (1929). Briand, d'abord lourd et fatigué, s'est animé ensuite, a retrouvé son ton et son éloquence d'autrefois. Il a présenté et défendu sa fameuse idée de fédération européenne. Trop bon avocat d'une trop mauvaise cause, il a persuadé une partie de cette assemblée, composée pourtant d'hommes d'expérience, qu'on pouvait songer à établir des liens fédéraux politiques et économiques entre toutes les nations d'Europe. Sourions, l'entreprise n'est pas encore réalisée.

Papiers Joseph MÉLOT (responsable du service de la SDN au Ministère des Affaires étrangères de Belgique), *Notes au jour le jour, 1920-1935,* f° 109-110 (Louvain-la-Neuve, Chaire Jean Monnet d'Histoire de l'Europe, copie).

46. DÉCLARATION FRANCO-ANGLO-AMÉRICAINE DU 25 SEPTEMBRE 1936

1. Le gouvernement français, après s'être concerté avec le gouvernement des États-Unis (...) et le gouvernement de la Grande-Bretagne, se joint à eux pour affirmer une volonté commune de sauvegarder la paix, de favoriser l'établissement des conditions qui pourront le mieux contribuer à restaurer l'ordre dans les relations économiques internationales et de poursuivre une politique tendant à développer la prospérité dans le monde et à améliorer le niveau de vie des peuples.

3. Le gouvernement français (...) a décidé l'ajustement de sa devise (...). (Les) États-Unis (...) et la Grande-Bretagne (...) ont accueilli favorablement cette décision. (Ils) déclarent qu'il est de leur intention d'user des moyens (...) dont ils disposent pour éviter (...) que des troubles puissent affecter les bases nouvelles de changes (...). Il est entendu que les consultations nécessaires seront assurées à cette fin avec (...) les gouvernements et entre les instituts qualifiés.

4. (Les gouvernements attachent) la plus grande importance à ce qu'une action soit entreprise sans délai (...), pour atténuer, en vue de leur abolition, les régimes actuels de contingentements et de contrôles de changes.

5. (Les gouvernements) souhaitent et sollicitent la coopération des autres nations (...).

Documents Diplomatiques Français, 1932-1939, 2e série, 1936-1939, t. III, Paris, 1966, pp. 422-423.

49. DÉCLARATION DU PRÉSIDENT ROOSEVELT À LA CONFÉRENCE DE LONDRES (JUILLET 1933)

Je considérerais comme une catastrophe aux proportions d'une tragédie mondiale, que la Grande Conférence internationale, convoquée pour établir une stabilité financière plus réelle et permanente et une plus grande prospérité pour les masses de toutes les nations, puisse, avant de faire aucun effort sérieux pour considérer ces problèmes plus larges, se laisser détourner de son objet par la proposition d'une expérience artificielle et temporaire concernant le change monétaire de quelques nations seulement. Une telle action, une telle diversion, montre un singulier manque de proportion, et une incapacité de garder en mémoire les objectifs plus larges pour lesquels la Conférence Économique fut (...) convoquée...

La santé économique interne d'une nation est un plus grand facteur de son bien-être que la valeur de sa monnaie en termes de change vis-à-vis d'autres nations (...).

Laissez-moi dire franchement que les États-Unis recherchent un genre de dollar qui aura dans une génération le même pouvoir d'achat et de règlement des dettes que celui dont nous espérons définir la valeur dans un avenir proche (...).

Le rétablissement du commerce mondial est un élément important à la fois des moyens à employer et du résultat à obtenir. Ici aussi, la fixation temporaire des changes n'est pas la vraie réponse. Nous devons plutôt adoucir les prohibitions existantes pour faciliter l'échange des produits qu'une nation possède et l'autre non.

Message du Président F.D. Roosevelt à la Conférence de Londres, 3 juillet 1933. (D'après J. NERE, *La crise de 1929*, 3e éd., Paris, 1971, pp. 135-136).

50. RÔLE DE L'ÉTAT

Notre plus grande tâche (...) est de remettre le peuple au travail. Elle peut s'accomplir en partie par une embauche directe par le gouvernement, en agissant comme en cas de guerre, mais en même temps en réalisant par cette embauche les travaux les plus nécessaires pour stimuler et réorganiser l'usage de nos ressources naturelles.

F. D. ROOSEVELT, Discours du 17 mai 1933 (D'après E. J. VAN DE VEN, *David rend visite à Goliath,* Bruxelles, 1934, p. 66).

1. ÉGOÏSME NATIONAL OU INTERDÉPENDANCE ?

Le nationalisme économique qui règne durant la grande dépression (voir p. 31) a été, d'une part, renforcé par le « recours à l'empire » et, d'autre part, combattu au nom de l'interdépendance.

Les nations coloniales ont tendance à *se replier sur leurs colonies* en vue de constituer des zones d'échanges privilégiées. Imposant des tarifs douaniers moins élevés aux marchandises de la Métropole et des colonies, l'Angleterre, la France, les Pays-Bas, la Belgique vivent davantage sur eux-mêmes. Ils achètent et vendent moins hors de la **zone préférentielle** qu'ils ont créée. De ce fait, ils contribuent fortement à l'affaissement du commerce international.

Dans ce contexte, des voix s'élèvent pour réclamer la prise en compte de l'**interdépendance** entre les économies, car le repli sur soi n'apparaît pas comme une solution viable.

Les petits pays montrent la voie. En signant la convention d'Oslo (22 décembre 1930), la Belgique, le Danemark, la Norvège, les Pays-Bas et la Suède, expriment leur volonté d'organiser un *désarmement douanier* visant à réduire l'arsenal des mesures protectionnistes en vigueur. Cette idée fait son chemin chez d'autres. La conférence économique de Londres (juin/juillet 1933) est convoquée pour organiser une *trêve douanière*, c'est-à-dire une période durant laquelle aucune nouvelle mesure protectionniste ne serait adoptée; ménageant ainsi des conditions favorables pour la négociation de tarifs douaniers moins élevés. La conférence, qui implique les grandes puissances occidentales, est un échec. Les Américains refusent en effet d'accepter aussi la *trêve monétaire* que réclament leurs partenaires. Malgré l'échec, un tournant est pris car les puissances occidentales, en ce compris les États-Unis, doivent bientôt admettre la nécessité de se concerter, voire de prendre des initiatives communes.

Dans le secteur du commerce, les États-Unis élaborent une politique d'accords douaniers bilatéraux d'essence plus libérale à partir de 1935/1936, ce qui jette les bases d'une entente générale qui interviendra en 1947 (voir p. 99).

La *stabilité monétaire* fait l'objet de l'importante déclaration américano-anglo-française du 25 septembre 1936. Elle ouvre la voie à la concertation monétaire destinée à établir une *parité* * fixe du dollar par rapport à l'or (35 $ l'once), les autres monnaies se définissant par rapport à celui-ci et, donc, au dollar. Bien que l'absence d'un mécanisme de soutien en faveur d'une monnaie menacée ôte une bonne partie de son efficacité à l'initiative, celle-ci ouvre la voie à l'accord de Bretton Woods de 1944 (voir p. 93).

2. RÉFORMES DE STRUCTURE ET PRÉVISION

Les efforts en vue de répondre à la crise ne se déploient pas uniquement au niveau international. Dans plusieurs pays, de nouvelles politiques sont mises en place avec plus ou moins de succès. Elles visent essentiellement **trois objectifs** : combattre les effets immédiats de la crise, notamment au plan social; adapter voire transformer les structures; encourager la prévision. Dans ce contexte, le *rôle des experts* devient essentiel.

Ces trois objectifs sont poursuivis un peu partout en même temps mais selon des modes d'approche différents : de l'*initiative privée* en Angleterre à la *politique présidentielle* aux États-Unis, en passant par le « planisme » en Belgique et le Front Populaire en France.

En Angleterre : la PEP et les idées de Keynes

En 1931, Max Nicholson publie *A National Plan for Great Britain*, qui devient la charte fondatrice du *Political and Economic Planning (PEP)*. Ce **mouvement privé**, qui prend notamment en compte les idées de l'économiste John Maynard Keynes, joue, à partir de 1933, un rôle déterminant dans les réorientations de la politique économique et sociale de la Grande-Bretagne.

Les idées de **Keynes** sont formulées dans la *Théorie générale de l'emploi, de l'intérêt et de la monnaie* (1936) qui systématise des écrits antérieurs et fonde le système keynésien. Celui-ci part du principe selon lequel **les entreprises** établissent le niveau de la *production* en prévoyant la demande qu'elles devront réellement rencontrer. C'est la *demande effective*. Elle permet aussi de fixer le niveau de l'*emploi* puisque, la demande à satisfaire pouvant être prévue, il est possible de fixer aussi la quantité de main-d'œuvre nécessaire pour la production. La *prévision* concerne la demande des ménages (biens de consommation), celles des entreprises (biens de production), des pouvoirs publics et de l'étranger. Des liens existent entre production et *consommation* puisque celle-ci dépend des *revenus*. Si ceux-ci augmentent, la production devrait augmenter. Plus la production augmente, moins les entreprises élèveront leurs prix sauf si les *salaires* devaient augmenter fortement à leur tour. Mais ces salaires devant être fixés sur la base de *conventions entre les syndicats et le patronat* ils sont susceptibles d'être contrôlés. À ce stade, le **rôle de l'État** apparaît comme primordial. En effet, les pouvoirs publics peuvent influencer la demande effective de manière déterminante en faisant varier leur *politique fiscale* (impôts directs et indirects), *monétaire* (inflation ou déflation) et *budgétaire* (commandes publiques, grands travaux, etc.).

Sans doute de nombreuses politiques économiques et sociales des années 1930 n'ont-elles pas attendu Keynes pour se développer. Mais il reste que l'œuvre de l'économiste anglais traduit des pratiques avant de devenir une véritable « bible » pour plusieurs générations d'économistes et de décideurs.

Aux États-Unis : le New Deal

Le 28 novembre 1932, le candidat du parti démocrate **Franklin Delano Roosevelt** est élu président des États-Unis. Sa campagne électorale a été basée sur l'idée d'un *new deal*, la « nouvelle donne ». Dès son entrée en fonction (4 mars 1933), il entend conférer à l'**État**, au pays du *capitalisme sauvage*, un rôle primordial. Les mesures imposées, tant au plan de l'économie en général qu'à celui de l'agriculture, visent, d'une part, à *limiter la production* tout en fixant des *règles de concurrence* et, d'autre part, à *améliorer les conditions d'existence* des agriculteurs et des salariés dans l'industrie. Enfin, le *New Deal* passe par la politique des *grands travaux* (vallée du Tennessee).

Malgré ces mesures, le *chômage* n'est pas résorbé à la veille de la seconde guerre mondiale. De plus, le pouvoir fédéral n'a pas toujours débloqué les *moyens financiers* indispensables à la réalisation des objectifs. Enfin, la *politique très directive* qu'entend mener Roosevelt est dénoncée par ses adversaires qui la qualifient de « fasciste » et obtiennent de la Cour Suprême qu'elle juge inconstitutionnelles les mesures visant à combattre l'*ultralibéralisme* des entreprises.

En dépit de **résultats** finalement fort maigres, le *New Deal* a profondément marqué les esprits (les Présidents Kennedy et Clinton reprendront l'idée en l'adaptant). Il a rendu espoir à l'Amérique. Il a aussi modifié les méthodes de gouvernement et institutionnalisé la notion de prévision (*planning*). Enfin, il a favorisé la reconnaissance du rôle des *syndicats* face à la toute puissance patronale.

---

51. QUELQUES PRIORITÉS DU PEP

La priorité doit être donnée à la construction d'une structure satisfaisante pour les sciences pures et appliquées, à la création d'un Bureau National de Statistiques (...), d'un syndicat national des Musées et Bibliothèques en vue de soutenir la mise en circulation rapide et efficace des nouvelles idées, découvertes et méthodes (...). Le plan plaide aussi en faveur (...) du transfert du contrôle de l'enseignement (...) vers une Commission Permanente de l'Éducation (...), la création d'une large ceinture verte autour de Londres, la formation de parcs nationaux (...).

M. NICHOLSON, *The Proposal for a National Plan* (dans *Fifty Years of Political & Economic Planning*, Londres, 1981, p. 7. Trad. M. DUMOULIN).

---

52. LE PLANNING

Le planning entend que la société industrielle moderne requiert l'intervention des pouvoirs publics afin d'atteindre des objectifs à l'échelle de la nation; affirme qu'une telle intervention doit concerner l'ensemble du développement social (...) et doit être coordonnée au cœur même de l'État. Cette intervention doit être anticipative plutôt que caractérisée par des solutions *ad hoc* et des rythmes d'application dictés par des crises.

Otis L. GRAHAM, *Toward a Planned Society. From Roosevelt to Nixon*, New York, 1976, pp. XII-XIII. Trad. M. DUMOULIN.

---

53. NORMAN THOMAS, LEADER DES SOCIALISTES AMÉRICAINS JUGE LE « NEW DEAL »

Le New Deal n'est ni du fascisme ni du socialisme (...). Il y a, dans le New Deal, des réformes très importantes, empreintes d'idéalisme social (...). Roosevelt a agi dans le but de sauver le capitalisme (...). Par ses dépenses considérables, Roosevelt veut alimenter la pompe. Mais la pompe capitaliste a trop de fuites. Il faut en changer et ne pas croire qu'il suffit d'y mettre un peu de couleur rouge. (...) Les États-Unis, comme le reste du monde, évoluent soit vers le fascisme, soit vers le socialisme.

F. SILVART, *Au Pays de l'Aigle Bleu. L'expérience Roosevelt après deux ans*, Bruxelles, 1935, pp. 118-119.

54. LE PLAN DU TRAVAIL DU P.O.B.

L'objet de ce plan est une transformation économique et politique du pays qui consiste :

1° À instaurer un régime d'économie mixte comprenant à côté du secteur privé, un secteur nationalisé qui englobe l'organisation du crédit et les principales industries déjà monopolisées en fait;

2° À soumettre l'économie nationale ainsi réorganisée à des directives d'intérêt général tendant à l'élargissement du marché intérieur en vue de résorber le chômage et de créer les conditions d' (...) une prospérité économique accrue;

3° À réaliser (...) une réforme de l'État et du régime parlementaire qui crée les bases d'une véritable démocratie économique et sociale.

(...) En vue de susciter la reprise des affaires et (...) une prospérité économique accrue (...), l'État et les organes de direction de l'économie prendront les mesures nécessaires pour influencer la conjoncture au maximum. (...) Notamment (...) :

- une politique de l'épargne tendant à la sécurité des placements (...);
- une politique de crédit favorisant (...) les branches de l'économie qu'il conviendra de développer pour la réussite du Plan;
- une politique des prix organisant la répression des exactions monopolistiques (...);
- une politique (...) tendant à la réduction de la durée du travail et à la normalisation des salaires par l'établissement d'un régime contractuel : reconnaissance syndicale, commissions paritaires, conventions collectives, minimum de salaire (...);
- l'intégration étroite du Congo à l'économie nationale nouvelle;

L'application de (...) ces mesures sera orientée vers :

a) une plus large satisfaction des besoins de première nécessité (...);
b) l'accroissement du confort par la construction de nouvelles habitations dans le cadre d'une politique urbanistique;
c) l'amélioration de l'outillage économique (...);
d) le progrès de l'enseignement, notamment en vue de l'élévation de l'âge scolaire, de l'apprentissage et du réapprentissage, et de la formation d'un corps d'élite d'ingénieurs, de techniciens, de médecins, d'auxiliaires sociaux, d'éducateurs, etc.

Le Plan du Travail. Résumé publié sous forme de tract par La Presse Socialiste, société coopérative d'édition, en janvier 1934.

En Belgique : Plan du Travail et réformes de structures

Face aux difficultés économiques et sociales, une génération d'hommes nouveaux entend introduire des réformes profondes dans le fonctionnement de la vie politique, économique et sociale. Les débuts de la carrière politique de **Léon Degrelle** sont marqués par sa dénonciation du vieillissement des hommes et des structures de la *Fédération des Associations et des Cercles Catholiques* (Parti Catholique). Séduit par l'Italie de Mussolini, puis par l'Allemagne d'Hitler, il dérive vers un « fascisme belge » et crée le mouvement rexiste *(Rex)*. Au *Parti Ouvrier Belge*, **Henri de Man** qui a rompu avec le marxisme *(Au-delà du Marxisme,* 1929) entend adapter le Parti au défi que constitue la crise. Le *Plan du Travail,* adopté par le Congrès du Parti Ouvrier Belge à la Noël de 1933, traduit cette volonté de changement.

Le *Plan* met le doigt sur une série de défauts de l'économie belge (crédit trop aux mains de banques investissant l'épargne dans les entreprises qu'elles contrôlent, poids excessif des concentrations industrielles, mauvaise organisation des transports publics) tout en se fixant comme objectif la *résorption du chômage.* Au-delà du succès qu'il rencontre, il marque le programme du **gouvernement tripartite** que constitue le jeune et brillant économiste **Paul van Zeeland** en mars 1935. Ce gouvernement est en lui-même une réponse à la crise. Réunissant des représentants des trois partis traditionnels (catholique, libéral et socialiste), il accueille des *hommes neufs* (van Zeeland, De Man, Spaak) bien décidés à prendre les problèmes à bras le corps en vue d'éviter le glissement vers les extrêmes. *Rex,* essentiellement en Wallonie et à Bruxelles, et le *VNV (Vlaams Nationaal Verbond),* créé en 1933 par Staf De Clercq, sont à l'affût. À l'extrême-gauche aussi, une minorité agissante s'active.

Après une spectaculaire dévaluation de 28 % du franc belge le 30 mars 1935, le gouvernement, ayant obtenu les **pouvoirs spéciaux** * du Parlement, gouverne par *arrêtés royaux* *. De très nombreuses mesures qui, en temps normal, auraient exigé le vote d'une loi, sont ainsi imposées par le gouvernement. Même modérées, les **méthodes autoritaires** sont à l'ordre du jour. L'éventail des mesures arrêtées par le gouvernement est impressionnant. Il concerne l'emploi *(Office National du Placement et du Chômage),* la prolongation de la scolarité jusqu'à 14 ans, le contrôle du crédit *(Commission Bancaire),* l'accès à la propriété *(Office Central de Crédit Hypothécaire),* les salaires dans la fonction publique, la fiscalité indirecte, etc. Il tend aussi à renforcer la politique inaugurée dès le début des années 30 grâce au *Fonds des Grands Travaux* (Canal Albert, Tunnel sous l'Escaut, Exposition de Bruxelles en 1935) et au *Fonds des Routes* afin de créer de l'emploi tout en modernisant ou complétant les infrastructures.

Le gouvernement met en outre sur pied le *Centre d'Étude pour la Réforme de l'État* et crée neuf commissariats royaux chargés de proposer des **réformes** dans des secteurs aussi divers que la fabrication et le commerce du matériel de guerre ou l'environnement dans le cadre de la protection de la région de Spa et Fagnes.

La politique du gouvernement van Zeeland ne fut pourtant pas encouragée lors des élections du 24 mai 1936. Rex obtint d'un coup 21 mandats de députés, les nationalistes flamands et les communistes, chacun 6. Utilisant habilement un climat de scandales politico-financiers mais aussi la violence entourant les élections législatives françaises d'avril/mai 1936, les voies de l'**extrémisme**, en Belgique, s'élargissaient, compromettant un des efforts les plus originaux en Europe pour faire échec à la crise.

Atlas, 52 B ⇐

En France : le Front Populaire

La France souffre de l'**instabilité** de ses gouvernements successifs (voir p. 30, doc. n° 20). Cette situation empêche son redressement économique, attise le mécontentement social et durcit fortement l'opposition entre la Gauche et la Droite.

Face à la **Droite** qu'influencent les idées fascistes d'ordre, de discipline et de lutte contre les influences néfastes de l'étranger (*bolchevisme, capitalisme juif, franc-maçonnerie*), les partis de **gauche** s'organisent en **Front Populaire** dans la perspective des élections d'avril-mai 1936. Socialistes, communistes et radicaux emportent le scrutin. Le socialiste **Léon Blum** devient président du Conseil (Premier Ministre) tandis que des grèves spectaculaires éclatent afin de souligner la volonté populaire d'assister immédiatement à des réformes économiques et sociales. Les **réformes économiques** sont timides à l'exception de celles touchant la *nationalisation* des industries d'armement. Les *réformes sociales* sont plus profondes (droit syndical, conventions collectives, semaine de quarante heures, congés payés) et visent à une relance de la consommation par le biais d'importantes hausses des salaires.

L'inflation et la fuite des capitaux compromettent la politique du gouvernement. La Droite qui utilise le climat de violence que font régner des organisations fascistes très agissantes, comme « La Cagoule », se présente comme le rempart de la Démocratie et dénonce « l'aventure du Front Populaire ». Le 22 juin 1937, réduit à l'impuissance face à la Droite mais aussi aux déchirements des partis du Front Populaire, Blum démissionne. *La France est plus désorientée que jamais.*

Il reste de l'expérience, une série de **conquêtes sociales** et un souvenir qui jouera un rôle sans doute non négligeable dans la victoire de la Gauche aux élections présidentielles françaises de 1981.

3. L'AMBITION DES ÉTATS-UNIS D'EUROPE

Face aux nationalismes, à la puissance des États-Unis, voire à celle de l'URSS et du Japon, des voix se sont élevées pour prôner la constitution d'*États-Unis d'Europe*. Ces idées n'ont pas été traduites dans les faits car la grande dépression a mis une sourdine aux efforts de coopération en Europe. Il faut pourtant ménager une place particulière aux idées de **Richard Coudenhove-Kalergi** et aux développements auxquels elles ont donné lieu.

Doué d'un talent exceptionnel de « vendeur d'idées », Richard Coudenhove-Kalergi lance à partir de 1923 le mouvement *Pan Europa*. Le programme est ambitieux. Il est abondamment diffusé et rencontre bientôt un grand succès. Il peut aussi compter, à travers toute l'Europe, sur l'appui de personnalités de premier plan parmi lesquelles le président du Conseil français **Aristide Briand**. Celui-ci propose, en septembre 1929, aux représentants des gouvernements réunis à Genève pour l'Assemblée générale annuelle de la Société des Nations (voir p. 12), la constitution d'*États-Unis d'Europe*. Accepté dans son principe, le projet achoppe d'abord sur la question de savoir s'il faut créer de nouvelles institutions ou s'il faut se servir du cadre existant de la SDN. Il capote ensuite à cause de l'incapacité des partenaires européens de définir la priorité entre la voie d'une union politique et celle d'une union économique.

Malgré son **échec**, la proposition Briand constitue la *première ébauche de construction européenne* au niveau des gouvernements. Elle forme aussi une base détaillée de principes et de propositions pratiques qui seront reprises après la seconde guerre mondiale.

LES SALOPARDS EN VACANCES

— Vous ne pensiez que j'allais me tremper dans la même eau que ces bolcheviks !

55. Pol FERJAC, *Les salopards en vacances,* caricature parue dans *Le Canard enchaîné* (Paris), 12 août 1936.

---

56. LE PROGRAMME DE *PAN EUROPA* (1926)

L'Union Paneuropéenne organise au-dessus de tout parti le mouvement fédéraliste européen.
Elle exige :

1. La confédération européenne avec garantie réciproque de l'égalité, de la sécurité et de la souveraineté de tout État européen.

2. Une cour fédérale européenne pour régler tous les conflits entre États européens.

3. Une alliance militaire européenne, avec une force aérienne commune pour garantir la paix et le désarmement équilatéral.

4. La création progressive de l'Union douanière européenne.

5. La mise en valeur en commun des colonies des États européens.

6. Une monnaie européenne.

7. Le respect des civilisations nationales de tous les peuples de l'Europe, fondement de la communauté de culture de l'Europe.

8. La protection de toutes les minorités nationales et religieuses de l'Europe, contre la dénationalisation et l'oppression.

9. La collaboration de l'Europe avec d'autres groupes d'États dans le cadre d'une Société des Nations universelle.

Manifeste de Pan-Europa, Vienne, 1926. Genève, Fondation Archives Européennes, Papiers Coudenhove Kalergi.

La guerre et la grande dépression ont-elles uniquement affecté l'Europe et les États-Unis ? Le reste du monde est-il touché par l'onde de choc ? Le cas échéant, quelle est la nature de ces conséquences ?

57. MENACES SUR LA DOMINATION COLONIALE

Au moment même où nous essayons de nous rapprocher des « âmes » indigènes, d'autres influences tendent à les éloigner de nous. (...) De grands mouvements qui agitent le monde menacent de faire vibrer les populations coloniales; ici c'est le communisme, ailleurs la propagande pannègre transmise par les Noirs d'Amérique; ailleurs encore le panislamisme, les menées révolutionnaires venues de l'Inde (...). Ces mouvements se trouvent fréquemment déformés par les caractères du milieu où ils pénètrent. Telle agitation communiste n'a de communiste que le nom.

Georges HARDY, *Nos grands problèmes coloniaux*, Paris, 1929, p. 7.

58. NOTRE NATIONALISME

Nous (...) qui sommes animés d'un souffle purement patriotique, avons une mission à remplir pour le salut de notre chère patrie (...). À ceux (...) qui ne voient en nous qu'une génération paresseuse et somnolente, à ceux qui croient encore que le peuple marocain est condamné à être éternellement exploité et asservi, à ceux-là nous opposerons un front d'action (...). Nous sommes donc fiers de notre mouvement national (...). Nous nous rappelons encore l'éclatante civilisation musulmane qui, pendant que l'Europe était plongée dans les ténèbres de l'ignorance et dans l'anarchie, illuminait tout l'Orient et l'Occident (...). Nous sommes et nous resterons toujours hostiles à toute politique à caractère colonial, mais cela ne veut pas dire (...) que nous sommes des anti-français et des insurgés, car, pour nous, la France peut - si elle le veut - être la nation alliée à laquelle nous devons estime et reconnaissance (...). Ceux qui, poussés par des mobiles colonialistes, voudront arrêter notre marche (...) nous trouverons toujours en face d'eux, les bravant et les combattant (...). Ce serait commettre une grave erreur (...) de ne voir dans les Marocains qu'un peuple gouverné tyranniquement par les archaïques conceptions du « Service des Beaux-Arts » et n'intéressant que ses acolytes, le Service du Tourisme et celui bien entendu des impôts et contributions.

Mohamed Hassan OUAZZANI, *Notre Nationalisme*, dans *L'Action du Peuple* (Fès), n° 48, 15 juillet 1937, reproduit dans Mohamed Hassan OUAZZANI, *Combats d'un Nationaliste marocain*, t. II : *1933-1937*, Fès, (1989), pp. 282-284.

59. LA REVUE DU MONDE NOIR

Ce que nous voulons faire : donner à l'élite intellectuelle de la race noire et aux amis des Noirs, un organe où publier leurs oeuvres artistiques, littéraires et scientifiques.
Étudier et faire connaître (...) tout ce qui concerne la civilisation nègre et les richesses naturelles de l'Afrique (...). Créer entre les Noirs du monde entier (...) un lien intellectuel et moral (...). Par ce moyen, la race noire contribuera avec l'élite des autres races et tous ceux qui ont reçu la lumière du vrai, du beau et du bien, au perfectionnement matériel, intellectuel et moral de l'humanité (...). Et ainsi, les deux cents millions de membres que compte la race noire, quoique partagés entre diverses nations, formeront, au-dessus de celles-ci, une grande démocratie, prélude de la Démocratie universelle.

La Revue du Monde noir/ The Review of Black World (Paris), n° 1, novembre 1931, p. 1 (D'après J.-F. SIRINELLI, *Deux étudiants « coloniaux » à Paris à l'aube des années trente,* dans *Vingtième Siècle, revue d'Histoire,* n° 18, avril -juin 1988, pp. 82-83).

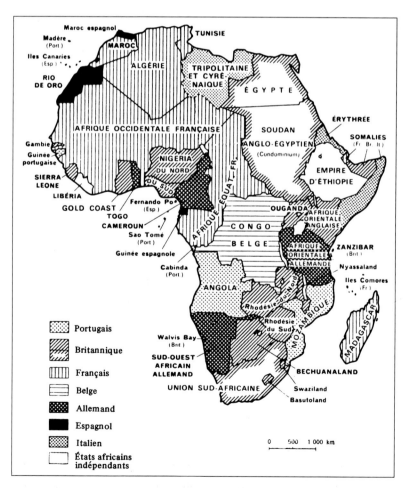

60. ***L'Afrique politique en 1914*** (D'après E. M'BOKOLO, *L'Afrique au XXe siècle. Le continent convoité,* Paris, 1985, p. 40).

⇒ **Atlas,** 54 E

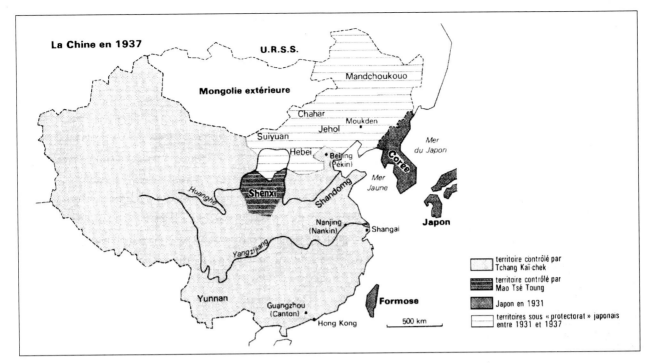

61. *Guerre civile en Chine et expansion japonaise.*

⇒ **Atlas,** 60 C-D

62. TCHANG SE SOUVIENT

J'ai été très étonné d'apprendre (...) qu'en Europe, chaque famille ou presque, avait son *Lotus bleu*... Dès sa parution dans *Le Petit Vingtième*, cette aventure de Tintin provoqua le mécontentement de l'ambassade japonaise à Bruxelles. L'ambassadeur fit des démarches auprès du gouvernement belge (...). La propagande japonaise prétendait (...) qu'il n'y avait pas d'hygiène en Chine, que les installations hydrauliques étaient mises hors d'état par les inondations continuelles, qu'il n'y avait pas d'école pour élever les enfants, qu'on jetait d'ailleurs à la rivière dès leur naissance... Un si grand pays (...) à la population si nombreuse, était une menace pour toute l'Asie s'il n'était pas pacifié. En fait (...) le Japon agissait par pur impérialisme. Manquant de matières premières chez lui, il voulait (...) s'emparer de celles qui font la richesse de la Chine (...). Une logique de bandits.

TCHANG TCHONG-JEN, *Tchang au pays du Lotus bleu*, Paris, 1990, pp. 51-52.

64. HERGÉ, ***Tintin et le Lotus bleu***, Tournai, 1946, p. 22. Le récit en noir et blanc a paru dans *Le Petit Vingtième* entre août 1934 et octobre 1935 puis en album en 1936.

Année	Montant total (milliers de fr.)	Importations du Japon (milliers de fr.)	Pourcentage
1931	961 892	5 396	0,56
1932	464 632	6 766	1,46
1933	389 381	2 201	5,66
1934	377 606	37 693	9,98
1935	524 592	67 837	12,92
1936	724 793	31 866	18,20
1937	1 137 092	160 246	14,11
1938	1 022 637	119 681	11,72

63. **Importations au Congo belge et part du Japon dans celles-ci, 1931-1938.**
(D'après *Rapport annuel sur l'administration de la colonie du Congo belge pendant l'année* (1931 à 1938) *présenté aux Chambres législatives*, Bruxelles, 1932-1939).

1. LES COLONIES

Les colonies ont, d'une part, fait l'objet d'une «mise en valeur» dans le cadre du « recours à l'Empire » (voir p.48) et, d'autre part, esquissé un mouvement d'autonomie vis-à-vis des Métropoles. Mais les modalités changent d'une colonie à l'autre selon que l'on se tourne vers l'Afrique noire, le Proche ou l'Extrême-Orient.

L'Afrique

Le continent que l'Europe se représente comme tranquille est encore le théâtre de **guerres coloniales**. Jusqu'en 1925, le chef berbère Abd el-Krim combat les Espagnols puis les Français dans le Rif. Défait, il n'en devient pas moins un symbole puisqu'il présidera, après 1945, le Comité de Libération de l'Afrique du Nord soutenu par la Ligue Arabe. En 1935, l'Éthiopie, État souverain, membre de la SDN, est agressée et conquise par l'Italie.

Au plan économique, l'entre-deux-guerres voit s'affirmer «la mise en valeur» à propos de laquelle le débat reste ouvert pour savoir si elle profita aux populations locales ou au colonisateur; industrialisation partielle de certaines régions comme le Katanga (Shaba), travaux d'infrastructures (routes, chemins de fer) et surtout développement de l'agriculture peuvent être envisagés comme ayant généré des effets positifs. Mais les cultures obligatoires destinées à privilégier certains produits (coton, café) ont pu détourner des terres anciennement consacrées à la culture vivrière et provoquer des famines. De même, les recrutements forcés pour les chantiers de travaux publics déclenchent, comme au Kwango, en 1931, des révoltes durement réprimées.

En **Afrique noire**, la *résistance* opposée au colonisateur se traduit essentiellement par le refus de travailler ou l'adhésion à des mouvements religieux permettant de se démarquer de la religion des Blancs (Kibanguisme au Zaïre). Dans le **Maghreb**, en revanche, des leaders arabes proclament leur volonté d'autonomie par le biais de la presse, de brochures et dans des réunions publiques. Bien que durement réprimé, le mouvement, lancé par des intellectuels, élargit sa base sociale et devient le creuset de l'indépendantisme.

L'Asie

Les colonies ou territoires sous *mandat* * de la SDN connaissent de violents soubresauts qui ébranlent le pouvoir colonial.

L'Empire des Indes est travaillé par un double mouvement indépendantiste. La *voie non-violente* de Gandhi, bon connaisseur de la Grande-Bretagne où il a étudié le droit et de l'Afrique du Sud où il a vécu la politique de ségrégation raciale, place les Anglais dans la position de tortionnaires. Nehru, de son côté, est partisan de l'*action révolutionnaire*. L'Inde se fissure.

En **Indochine** (Hô-Chi-Minh), en **Indonésie** (Soekarno), à **Ceylan**, des intellectuels, gagnés au marxisme-léninisme adopté comme idéologie de lutte des opprimés, construisent patiemment des mouvements de libération nationale.

En **Palestine**, le *Foyer National Juif* entend faire admettre son existence à la Grande-Bretagne, puissance mandataire, et aux Arabes. Des troubles éclatent régulièrement jusqu'à la grande révolte palestinienne de 1936-1939 causée, d'une part, par l'afflux d'immigrés juifs (la population juive est passée de 17,8 % en 1930 à 31,4 % en 1940), et, d'autre part, par les conclusions de la commission anglaise présidée par Lord Peel, préconisant, en juin 1937, le partage du pays et la création d'un État juif, la tutelle sur les territoires palestiniens non inclus dans le nouvel État étant assurée par la Transjordanie.

2. L'AMÉRIQUE LATINE

L'Amérique latine — mais ne faut-il pas parler des Amériques latines ? — est marquée par son **passé colonial** qui a laissé des traces profondes au plan des structures économiques et sociales, et par l'**immigration européenne** du dernier tiers du XIXe siècle. Amériques indienne, noire, blanche constituent une mosaïque *en mal de développement*.

Intimement liées à la demande de produits de base, les **économies sud-américaines** *profitent de la première guerre mondiale* grâce à leur production de céréales et de viande (Argentine), de café et autres produits alimentaires (Brésil, Colombie), de minerais tels que le cuivre et le nitrate (Chili), l'or et l'argent (Mexique). Ce *boom commercial* est *arrêté net* par le retour à la « normale » sur les marchés mondiaux.

Face à une situation économique qui les prive de substantiels revenus, les **grands propriétaires terriens** — certains domaines ne couvrent-ils pas une superficie équivalente à celle de l'Angleterre ? — font opérer de spectaculaires *destructions massives de récoltes* destinées à maintenir les cours. Ces opérations s'accompagnent d'un *chômage* très important.

Les **réactions sociales** qui découlent de la récession sont souvent violentes. La **répression** l'est tout autant. Les *oligarchies* s'appuient en effet sur les *militaires*. Ceux-ci procèdent à de vigoureuses reprises en main à la faveur de **coups d'État** *(pronunciamentos)* mettant en avant l'intérêt national menacé par les idéologies de gauche ou les Américains. Dans les deux cas, l'argument fait mouche car il touche des populations très catholiques qui, par ailleurs, n'apprécient guère la **tutelle des États-Unis**. Or, ceux-ci sont omniprésents, que ce soit par le biais des investissements ou plus brutalement par celui d'une occupation militaire (République Dominicaine, 1916-1924; Haïti, 1915-1934; Nicaragua, 1912-1925 et 1926-1933).

Dans ce contexte, le **modèle totalitaire italien puis allemand** gagne du terrain. *Au Brésil*, Getulio Vargas proclame la dictature en novembre 1930. Il se rapproche très étroitement de Rome et de Berlin au fil de la décennie mais devra finalement s'aligner sur les États-Unis. Ce changement de cap du Brésil est dû, pour une part, aux vigoureuses pressions économiques des Américains, mais également à un *changement d'attitude* de la Maison Blanche à l'égard de l'Amérique latine après 1936. Abandonnant la politique du *Big Stick* (gros bâton) de ses prédécesseurs, le président Roosevelt cherche à nouer des liens plus amicaux avec certains pays traditionnellement fort opposés aux États-Unis comme l'Argentine. Il s'efforce ensuite, après sa réélection en 1936, de convaincre la *Conférence interaméricaine* d'entrer dans la voie de la coopération. La session de Lima de la Conférence (1938) adopte le principe d'une défense commune du continent.

Au plan des affaires internes des États, les **dictatures « d'ordre et d'affaires »** s'installent alors que les **classes moyennes** affirment leur rôle socio-économique. Soucieuses d'une certaine modernité, elles constituent un facteur potentiel de progrès vers plus de démocratie. Dans le même temps, elles craignent, alors que se développent les centres urbains dont la taille préfigure les mégalopoles d'aujourd'hui, que leur situation soit compromise par des bouleversements sociaux trop importants. Tiraillées *entre modernité et tradition*, elles constituent le *ventre mou* de la société et, en définitive, une clientèle généralement favorable aux solutions réactionnaires. Celles-ci ne manquent toutefois pas de susciter, chez certains intellectuels, une critique acerbe. Elle nourrira une volonté de changement qui s'exprimera dans les décennies suivantes.

---

67. GRÈVE À BAHIA

Gustave fait de belles tirades réclamant que satisfaction soit donnée aux revendications ouvrières : je ne demande pas, j'exige. Il parle d'humanité, d'hommes qui meurent de faim, qui travaillent dix-huit heures par jour, que décime la tuberculose. Il fait allusion au danger de révolution sociale (...). Les représentants de la compagnie — un jeune américain et un vieux monsieur qui est avocat de la compagnie et qui a été parlementaire en d'autres temps — opposent une vive résistance. Le plus qu'ils puissent faire, disent-ils, c'est d'accorder aux ouvriers 50 % de leurs revendications. Et encore cela par amour du peuple, pour que la ville ne reste pas privée de transports, de lumière, et de téléphone (...). Les employés ne pensent qu'à eux-mêmes; peu leur importe que les étrangers aient eu confiance dans leur pays et qu'ils aient investi leur argent dans des entreprises brésiliennes. Que vont dire les étrangers ? Ils diront qu'ils ont été volés par les Brésiliens, et ce sera l'opprobre jeté sur le beau renom du pays (l'Américain opine du bonnet et fait : yes).

Jorge AMADO, *Bahia de tous les saints*, Paris, 1938, p. 189 (éd. originale, 1935).

---

68. TYPOLOGIE DE LA « YANKEE-PHOBIE » EN AMÉRIQUE LATINE

Il y a un antiaméricanisme qui (...) réagit (...) à l'événement. Il a pour caractéristique (...) d'être très peu doctrinal (...). Il y a un antiaméricanisme (...) triste, né de l'humiliation et de la frustration, (...) qui voit (...) l'homme latino-américain perdre son âme devant le Yankee tout puissant. (...). Il y a un antiaméricanisme (...) « intéressé » (...) né de la rivalité économique avec les firmes américaines ou politique avec Washington (...). Il y a un antiaméricanisme de classe, né du fait que l'Américain, c'est le patron de l'entreprise (...). Il y a un antiaméricanisme politique, (...) forme spontanée du nationalisme brut sans idéologie (...) le sous-tendant (...). Il y a un antiaméricanisme de caractère ethno-culturel qui oppose d'abord la latinité des élites à l'anglo-saxonnisme et ensuite l'indigénisme à l'américanisation (...). Il y a enfin (...) un antiaméricanisme idéologique qui prend sa source dans l'anti-impérialisme et le socialisme.

Leslie MANIGAT, *L'Amérique latine au XXe siècle, 1889-1929*, Paris, 1991, pp. 408-410.

69. LE JAPON DES ANNÉES 30

Le Japon semblait avoir la fièvre. Les jeunes militaires exaspérés par l'attitude des grandes puissances dans la question mandchoue et poussés par les sociétés secrètes ultra-nationalistes, montrèrent de plus en plus des tendances hostiles à la politique de patience vis-à-vis de la Chine, à l'internationalisme et en vérité à toutes les idées et à toutes les institutions d'origine étrangère, telles que le Parlement (...). Pendant cette période fiévreuse de l'hiver de 1932, deux financiers éminents (...) furent assassinés dans les rues de Tokyo. L'un, le baron Dan, était le principal fondé de pouvoirs de la firme Mitsui. L'autre, M. Innosuke Inouyé, avait été (...) gouverneur de la Banque du Japon et ministre des Finances (...). Le 15 mai (...) s'était produit dans la capitale un essai de coup d'État par un groupe de jeunes officiers de marine qui (...) assassinèrent le président du conseil, M. Inukaï (...). L'Empereur appela à la présidence du conseil l'amiral retraité Saïto (...). Pendant deux ans (...) les passions chauvines et antiparlementaires parurent s'endormir. Elles couvaient cependant. Le 26 février 1936 (...) un nouveau coup d'État prit les proportions d'une rebellion de régiment (...). Furent massacrés (...) le frère de l'amiral Okada, le ministre des Finances Takahashi (qui) avait été premier ministre en 1921, le général Watanabe, inspecteur général de l'éducation militaire, et (...) l'amiral Saïto (...). Depuis la mort d'Inukaï en 1932, plus aucun premier ministre ne s'est appuyé sur une majorité parlementaire (...). Tous les cabinets subséquents furent « bureaucratiques ». Ainsi peut se résumer le résultat du mouvement (...) que ses partisans appelaient la « seconde restauration », celle de Showa, véritable réaction contre celle de Meiji.

Baron Albert de BASSOMPIERRE, *Dix-huit ans d'Ambassade au Japon*, Bruxelles, (1943), pp. 151-155.

⇒ **Atlas,** 65 D

L'archipel japonais s'est **ouvert à l'Occident** depuis la fin des années 1860. Cette ouverture coïncide avec le début d'un **mouvement d'expansion coloniale** vers Formose (1895) et la Corée (1910). Quant à la victoire de 1905 contre les Russes, elle frappe beaucoup les esprits. L'homme jaune a battu l'homme blanc et le « péril jaune » entre dans le vocabulaire.

Durant la première guerre mondiale, le Japon s'engage aux côtés des Alliés. Il intervient en Asie et en Océanie. S'il retire quelque *profit territorial* de son intervention (Mandchourie, côte orientale de la Chine et Pacifique), c'est surtout sur le *plan économique* que se situent les avantages. L'indice de la production industrielle passe de 100 en 1910-1914 à 160 en 1915-1919. L'*industrie lourde*, et notamment les constructions navales, décolle. Le nombre d'ouvriers augmente lui aussi tandis que les *exportations* progressent fortement en vue de compenser, à l'instar de ce qui s'est passé ailleurs, la paralysie de l'Europe.

La paix revenue, le Japon connaît un **contrecoup** qu'aggrave une **natalité galopante** supérieure à un taux de 30/°°. Comment, dans ces conditions, fournir du travail et du riz aux Japonais ?

Deux voies sont possibles. La première consiste à *développer le commerce et les investissements extérieurs* afin de conduire une expansion pacifique. La seconde est celle de la poursuite de la *politique d'expansion territoriale* inaugurée avant guerre sous la pression des militaires.

Le choix entre ces deux voies est avant tout une question de **rapports de force** au sein de la société et de la politique japonaises. Celles-ci sont profondément marquées par des structures et un code moraux enracinés dans la **tradition**. Le métier des armes notamment, empreint de l'éthique des samouraïs, est considéré comme noble et, de ce fait, apparaît comme un moyen d'ascension sociale pour les milieux ruraux. Dans le secteur de l'économie, deux structures constituent le tissu industriel : les *zaibatsu* *, d'une part; les *entreprises artisanales,* d'autre part. Les unes sont issues de grandes familles tirant leur lointaine légitimité de la féodalité. Mitsubishi, Mitsui, Yasuda et Sumitomo contrôlent, par voie de concentration, l'essentiel de l'économie tout en veillant, grâce à une nébuleuse de filiales, à diversifier leurs participations. Les entreprises artisanales, pour leur part, font mieux que survivre car elles travaillent en sous-traitance. Les uns et les autres fonctionnent dans un *système de valeur* qui rejette les revendications sociales, exige la plus grande déférence et disponibilité vis-à-vis du patron.

Par rapport à cette situation, l'introduction, au lendemain de la guerre, d'un **parlementarisme à l'européenne**, est une gageure. Les réformes électorales instituant successivement le suffrage censitaire (cabinet Hara, 1919-1920), puis universel pour les hommes âgés de 25 ans au moins (cabinet Kato, 1925-1929), sont un échec. Militaires et milieux d'affaires considèrent que le système mis en place est un *affront infligé au Japon et à ses traditions* puisqu'il prétend confier à des parlementaires élus le soin de se substituer aux « représentants éternels » de la fonction militaire et productive.

Ce mécontentement est attisé par les conséquences de la **crise économique de 1929**. En effet, la chute des exportations de produits japonais vers les États-Unis notamment, et la baisse de rentrées en devises qui s'ensuit, handicape le règlement du montant des importations de matières premières dont le Japon a besoin. Dans le domaine de l'emploi, la crise déclenche le chômage alors que la population ne cesse de croître.

Les facteurs économiques et démographiques sont utilisés par les **militaires** pour justifier leur **expansionnisme**. Ils trouvent dans les milieux industriels des alliés objectifs qui seconderont leurs visées à l'extérieur mais aussi à l'intérieur. En effet, la solution aux problèmes économiques et démographiques passe, aux yeux des militaires, par des *réformes internes* permettant de rompre avec l'influence jugée pernicieuse de l'Occident. En utilisant des arguments *ultranationalistes*, en invoquant les valeurs traditionnelles et en recourant à la violence physique pour éliminer l'adversaire politique, les militaires développent un *fascisme à la japonaise* qui explique le rapprochement avec les régimes fasciste italien et national-socialiste allemand.

À l'étranger, le **complexe militaro-industriel nippon** fomente des incidents de plus en plus graves dans les régions asiatiques vers lesquelles il lorgne. En septembre 1931, les troupes japonaises, prétextant notamment les mauvais traitements dont auraient été victimes des émigrés japonais, envahissent la **Mandchourie**. Cet argument permet de justifier l'intervention aux yeux de l'opinion internationale. Sur la scène intérieure, il fait vibrer la fibre nationaliste et offre l'occasion de dénoncer les faiblesses du pouvoir. L'*armée* apparaît ainsi comme le *seul garant de l'honneur de l'Empire*.

L'affaire de Mandchourie n'ayant déclenché que des protestations de principe de la part de la SDN qu'il quitte en 1933, le Japon poursuit sa politique d'**expansion dans la Chine du Nord-Est** tandis que le reste de la Chine est déchiré par la guerre civile.

4. LA CHINE

La chute de l'Empire, en 1911, a plongé la Chine dans l'**anarchie**. Les Occidentaux et le Japon voient dans cette situation une occasion d'étendre leurs **zones d'influence**. Tandis que les seigneurs de la guerre (les *dujun*) qui contrôlent de vastes territoires se querellent entre eux, ce qu'il reste de pouvoir à Pékin est obligé de concéder toujours plus d'avantages aux Occidentaux et aux Japonais (mines, forêts, timbres).

Cette situation encourage, dès 1919, une violente **réaction nationaliste**. *Sun Yat-sen*, responsable du parti nationaliste *Kuomintang*, structure, avec l'aide de l'URSS, la « lutte unitaire » contre les seigneurs de la guerre et les étrangers. À sa mort (1925), le flambeau est repris par le général *Tchang Kaï-chek*. Celui-ci contrôle bientôt le nord. Mais l'unité vole en éclats en 1927. Un grave conflit idéologique oppose en effet le leader nationaliste qui rompt avec l'URSS et le communiste *Mao Tsé-toung* qui créera la République chinoise des soviets (1931). Le conflit dégénère en **guerre civile**.

Chassés de la région du Jianxi, les **communistes** effectuent leur *longue marche* (octobre 1934-novembre 1935) afin d'atteindre le Shanxi et d'en faire un bastion dans la lutte contre les **nationalistes**. Toutefois la présence japonaise en Chine devenant toujours plus envahissante, les deux camps constituent en 1937 un **front antijaponais**. Le conflit interne reprendra à la fin de la seconde guerre mondiale.

À voir : Régimes totalitaires : Bernardo BERTOLUCCI, *Novecento* (1900), Italie-France-Allemagne, 1976, coul.; Charlie CHAPLIN, *Le Dictateur*, États-Unis, 1940, N & B; Sergueï M. EISENSTEIN, *La ligne générale*, URSS, 1929, N & B; Laurent HEYNEMANN, *Le dernier civil*, France, 1985, coul.; Volker SCHLÖNDORFF, *Le Tambour*, Allemagne-France, 1979, coul.; Ettore SCOLA, *Une journée particulière*, Italie, 1977, coul.
Ailleurs dans le monde : Richard ATTENBOROUGH, *Gandhi*, Grande-Bretagne, 1982, coul.; Bernardo BERTOLUCCI, *Le dernier empereur*, Grande-Bretagne-Chine, 1987, coul.; Jacques de BARONCELLI, *L'homme du Niger*, France, 1939, N & B; Ruy GUERRA, *Opera de Malandro,* Brésil, 1986, coul.; Euzhan PALCY, *Rue cases nègres*, France, 1983, coul. **Pour les démocraties** : voir p. 31.
À lire : Gunter GRASS, *Le tambour,* 1959 (1961); Ilse KOEHN, *Mon enfance en Allemagne nazie*, 1981; Arthur KOESTLER, *Le zéro et l'infini*, 1940; Victor SERGE, *S'il est minuit dans le siècle,* 1939; Alexandre SOLJENITSINE, *L'archipel du Goulag*, 1973.

Arrêté royal : texte établi par le pouvoir exécutif afin d'appliquer une loi.

Décret-loi : décision prise par un gouvernement et qui a la force juridique d'une loi.

Kolkhoze : coopérative de production agricole où terres, bâtiments d'exploitation, matériel... sont mis en commun. Les paysans ont droit à une petite parcelle individuelle et un peu de bétail.

Mandat : pouvoir accordé par la SDN à une puissance d'assister (mandat A) ou d'administrer (mandats B et C) certains États ou territoires.

Parité : voir p. 31.

Pouvoirs spéciaux : Capacité octroyée par le pouvoir législatif au pouvoir exécutif, pour une période déterminée et lorsque des circonstances graves et particulières le justifient, de légiférer par arrêtés royaux.

Sovkhoze : grande exploitation agricole pilote appartenant à l'État et gérée par des fonctionnaires salariés.

Zaibatsu : grande concentration industrielle créée par l'État nippon dans le cadre de la révolution Meiji à partir de 1880 et revendue ensuite au secteur privé.

---

70. LE CULTE DE SUN YAT-SEN (1934)

À leur échelle du temps, les Chinois étaient engagés dans un processus révolutionnaire dont ceux qui avaient vécu l'ère de Sun Yat-sen mesuraient l'importance historique. La nation tout entière communiait dans le culte du fondateur de la république (...). À la même heure, chaque semaine, des centaines de millions de Chinois honoraient celui qui les avaient délivrés de l'esclavage. Ses portraits étaient partout et l'on récitait ses préceptes jusqu'au fond des provinces : l'indépendance dans la souveraineté totale, la démocratie totale et le bien-être public. Le progrès économique, l'industrialisation étaient les mots d'ordre du parti du peuple, le Kuomintang.

Jean MONNET, *Mémoires*, Paris, 1976, pp. 132-133.

1. **Publicité** dans *L'Illustration*, Paris, 6 décembre 1924.

La fin du XIXe et le début du XXe siècle ont été marqués par une accélération des innovations techniques et scientifiques et l'ébauche d'une civilisation nouvelle, une civilisation de masse. La première guerre mondiale semble jouer un rôle de catalyseur et accélère ces transformations. Une société nouvelle, technicienne et urbaine, une société de masse aussi, s'épanouit. Nouveau progrès ? Nouveaux périls ? La « Grande Guerre » ouvre également une période de crise des idéologies et des valeurs. Intellectuels et Églises s'interrogent. Leurs recherches trouvent un écho dans celles des artistes et des écrivains. Quel homme, quelle civilisation pour l'Occident au XXe siècle ?

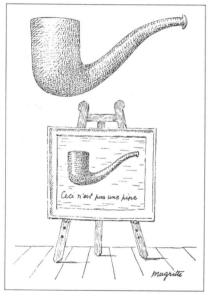

2. **René MAGRITTE**. Dessin de la série « *La trahison des images* », 1928-1966 (D'après M. FOUCAULT, *Ceci n'est pas une pipe*, Montpellier, 1973, p. 7).

4. **Otto DIX**, *La journaliste Sylvia Von Harden,* 1926 (Paris, Musée National d'Art Moderne).

3. **BAUMANN**, *Coca-Cola*. Affiche de 1936.

6. **Henri VAN STRATEN, *Le pessimiste*.** Linogravure, 1932.

5. UN MONDE INHUMAIN

Il m'arrive souvent de m'interroger avec une sorte d'anxiété sur ce que peut être la vie ou la réalité intérieure de tel employé du métropolitain par exemple; l'homme qui ouvre les portes, ou celui qui poinçonne les billets. Il faut bien reconnaître qu'à la fois en lui et hors de lui tout concourt à déterminer l'identification de cet homme et de ces fonctions, je ne parle pas seulement de sa fonction d'employé, ou de syndiqué, ou d'électeur, je parle aussi de ses fonctions vitales. L'expression au fond assez affreuse d'*emploi du temps* trouve ici sa pleine utilisation.Tant d'heures sont consacrées à telles fonctions. Le sommeil aussi est une fonction dont il faut s'acquitter pour pouvoir s'acquitter des autres fonctions. Et il en est de même du loisir, du délassement. Nous concevons parfaitement qu'un hygiéniste vienne déclarer qu'un homme a besoin de se divertir tant d'heures par semaine. Il y a là une fonction organico-psychique qui ne peut pas plus être négligée, je suppose, que les fonctions sexuelles par exemple. Inutile d'insister, cette esquisse suffit. Nous voyons se préciser ici l'idée d'une sorte de barême vital dont les détails varient naturellement suivant les pays, les climats, les emplois, etc. Mais ce qui importe c'est qu'il y ait un barême.

Gabriel MARCEL, *Position et Approches concrètes du mystère ontologique*, (1933), Louvain-Paris, 1949, p. 47.

7. **Juan MIRÓ, « *Aidez l'Espagne* ».** Affiche au pochoir, 1937.

8. **Grant WOOD, *Gothique américain*.** Huile sur bois, 1930, 76 x 63,5 cm (Chicago, The Art Institute).

9. POÈME D'UN OUVRIER DE CHEZ RENAULT

Renault
L'aube
La sirène qui hurle
D'écho en écho
Le long de la vallée de la Seine
Le torrent de lave humaine
Qui s'engouffre
Happé par le monstre
Qui referme aussitôt ses mâchoires
Dehors le silence
Dedans l'enfer
Renault
La danse des démons en bleu
La symphonie infernale
Renault
La cadence standard
Plus vite
Renault
Les yeux qui brillent
Les bras qui tremblent
Les jambes qui fléchissent
Les nerfs qui se crispent
Les têtes qui tournent
Les cerveaux, les corps qui tournent
Les tours, les murs, le sol qui tournent
Le monde qui tourne
Plus vite
Plus vite.

Publié dans *La Vie ouvrière*, hebdomadaire de la C.G.T., Paris, 3 avril 1936.

I. VERS UNE AUTRE SOCIÉTÉ

1. UNE SOCIÉTÉ TECHNICIENNE

Progrès matériels

Dans les pays industrialisés, la révolution technique d'avant 1914 trouve son épanouissement dans l'entre-deux-guerres et transforme le cadre de vie et les mentalités.

L'**électrification** se généralise et ses emplois se multiplient. L'introduction de l'*électroménager* dans une cuisine « laboratoire », sous l'influence du *taylorisme* * et des premiers salons des arts ménagers, tend à faire de la femme un *ingénieur d'intérieur*. Cet équipement restera pourtant un rêve pour la plupart des Européens jusqu'au début des années 50.

Les **moyens de transport** connaissent un essor prodigieux. Le *chemin de fer* atteint sa plus grande extension. Il devient le moyen de transport populaire par excellence, tant par le développement des trains de banlieue que par son rôle dans l'organisation des congés payés. L'*automobile*, qui connaît une extraordinaire démocratisation aux États-Unis, reste un luxe en Europe. Ce n'est que vers 1936 qu'elle se répand parmi les classes moyennes. La guerre a entraîné un formidable progrès de l'*aviation*. Pourtant, si les héros des grands raids (Lindbergh, Nungesser et Coli, Mermoz) passionnent l'opinion, le transport par avion n'entrera vraiment dans les mœurs qu'après 1940. Les *grands paquebots,* tels le *Queen Mary* et le *Normandie*, restent l'instrument essentiel des parcours à longue distance.

Les **moyens d'information et de communication à distance** se perfectionnent et touchent de plus en plus de monde. Si le *téléphone* reste un privilège des classes aisées, la *radio* (TSF) et le *cinéma*, surtout depuis qu'il est devenu parlant en 1927, deviennent par contre des phénomènes de masse. Ils contribuent à diffuser une *culture commune* à la majorité du corps social. À commencer par Chaplin, le cinéma est aussi un moyen de traduire les souffrances, les angoisses et les espoirs de l'homme. Il est recherche de *nouvelles formes d'expression,* de Marcel L'Herbier à Abel Gance. Lui et la radio s'avèrent également de puissants instruments de *modelage de l'opinion*, donc aussi de *propagande politique.*

Accélération du rythme des découvertes scientifiques

L'**atome** est mieux connu grâce aux travaux de Rutherford (1919) qui ouvre la voie à la *radioactivité artificielle,* c'est-à-dire à l'accélération de l'émission de la radioactivité naturelle émise par l'uranium. Ce résultat est obtenu par le bombardement de l'uranium au moyen de neutrons lents (E. Fermi) mais aussi de particules alpha (H. et F. Joliot-Curie). En 1938, O. Hahn et F. Strassmann découvrent que le bombardement produit la fission du noyau d'uranium avec dégagement d'une grande énergie et les Joliot-Curie constatent, en 1939, que le nombre de neutrons après fission est supérieur à celui des neutrons utilisés lors du bombardement. Le principe de la *réaction en chaîne* est découvert. Celle-ci est rendue aisée par N. Bohr qui découvre, en 1939, que l'isotope 235 de l'uranium est le plus facilement fissile. La *production de l'énergie nucléaire* est désormais possible à grande échelle.

Des **maladies** considérées comme incurables (malaria, typhoïde, tuberculose) sont jugulées par des produits « miraculeux » : la *pénicilline* (A. Fleming, 1928) et les *sulfamides* (G. Domagk, 1935). On met au point l'électrocardiogramme et l'encéphalogramme.

Dans le domaine des **industries,** l'usage de la *bakélite* (plastique artificiel) se généralise; on parvient à la teinter en 1928. D'autres plastiques, de synthèse, sont mis au point : *PVC* et *polyéthylène*. Du côté des fibres synthétiques, le *nylon* (1934) est commercialisé avec succès en 1939.

10. **Frans MASEREEL, *La ville.*** Gravure sur bois, 1925, 23,8 x 18,8 cm (Anvers, Stadsbibliotheek).

La **connaissance d'un « univers en expansion »** (chanoine G. Lemaître, 1927) s'accroît grâce à l'*ascension stratosphérique* d'A. Piccard (1931 : 15 781 m) et à l'installation du *téléscope géant* du Mont Palomar aux États-Unis (1934). On sonde les fonds marins grâce aux *ultrasons* de P. Langevin et le *radar* (1935) sauvera la Grande-Bretagne de la destruction en 1940. L'infiniment petit est grossi avec le *microscope électronique* (1932).

La **connaissance de l'homme** s'approfondit par la *psychologie des profondeurs* (S. Freud et C. Jung) et l'*éthologie ** de K. Lorenz qui, avec K. von Frisch et N. Tinbergen, explique le comportement des animaux par des « déclencheurs » qu'il retrouve dans le comportement humain. En *anthropologie **, le père Teilhard de Chardin découvre en 1931, avec l'abbé Breuil, le fameux sinanthrope.

2. UNE CIVILISATION URBAINE

Les années 20 sont le **temps des métropoles**. L'Amérique des grandes villes fascine. **New York**, la « *ville debout* », en est le symbole. En Europe, l'essor des industries et du secteur tertiaire et l'attrait de meilleures conditions de vie entraînent partout un *accroissement de la population urbaine* au profit surtout des grandes villes (Londres et le Grand Berlin, par exemple).

Les grandes cités développent des programmes de **logements populaires**. Mais ces grands ensembles collectifs échappent rarement à l'uniformisation qu'imposent les contraintes de l'urgence et des coûts. Quelques *cités-jardins*, par exemple à Bruxelles, font exception (voir p. 64).

3. UNE CIVILISATION GRÉGAIRE

Partout, l'entre-deux-guerres voit se développer une *civilisation de masse*. Cette culture est consommation et précarité : les **mass-media** inaugurent le *temps de l'éphémère*, dans les contenus et les formes; l'audience des chansons à succès en est un bon reflet. Une frénésie de **distractions** s'empare des habitants des grandes villes : music-halls, dancings où tout le monde se déchaîne au son des *jazz-band*, dansant le *tango* ou le *charleston* introduit par Joséphine Baker, et, surtout, le cinéma du samedi soir. Une nouvelle classe voyage, en train ou à vélo. Le **sport** rassemble de plus en plus de gens, faisant des champions les « *dieux du stade* » : matches de football, Tour de France, 6 Jours d'Anvers au *Sport Paleis,* 24 Heures du Mans. **Vedettes** sportives, de cinéma, voire politiques sont popularisées par la photo et les magazines à bon marché.

La concentration urbaine et la culture de masse entraînent le déclin des **groupes primaires** : famille, voisinage. Les banlieues renforcent l'aspect impersonnel des relations sociales. « *La foule solitaire* » laisse l'individu isolé et insécurisé face à un État qui bénéficie de techniques modernes pour accroître son pouvoir. Pour réencadrer les individus isolés, des **groupes intermédiaires** se développent : *éducatifs* (scoutisme, mouvements de jeunesse d'État ou patronnés par les Églises), *politiques* (formations paramilitaires de partis), *religieux* (croisade eucharistique, J.O.C.),...

II.   LA CRISE DES VALEURS

1. SUR UNE TERRE « RETOURNÉE »

La guerre *met en question* la grandeur de la civilisation occidentale et l'idée de progrès, moteur de l'Histoire. Elle bouleverse également la conception de l'homme. La vie dans les tranchées a ouvert les combattants à plus de tolérance. Les barrières sociales se sont diluées par la camaraderie, du moins le temps du conflit. « *L'homme sans qualités* » (R. Musil) se révèle par son histoire et bientôt, sous l'influence de Freud, par son psychisme.

11. **Otto UMBEHR**, dit **UMBO**, *Le reporter pressé*. Portrait-photomontage d'Egon Erwin Kisch, 1926 (Berlin, Bauhaus Archiv).

12. *Publicité* dans *Voilà, l'hebdomadaire du reportage*, Paris, n° 327, 25 juin 1937, p. 10.

13. *Randonnée cycliste, entre Marche et Namur.* Photographie, 1935.

15. *Le Chanteur de Jazz,* 1927. Affiche de la Warner Bross pour le premier film parlant américain, avec Al Jolson.

16. *Chanson* de Maurice CHEVALIER. Couverture de la partition, Paris, vers 1925.

17. *Le Dictateur.* Film en noir et blanc de Charlie CHAPLIN, 1940.

14. LE PHÉNOMÈNE DU « PLEIN »

Ce trait d'une analyse complexe est bien facile à énoncer. Je le nommerai le phénomène de l'agglomération, du « plein ». Les villes sont pleines de population; les maisons, de locataires. Les hôtels sont remplis de pensionnaires; les trains, de voyageurs; les cafés, de consommateurs (...). Les spectacles — à moins qu'ils ne soient trop déconcertants, trop intempestifs — regorgent de spectateurs. Les plages fourmillent de baigneurs. Ce qui autrefois n'était jamais un problème en devient un presque continuel aujourd'hui : trouver de la place...

Pourquoi ce spectacle nous surprend-il ainsi ? La foule, en tant que foule, s'est tout naturellement appropriée des locaux et des machines créés par la civilisation (...). Eh bien, quoi ! N'est-ce pas là l'idéal ! Le théâtre a des places pour qu'on les occupe, c'est-à-dire pour que la salle soit pleine; pour la même raison les wagons du chemin de fer ont leurs banquettes, et les hôtels leurs chambres (...). Autrefois aucun de ces établissements et de ces véhicules n'était habituellement plein. Aujourd'hui, ils regorgent de monde (...). Bien que ce fait soit logique, naturel, il est hors de doute qu'il ne se produisait pas auparavant, et qu'il se produit aujourd'hui. Ainsi un changement est survenu, qui, tout au moins de prime abord, justifie notre surprise...

Or, nous nous heurtons ici à une première remarque importante. Les individus qui composent ces foules existaient avant, mais non en tant que foule. Disséminés dans le monde, en petits groupes, ou isolés, ils menaient apparemment une vie divergente, distante. Chacun d'eux — individu ou petit groupe — occupait une place, sa place légitime peut-être, à la campagne, au village, à la ville, dans le faubourg d'une grande cité.

Aujourd'hui, sans transition, ils apparaissent sous l'aspect de groupements, et nous voyons des foules de tous côtés (...). Brusquement, la foule est devenue visible, s'est installée aux places de choix de la société (...). Elle est devenue le personnage principal. Les protagonistes ont disparu; il n'y a plus maintenant que le chœur.

José ORTEGA y GASSET, *La révolte des masses,* Paris, 1930, p. 68.

18. *Cuisine CUBEX.* Exposition Internationale de Bruxelles, 1935. Plan dressé par l'architecte L.H. DE KONINCK sur base d'éléments standardisés commercialisés par la firme Van de Ven de Bruxelles.

2. CRISE MORALE : LES « ANNÉES FOLLES »

Après les privations, la **recherche du bonheur** apparaît comme la première des lois naturelles à côté de la liberté et de l'égalité. Les idéaux de devoir et d'oubli de soi s'estompent malgré les discours officiels devant les monuments aux morts pour la Patrie. La civilisation du **bien-être** et de **l'avoir** s'affirme : le *plaisir* l'emporte sur l'obligation. Les nouveaux impératifs sont : jeunesse et forme entraînant la valorisation du *capital-corps* et le souci du *mieux-paraître*. La **mode** invite au plaisir, à la liberté et à la séduction. Les revues de mode créent un *imaginaire de l'égalité*. Décontractée ou voluptueuse, svelte et élancée, toujours séductrice, la « *nouvelle femme* » envahit la publicité.

La jouissance du **présent** prend le pas sur la valeur du passé, le **nouveau** sur l'ancien. Grâce aux media et à la photographie, le désir d'être « à la page » se diffuse rapidement : *vivre avec son temps* devient un nouvel impératif de masse.

3. CRISE DES VALEURS INTELLECTUELLES

Les grandes certitudes d'antan se sont envolées : la *propagande* et la *censure* ont rendu **sceptiques**. On n'a qu'**une vérité partielle** à se mettre sous la dent. L. Pirandello enseigne qu'il y a plusieurs vérités et A. Gide recommande de tout essayer. M. Weber défend le pluralisme des valeurs. H. Bergson doute de l'*intelligence* qui vise d'abord à fabriquer; pour saisir le réel qui est évolutif, il lui préfère l'*intuition*.

De nombreux penseurs se dressent **contre le monde technique** au nom de l'homme. Pour M. Heidegger, *l'homme n'est vraiment homme qu'en se faisant* « *le berger de l'Être* ». De même, pour G. Marcel, l'activité technique compromet gravement le devoir de « recueillement » en confondant Être et Avoir. Des romanciers illustrent la pauvreté humaine de la société industrielle et mercantile : G. Duhamel (*Scènes de la vie future*, 1930) ou A. Huxley (*Le Meilleur des mondes*, 1936).

4. DES ÉGLISES QUI S'INTERROGENT

Face à la crise des esprits et à la *déchristianisation* croissante, les Églises, surtout la catholique, tentent de **s'adapter au monde contemporain**. Des laïcs dénoncent le conformisme bourgeois qui a « fossilisé » la religion (G. Bernanos, *La Grande Peur des bien-pensants*, 1931).

Rompant avec l'attitude de ses prédécesseurs, **Pie XI**, pape de 1922 à 1939, admet la *séparation de l'Église et de l'État* et normalise les relations du Saint-Siège avec 18 pays, dont l'Italie (accords du Latran, 1929). Il promeut l'*Action catholique* auprès des laïcs, invités à affirmer leur foi dans leur milieu professionnel, selon une formule qui s'inspire des intuitions de J. Cardijn, fondateur en Belgique (1924) de la *Jeunesse ouvrière chrétienne* (JOC). Préconisant, à la suite du Père Lebbe, la formation d'un *clergé indigène* en pays de mission, il consacre les *premiers évêques chinois* en 1926. Ouvert aux progrès techniques, il crée *Radio-Vatican* en 1931. Pie XI participe au « *retour aux valeurs* » en soulignant la supériorité des « **Droits de Dieu** » (institution de la fête du Christ-Roi, 1925) sur les « Droits de l'homme ». Il marque aussi clairement les *limites* au-delà desquelles l'Église ne saurait transiger en condamnant l'*Action française* * (1926), les excès du fascisme (1931), le nazisme (1937) et le communisme athée (1937).

Si le **mouvement œcuménique** prend consistance parmi les Églises protestantes (*Conférence de Lambeth*, 1920), du côté catholique, les « *conversations de Malines* » (1921-1925) entre lord Halifax et le cardinal Mercier ne débouchent sur rien. Mais quelques théologiens, comme dom Lambert Baudhuin (fondateur du monastère de Chevetogne en 1924), suivent désormais la progression du mouvement avec une sympathie attentive.

19. **Georges ROUAULT**, *Tête de Christ*, 1937-1938 (Cleveland, Museum of Art).

20. **Henri MATISSE**, *Figure décorative sur fond ornemental,* 1926 (Paris, Musée d'Art Moderne).

21. **Fernand LÉGER**, *Le Mécanicien.* Huile sur toile, 1920 (Ottawa, Musée des Beaux-Arts du Canada).

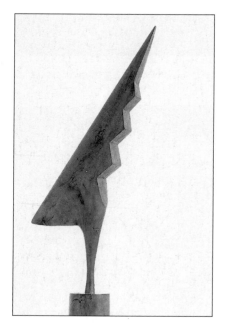

22. Aristide MAILLOL, *La Montagne*.
Pierre, 1935 (Paris, Musée d'Art Moderne).

23. Constantin BRANCUSI, *Le Coq*.
Noyer, 1924, H. 91,8 cm (New York, The Museum of Modern Art).

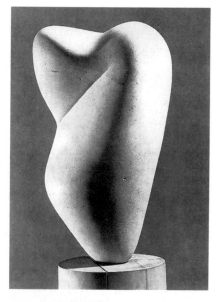

24. Jean ARP, Concrétions. Calcaire sur socle de bois, 1937-1938, 25 x 15 x 13 cm (Fondation Arp, Clamart).

III. LES COURANTS ARTISTIQUES ET LITTÉRAIRES : MIROIRS DE LA CRISE

1. LES ANNÉES « RUGISSANTES » (1920-1930)

L'art des années 20 peut se lire comme une réponse positive ou négative aux provocations lancées par le milieu technique. Aussi, pour tenter de clarifier le foisonnement artistique de ce temps, on peut diviser la production culturelle entre quatre courants.

Le courant de la conscience malheureuse

Au lendemain de la guerre, chacun a conscience d'une discontinuité radicale entre le monde d'hier et celui d'aujourd'hui. Les images de *gouffre* ou de *naufrage* expriment la **nostalgie d'un monde défunt**. On peut grouper dans ce courant des **écrivains** aussi différents que M. Gorki, M. Proust, Th. Mann, R. Musil, R. Martin du Gard qui racontent, entre 1920 et 1940, la même histoire : le *déclin de l'Europe*. En **peinture**, l'expressionnisme de la *seconde école de Laethem-Saint-Martin* triomphe en Belgique avec C. Permeke, G. De Smet et Fr. Van den Berghe. Si celui-ci, citadin, est un visionnaire pessimiste, les autres, loin du bruit urbain et des luttes sociales, retrouvent la paix du foyer et le calme rural auprès des gens simples. Des **sculpteurs** se tournent vers la *figuration classique*, dans le climat de « *rappel à l'ordre* », tendance générale d'après-guerre que Picasso, Stravinski ou R. Strauss illustrent dans les années 20. Ainsi, la seule source d'inspiration de Maillol est la *nature*, représentée dans des corps de femmes monumentales et généreuses. Brancusi, lui, tente de capter l'*essence* ou l'esprit présent dans la nature dans sa dimension primordiale.

L'Art Déco ou « le temps suspendu »

À côté du courant privilégiant la tradition, l'Art Déco préfère **jouir du temps présent** dans « *un instant de bonheur* » (Matisse). Ce mouvement prend son origine dans l'École des Arts appliqués de Vienne (dont vient J. Hoffmann, l'architecte du *Palais Stoclet*, à Bruxelles, avant 1914) et rayonne sur l'ensemble de l'Europe puis aux États-Unis : le paquebot « *Normandie* » en était l'ambassadeur luxueux. L'Art Déco se veut un *art de luxe*, soutenu par des mécènes aristocrates ou des « nouveaux riches ». Il défend un *art des individus*, leur droit à la délectation hédoniste, refusant les productions industrielles anonymes. En **architecture,** si on peut citer R. Mallet-Stevens en France, l'Art Déco est bien représenté en Belgique notamment par J. Diongre *(I.N.R., place Flagey)* et M. Polak dont le *Résidence Palace* allie l'habitation privée et l'hôtel pour classes aisées. En **peinture,** Matisse crée un monde de luxe, de calme et de volupté.

Le courant socialisant ou la foi dans le progrès

D'autres **rêvent d'un monde nouveau**, confiants dans la *science* ou la *technique* et nourris d'*idées sociales*. **L'art pour le bien du plus grand nombre** est le credo commun aux *constructivistes* * russes, aux néo-plasticiens du groupe hollandais « *De Stijl* » ou aux professeurs et amis du *Bauhaus* *, comme Le Corbusier. Cette foi dans l'avenir entraîne, en **architecture,** la *normalisation* et la *préfabrication*, l'emploi du béton, de l'acier et du verre, symbole de la transparence d'une société sans classes. Démocratiques et égalitaires, les formes seront d'une *sobriété géométrique* : mur plane et volume cubique, toit plat et fenêtres en bandeau. Le **mobilier** sera en tube d'acier et la cuisine rationnelle, équipée d'éléments préfabriqués et juxtaposables. Le même esprit socialisant crée les **cités-jardins** pour compenser la pénurie de logements surtout populaires. En Belgique, des « *cités* » de maisons normalisées, de formes cubiques, sont construites en béton maigre mélangé de scories industrielles, coulé dans des coffrages démontables; « *cités-jardins* », car situées dans un environnement attrayant (jardins et chaussées plantées).

En **sculpture**, les recherches constructivistes des frères Pevsner visent la *transparence*. Jusqu'ici, la sculpture était un volume clos, une masse disposée dans l'espace. Or, pour eux, la véritable substance de la sculpture est l'*espace* lui-même, créé par des plans, un jeu d'arêtes cernant les vides, permettant de pénétrer dans la structure. Dans le même but de transparence, N. Gabo utilise des matières plastiques translucides; leur forme géométrique exprime sa foi dans les *valeurs abstraites*.

En **peinture**, à Weimar, des artistes de gauche se révoltent devant les aspects sordides de la société bourgeoise. La débâcle transforme l'expressionnisme allemand en « Nouvelle objectivité » : O. Dix, G. Grosz et M. Beckmann dénoncent les « profiteurs de guerre » et crient la misère de la condition humaine. En France, F. Léger est essentiellement le peintre de la *civilisation industrielle*. La guerre, à laquelle il a participé à l'âge de 33 ans, lui a apporté une double révélation : celle des *machines* implacables et belles et celle des hommes qui les manient et qu'elles broient.

Réinventer la vie par le rêve

Le surréalisme, dont l'intuition perdurera, se forme dans la *révolte* devant la destruction systématique organisée par la Civilisation qui bombarde ses monuments. Pour survivre dans ce *« cloaque de sang, de sottise et de boue »* (A. Breton) et changer l'homme et la société, le surréalisme invoque le principe de *plaisir*, écartant les barreaux de la raison logique par l'*imagination*. Il se fondera donc sur le *hasard* : par l'écriture automatique et le frottage en peinture, il libère la voix explosive de l'*inconscient*. Les objets aussi recèlent d'autres suggestions que leur utilité (J. Arp).

2. LES ANNÉES SOMBRES (1930-1939)

1930 signe la fin de l'après-guerre et la faillite de l'économie libérale. Le problème de la **place de l'individu dans la société** ressurgit. E. Mounier, avec la revue « Esprit », se dresse à la fois contre l'individualisme capitaliste et contre les idéologies totalitaires au nom d'un *« personnalisme communautaire »*. Dans les **Lettres**, la génération de 1930 publie, parallèlement à son œuvre romanesque, des essais *éthiques* *. La question est : **comment vivre ?** Les réponses sont l'*héroïsme* pour A. Malraux, le *courage* et le *devoir* pour A. de Saint-Exupéry, l'*honneur chrétien et français* pour G. Bernanos, la *justice sociale* pour Aragon. Pour eux, la littérature est œuvre d'énergie, d'**engagement**, de liberté et de conscience. D'autres, comme P. Drieu La Rochelle, ont le sentiment d'une *décadence* et sont guettés par la tentation du *désespoir* que L. F. Céline épouse comme sa force même d'écrivain.

Dans les **arts plastiques**, si les expressions des années 20 se poursuivent dans les démocraties, l'air du temps est au *« retour à l'ordre »*. Ils s'expriment par un **réalisme monumental** soit par besoin de se rassurer, soit pour manifester le pouvoir de l'État.

Monumentalité

Démocraties et dictatures rivalisent à qui fera **le plus grand monument**, les plus écrasantes colonnades. Elles rejettent l'architecture moderniste « bannie d'URSS parce que soi-disant petite-bourgeoise, de l'Allemagne parce que soi-disant juive et de France parce que soi-disant bolchévique » (M. Ragon). Cette grandiloquence se retrouve dans le **décorum des manifestations** organisées. Les films de L. Riefenstahl (*Le Triomphe de la volonté,* 1935) en témoignent pour l'Allemagne, comme se lit le sens de la mise en scène dans les parades devant le mausolée de Lénine, tout en porphyre et granit rouge. *Rex* organise des meetings géants au Palais des Sports de Schaerbeek. En Belgique, ce sont aussi les grands Congrès eucharistiques ou les rassemblements de la J.O.C. Le **mobilier** lui-même sera massif.

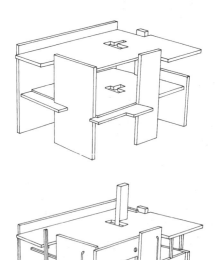

26. **Gerrit RIETVELD,** *Éléments de construction de la maison Schröder,* Utrecht, 1924 (D'après H. HONOUR ET J. FLEMING, *Histoire mondiale de l'art,* Paris, 1988, p. 625).

27. **Clément MERE,** *Fauteuil* (Art Déco).
Ébène, cuir repoussé, incrustations d'ivoire,
vers 1925.

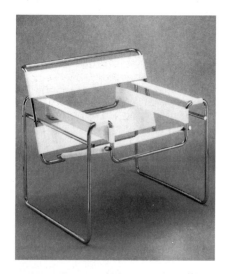

28. **Marcel BREUER,** *Fauteuil dit « Was-sily ».* Armature tubulaire métallique, cuir,
1925 (Conçu pour Wassily Kandinsky, un
des maîtres du Bauhaus).

30. **Pierre CHAREAU,** *Chauffeuse* recou-
verte de tapisserie au petit point d'après
des cartons d'André LURÇAT, 1930.

29. **Earl HORTER,** *Le Chrysler Building en construction.* Encre et aquarelle sur
papier, 1931, 51,4 x 37,5 cm (New York, Whitney Museum of American Art).

31. **La** *« Cité moderne » à Berchem-Ste-Agathe,* place des Coopérateurs (centre
de la « cité-jardin »). Construction de 1922 à 1925 par Victor BOURGEOIS. L'escalier central est souligné par des vitraux géométriques de Pierre-Louis FLOUQUET.
Commerces au rez-de-chaussée. Les autres équipements collectifs prévus sur
cette place (salles de réunion, bibliothèque, école primaire, dispensaire) n'ont pas
été construits faute de crédits.

Dans la **publicité**, Cassandre symbolise la monumentalité ambiante. Chez ce Picasso de l'affiche, la forme est plus importante que la couleur, l'ordonnance des choses que le détail. Et que dire des **films à grand spectacle**, aux décors grandioses, avec des milliers de figurants (*Scipion l'Africain,* 1937; *Alexandre Nevsky,* 1938) ?

Réalisme

Dans les régimes nationalistes surtout, le langage artistique doit être **populaire et lisible** pour faire accéder les masses à une culture : il sera « *chromo* ». Mais aux États-Unis aussi, depuis le début du siècle d'ailleurs, de nombreux artistes pensent que pour se défaire de l'influence européenne et parvenir à l'authenticité, l'art doit se limiter aux thèmes les plus caractéristiques de la réalité américaine. Ainsi les *précisionnistes* (Ch. Sheeler, Ch. Demuth) représentent des sujets courants de la civilisation industrielle. De son côté, E. Hopper surprend, en plans simples, des fragments de la vie quotidienne et du paysage américain menacé par le modernisme, en un temps suspendu, dans un retrait silencieux et expectatif.

3. LA MUSIQUE

L'expressionnisme atonal, le dodécaphonisme et le néo-classicisme sont les grands courants de l'entre-deux-guerres. Ils rayonnent de Paris et de Vienne.

L'expressionnisme, qui pousse à l'extrême le post-romantisme, se traduit par des tensions perpétuelles, une atmosphère fiévreuse : le « *Pierrot Lunaire* » de A. Schonberg (1912) et « *Lulu* » d'A. Berg (1935) se complaisent dans le macabre et le morbide, exploitant l'**atonalité**, c'est-à-dire l'utilisation des douze degrés de l'échelle chromatique avec égalité de tous les degrés, sans aucune notion hiérarchique.

Cependant une réaction austère survient en 1921 qui ordonne le chaos sonore : c'est le **dodécaphonisme** qui utilise une série de douze sons de l'échelle chromatique dans un ordre fixé à l'avance et immuable. A. Schonberg et ses disciples A. Webern et A. Berg (*Wozzeck*, 1922) en donneront des illustrations convaincantes.

D'ampleur européenne (Prokofiev, P. Hindemith), le **néo-classicisme** se déploie avec le plus d'intensité en France. Il se veut anti-romantique, anti-wagnérien, anti-debussyste. Ses modèles sont Pergolèse, Vivaldi et Bach... J. Cocteau, dans « Le Coq et l'Arlequin », proclame : « Assez de vagues, d'aquariums, d'ondines et de parfums de la nuit ! Il nous faut une musique sur la terre, une musique de tous les jours ». Où la trouver ? Dans le music-hall, le cirque, le **jazz**. E. Satie en est l'artisan, lancé par Cocteau, porte-drapeau du « *Groupe des Six* » (A. Honegger, D. Milhaud, F. Poulenc...). Stravinski en assure le rayonnement universel et renforce le rôle de Paris en s'y établissant en 1919.

D'autres s'inspirent aussi de **mélodies** et de **rythmes nationaux** : le jazz chez l'américain G. Gershwin (*Porgy and Bess*, 1938), le folklore hongrois pour Z. Kodaly et B. Bartok qui en dépasse les limites.

❏ Au cours des deux années qui précèdent la seconde guerre mondiale, un climat angoissé ou orgueilleux de **veillée d'armes** imprègne de plus en plus la culture. Les *années folles* sont bien oubliées. Si Malraux évoque *L'Espoir* (1937), Sartre a *La Nausée* (1938) et Picasso peint *Guernica* (1937). Des « **années de sang** » se profilent à l'horizon.

VOCABULAIRE

Action française (l') : journal quotidien français (1908-1944) qui, avec Charles Maurras, Jacques Bainville et Léon Daudet, fut l'organe d'un mouvement politique d'inspiration monarchiste et antidémocratique se réclamant du « nationalisme intégral » et faisant de l'Église la garante de l'ordre.

Anthropologie : ensemble des sciences qui étudient l'homme en société.

Bauhaus *(Das Staatliche Bauhaus =* « la maison de la construction ») : école d'architecture et d'art créée en 1919, à Weimar, par W. Gropius, transférée à Dessau (1925), puis à Berlin (1932) avant d'être fermée par les nazis. Elle visait à intégrer l'architecture aux autres arts « majeurs » et « appliqués » par une étroite collaboration entre l'artiste et l'artisan.

Constructivisme : tendance artistique, d'origine russe, principalement représentée par les frères A. Pevsner et N. Gabo qui lancèrent, à Moscou, en 1920, le « Manifeste constructiviste ». Selon celui-ci, à l'esthétique de la sculpture de masse doit succéder celle des lignes et des plans cernant l'espace vide (voir p. 68, doc. n° 1).

Éthique : qui concerne les principes de la morale.

Éthologie : science des comportements des espèces animales dans leur milieu naturel.

32. **CASSANDRE,** *Normandie.* Affiche lithographique, 1935, 100 x 62 cm (Paris, Musée de l'Affiche et de la Publicité).

1. Vladimir TATLINE, *Projet pour un monument à la* ***IIIe Internationale*** (H. plus de 500 m), 1919-1920. (D'après M. RAGON, *Histoire mondiale de l'architecture et de l'urbanisme modernes,* t. 1, Tournai, 1972, p. 31). Double spirale de poutrelles d'acier ; à l'intérieur, des volumes de verre abritant bureaux et salles de réunion. Expression d'une avant-garde refusée par le régime soviétique à partir de 1921.

2. *Palais de la civilisation et du travail.* Construit par LA PADULA en 1939 pour l'Exposition universelle prévue à Rome en 1942.

3. ART ET POLITIQUE : QUELLE RELATION ?

(...) La (...) fonction éducative de l'art sur les masses est pratiquement annulée, si l'art est complètement asservi aux intérêts politiques (...). L'art strictement dirigé par le gouvernement en tant qu'instrument de propagande, non seulement s'épuise dans l'illustration et le documentaire, mais, en raison même de son insuffisance expressive, perd toute efficacité en tant que propagande.

Giuseppe BOTTAI, *Lineamenti di una politica dell'arte,* in *Politica Fascista delle Arti,* Roma, 1940, p. 117 (D'après P. MILZA et F. ROCHE-PEZARD, *Art et Fascisme,* 1989, p. 163).

4. « ENTARTETE KUNST »

Que veut l'exposition de l'art dégénéré ?
Elle veut faire apparaître la dégénérescence de la Culture de ces dernières années qui ont précédé le grand changement. (...)
Elle prétend que cet art est une atteinte préméditée à l'évolution de la création artistique.
Elle montre que l'anarchie politique et l'anarchie culturelle ont une racine commune. L'art dégénéré est celui du Bolchevisme et l'exposition veut le prouver. (...)
L'exposition veut montrer combien l'activité artistique menée par des porte-paroles juifs et bolcheviques était dangereuse. (...)
L'exposition veut aider les Allemands qui n'ont pas suivi les Juifs et les Bolcheviks, à mener une vie saine et honnête. L'exposition s'oppose à ce que dorénavant ces bandes dirigent encore l'art et soient à la tête de ce qui se fait.

Introduction du catalogue de l'exposition sur l'Art dégénéré organisée en juillet 1937 à Munich (D'après A. GUYOT et P. RESTELLINI, *L'Art nazi, un art de propagande,* Bruxelles, 1988, p. 62).

5. SENS DE L'ARCHITECTURE NAZIE

Au début de l'année 1939, Hitler essaya de justifier devant des ouvriers du bâtiment le gigantisme de son style architectural par ces mots : « Pourquoi toujours bâtir le plus grand possible ? Je le fais pour redonner à chaque Allemand en particulier une confiance en soi. Pour dire à chaque individu dans cent domaines différents : nous ne sommes pas inférieurs, nous sommes au contraire absolument égaux aux autres peuples ».
(...) Quand (...) Hitler revendiquait le droit de dépasser les normes habituelles de l'architecture, il n'allait pas jusqu'au fond de sa pensée; il n'avouait pas que cette architecture, la plus grande de toutes celles jamais conçues, devait magnifier son œuvre, sublimer la conscience qu'il avait de sa propre valeur. L'érection de ces monuments devait servir à annoncer ses prétentions au règne universel, bien avant qu'il n'ait osé en confier la pensée à ses plus proches collaborateurs.

Albert SPEER, *Au cœur du troisième Reich,* (1969) Paris, 1972, p. 96.

Au cours de l'Entre-deux-guerres, toutes les formes artistiques ont été régulièrement mises au service d'une propagande. Les régimes totalitaires ont, plus que d'autres, exploité cette voie pour modeler l'opinion publique. Et cette pratique pose une question fondamentale : l'art peut-il devenir le porte-parole d'une doctrine et rester créateur ?

Des artistes en quête de formes nouvelles ont été critiqués, interdits, exilés, arrêtés. Leur esprit de remise en question inquiétait les dictateurs. Mais cette indépendance n'est-elle pas indispensable à une expression vraiment révolutionnaire ? Et les contraintes ne risquent-elles pas d'engendrer des formes sclérosées et paradoxalement identiques malgré des idéologies opposées ?

6. L'ART AU SERVICE DE LA PROPAGANDE

La liberté de création artistique se voit garantie dans l'État nouveau. Elle doit cependant s'exercer dans le secteur nettement circonscrit de nos nécessités et de nos responsabilités nationales dont les limites sont fixées par la politique et non par l'Art.

GOEBBELS devant le congrès annuel de la Chambre de la culture en 1935 (D'après A. GROSSER, *Dix leçons sur le nazisme,* 1976, p. 90).

7. LE NU DANS LA PEINTURE

Pour la peinture allemande, de nos jours, la reproduction de la nudité signifie avant tout la représentation d'une vie forte et saine. Elle (...) tient à reproduire des corps strictement naturels, des formes aussi parfaites que la structure des membres, la noblesse d'une race pure, une peau saine et fraîche, l'harmonie innée du mouvement (...), bref un classicisme moderne et, par conséquent, spécifiquement sportif.

Fritz Alexander KAUFFMANN, historien de l'art allemand (D'après L. RICHARD, *Le nazisme et la culture, Bruxelles, 1988,* p. 203).

8. **Albert SPEER,** *Pavillon de l'Allemagne.* Exposition universelle de 1937 à Paris. Sculpture en bronze par **Arno BREKER.**

9. CINÉMA ET NATIONAL-SOCIALISME

Comparé aux autres arts (...) le cinéma, par sa faculté d'agir directement sur le sens poétique et l'affectivité - donc sur tout ce qui n'est pas intellectuel a, dans le domaine de la psychologie des masses et de la propagande, un effet pénétrant et durable.

Fritz HIPPLER, directeur de la Section Cinématographique au ministère Goebbels (D'après F. COURTADE et P. CADARS, *Histoire du cinéma nazi,* 1972, p. 24).

10. RÉALISME SOCIALISTE

Le camarade Staline appelle nos écrivains les ingénieurs de l'âme. Qu'est ce que cela signifie ? Quelles obligations ce titre vous impose-t-il ? Cela signifie d'abord que vous devez connaître la vie pour pouvoir la dépeindre fidèlement dans vos œuvres, la dépeindre non pas scolairement, comme un objet mort, ni même comme une « réalité objective », mais dépeindre la réalité dans sa dynamique révolutionnaire. Ensuite, vous devez, conformément à l'esprit du socialisme, combiner fidélité et représentation artistique historiquement concrète avec le travail de remodelage idéologique et d'éducation des travailleurs. C'est cette méthode de littérature et de critique littéraire qui constitue ce que nous appelons méthode réaliste-socialiste.

Discours d'Andreï JDANOV au Ier Congrès des écrivains de toute l'Union soviétique, août 1934 (D'après I. GOLOMSTOCK, *L'art totalitaire,* Paris, 1991, pp. 89-90).

11. **Véra MOUKHINA,** *L'ouvrier et la kolkhozienne.* Sculpture pour le pavillon soviétique de l'Exposition universelle de 1937 à Paris.

Deuxième partie : LA SECONDE GUERRE MONDIALE. DU CONFLIT DES IDÉOLOGIES AUX BLOCS (1938-1948)

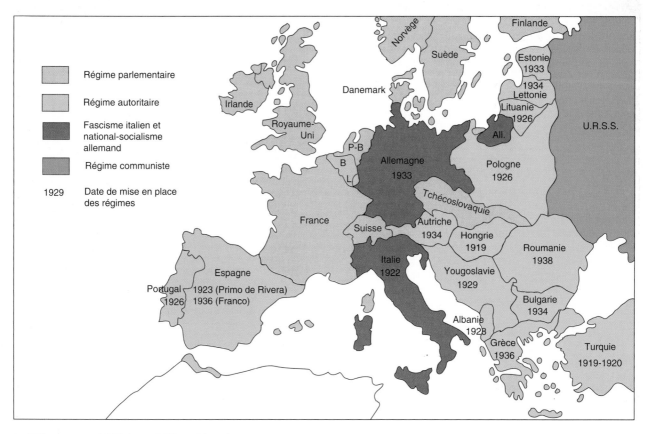

1. *L'Europe en 1938 (avant l'Anschluss).*

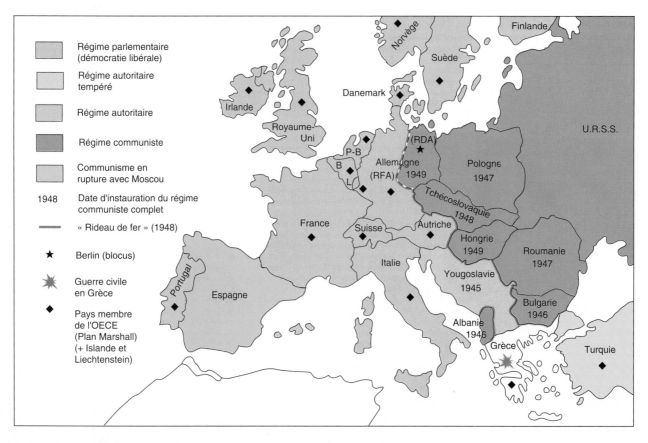

2. *L'Europe en 1948.*

Marc CHAGALL, *La Crucifixion blanche,* 1938. Huile sur toile, 155 x 140 cm (Chicago, Art Institute).

CHAPITRE 1 : L'ÉCHEC DE LA PAIX ET LE CONFLIT

⇒ **Atlas,** 41 E
42-43
52 C

En septembre 1939, l'Allemagne envahit la Pologne. La France et l'Angleterre lui déclarent la guerre. De proche en proche, le conflit gagne l'ensemble de la planète. Face à face, l'Axe Berlin-Rome-Tokyo et les Alliés. Le monde n'en sortira qu'en août-septembre 1945, durablement marqué. Beaucoup d'hommes partis au combat ne reviendront pas. Les civils vivent sous le spectre des restrictions, de la répression voire de la déportation. En 1945, l'Occident « découvre » coup sur coup l'horreur, symbolisée par Auschwitz et Hiroshima.
Comment les démocraties occidentales ont-elles réagi face aux menaces de conflit ? Comment cette guerre effroyable a-t-elle éclaté ? Quel en est le bilan ?

1. L'ACCORD DE MUNICH

Les quatre puissances : Allemagne, Royaume-Uni, France, Italie, tenant compte de l'arrangement (...) réalisé (...) pour la cession à l'Allemagne des territoires (…) des Sudètes, sont convenues des dispositions suivantes (...) :

1° L'évacuation (des Sudètes) commencera le 1er octobre;

2° L'évacuation du territoire en question devra être achevée le 10 octobre, sans qu'aucune installation existante ait été détruite. Le gouvernement tchécoslovaque assure la responsabilité d'effectuer cette évacuation sans qu'il en résulte aucun dommage aux dites installations (...);

4° L'occupation progressive par les troupes du Reich des territoires de prédominance allemande commencera le 1er octobre (...);

6° La fixation finale des frontières sera établie par (une) Commission internationale. Cette commission aura (...) compétence pour recommander (...), dans certains cas exceptionnels, des modifications de portée restreinte à la détermination strictement ethnographique des zones transférables (...);

7° Il y aura un droit d'option permettant d'être inclus dans les territoires transférés ou d'en être exclu (...). Une commission germano-tchécoslovaque fixera le détail de cette option, examinera le moyen de faciliter les échanges de populations;

8° Dans un délai de quatre semaines (...), le gouvernement tchécoslovaque libérera les prisonniers allemands des Sudètes qui accomplissent des peines de prison pour délits politiques.

Texte de l'accord de Munich transmis par téléphone le 30 septembre 1938 à 4 h 20 au Ministère français des Affaires étrangères (D'après *Documents Diplomatiques Français, 1932-1939. 2e série (1936-1939). T. XI (3 septembre - 2 octobre 1938)*, Paris, 1977, pp. 713-714).

2. *Le développement de l'influence allemande en Europe jusqu'à la veille de l'invasion de la Pologne le 1er septembre 1939* (D'après CH. BLOCH, *Le IIIe Reich et le monde,* Paris, 1986, p. 313).

4. **Le soldat allemand et le soldat italien chassent Roosevelt, Staline et Churchill de la nouvelle Europe en construction.** Carte postale, 1939.

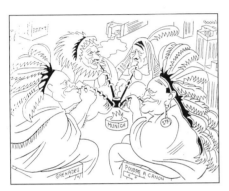

5. **« ARMISTICE 1938. Maintenant, il s'agit de ranimer la flamme du calumet de paix sans faire sauter la maison!... ».** Caricature publiée dans le journal communiste français *L'Humanité,* peu après le 30 septembre 1938. De gauche à droite : Mussolini, Chamberlain, Hitler et Daladier.

7. **Des enfants au camp d'Auschwitz lors de sa libération par les Soviétiques.** Photographie, 1945.

6. L'EXODE

Hâves, les traits tirés par leur marche de la nuit, de la veille, peut-être de l'avant-veille même, les pauvres gens allaient à pied, poussant devant eux des voitures à deux roues, des brouettes chargées des objets les plus hétéroclites. Les pieds ensanglantés dans leurs chaussures, certains s'arrêtaient sur le talus, mettaient des espadrilles. Des voitures à chevaux, des automobiles gonflées de matelas, de couvertures, de valises et de paquets ficelés de cordes, sanglés de courroies, ceinturés de sandows, doublaient la file des piétons; leurs propriétaires emportaient, en quittant leurs foyers, ce qu'ils avaient de plus utile ou de plus précieux. Le spectacle le plus affligeant était celui des enfants. Il y avait tant d'épouvante dans leur petite voix hurlant, terrifiée : « Les avions, maman, les avions », que l'on sentait qu'ils avaient dû voir déjà la mort.

Témoignage de G. FONTANET, soldat rescapé du premier choc de mai 1940 (D'après J.-P. RIOUX, *L'exode : un pays à la dérive,* dans *l'Histoire,* n° 129, janvier 1990, p. 64).

8. RETOUR DE MUNICH (1)

Vers 5 heures du soir (...), Daladier (...) s'était mis debout dans sa voiture découverte (...). Nous le voyions déboucher du pont de la Concorde, et les centaines de députés et de journalistes massés sur les marches du Palais-Bourbon lançaient de vibrantes clameurs (...). Cette guerre ratée (...) c'était le renoncement à la vengeance, la continuation des persécutions en Allemagne; je le comprenais fort bien. Mais je comprenais non moins bien que ce ne pouvait être le point de vue du paysan français, invité à se déguiser en fantassin (...). Léon Blum exprimait dans *Le Populaire* son « lâche soulagement ». Mais le peuple français dans sa masse était tout simplement satisfait, très satisfait, de ne pas être entraîné dans une affreuse et stupide aventure pour une affaire à laquelle il ne comprenait pas grand-chose, mais dont il était très sûr qu'elle ne le concernait pas.

Marcel DÉAT, *Mémoires politiques,* Paris, 1989, p. 445.

10. RETOUR DE MUNICH (2)

Voici donc la détente. Les Français sont des étourneaux, poussent des cris de joie, cependant que les troupes allemandes entrent triomphalement sur le territoire d'un État que nous avons construit nous-mêmes, dont nous garantissons les frontières et qui était notre allié. Peu à peu nous prenons l'habitude du recul et de l'humiliation, à ce point qu'elle nous devient une seconde nature. Nous boirons le calice jusqu'à la lie.

Charles de GAULLE à Madame de Gaulle, Metz, 1er octobre 1938 (Dans Charles de GAULLE, *Lettres, Notes et Carnets, 1919 - juin 1940,* Paris, [1980], p. 476).

11. LES PREMIERS SONDAGES D'OPINION EN FRANCE

Enquête d'avril 1939 : Pensez-vous que nous serons inévitablement entraînés dans une guerre, cette année ou l'an prochain ?
– Oui : 37% - Non : 47 %
– Ne savent pas : 16 %

Enquête de juin-juillet 1939 : Pensez-vous qu'une alliance précise de la France et de l'Angleterre avec l'URSS contribuera beaucoup à maintenir la paix en Europe ?
– Oui : 76% - Non : 16 %
– Ne savent pas : 3 %

Enquêtes publiées dans *Sondages* (Paris), n° 1 et n° 2, juin et juillet 1939.

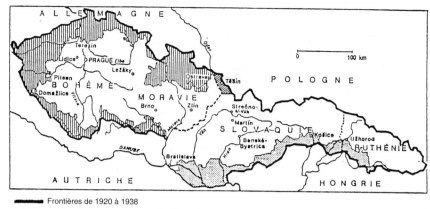

9. ***Le démembrement de la Tchécoslovaquie.***

Frontières de 1920 à 1938
Limite entre les pays tchèques et la Slovaquie
Limites en 1938 après la cession de territoire à :
Allemagne Pologne Hongrie
Frontière orientale depuis 1948

12. ***Le rêve de Hitler.*** Carte postale de Paul BARBIER, 1939.

I. L'ÉCHEC DE LA PAIX

En 1937, l'Angleterre cherche l'*apaisement* avec les dictateurs.

Elle délaisse quelque peu la France préoccupée surtout par l'après « Front Populaire » (voir p. 51), rassure la Belgique et, donnant l'impression de contrôler la situation, fournit aux États-Unis la justification de leur *isolationnisme* *. Cette politique est dangereuse car les démocraties, confiantes dans les traités, ne parlent pas le même langage qu'Hitler ou Mussolini. Alors que ceux-ci procèdent par coups de force, celles-là conservent l'espoir de solutions négociées entre gentlemen. Sans doute des voix s'élèvent-elles pour dénoncer cette « politique de l'autruche ». Mais les opinions publiques redoutent tellement un nouveau conflit que la lucidité n'est pas de mise.

Le 12 mars 1938, l'**Autriche** est occupée militairement. L'*Anschluss*, qui l'intègre au IIIe Reich, est ratifiée par un plébiscite en avril. Les démocraties se bornent à protester verbalement.

Hitler se tourne ensuite vers la **Tchécoslovaquie**. Ce pays compte une forte minorité allemande, les *Sudètes*. Hitler en exige le rattachement au Reich. Les Tchèques refusent. La guerre est en vue.

La **conférence de Munich** (29 septembre 1938) permet de « sauver la paix ». Mais à quel prix ! Hitler et Mussolini ont dicté leur volonté à la France et à l'Angleterre. La Tchécoslovaquie, principale intéressée, a été tenue à l'écart de la négociation. Elle doit pourtant accepter de céder les territoires revendiqués par l'Allemagne. La « comédie de Munich » encourage la Pologne, puis la Hongrie à faire valoir leurs propres revendications. Le dépeçage de la Tchécoslovaquie se poursuit. En mars 1939, l'armée allemande envahit la *Bohême-Moravie*. Dans le même temps, les Nazis favorisent la création d'un État slovaque indépendant. Ils provoquent ainsi une déchirure entre les deux composantes de l'espace tchèque et sont à la source de ressentiments qui se manifesteront pleinement au début des années 1990.

En quelques mois, **l'équilibre en Europe centrale a basculé**. L'Allemagne poursuit son grignotage. Après avoir obtenu la cession de *Memel* de la part de la Lituanie, elle revendique la ville libre de *Dantzig*. Il s'agit, cette fois, d'une provocation à l'égard de la Pologne. Or, celle-ci profite de la garantie d'une assistance franco-anglaise en cas d'agression. Hitler sait donc que s'il attaque la Pologne, il déclenche la guerre avec la France et l'Angleterre. C'est pourquoi il prépare minutieusement le terrain en resserrant les liens avec l'Italie et l'URSS.

Les succès de l'Allemagne ont encouragé l'Italie. Celle-ci envahit l'*Albanie* en avril 1939. Un mois plus tard (28 mai 1939), une alliance offensive est signée entre l'Italie et l'Allemagne (le **pacte d'acier**).

Reste l'URSS. Staline craint l'Allemagne. Il soupçonne aussi les démocraties d'encourager Hitler à regarder vers l'est afin d'éloigner le danger qui pèse sur elles. Le 23 août 1939, l'Allemagne et l'Union soviétique signent un **pacte de non-agression**. Hitler a les mains libres.

Le 1er septembre 1939, la *Wehrmacht* * pénètre en **Pologne**. Le 3, la France et l'Angleterre déclarent la guerre à l'Allemagne mais n'interviennent pas encore militairement. L'URSS, de son côté, envahit la Pologne le 17 septembre. Le partage du pays entre les envahisseurs s'effectue le 28.

Si, à l'Ouest, Français et Allemands campent sur leurs positions (la « *drôle de guerre* ») jusqu'au printemps 1940, à l'est, en revanche, l'URSS s'en prend à la Finlande après avoir placé les États baltes « sous sa protection ».

---

13. DÉCLARATION ALLEMANDE CONCERNANT LA BELGIQUE

(...) Le Gouvernement du Reich constate que l'inviolabilité et l'intégrité de la Belgique sont d'un intérêt commun pour les Puissances occidentales. Il confirme sa détermination de ne porter atteinte à cette inviolabilité et à cette intégrité en aucune circonstance et de respecter en tout temps le territoire belge, sauf cela va sans dire, au cas où la Belgique, dans un conflit armé où l'Allemagne se trouverait engagée, concourrait à une action militaire contre elle.

Le Ministre allemand des Affaires étrangères von NEURATH à l'Ambassadeur de Belgique à Berlin Jacques DAVIGNON, 13 octobre 1937 (D'après C. DE VISSCHER - F. VANLANGENHOVE, *Documents Diplomatiques Belges 1920-1940. T. IV : Période 1936-1937*, Bruxelles, 1965, p. 605).

---

14. MÉMORANDUM ALLEMAND DU 9 MAI 1940

Ainsi que le gouvernement allemand le sait depuis longtemps, le véritable but de l'Angleterre et de la France est l'attaque soigneusement préparée (...) à l'Ouest contre l'Allemagne, afin de pousser une pointe vers le territoire de la Ruhr en passant par le territoire de la Belgique et des Pays-Bas (...).

Le tableau de l'état d'esprit de la Belgique et des Pays-Bas (...) est clair et net. Depuis le début de la guerre (...), les deux pays ont secrètement pris parti pour l'Angleterre et pour la France, donc pour des puissances qui ont résolu d'attaquer l'Allemagne et lui ont déclaré la guerre (...).

Le Gouvernement de l'Allemagne n'entend pas (...) attendre les bras croisés (...). Il a donc donné maintenant l'ordre aux troupes allemandes d'assurer la neutralité de ces pays par tous les moyens de force militaire dont dispose l'Allemagne (...).

Si les troupes allemandes devaient rencontrer de la résistance (...) elle serait brisée par tous les moyens. Le gouvernement royal de Belgique et le gouvernement royal des Pays-Bas porteraient alors exclusivement la responsabilité des conséquences (...) et du sang inévitablement répandu.

(D'après C. DE VISSCHER - F. VANLANGENHOVE, *op. cit. T. V : Période 1938-1940*, Bruxelles, 1966, pp. 510, 513, 514 et 515).

II. LES FAITS DE LA GUERRE

Fronts européens

1939

Pacte de non-agression germano-soviétique (23 août)

La guerre commence en Pologne (1er septembre) (v. p. 75)

L'Allemagne et l'URSS se partagent la Pologne (28 septembre)

Annexion des États baltes par l'URSS (octobre-novembre)

La Grande-Bretagne et la France déclarent la guerre à l'Allemagne (3 septembre)

Après la défaite polonaise, l'URSS attaque la Finlande (30 novembre)

1940

Traité de paix russo-finlandais. La Carélie est cédée à l'URSS (12 mars)

L'Italie attaque l'Albanie (7 avril)

L'Allemagne envahit le Danemark et la Norvège (9 avril), la Belgique et les Pays-Bas (10 mai)

Signature du *Pacte d'Acier* entre l'Allemagne et l'Italie (22 mai)

Capitulation des Pays-Bas (15 mai) et de la Belgique (28 mai). Le roi Léopold III se considère comme prisonnier de guerre. Il est assigné à résidence au Château de Laeken (voir encart, pp.96-97)

L'Italie déclare la guerre à la France et à l'Angleterre (10 juin)

Suite à l'effondrement français, armistices franco-allemand et franco-italien (25 juin). Le gouvernement de Vichy est prêt à collaborer avec les Nazis. À Londres, le général de Gaulle appelle à la résistance de la France libre.

Début de l'offensive aérienne allemande contre l'Angleterre (8 août)

Le *pacte tripartite germano-italo-japonais* est signé à Berlin (27 septembre)

L'Italie attaque la Grèce (28 octobre)

1941

Aide financière des États-Unis à la Grande-Bretagne (loi du prêt-bail) (11 mars)

L'Allemagne attaque la Grèce, où les Italiens piétinent, et la Yougoslavie (6 avril). La Croatie se proclame indépendante sous la protection allemande (10 avril).

L'Allemagne envahit la Crète (20 mai)

L'Allemagne viole le *pacte de non-agression* et attaque l'URSS (22 juin)

Débarquement de troupes américaines en Islande (8 juillet)

L'armée allemande perd la bataille de Moscou (5 au 20 décembre)

1942

Fronts extra-européens

Le Canada et l'Union sud-africaine déclarent la guerre à l'Allemagne (5 septembre)

Offensive italienne venant de Libye vers l'Égypte (14 septembre)

Service militaire obligatoire aux États-Unis (16 septembre)

Premières attaques japonaises contre l'Indochine (23-26 septembre)

Contre-offensive britannique destinée à rejeter les Italiens (9 décembre)

Prise de Tobrouk (Libye) par les Britanniques (22 janvier)

Début de l'offensive italo-allemande en Libye (15 mars)

Rommel occupe Benghazi (3 avril)

Signature du *pacte d'amitié et de neutralité russo-japonais* (13 avril)

Début de débarquement japonais en Indochine (26 juillet)

Fin de l'Empire italien d'Éthiopie (27 septembre)

Attaque japonaise sur Pearl Harbour (7 décembre) et déclaration de guerre du Japon aux États-Unis (8 décembre)

Occupation de Manille par les Japonais (2 janvier)

Capitulation des troupes britanniques de Singapour (15 janvier)

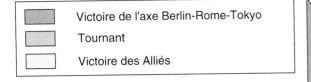

Victoire de l'axe Berlin-Rome-Tokyo

Tournant

Victoire des Alliés

Capitulation des Alliés à Java (8 mars)

Fin de la résistance américaine dans les Philippines (6 mai)

Victoire américaine contre les Japonais à Midway (3 juin)

Bombardement de Sydney par les Japonais (8 juin)

Capitulation des Britanniques à Tobrouk (21 juin)

Débarquement américain aux îles Salomon et victoire américaine contre les Japonais à Guadalcanal (7 août)

Déroute allemande à El Alamein : Montgomery bat Rommel (3 novembre)

Débarquement anglo-américain en Algérie et libération de l'Égypte (8 novembre)

Entrée des troupes américaines au Maroc (15 novembre)

Début de la bataille de Stalingrad (4 septembre)

L'armée allemande franchit la ligne de démarcation établie entre la France occupée et la « zone libre » placée sous la juridiction du gouvernement de Vichy et fonce sur Toulon pour s'emparer de la flotte française. Celle-ci s'est sabordée (27 novembre)

1943

Entrée des Alliés à Tripoli en Libye (23 janvier)

Les *Forces Françaises Libres* entrent à Tunis (12 mai)

Fin de la campagne d'Afrique (13 mai)

Contre-offensives américaines dans le Pacifique (à partir de juillet)

Victoire soviétique à Stalingrad (2 février)

Début de l'offensive générale de l'Armée rouge contre l'Allemagne (3 juillet)

Débarquement de l'armée américaine en Sicile (10 juillet) puis en Calabre

Mussolini est renversé (25 juillet)

Reddition inconditionnelle de l'Italie (8 septembre)

Débarquement des troupes anglo-américaines dans la région de Salerne (9 septembre)

1944

Débarquement allié aux îles Marshall (15 janvier)

Début de la campagne américaine vers les Philippines (22 avril)

Les Japonais progressent en Chine du Sud (juin-novembre)

Avance anglo-indienne en Birmanie (septembre)

Débarquement américain aux Carolines (20 septembre)

Bombardements de Tokyo par l'aviation américaine (27-30 novembre)

Occupation de Rome (4 juin)

Débarquement de Normandie (6 juin)

Victoire soviétique à Léningrad (10 juin)

Débarquement de Provence (15 août)

Libération de Paris (25 août)

Libération de Bruxelles (4 septembre)

Les troupes alliées atteignent le Rhin, les troupes soviétiques, le Danube (septembre-octobre)

Début de l'offensive allemande des Ardennes ou offensive Von Rundstedt entre Montjoie et Echternach (17 décembre)

1945

Entrée des troupes américaines à Manille (23 février)

L'URSS dénonce son *traité de neutralité* avec le Japon (5 avril)

Fin de la résistance japonaise à Okinawa (24 juin)

Ultimatum de reddition sans condition au Japon (26 juillet) qui le rejette (28 juillet)

Bombardement atomique américain de Hiroshima (6 août)

Déclaration de guerre de l'URSS au Japon et attaque soviétique en Mandchourie (8 août)

Bombardement atomique de Nagasaki (9 août)

Annonce de la capitulation du Japon (15 août)

Signature de la capitulation japonaise (2 septembre)

Libération de Varsovie (17 janvier)

Échec de l'offensive des Ardennes (23 janvier)

Libération du camp d'Auschwitz-Birkenau par les Soviétiques (27 janvier)

Occupation de Vienne par les Alliés (13 avril)

Entrée des Soviétiques à Berlin (21 avril)

Jonction des troupes américaines et soviétiques sur l'Elbe (25 avril)

Signature de la capitulation allemande à Berlin (8 mai)

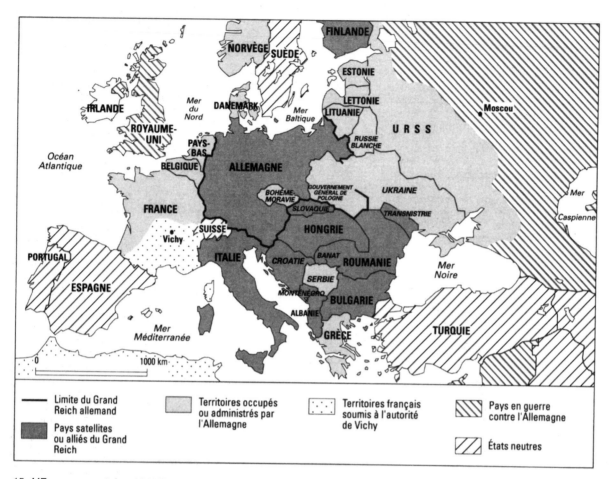

15. **L'Europe en octobre 1942** (D'après S. BERSTEIN et P. MILZA, *Histoire de l'Europe contemporaine. Le XXe siècle,* Paris, 1991, p. 123).

16. MESSAGE DU 30 OCTOBRE 1940

(...) C'est librement que je me suis rendu à l'invitation du Führer. (...) C'est dans l'honneur et pour maintenir l'unité française (...) que j'entre aujourd'hui dans la collaboration. Ainsi, dans un avenir prochain, pourrait être allégé le poids des souffrances de notre pays, amélioré le sort de nos prisonniers, atténuée la charge des frais d'occupation (...), facilités l'administration et le ravitaillement du territoire. Cette collaboration doit être sincère. Elle doit être exclusive de toute pensée d'agression (...). L'armistice au demeurant n'est pas la paix. La France est tenue par des obligations nombreuses vis-à-vis du vainqueur. Du moins reste-t-elle souveraine.(...) Cette politique est la mienne. Les ministres ne sont responsables que devant moi. C'est moi seul que l'Histoire jugera.
Je vous ai tenu jusqu'à ce jour le langage d'un Père. Je vous tiens aujourd'hui le langage d'un Chef. Suivez-moi. Gardez confiance en la France éternelle.

Maréchal PÉTAIN, *La France nouvelle, Appels et messages, 17 juin 1940-17 juin 1941, s.l.,* 1941, pp. 80-81.

17. **Révolution nationale.** Affiche de R. VACHET, (1942), 59 x 80 cm.

III. L'OCCUPATION

1. UN ORDRE NOUVEAU

En automne 1942, la plus grande partie de l'Europe se trouve sous la **domination allemande.** Cette situation est toutefois vécue de manière très variable. Les *territoires annexés* (Autriche, Sudètes...) sont considérés comme allemands et inclus dans le Reich. Les *protectorats,* de peuplement slave, sont jugés indignes d'être intégrés à la Grande Allemagne (Bohème-Moravie, Gouvernement général de Pologne...) Les pays ennemis, *occupés* par l'armée allemande, sont placés sous l'administration militaire. Les peuples d'origine germanique y sont traités avec plus d'égards que les peuples latins. Certains territoires se voient imposer un gouvernement pro-nazi (Quisling en Norvège); le gouvernement français de Vichy accepte d'exécuter les directives allemandes. Les *États satellites* d'Europe centrale et orientale, dotés de régimes autoritaires, participent de plein gré à la guerre contre l'URSS aux côtés de l'Allemagne.

Les pays occupés doivent fournir au Reich une énorme **contribution économique** qui aura de pénibles retombées sur la vie quotidienne : lourdes indemnités pour l'entretien des troupes, prélèvement d'une partie importante de la production agricole et industrielle et déportation de travailleurs.

Enfin, le nazisme se caractérise par la **terreur** la plus odieuse : persécution systématique des opposants politiques et, degré ultime de l'horreur, froide application d'un programme d'asservissement et d'extermination des populations slaves de l'Est et surtout des Juifs (voir encart pp. 88-89).

2. LE CAS PARTICULIER DE LA FRANCE

Le 16 juin 1940, Paul Reynaud, (président du Conseil) acculé par les événements, démissionne. Il est remplacé à la tête du gouvernement par le Maréchal Pétain, 84 ans, favorable à un armistice signé le 23 à Rethondes. Le gouvernement français reste souverain, mais plus de la moitié de son territoire est occupée par les troupes allemandes. Députés et sénateurs réunis à Vichy (10 juillet) adoptent le principe d'une révision constitutionnelle et votent (569 voix pour, 80 contre, 20 abstentions) les **pleins pouvoirs** à Pétain qui introduit un régime réactionnaire et paternaliste (la Révolution nationale). Laval, vice-président du conseil, organise en octobre une rencontre à Montoire entre Hitler et Pétain. Le Maréchal engage la France dans la collaboration avec l'espoir d'adoucir les conditions allemandes. En novembre 1942, les Allemands envahissent la zone sud. La France, même si elle veut encore en donner l'apparence, n'est plus capable de s'opposer aux exigences nazies. Vichy a-t-il évité le pire aux Français comme l'espérait Pétain ? On en discute encore aujourd'hui.

À la collaboration d'État s'oppose la « France libre »et la Résistance. Le 18 juin 1940, le général de Gaulle avait déjà lancé un appel au refus de l'armistice et de la soumission à l'Allemagne nazie.

18. L'APPEL DU 18 JUIN 1940

Les chefs qui, depuis de nombreuses années, sont à la tête des armées françaises, ont formé un gouvernement. Ce gouvernement, alléguant la défaite de nos armées, s'est mis en rapport avec l'ennemi pour cesser le combat. Certes, nous avons été, nous sommes submergés par la force mécanique, terrestre et aérienne de l'ennemi.(...)

Mais le dernier mot est-il dit ? L'espérance doit-elle disparaître ? La défaite est-elle définitive ? Non ! Croyez-moi, moi qui vous parle en connaissance de cause et vous dis que rien n'est perdu pour la France. (...) Car la France n'est pas seule ! (...) Elle a un vaste Empire derrière elle. Elle peut faire bloc avec l'Empire britannique qui tient la mer et continue la lutte. Elle peut, comme l'Angleterre, utiliser sans limites l'immense industrie des États-Unis. Cette guerre n'est pas limitée au territoire malheureux de notre pays. (...) Cette guerre est une guerre mondiale. (...)

Moi, Général de Gaulle, actuellement à Londres, j'invite les officiers et les soldats français qui se trouvent en territoire britannique, ou qui viendraient à s'y trouver, (...) j'invite les ingénieurs et les ouvriers spécialisés des industries d'armement qui se trouvent en territoire britannique (...) à se mettre en rapport avec moi.

Quoi qu'il arrive, la flamme de la résistance française ne doit pas s'éteindre et ne s'éteindra pas.

Charles de GAULLE, *Appels et Discours, juin 1940-février 1944*, s.l.n.d., pp. 11-12.

19. *Le bien-être par le travail en Allemagne.* Affiche de propagande allemande, éd. Platteau, Anvers, s.d.,126 x 85 cm (Bruxelles, Musée Royal de l'Armée et d'Histoire militaire).

22. **Condamnation du marché noir.** Affiche de P.H. NOYER. Équipe Alain Fournier, février 1943.

23. **Des lapins dans les appartements.** Hiver 1941-1942.

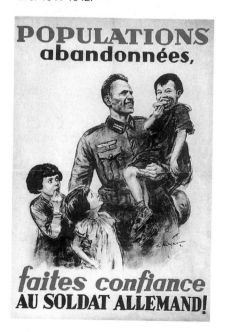

20. LES SECRÉTAIRES GÉNÉRAUX : APRÈS UN AN D'OCCUPATION...

L'opinion a, depuis le début, été sévère pour l'administration des Secrétaires Généraux. Cette sévérité s'est accentuée avec le temps. On peut dire aujourd'hui qu'ils réalisent l'unanimité du mécontentement. La minorité ralliée à l'Allemagne leur reproche de ne pas aller assez résolument de l'avant dans la voie de l'Ordre Nouveau. La majorité leur fait grief d'être les agents d'exécution de l'occupant et ne les tient plus pour une autorité nationale indépendante.

21. ... APRÈS TROIS ANS D'OCCUPATION

Bien que l'action des Secrétaires Généraux demeure peu populaire, on a assisté à un certain revirement de l'opinion en leur faveur. (...) Il semble qu'à la réflexion la politique de la « présence » et du moindre mal qui est, d'une façon générale, la justification de l'attitude des Secrétaires Généraux apparaisse à beaucoup comme la plus raisonnable. On observe à cet égard une divergence marquée entre les hommes d'affaires, industriels et commerçants d'une part, et les « intellectuels », professeurs, avocats, médecins, hommes politiques, d'autre part. Les premiers sont souvent partisans d'une politique « réaliste » inspirée de considérations d'ordre pratique. (...) Les seconds ont tendance à considérer qu'on ne peut, sans danger, négliger l'aspect moral du problème et qu'un peuple finit par perdre toute conscience nationale et tout respect de l'autorité si des voix ne s'élèvent pas pour rappeler les principes violés et dénoncer les injustices qu'on impose au pays. Ils concluent qu'il est des circonstances où il aurait fallu savoir rompre plutôt que de continuer à ruser avec l'occupant.

Paul STRUYE, *L'évolution du sentiment public en Belgique sous l'occupation allemande,* Bruxelles, 1945, p. 59 et 149.

AVIS

Le 19 Novembre 1942, M. Jean Theugels, bourgmestre du Grand' Charleroi a été lâchement assassiné dans l'ombre par des éléments encore inconnus alors qu'il quittait l'Hôtel-de-Ville. Cet assassinat est l'un des chaînons d'une suite de lâches attentats perpétrés contre des membres de mouvements politiques wallons et flamands, et qui se sont multipliés en ces derniers temps. L'autorité occupante ne peut pas tolérer que des éléments criminels troublent l'ordre et la tranquilité dans le pays ni que la population soit mise en danger.

En expiation de ces crimes dont la dernière victime a été le bourgmestre Theugels, l'autorité allemande a décrété que 10 personnes appartenant au milieu criminel seraient fusillées, si les coupables ne sont pas découverts pour le 25 Novembre 1942 à 24 heures.

Tous renseignements intéressants peuvent être communiqués à l'Oberfeldkommandantur de Mons, à la Kreiskommandantur ou l'Ortskommandantur de Charleroi.

Mons, le 21 Novembre 1942.

Der Oberfeldkommandant.

25. **Répression contre la résistance.** Le rexiste Jean THEUGELS avait été exécuté par Victor THONET, commandant du corps de Partisans Armés de Charleroi. Arrêté, ce dernier sera fusillé à Bruxelles le 20 avril 1943 (D'après H. GALLE et Y. THANASSEKOS, *La Résistance en Belgique,* Bruxelles, 1979, p. 45).

3. LA BELGIQUE OCCUPÉE

La Belgique est soumise au **commandement militaire allemand** (Général von Falkenhausen). Mais le pays reste administré par les secrétaires généraux des ministères, coupés des autorités dont ils dépendaient. En effet nombre de ministres et de parlementaires, désavouant la décision du roi (voir p. 96) s'étaient exilés d'abord en France jusqu'à l'armistice (juin 1940), puis à Londres pour continuer la guerre.

Le premier objectif de l'occupant est de remettre l'économie en marche. Il s'agit d'exploiter les ressources du pays pour les besoins de la Wehrmacht. Le redémarrage est difficile. Beaucoup de chefs d'entreprises ont pris le chemin de l'**exode** avec une population prise de panique et désorganisée. Les transports sont paralysés à cause des destructions. Pour fournir du travail aux chômeurs, mais aussi soutenir l'industrie de guerre allemande, le Reich recrute de la **main-d'oeuvre volontaire**. Il n'arrivera pas au quota espéré. Le **Travail Obligatoire** est instauré en 1942. En 1943, des milliers de travailleurs sont déportés en Allemagne. Mais nombre de réfractaires se réfugient dans le maquis et rejoignent la Résistance qui s'attaque dans la clandestinité à l'occupant et à la minorité qui a choisi la collaboration (voir encart p. 82-83).

Au jour le jour, il s'agit de continuer à vivre, à manger. Ce qui n'est pas facile, dans la mesure où l'Allemagne pratique une politique de pillage financier et économique. Des **réquisitions** touchent une part importante de la production (céréales, bétail...). On instaure le **rationnement** et les **timbres de ravitaillement**. Le **marché noir** s'installe et s'amplifiera tout au long de la guerre malgré les interdictions et les contrôles. Le Secours d'Hiver (distribution de repas, de charbon...) s'organise mais, soutenu par l'occupant, il est ressenti comme une propagande.

En 1940, celle-ci s'efforce de présenter une image positive du soldat allemand. Mais la relation devient de plus en plus tendue. Au développement de la Résistance répondent des menaces, des prises d'otages, des exécutions. Quarante mille prisonniers politiques belges sont envoyés dans des camps de concentration. Beaucoup ne reviendront pas.

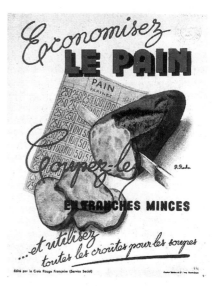

26. *Conseils domestiques.* Affiche de R. ROCHER pour la Croix-Rouge, avant juin 1942.

27. MAIN-D'OEUVRE VOLONTAIRE ?

Nous avons tout intérêt à favoriser ces placements de chômeurs. L'industrie belge ne reprendra que très lentement son activité; d'ici longtemps, de nombreux chômeurs devront encore être secourus. Notre main-d'oeuvre perdra son goût du travail et nos ouvriers spécialisés perdront leur qualité professionnelle.

Note de J. de VOGHEL, directeur général du Ministère du Travail, pour C. Verwilghen, secrétaire général du Ministère du Travail, 29 août 1940 (D'après J. GÉRARD-LIBOIS et J. GOTOVITCH, op.cit. Bruxelles, 1971, p. 154).

28. S.T.O.

Toutes les presses de l'Abteilung sechsundvierzig se traînent à des cadences curieusement parallèles dans la médiocrité. (...) Jusqu'au jour où Herr Müller réunit au réfectoire les deux équipes de repos (...) : « Je ne veux pas savoir si vous êtes des imbéciles ou des saboteurs. J'ai personnellement insisté pour que l'on confie ce travail à des Français. Je croyais l'ouvrier français intelligent, vif, habile et surtout loyal. C'est donc moi qui suis responsable si ça ne marche pas. (...) Dans deux semaines, ceux d'entre vous qui n'auront pas doublé leur chiffre actuel et réduit leurs pièces refusées à moins de cinq pour cent du total feront l'objet d'une plainte pour complot de sabotage et seront immédiatement livrés à la Gestapo. »

François CAVANNA, *Les russkoffs,* Paris (1979) 1985, p. 126.

Produits	Ration par jour
Pain	225 g
ou	
Farine	170 g
Café vert	12,5 g
ou	
Café torréfié	10 g
Graisses alimentaires, margarine, beurre, saindoux et graisse de boeuf	50 g
Féculents (crèmes et semoules de céréales, gruau d'avoine, légumes secs, riz, pâtes alimentaires)	20 g
Sel	20 g
Sucre raffiné, cristallisé, granulé, candi, vergeoise ou cassonade	30 g
Pommes de terre	500 g
Savon mou ou dur (y compris le savon de toilette)	20 g
Huile	5 g

29. *Premier tableau de rationnement de l'occupation .*
Arrêtés des 5 et 6 juin 1940, Moniteur du 7 juin 1940 (D'après J. GÉRARD-LIBOIS et J. GOTOVITCH, *L'an 40, La Belgique occupée,* Bruxelles, 1971, p. 330).

RÉSISTANCE ET COLLABORATION

Expression du refus d'accepter la défaite et de se soumettre à l'occupant, la **Résistance** va réunir de plus en plus de partisans. Ses actions sont multiples : publication de journaux clandestins et de tracts; organisation de *services de renseignements et d'actions* (S.R.A.), de filières d'évasion pour les Juifs, les réfractaires au STO, les prisonniers et déportés évadés, les aviateurs alliés tombés en territoire occupé; sabotages, attentats; accueil d'enfants juifs dans des familles,... ; un réseau souterrain de plus en plus efficace et que l'occupant excédé ne parvient pas à neutraliser, malgré les représailles d'une sévérité croissante.

Résultat d'un choix idéologique personnel, de l'opportunisme lié à la conviction d'une victoire allemande ou de l'intérêt économique, la **collaboration** a pu être le fait de l'État (France de Vichy), de partis, d'hommes politiques (mouvement rexiste de Léon Degrelle et VNV de Staf De Clercq en Belgique) ou encore d'intellectuels (les écrivains Drieu la Rochelle et Brasillach) et d'hommes d'affaires (Louis Renault).

1. LES PARTISANS

Ami, entends-tu
Le vol noir des corbeaux
Sur nos plaines ?

Ami, entends-tu
Les cris sourds du pays
Qu'on enchaîne ?

Ohé Partisans
Ouvriers et Paysans
C'est l'alarme !

Ce soir l'ennemi
Connaîtra le prix du sang
Et des larmes.

Montez de la mine
Descendez des collines
Camarades,

Sortez de la paille
Les fusils, la mitraille
Les grenades !

Ohé les tueurs
À la balle ou au couteau
Tuez vite !

Ohé saboteur
Attention à ton fardeau
Dynamite.

C'est nous qui brisons
Les barreaux des prisons

Pour nos frères !
La haine à nos trousses
Et la faim qui nous pousse
La misère...

Il y a des pays
Où les gens au creux du lit
Font des rêves

Ici, nous, vois-tu,
Nous on marche et on nous tue
Nous on crève.

Ici, chacun sait
Ce qu'il veut, ce qu'il fait
Quand il passe...

Ami, si tu tombes
Un ami sort de l'ombre
À ta place.

Demain du sang noir
Séchera au grand soleil
Sur les routes.

Sifflez compagnons...
Dans la nuit la liberté
Nous écoute...

Maurice DRUON et Joseph KESSEL, inspiré et mis en musique par Anna MARLY. Publié à l'automne 1943 dans le n° 1 des *Cahiers de la Libération* (clandestins) (D'après *Affiches 1939-1945, Images d'une certaine France*, Paris, 1982, p. 139).

3. *La Belgique se bat.* Affiche, 1940-1945. Centre d'information belge aux États-Unis.

2. « RADIO LONDRES »

La radio de Londres est devenue notre principal réconfort. Il n'est pas de maison où on ne l'écoute, presque à chacune de ses émissions. C'est l'unique voie par laquelle nous parviennent des informations vraies sur l'action de ceux qui combattent pour nous libérer. Tout ce qui se dit à Radio-Bruxelles sous contrôle allemand n'est que bourrage de crânes. Mais il y a menace de forte amende et d'emprisonnement pour quiconque se permet d'écouter la radio anglaise. Ce qui n'empêche que chacun lui tend l'oreille, mais on n'ose le dire qu'à des amis sûrs et à voix basse. Il y a tant de policiers, de dénonciateurs et de traîtres qui cherchent à surprendre les conversations en tram, dans la rue, partout !

P. DELANDSHEERE et A. OOMS, *La Belgique sous les nazis*, Bruxelles, s.d., vol. 1, p. 152.

4. QUI SONT CES RÉSISTANTS ?

Dès l'été de 1940, un peu partout en Belgique, des hommes de bonne volonté issus de toutes les classes de la société, sortent petit à petit de la grisaille du quotidien pour un combat inconnu, à l'issue combien hasardeuse. Ils sont entraînés par une espérance en un avenir de Justice et de Liberté — qui pouvait paraître déraisonnable à l'époque — par un refus catégorique de la défaite, et de l'occupation qui en découlait, ou encore plus simplement, par leur esprit aventureux, voire frondeur. Ils n'ont souvent pour atouts que du courage, de l'imagination et une longue expérience de l'utilisation du « système D ». Par contre, ils ne savent généralement rien du « métier » qu'ils vont exercer, de la clandestinité et de l'« illégalité » qu'il requiert.

J. DUJARDIN, *Le Mouvement National Belge. Activités dans le domaine du renseignement et de l'action. 1941-février 1944*, dans *Cahiers d'histoire de la seconde guerre mondiale*, n° 2, Bruxelles, octobre 1972, p. 11.

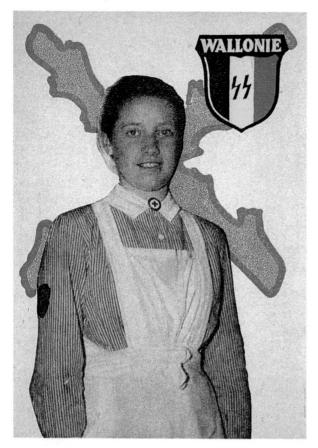

5. « *Jeunes filles de Wallonie, soyez dignes de nos Légionnaires, servez la Patrie et l'Europe dans la Deutsches Rote Kreuz* », carte postale, Bruxelles, s.d.

7. *Recrutement pour le Front de l'Est.* Affiche de propagande, éd. O. Platteau et C°, Anvers, s.d., 82 x 61 cm (Bruxelles, Musée Royal de l'Armée et d'Histoire militaire).

6. DIRECTIVES GÉNÉRALES AUX CHEFS DE SECTEURS

NE SOYEZ PAS BAVARDS ! Sachez garder votre secret. Gardez devers vous le moins de documents possibles. Détruisez par le feu ceux qui ne vous sont plus utiles. Mettez les autres dans un endroit suffisamment secret pour ne pas être découverts au cours d'une perquisition ennemie toujours possible, ou pour ne pas être victime d'indiscrétions de la part de personnes, peut-être bien intentionnées, mais n'appartenant pas à notre groupement.
(...) Méfiez-vous des femmes. Méfiez-vous des bavards. Méfiez-vous des vantards et des orgueilleux.
Ne faites rien de ce qui pourrait vous désigner à la vindicte de l'ennemi. Ne portez aucun insigne, si ce n'est les décorations nationales. Ne vous mêlez pas à des mouvements populaires, à des attroupements. Ne faites pas en public des réflexions désobligeantes pour l'ennemi. Ne discutez pas en public avec qui que ce soit. Gardez de la dignité et du sang-froid. Vous serez plus utile à votre pays en activité de service qu'au fond d'une prison.
Enfin, soyez désintéressés ! Ne visez pas à vous faire remarquer, ou à attirer l'attention de vos connaissances sur vos activités patriotiques. Ne vous vantez pas. (...) Ce sont vos chefs seuls qui doivent vous apprécier à l'oeuvre. Agissez uniquement PAR DEVOIR !

Royal Intelligence Office of Belgium (D'après J. DUJARDIN, *Le mouvement national belge. Activités dans le domaine du renseignement et de l'action. 1941-février 1944* dans *Cahiers d'histoire de la seconde guerre mondiale*, n° 2, Bruxelles, octobre 1972, p. 21).

8. APPEL DU *VLAAMSCH NATIONAAL VERBOND*

La politique du V.N.V. reste basée sur l'indépendance du peuple flamand et sur l'unité du peuple néerlandais; il désire réaliser ce but en collaboration avec le peuple allemand.
La victoire allemande est nécessaire, car une défaite allemande serait une défaite flamande et néerlandaise.
Afin de prévenir cela, je considère la collaboration militaire non seulement comme un droit, mais aussi comme un devoir.
Personne ne peut prédire ce qui doit arriver, mais j'ai lancé cet appel dans la conviction que l'action de nos jeunes gens flamands nous sauvera de la situation d'infériorité d'un peuple vaincu. Nous avons la conviction que par leurs actes, ils conquerront les droits que, lors du règlement final, nous pourrons faire valoir.

Discours de Staf DE CLERCQ publié dans son journal *Volk en Staat*, 30 mai 1941 (D'après P. DELANDSHEERE et A. OOMS, *op. cit.*, Bruxelles, vol. 1, p. 344).

9. CHOIX D'UN ÉCRIVAIN...

Je suis fasciste parce que j'ai mesuré les progrès de la décadence en Europe. J'ai vu dans le fascisme le seul moyen de contenir et de réduire cette décadence, et par ailleurs, ne croyant plus guère aux ressources politiques de l'Angleterre comme de la France, réprouvant l'intrusion d'empires étrangers à notre continent comme ceux des États-Unis et de la Russie, je n'ai vu d'autres recours que dans le génie de Hitler et de l'hitlérisme.

Pierre DRIEU LA ROCHELLE, *Nouvelle Revue française*, janvier 1943 (D'après *l'Histoire*, n° 8, janvier 1979, p. 87).

30. BILAN DE LA DÉPORTATION

Certes, l'horreur des camps reste gratuite (...). Mais puisqu'ils appartiennent déjà à l'histoire (...) ils nous ont appris quelque chose (...). Toute la science de l'Allemagne nazie n'avait pu prévoir la résistance invincible des âmes. Les metteurs en scène de la tragédie n'en avaient rien deviné : ils prétendaient étouffer le cri de notre espoir comme celui de notre détresse.

Parmi nous, ceux qui eurent la chance d'en revenir, le corps affaibli mais le coeur intact, doivent reconnaître que c'est dans les camps qu'ils ont mesuré la condition humaine, qu'ils ont dénombré les ressources et les possibilités de l'homme, en amitié comme en égoïsme, en noblesse comme en lâcheté, en abnégation comme en cruauté. La captivité nous a donné une vision amplifiée du drame du monde; en quelques mois, elle nous a montré ce que plusieurs vies n'auraient pas suffi à nous faire voir, parce que nous vivions alors au-dessus ou en dessous de nous-mêmes, et cependant nous n'avons jamais été, nous ne serons jamais aussi authentiquement nous-mêmes. Et cela est vrai même du physique des prisonniers : dépouillés de cette gangue de graisse, de ce bouffissement d'une vie trop confortable, leurs visages retrouvaient une architecture, des traits redevenaient plus personnels, plus purs et plus beaux.

Léon - E. HALKIN, *À l'ombre de la mort*, nouvelle édition, Bruxelles, 1965, p. 181.

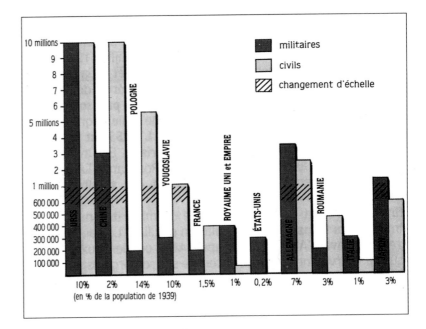

31. *Les morts de la guerre.*

32. SÉQUELLES DE LA DÉPORTATION

Physiquement parlant, un rescapé heureux, face aux aléas de l'existence, ressemble à un cheval de course chargé comme un mulet de bât. La fatigue le suit vingt-quatre heures sur vingt-quatre (...). Périodiquement, elle devient insurmontable (...). La pointe d'amertume qui en découle engendre un sentiment de solitude qui se consolide pour d'autres raisons. On ne passe pas impunément des années de sa vie dans un univers où l'horreur, la torture et l'assassinat, la compagnie de montagnes de cadavres et de cohortes de zombis affamés sont choses quotidiennes. On sort de l'aventure avec un baromètre émotionnel très différent de celui du commun des mortels. Bonheur et malheur n'ont plus la même signification (...). Le pire est cependant ailleurs. Les anciens concentrationnaires en parlent rarement, même entre eux. Il s'agit des cauchemars où l'on se retrouve emprisonné et torturé, pendant lesquels on hurle de terreur en se battant contre les SS, pour le plus grand désagrément de l'épouse qui partage votre lit et de l'enfant qui dort dans son berceau. Des cauchemars qui vous laissent désarmé et pantelant et certains soirs vous inspirent la terreur du sommeil.

Jean BLUME, *Drôle d'agenda. II. Au bord du gouffre, tout du long*, Bruxelles, 1987, p. 12.

33. AUSCHWITZ-BIRKENAU, 21 JANVIER 1945

La porte du camp est ouverte mais nous n'osons pas nous aventurer au-dehors. Les grondements de canons se rapprochent. La vie continue dans un demi-désordre quand la nouvelle se répand à la vitesse de l'éclair qu'on a trouvé des magasins pleins de vivres et de vêtements (...). Le pillage dure jour et nuit. Les malades, même les plus atteintes, y courent (...). Il arrive qu'en rentrant chargées de baluchons elles s'effondrent sur le seuil du bloc et meurent. Beaucoup d'autres périssent par... excès de nourriture.

Macha SPETER-RAVINE (médecin de formation), témoignage, dans *Le Monde*, 27-28 janvier 1985,

34. ÉPURATION

Beaucoup de résistants, par suite des souffrances endurées, en mémoire de leurs morts, parlaient de vengeance. Il faut comprendre ce sentiment à l'époque, si proche des événements tragiques vécus (...). D'après ce que je constatai, les jugements rendus par les tribunaux étaient, à cette époque, en général, conformes aux justes châtiments qu'exigeait le peuple. Mais nombre d'inciviques notoires échappaient à l'exécution du jugement en se réfugiant dans les dictatures fascistes ou fascisantes d'Amérique latine, ou encore en Espagne, sous la protection du fasciste Franco (...). Dans deux domaines importants, l'épuration apparaissait au moins comme insuffisante, voire dérisoire. Le premier domaine était celui de l'appareil d'État, notamment dans les organes tels que la Sûreté et la gendarmerie (...). D'autre part, contre la grande collaboration économique, le Gouvernement (...) n'a pris aucune mesure sérieuse; des poursuites avaient été entamées dans quelques cas, parmi les plus criants, mais seulement pour de petites et moyennes entreprises.

Jacques GRIPPA, *Chronique vécue d'une époque, 1930-1947*, Anvers, 1988, pp. 326-327.

IV. FIN ET BILAN DE LA GUERRE

À la fin de l'année 1942, le cours de la guerre est renversé. En Europe orientale, en Afrique du Nord, dans le Pacifique, les forces de l'Axe reculent. Mais il faudra encore attendre plus de deux ans et demi avant que la guerre ne soit définitivement terminée.

La prolongation du conflit provoque le recours à des moyens militaires et techniques de plus en plus nombreux. Par le fait même, elle provoque des destructions de plus en plus massives et des conséquences de plus en plus traumatisantes. Les unes et les autres se manifestent au plan humain, matériel et moral. Mais l'avancée technologique fait aussi accomplir de remarquables progrès au niveau scientifique.

Sur le plan humain, les pertes estimées s'élèvent, pour l'ensemble de la guerre, au total effrayant de 40 à 50 millions de morts. Sans doute les pertes militaires sont-elles énormes mais les populations civiles paient elles aussi un lourd tribut. Celui-ci est dû au système concentrationnaire ainsi qu'aux exactions des SS en URSS, en Pologne et ailleurs, et des troupes japonaises dans leur zone d'influence. Les bombardements provoquent aussi de gigantesques massacres. Celui de Dresde (13 février 1945) par l'aviation britannique fait 135 000 victimes; les bombes atomiques américaines d'Hiroshima et Nagasaki 60 000 et 40 000 morts.

Ces conséquences directes s'accompagnent d'**effets indirects** : d'une part, à l'image de ce qui s'était passé à l'occasion de la première guerre mondiale, d'un **déficit des naissances** (voir p. 11); d'autre part, de **déplacements massifs de populations** estimés à 30 millions de personnes. Ces mouvements de *personnes déplacées* sont dûs notamment à la « purification ethnique » pratiquée par les Nazis regroupant ici les *Volksdeutsche*, expulsant là des populations considérées comme occupant indûment une terre proclamée allemande. Mais Staline ne demeure pas en reste. Il disperse Tartares, Estoniens, Lituaniens, Polonais. Il déporte massivement vers la Sibérie ses prisonniers de guerre. Enfin, en 1945, l'avance de l'Armée Rouge provoque la fuite éperdue de près de onze millions d'Allemands qui cherchent à échapper à la vindicte soviétique et se réfugient dans les zones d'occupation occidentales en Allemagne : États-Unis, Grande-Bretagne, France.

Si le **bilan matériel, financier et économique,** de la guerre est très lourd et justifie un effort tout particulier de reconstruction (voir pp. 95 et 100), c'est surtout dans le **domaine moral** que la fin de la guerre provoque un choc.

Des attaques en piqué des stukas allemands contre les colonnes de réfugiés durant l'exode de 1940 jusqu'au bombardement de Dresde, puis d'Hiroshima et Nagasaki en passant par les bombes volantes (V1 et V2) envoyées sur l'Angleterre, la Belgique et la France par les Allemands, la guerre est entrée dans l'**ère de la terreur systématique.** Celle-ci est devenue une arme doublant l'effet des techniques. L'usage de l'arme atomique contre le Japon et ses résultats effrayants pour les populations civiles posent la question de la légitimité de l'emploi de tels instruments de destruction.

L'usage de la terreur systématique atteint son sommet à travers le recours généralisé à la torture par la Gestapo et l'organisation du **système concentrationnaire** visant l'extermination de millions d'êtres humains pour des motifs raciaux ou idéologiques. Juifs, Tsiganes, démocrates, et tant d'autres, « coupables » de ne pas appartenir à la « race des seigneurs », la « race supérieure », sont destinés à la chambre à gaz et au crématoire. Les enfants, les vieux, les faibles et les malades sont éliminés dès leur arrivée dans les camps. Les autres effectuent un travail forcé dans les *kommandos* organisés au profit de l'industrie de guerre allemande (IG Farben à Auschwitz-Birkenau) ou servent de *cobayes humains* aux médecins nazis.

---

35. LA BOMBE

Le monde est ce qu'il est, c'est-à-dire peu de chose. C'est ce que chacun sait depuis hier grâce au formidable concert que la radio, les journaux et les agences d'information viennent de déclencher au sujet de la bombe atomique. On nous apprend, en effet, au milieu d'une foule de commentaires enthousiastes, que n'importe quelle ville d'importance moyenne peut être totalement rasée par une bombe de la grosseur d'un ballon de football... Nous nous résumerons en une phrase : la civilisation mécanique vient de parvenir à son dernier degré de sauvagerie. Il va falloir choisir dans un avenir plus ou moins proche, entre le suicide collectif ou l'utilisation intelligente des conquêtes scientifiques. En attendant, il est permis de penser qu'il y a quelque indécence à célébrer ainsi une découverte, qui se met d'abord au service de la plus formidable rage de destruction dont l'homme ait fait preuve depuis des siècles (...). Voici qu'une angoisse nouvelle nous est proposée qui a toutes les chances d'être définitive.

Albert CAMUS, *Éditorial*, dans *Combat* (Paris), 8 août 1945.

---

36. HIROSHIMA, 6 AOÛT 1945

Est-ce l'éclair qui vint le premier, ou le bruit de l'explosion (...)? (...) J'avais été jetée par terre, aplatie sur le sol (...). Il y avait une odeur terrible dans l'air. Pensant que la bombe qui nous avait frappés pouvait être une bombe au phosphore jaune (...), je me frottai le nez et la bouche assez fort avec mon tenugui, une sorte de serviette japonaise que j'avais à la ceinture. À mon horreur, je découvris que la peau de mon visage était restée dans la serviette (...). Celle de mes mains, celle de mes bras se détachait aussi (...). Autour de moi (...), il y avait une quantité d'écoliers et de lycéens, garçons et filles, qui se débattaient dans les affres de l'agonie. Je les entendais qui criaient, comme à moitié fous : « Maman, maman! » (...) Vint l'automne, et les plaies restaient pulpeuses, on aurait dit de la tomate pourrie (...). Je continue à travailler, avec toute la honte de mon corps mutilé et affreux à voir, mais c'est pour mes pauvres enfants.

Témoignage d'une habitante d'Hiroshima (1975), dans *L'Histoire au jour le jour (1944-1985)*, Paris, 1985, pp. 28-29.

37. CE QUI RESTE DU PROCÈS DE NUREMBERG

Nuremberg a enfoncé dans les esprits une idée qui n'est pas prête de s'effacer. Il a sonné le glas de l'irresponsabilité du soldat obéissant à des ordres supérieurs. Nul ne peut plus l'ignorer désormais : l'indiscipline fait la force principale des individus. En acceptant de devenir un robot à tuer, le soldat abdique toute dignité humaine et encourt la peine de mort (...). Pour la première fois, les princes qui nous gouvernent ont rompu le pacte tacite selon lequel, quelle que soit l'issue des combats qui les opposent, les vainqueurs épargnent les vaincus, seul le menu peuple devant faire les frais du carnage. Aussi le procès de Nuremberg a-t-il été d'une utilité majeure en contribuant à désacraliser le chef politique et militaire, et à lui faire un devoir — sanctionné par la justice en cas de manquement — d'être également un honnête homme.

Michel TOURNIER, *Nuremberg ou le châtiment des criminels de guerre,* dans *Le Monde,* 1er octobre 1971, p. 2.

38. UTILISER OU NON LA BOMBE ATOMIQUE

Ce n'est qu'en avril 1945 qu'il apparut comme certain que la bombe atomique allait pouvoir fonctionner. Le président Roosevelt était mort le 12 du même mois, et la responsabilité de l'emploi de la bombe fut prise par le président Truman, mis au courant du problème le 25 avril seulement (...). Le grand précurseur scientifique Szilard (...) avait remis au secrétaire d'État James Byrnes un memorandum (...). Seul un accord international de contrôle pourrait éviter la course aux armements et la guerre destructrice (...). En juin 1945, un groupe de savants présidés par le physicien d'origine allemande James Franck (...) remet un rapport prédisant la courte durée du monopole américain, et proposant la révélation au monde des dangers de l'arme nouvelle par une démonstration au-dessus d'une zone inhabitée (...). Malgré ces tentatives (...) une décision préliminaire d'utiliser l'arme au Japon fut prise le 1er juin (...) par un Comité présidé par le ministre de la Guerre, conseillé par quelques-uns des savants responsables, dont Compton, Fermi, Lawrence, Oppenheimer (...). À Hiroshima et Nagasaki, l'homme a su pour la première fois créer un désastre atteignant l'ordre de grandeur des grands cataclysmes naturels (...). Brusquement, les États-Unis furent à même d'achever seuls la guerre avec le Japon (...). Pour la Russie soviétique, ce renversement des forces allait être sans doute en partie responsable de la méfiance qui devait caractériser son attitude dans les négociations internationales, dans la période qui suivit la guerre.

Bertrand GOLDSCHMIDT, *L'aventure atomique. Ses aspects politiques et techniques*, Paris, 1962, pp. 57-58.

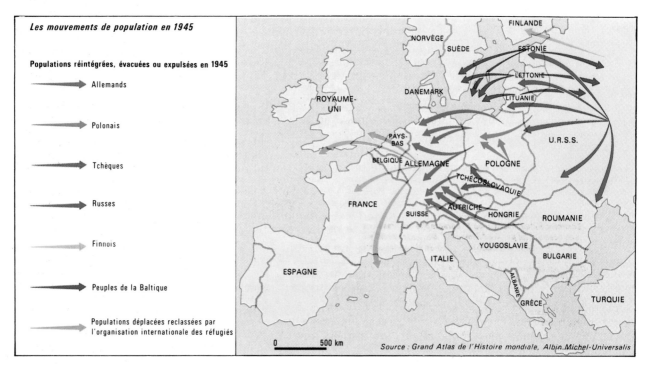

39. **Les mouvements de population en Europe en 1945.**

Face à l'horreur des camps de la mort, la conscience humaine s'est révoltée. Elle a crié son indignation, notamment à travers la littérature et la philosophie mais aussi par sa volonté de punir les coupables. Le **procès de Nuremberg** (22 novembre 1945 - 1er octobre 1946) a jugé et puni des *criminels de guerre* tout en ouvrant la voie à la notion de *crime contre l'humanité*.

La volonté de punir s'est manifestée également à l'égard des collaborateurs par le biais de l'épuration. Celle-ci frappa souvent des *lampistes* tandis que la grande collaboration économique, intellectuelle et même politique échappait à l'application des jugements rendus (Robert Poulet, Henri de Man, Léon Degrelle en Belgique).

Quant aux crimes contre les lois de la guerre, ils ont généralement fait l'objet de beaucoup moins d'attention que les crimes contre les populations civiles. Pourtant, le traitement infligé aux prisonniers russes par les Allemands, aux Américains et Britanniques par les Japonais, sans parler du massacre des officiers polonais à Katyn par les Soviétiques en mars 1940 constituent autant de faits indiscutables.

Une dernière conséquence de la guerre est l'**avancée technologique** qu'elle suscite, tant du côté allemand qu'allié. Des recherches, souvent engagées avant 1939, sont accélérées afin de disposer d'armes et de véhicules toujours plus performants. Aux recherches allemandes sur l'*eau lourde* * répondent les travaux des physiciens européens et américains engagés aux États-Unis dans le projet Manhattan de fabrication de la *bombe atomique*. Dans le secteur de l'automobile, de l'aéronautique (chasseurs à réaction), de l'astronautique (travaux de Werner von Braun en Allemagne) et de l'électronique (radar, télévision, calculateurs électroniques britannique et américain), etc., de spectaculaires bonds en avant sont accomplis. L'après-guerre verra la consolidation de ces progrès techniques en même temps que la diversification de leurs usages dans le secteur civil.

À voir :
Les combattants : Mikhail KALATOZOV, *Quand passent les cigognes*, URSS, 1957, N & B; Serguei BONDARTCHOUK, *Le destin d'un homme*, URSS, 1959, N & B; Ken ANNAKIN, *Le jour le plus long*, USA, 1962, N & B; Franklin J. SCHAFFNER, *Patton*, USA, 1969, N & B; Edgardo COZARINSKY, *La guerre d'un seul homme* (d'après Ernst Jünger), France, 1981, N & B.
La guerre vécue par les civils : Luigi COMENCINI, *La Storia,* Italie, 1986, coul.; Alain RESNAIS, *Hiroshima, mon amour*, France, 1958, N & B; Alan PARKER, *Bienvenue au Paradis*, USA, 1989, coul.; Claude AUTANT-LARA, *La traversée de Paris*, France, Italie, 1956, N & B.
La collaboration : Constantin COSTA-GAVRAS, *Section spéciale*, France, 1974, coul.; Louis MALLE, *Lacombe Lucien*, France, 1973, coul.
La résistance : René CLÉMENT, *La bataille du rail*, France, 1945, N & B, et *Le Père tranquille*, France, 1948; Julien DUVIVIER, *Marie-Octobre*, France, 1959; Gaston SCHOUKENS, *Un soir de joie*, Belgique, 1955, N & B.
La question juive : George STEVENS, *Le journal d'Anne Frank*, USA, 1959, N & B: Alain RESNAIS, *Nuit et Brouillard*, France, 1955, N & B; François TRUFFAUT, *Le dernier métro*, France, 1980, coul.; Louis MALLE, *Au revoir les enfants*, France-Allemagne, 1987, coul.; Frank CASSENTI, *Le testament d'un poète juif assassiné*, France, 1987, coul.; Claude LANZMANN, *Shoah*, France-Suisse, 1976-1985.
La guerre en Extrême-Orient : Steven SPIELBERG, *Empire du soleil*, USA, 1987, coul.; David LEAN, *Le pont de la rivière Kwai*, Grande-Bretagne, 1957, coul.
Le cas italien à travers un chef d'oeuvre : Roberto ROSSELLINI, *Païsa*, Italie, 1944-1946, N & B.

VOCABULAIRE

Eau lourde : composé dans lequel l'hydrogène de l'eau ordinaire, de masse 1, est remplacé par un isotope de masse 2 : le deutérium. Celui-ci est présent à raison de 160 milligrammes dans un litre d'eau ordinaire. Sa propriété est notamment de ralentir fortement les neutrons, une qualité que recherchaient les physiciens lancés dans les recherches relatives à la fission, car ils avaient remarqué que l'isotope 235 de l'uranium était plus facilement fissile s'il était bombardé avec des neutrons lents.

Isolationnisme : politique visant l'absence d'engagement diplomatique, économique, avec les autres nations.

Wehrmacht : armée de terre allemande.

40. SEPTEMBRE 1944 À LIÈGE

La fin de la guerre — on le crut — commença dans la nuit du 6 au 7 septembre quand une patrouille de six G.I.'s éclairant la première Armée de Hodges parvint en Vinâve d'Ile. J'eus tout de suite le coup de foudre pour ces soldats portant la carabine au coude comme des braconniers. Ils me demandèrent où étaient les Germains; je me retrouvais en pleine guerre des Gaules et j'eus envie de leur dire que la veille encore des Apaches SS tout de noir vêtus avaient traversé en bon ordre l'oppidum des Éburons.

Toute ma vie je me souviendrai de chacune des minutes de cette nuit-là, douce et fiévreuse. Il montait du jardin devant la cathédrale une odeur d'herbe tondue et de bégonias épanouis. On entendait dans les tavernes du Pont d'Avroy chanter les premiers pochards de la liberté — fini le couvre-feu! Aux fenêtres flottaient les drapeaux de la victoire, taillés dans d'humbles draps de lit. La ville était tendue, avec de longs silences entrecoupés d'accords à la Ennio Moricone. On attendait l'Amérique comme Colomb l'espéra... Elle fut là en la personne de ses enfants mâchant du chewing-gum. Ils avaient traversé l'Atlantique pour nous libérer et ils se battaient depuis la Normandie. Je vois encore leurs visages un peu apeurés par notre soif d'amitié.

René HENOUMONT, *Des amours de papier. Mémoires impertinentes*, Paris-Louvain-la-Neuve, 1990, pp. 13-14.

1. *Carte des camps. Un bilan de l'univers concentrationnaire :* entre 9 et 10 millions de victimes dont 6 millions de Juifs, soit 72 % de la population juive d'Europe.

3. *Camp de Belsen.* Le docteur Klein au milieu de ses victimes. Il se livrait à des expériences « médicales » en leur inoculant, entre autres, de l'essence d'auto.

2. LA SOLUTION FINALE

Je me rendis à Treblinka pour voir comment s'effectuaient les opérations d'extermination. Le commandant du camp de Treblinka me dit qu'il avait fait disparaître 80 000 détenus en six mois. Il s'occupait plus particulièrement des Juifs du ghetto de Varsovie. Il utilisait l'oxyde de carbone. Cependant, ses méthodes ne me parurent pas très efficaces. Aussi, quand j'installai le bâtiment d'extermination d'Auschwitz, mon choix se porta sur le Zyklon B, acide prussique cristallisé, que nous laissions tomber dans la chambre de mort par une petite ouverture. Selon les conditions atmosphériques, il fallait compter de trois à quinze minutes pour que le gaz fît son effet. Nous savions que les gens étaient morts lorsqu'ils cessaient de crier. Ensuite nous attendions environ une demi-heure avant d'ouvrir les portes et d'enlever les corps. Une fois les corps sortis, nos commandos spéciaux leur retiraient bagues et alliances, ainsi que l'or des dents.

Nous apportâmes également une autre amélioration par rapport à Treblinka en construisant des chambres à gaz pouvant contenir 2 000 personnes à la fois, alors qu'à Treblinka leurs dix chambres à gaz n'en contenaient que 200 (...).

Nous apportâmes encore une autre amélioration par rapport à Treblinka : les victimes savaient presque toujours qu'elles allaient être exterminées; à Auschwitz nous nous efforçâmes de leur faire croire qu'elles allaient subir un épouillage.

Déposition de Rudolf HOESS, ex-forçat devenu SS et commandant du camp d'Auschwitz, au procès de Nuremberg (D'après W.L. SHIRER, *Le IIIe Reich*, t. 1, Paris, 1960, pp. 996-999).

4. ARRIVÉE D'UN TÉMOIN À BERGEN-BELSEN

À l'entrée de ce camp de la mort programmée, une auxiliaire féminine de l'armée de terre française (...) murmura : « Vous êtes sûre de pouvoir supporter cela ? » (...) La mort — je le découvrais avec stupeur — ce n'est ni la colère ni le chagrin; c'est d'abord une odeur. L'effroi vous descend aux tripes par le nez.

Quatre squelettes vêtus de rayé bleu, en traînant un cinquième que rien ne distingue sinon qu'il a fini (...). Quatre êtres aux mouvements décomposés, quatre êtres vivants au ralenti en sortent un de la baraque. Ce qui les sépare et qui ne se voit pas, c'est la vie. Pour les autres a commencé une lutte avec le temps. S'ils arrivent à décrocher l'invisible serpent de la mort qui leur grimpe sous la peau, ils auront gagné. Un seul souci : que la vie ne leur coule pas des tripes (...). Ces tas de fagots ? Des cadavres, empilés os sur os. Des bulldozers creusent (...). L'officier anglais me mène vers la baraque des compatriotes. Toujours cette même odeur. Des mains souillées me touchent, touchent la vie. Un souffle dit un nom. J'inscris. (...) Je ne verrai Joseph Kramer, *Hauptsturmführer* du camp, que dans le box des accusés, au procès. Au procès, il dira « *Befehl ist Befehl* » (un ordre est un ordre). Pour enrayer l'épidémie de typhus, il avait demandé un deuxième four crématoire. Le typhus a fait plus de morts que le travail forcé : qu'y pouvait-il, lui, au typhus ? Il avait administré dans l'ordre le plus parfait.

D. DESANTI, *Les Staliniens. Une expérience politique, 1944-1956,* Verviers, 1985, pp. 35-36.

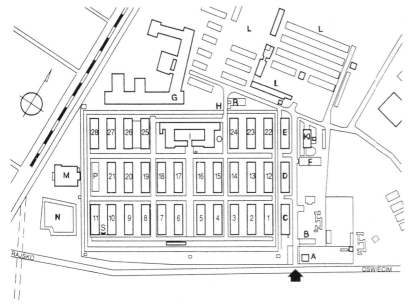

5. *Plan du camp d'Auschwitz.*

A la maison du commandant du camp
B le service de garde principal
C les bureaux de la Kommandantur du camp
E l'hôpital des SS
F les bureaux de la Section politique
    (la *Gestapo* du camp)
G le bâtiment de réception
H la porte d'entrée avec l'inscription Arbeit
    macht frei
I la cuisine

KI la chambre à gaz et le crématoire I
L les baraquements de l'intendance et les
    ateliers
M les magasins des objets pillés
N la sablière, lieu d'exécution
O lieu où jouait l'orchestre du camp
P les baraquements de la blanchisserie des SS
R le service de garde des *Blockführers*
S le mur des exécutions
1-28 les blocs d'habitation pour les détenus

(D'après J.-C. SZUREK, *Le camp-musée d'Auschwitz* dans *Bulletin trimestriel de la Fondation Auschwitz,* n° 23, janvier-mars 1990, pp. 30-31).

---

6. EXPÉRIENCES MÉDICALES NAZIES

La mise au point de la méthode que j'avais conçue pour stériliser (...) l'organisme féminin est pratiquement achevée. (...) cela signifie que :
1. il ne reste plus que les derniers raffinements à mettre au point.
2. elle pourrait dès aujourd'hui trouver une application régulière dans nos stérilisations eugéniques habituelles, au lieu de l'opération et remplacer celle-ci. Quant à la question que vous m'avez posée, (...) à savoir combien de temps serait nécessaire pour stériliser mille femmes par ce procédé, je puis y répondre aujourd'hui ceci : si les recherches effectuées (...) se poursuivent au même rythme que jusqu'à maintenant (...) le moment n'est pas très éloigné où je pourrai dire : « un médecin spécialement exercé dans un service spécialement installé, avec un personnel d'une dizaine d'assistants (...) peut très vraisemblablement en stériliser plusieurs centaines — sinon même mille — dans une seule journée ».

Lettre du docteur Clauberg au Führer, 1943 (D'après *Les Mémoires de l'Europe,* op. cit. p. 390).

---

7. THÈSE RÉVISIONNISTE

Les prétendues chambres à gaz hitlériennes et le prétendu génocide des Juifs forment un seul et même mensonge historique qui a permis une gigantesque escroquerie politico-financière dont les principaux bénéficiaires sont l'État d'Israël et le sionisme international, et dont les principales victimes sont le peuple allemand, mais non pas ses dirigeants, et le peuple palestinien tout entier.

Déclaration de R. FAURISSON au micro d'Europe 1, 1980 (D'après J. STENGERS, *Quelques libres propos sur « Faurisson, Roques et Cie »,* dans C.R.E.H.S.G.M., n° 12, mai 1989, p. 12).

8. E.R. NELE, *La Rampe,* 8 mai 1945 - 8 mai 1985, Kassel.

« Pour rappeler la sélection, la déportation, les souffrances et la mort de Juifs, *d'étrangers asservis,* de combattants de la résistance. Détruite quelques jours après le 8 mai 1985, "La Rampe" a été restaurée par l'École supérieure de Kassel avec le soutien de nombreux donateurs ».

---

9. QUE PENSER DU RÉVISIONNISME : UNE HISTOIRE SCIENTIFIQUE D'AUSCHWITZ

Contrairement aux apparences, l'étude détaillée de l'extermination des Juifs, (...) a commencé récemment et, semble-t-il, bien trop tardivement. Si la contestation des négateurs persiste avec un certain écho, alors que leur combat est déjà perdu, c'est parce qu'on assiste à une formidable perte de mémoire collective sur le sujet, consciente ou inconsciente, de la part de nos sociétés confrontées aux multiples problèmes mondiaux, leur imposant en outre la révision de nombreuses données. Les négateurs profitent de ces circonstances en répétant inlassablement et obstinément le même discours qu'ils affinent au fur et à mesure que les années passent, afin que son impact soit maximum.

Mais, lorsqu'enfin, cinquante ans après, sont retrouvées les caractéristiques de la ventilation des chambres à gaz homicides, à savoir : la nature (métal ou bois) et le modèle des souffleries, leur disposition, la puissance des moteurs électriques utilisés, leur vitesse de rotation, la section des conduits, les cubages horaires d'air envoyé et extrait, le plus habile des discours négateurs est vain face à ces données incontournables provenant du fournisseur ayant installé ces matériels, et le dossier technique des chambres à gaz homicides d'Auschwitz-Birkenau doit être refermé et clos.

Jean-Claude PRESSAC, *Pour en finir avec les négateurs,* dans *l'Histoire,* n° 156, juin 1992, p. 50.

CHAPITRE 2 : DES LIBÉRATIONS À LA CONSTITUTION DES DEUX BLOCS
(1944-1948)

Alliés dans la guerre, les États-Unis, la Grande-Bretagne et l'URSS préparent activement le retour à la Paix selon des points de vue qui divergent fortement. Deux conceptions du monde s'opposent. Les États-Unis, sortis de leur isolationnisme, sont projetés au rang de première puissance mondiale. L'URSS, saignée à blanc, rêve à la fois de vengeance contre l'Allemagne, de sécurité et de pouvoir. Entre ces deux Grands, l'Europe a perdu le leadership. Enjeu entre eux, elle est littéralement écartelée à l'image de l'Allemagne vaincue. De 1944 à 1948, une lutte très complexe se développe entre Moscou et Washington, dans laquelle la Grande-Bretagne joue un rôle important. En 1948, la question qui se pose est celle de savoir si ce que l'on appelle désormais la guerre froide va dégénérer en un nouveau conflit ouvert. Les foyers de tension grave sont en effet nombreux, non seulement en Europe mais aussi ailleurs dans le monde.

1. LE POINT DE VUE DE STALINE SUR LA POLOGNE

Mr. Churchill a dit que, pour la Grande-Bretagne, la question polonaise était une question d'honneur (...) ; mais pour les Russes, c'est une question à la fois d'honneur et de sécurité. Question d'honneur car la Russie a de nombreux griefs contre la Pologne et désire les éliminer. C'est une question de sécurité stratégique non seulement parce que la Pologne est un pays frontière mais parce qu'à travers l'Histoire, la Pologne a été un couloir pour attaquer la Russie. Durant les trente dernières années, l'Allemagne a par deux fois emprunté ce couloir. La raison en était la faiblesse de la Pologne. La Russie veut une Pologne forte, indépendante et démocratique (...). Ce n'est pas uniquement une question d'honneur (...) mais de vie ou de mort. C'est pour cette raison qu'un grand changement est intervenu par rapport à la politique des Tsars qui voulaient supprimer et assimiler la Pologne (...).

Compte-rendu américain des conversations de Yalta, dans *The Dynamics of World Power. A Documentary History of United States Foreign Policy, 1945-1973*. Vol. II, Part 1 : *Eastern Europe and the Soviet Union*, New York, 1983, pp. 49-51 (Trad. M. DUMOULIN).

2. *Churchill, Roosevelt et Staline à Livadia lors de la conférence de Crimée, dite de Yalta* (4-11 février 1945).

3. MOUVEMENTS DE LIBÉRATION NATIONALE

La propagande mise en branle par le Kominform, bien accueillie par des gens comme le leader italien Togliatti était tout sauf rassurante du point de vue occidental. L'Empire britannique était une cible évidente. Ce que les Russes décrivaient comme « mouvements de libération nationale » avaient déjà débuté dans le sous-continent indien et étaient prêts à s'étendre de façon évidente à travers les colonies britanniques en Afrique, qui avaient été relativement épargnées par la guerre, et en Extrême-Orient où la présence japonaise avait fortement nui au prestige britannique.

Frank ROBERTS, *Dealing with Dictators. The Destruction and Revival of Europe 1930-1970*, Londres, 1991, p. 92 (Trad. M. DUMOULIN).

4. *Caricature* de VICKY parue dans l'hebdomadaire allemand *Der Spiegel* (Hambourg) le 19 juin 1948. Les ministres des Affaires étrangères anglais (Bevin), français (Bidault) et américain (Marshall) sont assis sur la portion d'Allemagne que leurs pays occupent. À l'Est, Molotov, ministre des Affaires étrangères de l'URSS, est assis sur l'emplacement de Berlin dont les Soviétiques partagent le contrôle avec les Occidentaux.

5. DISCOURS DE PAUL-HENRI SPAAK DEVANT L'ASSEMBLÉE GÉNÉRALE DE L'ONU (28 SEPTEMBRE 1948)

La délégation soviétique ne doit pas chercher d'explications compliquées à notre politique (...). Savez-vous quelle est la base de notre politique ? C'est la peur. La peur de vous, la peur de votre gouvernement, la peur de votre politique (...). Savez-vous pourquoi nous avons peur ? Nous avons peur parce que vous parlez souvent d'impérialisme (...). Quelle est la notion courante de l'impérialisme ? C'est celle d'un peuple — généralement d'un grand pays — qui fait des conquêtes et qui augmente, à travers le monde, son influence (...). Votre politique étrangère est aujourd'hui plus audacieuse et plus ambitieuse que la politique des tsars eux-mêmes (...). Nous avons peur parce que (...) vous vous êtes faits les champions de la doctrine de la souveraineté nationale absolue (...). Nous nous demandons comment une organisation internationale pourra fonctionner (...) si cette doctrine périmée (...), cette doctrine réactionnaire triomphe.

La pensée européenne et atlantique de Paul-Henri Spaak (1942-1972). Textes réunis et présentés par P.-F. SMETS, t. I, Bruxelles, (1980), pp. 153-155.

7. LE COURRIER DU PRÉSIDENT DE LA RÉPUBLIQUE FRANÇAISE

À la lecture de mon courrier, j'entends la voix de la misère et de l'angoisse : lettres de veuves chargées d'enfants en bas âge, sans secours ni travail, plaintes contre les retards apportés à l'attribution des pensions aux victimes de la guerre, doléances des vieillards à qui la mort de leurs enfants pendant l'Occupation a laissé la charge de leurs petits-enfants, ou de pauvres gens grelottant de froid et de faim au milieu des ruines, dans des caves, faute de logement. Jamais je n'ai entendu d'aussi déchirants appels de détresse et de désespoir humain. À ces appels, les services des ministères répondent par une note circulaire classique : « Nous prenons note...Votre requête sera examinée, etc ». Non !

Vincent AURIOL, *Mon septennat, 1947-1954. Notes de Journal* présentées par P. NORA et M. OZOUF, Paris, (1970), p. 61 (28 janvier 1947).

9. INFLUENCE CULTURELLE

Un aspect sociologique (...) est l'importance primordiale (...) que la langue anglaise a prise dans les organismes chargés de résoudre les problèmes d'après-guerre (...). Cette anglicisation, succédant immédiatement à une germanisation (...) a exercé sur la plupart des langues de l'Europe occidentale une influence qu'on peut malaisément qualifier de salutaire. C'est le cas de la langue française (...). Sans parler des effets du snobisme en la matière.

Maurice-Pierre HERREMANS, *Personnes déplacées (Rapatriés, disparus, réfugiés)*, Bruxelles, (1948), pp. 248-249.

10. LES ÉTATS-UNIS ET BERLIN

Je n'ai jamais compris (...) pourquoi les Américains se sont arrêtés une semaine sur l'Elbe alors qu'à l'ouest ils avaient réussi leur percée et ne rencontraient pratiquement plus de résistance militaire : cela jusqu'à ce qu'ils soient coude à coude avec les Soviétiques, le 25 avril 1945 (...). Dans un dernier et incroyable engagement d'hommes et de matériel, les Russes forcèrent le passage vers Berlin. Nous eûmes alors le sentiment que les Américains calculaient comme de pingres quincailliers et les Russes en fins stratèges politiques. Les Américains considéraient Berlin comme un tas de ferraille, un amas de décombres sans aucune valeur — ils n'avaient aucune idée de la valeur symbolique d'une capitale. Les Russes, par contre, misaient sur la conception traditionnelle : le vainqueur est celui qui tient la capitale, il maîtrise, pour ainsi dire, le centre nerveux de l'ennemi. Bien qu'ils eussent (...) abandonné la ville aux Russes, les Américains purent, par la suite, y circuler en jeep comme quatrième puissance (...). Cette incompréhension profonde et persistante du comportement des Américains (...) nous amena (...) à voir, dans la crise berlinoise de 1948, non pas un problème allemand, mais américain.

Franz-Josef STRAUSS, *Mémoires*, Paris, 1991, p. 85.

NATIONS UNIES

6. **Affiche de l'ONU en 1946.**

8. LE RENOUVEAU ET SES DIFFICULTÉS

L'énergie intellectuelle que suscitait la liberté retrouvée ne se limitait pas à la pensée profane. Elle avait gagné la philosophie et la théologie catholiques. La guerre et l'occupation avaient suscité, dans une sorte de retraite forcée — au sens spirituel du terme — une méditation en profondeur, à la fois sur l'actuel et sur des sujets éternels. Le contact dans la clandestinité avec la gauche et l'extrême-gauche fécondait en même temps toute une série de pistes de réflexion, et ouvrait ainsi maintes perspectives (...). La question des partis politiques est (...) le premier grand problème que nous avons abordé (...). À la libération, nos trois grands partis s'étaient refait un peu trop facilement une virginité. La victoire des démocraties avait pour effet que l'on n'osait plus émettre alors de critiques contre un appareil politique qui avait pourtant montré de grandes faiblesses entre les deux guerres.

André MOLITOR, *Souvenirs. Un témoin engagé dans la vie du 20e siècle*, Paris-Gembloux, (1984), pp. 200 et 202.

11. L'ALLEMAGNE PARTAGÉE

Dans les conditions spécifiques de ces années d'après-guerre, la zone orientale, la future RDA, eut à assumer une responsabilité beaucoup plus lourde, comme si les gens de là-bas avaient encore plus perdu la guerre que leurs compatriotes à l'ouest.

Willy BRANDT, *Mémoires*, Paris, (1990), p. 137.

I. L'APRÈS-GUERRE : PRÉPARER ET STABILISER

Bien avant la libération des pays occupés par les nazis, les gouvernements alliés travaillent à la préparation de l'après-guerre sur le plan intérieur et à une refonte de la société internationale tant du point de vue économique que politique.

1. RÉORGANISATION DE LA SOCIÉTÉ INTERNATIONALE

La SDN s'est révélée incapable de prévenir les conflits. Le 1er janvier 1942, les nations en guerre contre l'Axe signent la *Déclaration des Nations Unies*. Elles s'engagent à « élaborer un système de paix et de sécurité après la guerre ». En septembre-octobre 1944, les *conférences de Dumbarton Oaks* réunissant la Grande-Bretagne, les États-Unis et l'URSS, d'une part, la Chine, d'autre part, jettent les bases de l'**Organisation des Nations Unies (ONU)**. Dotée d'une Assemblée générale, d'un Conseil de sécurité où siègent cinq membres permanents (les participants à Dumbarton Oaks et la France), d'un Secrétariat général, d'une Cour internationale de justice et d'un Conseil économique et social (voir p. 122), l'ONU est constituée lors de la *conférence de San Francisco* (avril-juin 1945).

Tandis que les trois Grands (États-Unis, Grande-Bretagne et URSS) élaborent la structure universelle de la sécurité collective, la guerre continue. En Europe, les pays libérés ou en voie de l'être constituent les enjeux d'un partage d'influence. Celui-ci provoque de graves difficultés, à la fin de 1944, entre Anglais et Américains, d'une part, entre eux et les Soviétiques, d'autre part. Ces querelles (Grèce, Yougoslavie, Tchécoslovaquie) conduisent à la **conférence de Crimée**, dite **de Yalta** (4-11 février 1945).

Contrairement à la légende, Staline, Roosevelt et Churchill n'y partagent pas le monde. Ils y poursuivent l'examen du projet de création de l'ONU, traitent de l'éventualité de l'intervention soviétique contre le Japon et se penchent sur les problèmes européens. Ils décident d'attribuer une zone d'occupation à la France en Allemagne, une fois celle-ci écrasée. Ils adoptent la *Déclaration sur l'Europe libérée* qui prévoyait notamment l'organisation d'élections libres dans tous les pays libérés. Parmi ceux-ci figurait la Pologne. Un Gouvernement Provisoire Polonais d'Unité Nationale serait constitué sur la base de membres du gouvernement communiste, en place à Varsovie, et de membres du gouvernement polonais en exil à Londres. La mise en place de ce gouvernement devait être suivie par une élection libre au scrutin secret.

Cet accord est rapidement violé par les Soviétiques qui passent outre non seulement en Pologne mais aussi en Roumanie, puis en Bulgarie. Une nouvelle conférence est convoquée. Elle a lieu à **Potsdam** (17 juillet-2 août 1945) où la question du respect de la Déclaration sur l'Europe libérée est éludée par les Russes. Ceux-ci seront encore moins enclins à composer après l'utilisation de l'arme nucléaire par les États-Unis. Politiquement, la porte de la **guerre froide** est ouverte.

La dimension **politique** n'explique cependant pas la totalité de la situation au milieu de 1945. D'autres facteurs se conjuguent.

Le premier est de nature **économique**. Les États-Unis, dont l'extraordinaire effort de guerre, a permis un développement industriel jamais atteint, risquent une crise de surproduction. Il est dès lors indispensable de disposer de marchés capables d'absorber les produits américains. Or, l'Europe est détruite. Il y a donc urgence à reconstruire les économies européennes dans le respect des principes de la liberté d'entreprendre, de commercer et de concurrencer. Il y a urgence aussi dans le domaine monétaire car la stabilité des monnaies est un gage d'échanges harmonieux et de stabilité sociale et politique.

L'ambition américaine se traduit par le biais de nombreuses mesures. La plus importante est la création du *Fonds Monétaire International* (FMI) lors de la Conférence de Bretton-Woods (juillet 1944). Le dollar y devient la monnaie de référence sur la base d'une *parité* * fixe or-dollar n'autorisant que de légères variations de change des monnaies par rapport à la monnaie américaine et, donc, entre elles.

Le deuxième facteur est **psychologique**. Il relève de la perception, par les États-Unis et l'URSS, de la *menace* qu'ils représentent l'un pour l'autre. Le FMI, comme d'autres réalisations d'inspiration américaine telles que l'UNRRA (Administration des Nations-Unies pour le Ravitaillement et la Reconstruction), la BIRD (Banque Internationale pour la Reconstruction et le Développement) eurent, semble-t-il, pour effet d'alarmer les Soviétiques. Tandis que les Américains étaient persuadés que le dénuement de l'Europe précipiterait celle-ci dans les bras du communisme comme la crise des années 1930 avait provoqué l'avènement du national-socialisme, Moscou était convaincu de ce que l'Europe, en ce compris l'URSS, était menacée par le risque de l'hégémonie américaine.

Soucieuse de punir les régimes ayant collaboré avec les nazis (Hongrie, Bulgarie, Roumanie) et de préserver sa frontière occidentale (Pologne), l'URSS cherche à constituer un *glacis* potentiel contre les Américains et leurs alliés occidentaux. Elle ménage toutefois les régimes « bourgeois » d'Europe occidentale en espérant ainsi éviter que l'influence américaine ne s'y développe outre mesure.

2. RÉORGANISATIONS INTERNES

Un vent de réformes fondamentales souffle sur l'Europe en état de choc au sortir de la guerre.

Sur le plan politique, plusieurs monarchies sont renversées (Roumanie, Bulgarie, Yougoslavie), en instance de l'être (Italie, 1946), vacillent (Grèce) ou ne doivent leur salut qu'à une solution d'attente. C'est ainsi qu'en Belgique, la *question royale* qui met en cause l'attitude du roi Léopold III durant la guerre (voir pp. 96-97) conduit à la désignation d'un régent en la personne du prince Charles (septembre 1944).

Dans plusieurs pays, de *nouvelles constitutions* sont mises en chantier (Pays-Bas, France) tandis que les élections portent au pouvoir des *hommes neufs*, souvent issus de la Résistance.

Les *gouvernements de coalition* nés de ces élections voient des communistes siéger aux côtés de chrétiens et de socialistes en Belgique, en France, en Italie et au Danemark. Dans ces pays, les *partis communistes* effectuent en effet une poussée très significative tant en nombre de voix qu'en nombre d'adhérents. Pourquoi ? L'URSS jouit d'un grand prestige à cause de sa résistance héroïque face aux nazis. La capacité qu'ont eue les communistes, dans la Résistance, d'incarner le mariage entre la lutte idéologique et la lutte nationale, leur confère l'image d'une force politique nouvelle. Mais malgré le « loyalisme » de leurs ministres dans les pays où ils participent au gouvernement, les communistes sont rapidement marginalisés. Dès 1946, ils deviennent, à l'instar de l'URSS, la cible d'un *anticommunisme virulent*. Exclus du pouvoir, ils ne continueront pas moins d'exercer, en France et en Italie surtout, une séduction évidente sur une partie non négligeable de l'intelligentsia (Jean-Paul Sartre, Ignazio Silone, Carlo et Primo Levi).

⇒ **Atlas,** 44 A-B
68 F

14. ARTICLE 4 DES STATUTS DU FONDS MONÉTAIRE INTERNATIONAL

a) La parité des monnaies de chaque État membre sera exprimée en termes d'or, pris comme commun dénominateur, ou en dollars des États-Unis d'Amérique du poids et du titre en vigueur.

b) Tous les calculs relatifs aux monnaies des membres (...) seront effectués sur la base des parités.

Les cours maxima et minima applicables aux transactions de change entre les monnaies (...) ne devront pas s'écarter de la parité : 1°) de plus de 1% dans le cas de transactions au comptant, 2°) et, dans le cas d'autres transactions (...) de ladite marge plus telle marge additionnelle que le Fonds jugera raisonnable (...).

Tout membre s'engage à collaborer avec le Fonds afin de promouvoir la stabilité des changes, de maintenir des dispositions de change ordonnées avec les autres membres et d'éviter des modifications de change inspirées par un esprit de rivalité...

Un membre ne pourra proposer une modification de la parité de sa monnaie que pour corriger un déséquilibre fondamental (...) et après consultation avec le Fonds.

J. DENIZET, *Le dollar. Histoire du système monétaire international depuis 1945*, Paris, (1985), pp. 233-234.

15. UN COMMUNISTE DÉÇU

En Belgique [en 1939], le Parti Communiste (...) comptait 10 000 membres. Il en totalisait 101 564 après la libération (...). On était entré dans la grande période cocardière. Il n'était pas un meeting (...) où l'on ne vit, aux côtés du drapeau rouge, les trois couleurs nationales (...). Nous étions le Parti des Fusilliers (...). En 1946, le Parti (...) quoique international, se proclame avant tout le Parti de la Patrie (...). Ouvriers et intellectuels, petits artisans, voire bourgeois moyens (...) croyaient pénétrer (...) dans une épopée (...). La nouvelle direction du parti veillait (...). Le vocabulaire (...) ne tarderait pas à changer (...). La classe ouvrière (...) ne comprenait pas toujours les changements de direction (...). Van Acker, vainqueur en 1945 de la bataille du charbon, était dénoncé, deux ans plus tard, comme l'ennemi n° 1 de la classe ouvrière.

Fernand DEMANY, *Si c'était à refaire...*, Bruxelles, (1951), pp. 47, 54, 61.

Pays	1948	1950
Belgique	115	124
France	100	121
Allemagne (occidentale)	45	64
Italie	92	104
Pays-Bas	114	127
Norvège	122	131
Suède	133	148
Suisse	125	131
Royaume-Uni	106	114
Europe (occidentale)	87	102
États-Unis	165	179
Japon	63	72
URSS		105

17. **Indice du produit national brut à prix constants (base 100 = 1938),** d'après H. VAN DER WEE, *Histoire économique mondiale, 1945-1990,* Louvain-la-Neuve, (1990), p. 17.

18. LIBERTÉ ORGANISÉE

Le maximum de liberté individuelle compatible avec le progrès de la communauté reste (...), en matière économique aussi bien qu'en matière politique, la plus sûre approche du bonheur du plus grand nombre. Est-ce à dire que l'on entend retourner à l'anarchie économique de l'époque d'avant-guerre, au nationalisme économique boîteux et contradictoire ? Certes non.

Une organisation de l'économie, une coordination des forces de la production, suivant une politique cohérente et à longue portée, est une nécessité absolue, aussi bien dans le plan national que (...) international.

Une politique économique doit être tracée suivant un programme vaste et complet (...) ou suivant un plan d'action. Le mot « plan » est employé dans deux sens différents. Tantôt il s'identifie avec la politique totalitaire (...). Mais il s'emploie aussi pour désigner un programme général, dont l'exécution reste confiée aux forces et aux entreprises traditionnelles; l'intervention de l'État a un caractère de contrôle (supervision). Elle vise à empêcher des erreurs, nuisibles à la communauté, à protéger contre des écarts ou des empiètements; elle n'impose pas d'action positive directe à des particuliers (...). Même dans ce sens, les mesures qui relèvent des autorités ne doivent pas être prises par une bureaucratie étatique.

Rapports de la Commission pour l'Étude des Problèmes d'Après-Guerre (CEPAG), 1941-1944, s.l.n.d.(1944), p. 45 (rapport d'avril 1942).

16. LE REDRESSEMENT DU FRANC BELGE

Dès 1942, nous nous étions préoccupés de l'état dans lequel nous trouverions la Belgique au moment de la libération (...). Nous savions que l'inflation régnait (...). Cette inflation était pour moi une hantise. Je me rappelais celle de l'Allemagne à partir de 1918 (...). Pour confirmer mes craintes, les Américains me parlèrent d'imprimer, pour les armées d'occupation, des billets de dix et de cinq francs. Pour moi, c'était le commencement de la fin.

Dès le début de 1943 j'en savais assez pour établir un plan. Il constituait un tout (...) : dépôt et (...) blocage des billets (...), déclaration des titres, des avoirs en or et en devises étrangères, des autres biens à l'étranger, des contrats d'assurance (...), contrôle des banques et des changes.

L'opération monétaire proprement dite (...) consistait en une contraction de la circulation monétaire sous ses formes essentielles : billets et dépôts (...). Première étape : les billets perdaient tout cours légal, devaient être déclarés, puis déposés, à l'exception des billets de 50 francs et moins (...). Chaque propriétaire de billets anciens pouvait pourtant les échanger contre des billets nouveaux à concurrence de 2 000 francs. Les comptes de dépôt et d'épargne cessaient d'être disponibles (sauf dans des limites modestes). Deuxième étape : le ministre (des Finances) devait libérer (...) une nouvelle tranche dont il fixerait le montant (...). Troisième étape : le solde de ces comptes (...) était divisé en deux tranches (...). La première était temporairement indisponible; la deuxième définitivement bloquée (...).

Résultat (...) : l'occupation allemande avait fait monter le stock monétaire de 63 milliards d'avant-guerre à 186 milliards au moment où nous sommes revenus en Belgique (...). De ces 186 milliards, nous en avons prélevé 105, de ces 105, 42 ont été bloqués provisoirement; les autres, moins 5 000 francs qui ont été donnés à chaque déposant pour parer aux besoins les plus pressés (...) ont été bloqués définitivement.

Camille GUTT, *La Belgique au carrefour, 1940-1944,* Paris, (1971), pp. 169-171 et 177.

19. **Prisonniers de guerre allemands aux Charbonnages de Waterschei,** 9 juillet 1945. Occupant les baraquements destinés à abriter les prisonniers de guerre russes durant le conflit, les P.G. allemands sont libérés au printemps 1946 suite aux nombreuses pressions internationales sur la Belgique qui jugeait ces prisonniers indispensables dans la bataille du charbon.

Sur le plan économique, le *spectre de l'inflation* hérité de l'entre-deux-guerres, conduit à des mesures parfois spectaculaires. Ainsi, en Belgique, l'*opération Gutt* permet, en octobre 1944, de procéder au remplacement du papier-monnaie tout en bloquant les avoirs en banque et aux comptes chèques postaux. En contrôlant la masse monétaire puis en en autorisant le déblocage progressif, le gouvernement jugule le danger d'une inflation galopante.

Afin d'assurer un contrôle renforcé sur l'industrie, des pans entiers de celle-ci sont *nationalisés* (charbonnages en Grande-Bretagne et en France) non sans volonté de punir, dans certains cas, la collaboration économique (Louis Renault).

La notion de *plan*, à l'honneur dans les années trente (voir pp. 48-50), est traduite dans les faits. Il s'agit de programmer la reconstruction et, partant, de favoriser la modernisation de l'économie et de la société. C'est l'ambition du *Commissariat National au Plan* en France dont le premier responsable est Jean Monnet.

Dans le secteur social, l'État impose aussi des changements profonds, conformément à des programmes élaborés durant la guerre (Plan Beveridge en Grande-Bretagne, Projet d'accord de solidarité sociale en Belgique). La création de l'Office National de Sécurité Sociale (ONSS) en 1944 et du Fonds de Rééquipement ménager en 1945 annoncent en Belgique, à l'instar de ce qui se passera bientôt dans d'autres pays, la naissance du *Welfare State* ou *État Providence* *.

Ce bouillonnement politique, économique et social s'accompagne de *grands débats* indiquant un intense **renouveau culturel**. La question de l'Homme et du Monde à reconstruire suscite, en Europe, une production littéraire de qualité, marquée le plus souvent par le pessimisme. Dans le même temps, l'*influence culturelle américaine* déferle sur l'Europe, à la fois par le canal du cinéma et par celui des symboles de la Grande Amérique accompagnant les G.I. Le Coca Cola et la Lucky Strike, sans compter bientôt les stocks américains destinés à écouler les surplus de l'armée des États-Unis, sont autant de symboles de la riche Amérique qui fait rêver alors que les difficultés assaillent l'Europe.

En effet, la réorganisation interne des États européens ne va pas sans **difficultés**, voire sans **tragédies**.

Au rayon des difficultés, le retour à la paix n'a pas signifié la fin du *rationnement* et des conditions de vie pénible. En Italie et en Allemagne, où la véritable monnaie d'échange est la cigarette américaine, le *marché noir* est devenu une institution. *Criminalité, délinquance* juvénile, *prostitution* accompagnent, en atteignant des proportions dramatiques, un *chômage* qui l'est tout autant du fait des destructions infligées à l'appareil de production.

Il correspond aussi, dans certains pays, à un *déficit de main-d'œuvre* dans plusieurs secteurs-clés de l'industrie. C'est ainsi qu'en Belgique et en France, l'industrie charbonnière, essentielle dans le cadre de la Reconstruction, ne dispose pas d'un nombre de mineurs suffisant pour gagner la « *bataille du charbon* ». Ce déficit explique l'utilisation de prisonniers de guerre allemands d'abord, puis le recrutement massif, dès l'été 1946, de *travailleurs étrangers* parmi lesquels les *Italiens,* sans travail dans leur pays, représentent le plus fort contingent.

Mais ces difficultés sont relativement mineures en regard de la situation que connaît un pays comme la *Grèce* où la *guerre civile* déchire les communistes et les partisans de la monarchie, tout en constituant un enjeu de la guerre froide.

Devenu roi en 1934, Léopold III a fortement encouragé, à partir de 1936, la politique d'indépendance de la Belgique sur le plan international. Au plan intérieur, il est peu enclin au compromis avec la classe politique. Assumant en 1940, le commandement de l'armée, il se considère, après la défaite, comme prisonnier de guerre. Commode bouc-émissaire pour une partie importante des politiciens, il commet plusieurs erreurs politiques et psychologiques. Celles-ci constitueront autant de causes de rupture entre ses partisans et ses adversaires après la Libération.

L'article 82 de la Constitution du 7 février 1831 précise : si le Roi se trouve dans l'impossibilité de régner, les ministres, après avoir fait constater cette impossibilité, convoquent immédiatement les Chambres. Il est pourvu à la tutelle et à la Régence par les Chambres réunies.
L'article unique de la loi du 19 juillet 1945 relative à l'article 82 de la Constitution stipule : Lorsqu'il est fait application de l'article 82 de la Constitution, le Roi ne reprend l'exercice de ses pouvoirs constitutionnels qu'après une délibération des Chambres réunies constatant que l'impossibilité de régner a pris fin.

1. DISCOURS DU PREMIER MINISTRE BELGE HUBERT PIERLOT RADIODIFFUSÉ DEPUIS PARIS LE 28 MAI 1940 À 16 H 30.

(...) Passant outre à l'avis formel du gouvernement, le Roi vient d'ouvrir des négociations et de traiter avec l'ennemi (...). La faute d'un homme ne peut être imputée à la nation entière (...). L'acte que nous déplorons est sans valeur légale (...). Aucun acte du Roi ne peut avoir d'effet s'il n'est contresigné par un ministre (...). Le Roi, rompant le lien qui l'unissait à son peuple, s'est placé sous le pouvoir de l'envahisseur (...). Le Roi se trouve dans l'impossibilité de régner (...). Les pouvoirs constitutionnels du Roi sont exercés, au nom du peuple belge, par les ministres réunis en Conseil et sous leur responsabilité (...).

(D'après H.-F. VAN AAL, *Télé-mémoires : de Vleeshouwer, Gutt, Spaak*, Bruxelles, (1971), pp.86-87).

2. TÉLÉGRAMME DU MINISTRE D'ARGENTINE À BERNE, ADRESSÉ AU MINISTRE DE BELGIQUE À BERNE, 18 JUIN 1940

Veuillez faire connaître à Bruxelles, de toute urgence, position que le gouvernement belge compte prendre dans l'hypothèse très probable de la cessation des hostilités en France. Le Gouvernement constatera : 1) qu'il est venu en France pour continuer la guerre au côté de ses garants; 2) que l'armée française a cessé de combattre (...); 6) que le Gouvernement démissionnera, dès que le sort des soldats belges en France et des réfugiés sera réglé, afin de faciliter les négociations probables de paix entre l'Allemagne et la Belgique.
[En transmettant ce télégramme, le ministre d'Argentine ajouta au texte du Gouvernement, ce paragraphe :]
Le Gouvernement se propose d'envoyer un de ses ministres auprès du Roi afin que celui-ci, avec la signature de ce ministre, puisse constituer un ministère habilité pour entamer les négociations de paix avec l'Allemagne.

Rapport de la Commission d'Information instituée par S.M. le Roi Léopold III le 14 juillet 1946, (Luxembourg), 1947, annexe n° 85.

3. L'ENTREVUE DE BERCHTESGADEN DU 19 NOVEMBRE 1940.

Le Roi, dans son entretien avec Hitler, a cherché avant tout à obtenir de ce dernier des garanties au sujet de l'indépendance de la Belgique (...). Si le Roi (...) avait obtenu ce qu'il souhaitait, le résultat aurait été l'annonce publique de la garantie donnée à l'indépendance future de la Belgique (...). Ceci eût fait éclater l'accord du Roi et du Führer sur l'idée que la guerre entre l'Allemagne et la Belgique était terminée. On ne demande (...) pas de garanties d'une puissance avec laquelle on est en guerre. (...) Hitler, par son refus, a tout sauvé.

Jean STENGERS, *Léopold III et le gouvernement : les deux politiques belges de 1940*, Paris-Gembloux, (1980), p. 161.

4. MÉMOIRE DE LÉOPOLD III DU 25 JANVIER 1944 REMIS À HUBERT PIERLOT LE 9 SEPTEMBRE 1944.

(...) VII. *De la réparation nécessaire.*

Il n'est point de patriote que ne tourmente le souvenir de certains discours prononcés à la tribune du monde entier, par lesquels des ministres belges se sont permis (...) de proférer (...) des imputations de la plus haute gravité contre la conduite de notre armée et les actes de son chef (...). Le prestige de la Couronne et l'honneur du pays s'opposent à ce que les auteurs de ces discours exercent quelque autorité que ce soit, en Belgique libérée, aussi longtemps qu'ils n'auront pas répudié leur erreur et fait réparation solennelle et entière (...).

VIII. *Les politiques étrangère et coloniale.*

(...) Je rappelle qu'aux termes de la Constitution un traité n'a de valeur que s'il est revêtu de la signature du Roi (...).

Recueil établi par le secrétariat du Roi concernant la période 1936-1949, s.l.n.d., annexe n° 220.

5. CHURCHILL RÉAGIT À LA PERSPECTIVE DE LA LIBÉRATION DU ROI PRISONNIER AVEC SA FAMILLE EN AUTRICHE

Il y a de très sérieuses raisons pour que nous évitions d'encourager et encore plus d'aider le régent à s'emparer du trône de son frère (...). Bien entendu, si le Roi venait à se trouver dans une zone d'opérations, on ne pourrait tolérer qu'il y crée du désordre mais ce n'est pas ce qu'il cherche. Il désire rentrer dans son pays d'où l'ennemi l'a emmené par la force (...). Lorsqu'il arrivera dans son propre pays, son gouvernement pourra faire de lui ce qu'il voudra (...). Le Roi est probablement tout à fait inoffensif et les hommes au pouvoir désirent sans aucun doute y rester le plus longtemps possible sans égard à la Constitution (...). Je ne vois pas ce qu'il y a à reprocher au Roi sauf d'être plutôt minable et d'être ainsi un parfait représentant du peuple belge qui a vainement espéré se tenir en dehors de cette guerre (...).

CHURCHILL à Eden, 8 avril 1945. (D'après R. KEYES, *Échec au Roi. Léopold III 1940-1951*, (Paris-Gembloux), (1986), p. 154).

6. « GAI, GAI, MARIONS-NOUS ».

Le mariage religieux entre Léopold III et Marie-Liliane Baels a lieu à Laeken le 11 septembre 1941. Le mariage civil a lieu le 6 décembre 1941, date à laquelle le cardinal Van Roey rend la nouvelle publique par le biais d'une lettre pastorale.

Il était une fois un Roi (...). Son peuple le chérissait (...). On le savait malheureux (...) seul dans son palais trop vaste avec trois petits orphelins. Puis, la guerre était venue et le Roi, vaincu, avait renoncé à la lutte pour partager le sort de son armée prisonnière et de son peuple opprimé. Et puis, tout à coup, le Roi est descendu de son piédestal (...). Il a fait un mariage sans gloire, un mariage clandestin (...). Nous vous croyions penché sur nos douleurs; vous l'étiez sur l'épaule d'une femme (...). Le peuple ne vous pardonnera pas aisément cet acte maladroit, ni peut-être surtout le moment (...). Les Belges n'ont pas cessé d'aimer l'Autre, la Douce, la Souriante, l'Inoubliable.

La Voix des Belges, n° 6, 30 novembre 1941 (D'après O. MARCHAL, *Un Jésuite dans la Résistance, le père Camille-Jean Joset. Témoignage historique sur le Mouvement National Belge et son journal clandestin La Voix des Belges*, Bruxelles, 1990, pp. 72-73).

« mon sort sera le vôtre! »

8. ***Affiche socialiste pour le non*** à la reprise de l'exercice des fonctions royales par Léopold III, 1950 (D'après J. GÉRARD-LIBOIS et J. GOTOVITCH, *op. cit.*, p. 230).

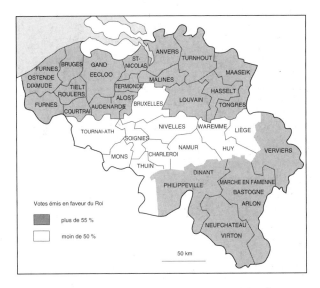

9. ***La consultation populaire du 12 mars 1950*** (D'après M. TH. BITSCH, *Histoire de Belgique,* Paris, 1992, p. 233). Le 27 octobre 1949 au Sénat et le 8 février 1950 à la Chambre, les parlementaires votent la loi par laquelle les électeurs sont invités, le 12 mars 1950, à répondre par oui ou par non ou par un vote blanc à la question : « *Êtes-vous d'avis que le roi Léopold III reprenne l'exercice de ses pouvoirs constitutionnels ?* » Il y eut 10 % de votes blancs ou nuls. Sur les votes valables, les oui représentèrent 57, 68%, les non 42, 32 %. Après que la déclaration de cessation de l'impossibilité de régner * ait été obtenue le 20 juillet 1945 grâce aux votes PSC/CVP et à une voix libérale (tous les autres parlementaires avaient quitté la séance), Léopold III rentra le 22 juillet 1950. Face à la menace révolutionnaire brandie par P.-H. Spaak (27 juillet), le Roi accepta très difficilement, suite à la médiation de la Confédération nationale des prisonniers politiques de Belgique et ayants droit, l'attribution de l'exercice des pouvoirs constitutionnels au Prince Baudouin. Celui-ci prêta serment le 11 août 1950.

Belges,

Vous savez ce qui se passe au delà du « Rideau de Fer ». C'est le régime communiste dans toute sa beauté.

Comment y est-on arrivé ?

En TCHECOSLOVAQUIE, les communistes étaient minorité.
En BELGIQUE, aussi.

En HONGRIE, on a accusé tous les hommes d'ordre d'être des kollaborateurs.
En BELGIQUE, on les appelle des léorexistes.

En ROUMANIE, on a commencé par détrôner le Roi.
En BELGIQUE, on essaie.

DANS TOUS CES PAYS, les socialistes, tout en se proclamant antistaliniens, se sont laissés prendre dans l'engrenage communiste.
EN BELGIQUE, ils sont sur le chemin.

BELGES,

On vous dit : Pour la Monarchie — Contre Léopold III.

C'est faux !

Ce sera ou Léopold III ou la République Populaire.

Votez OUI

Impr. Goemaere, 21, rue de la Limite, Bruxelles.

7. ***Propagande en faveur du oui*** à la reprise de l'exercice des fonctions royales par Léopold III, 1950 (D'après J. GÉRARD-LIBOIS et J. GOTOVITCH, *Léopold III : de l'an 40 à l'effacement,* Bruxelles, 1991, p. 229).

22. DISCOURS DE CHURCHILL À FULTON, LE 5 MARS 1946

Quelles sont les tâches que nous nous sommes assignées ? Elles consistent à assurer la sécurité, le bien-être, la liberté et la marche vers le progrès (...) de tous les hommes et de toutes les femmes de tous les pays.(...) nous devons les mettre à l'abri de deux terribles intruses : la guerre et la tyrannie (...).

J'ai beaucoup d'admiration et d'amitié pour le vaillant peuple russe et pour mon camarade de combat, le Maréchal Staline (...). Il est cependant de mon devoir de vous exposer certains faits concernant la situation présente en Europe.

De Stettin, dans la Baltique, à Trieste, dans l'Adriatique, un rideau de fer est descendu à travers le continent (...). Les communistes qui étaient plus faibles dans tous ces pays de l'Est européen, ont été investis de pouvoirs qui ne correspondent en rien à leur importance numérique (...).

Dans un grand nombre de pays éloignés des frontières russes, et à travers le monde entier, les cinquièmes colonnes communistes s'installent et travaillent dans une unité complète avec une obéissance absolue aux directives du centre communiste (...).

Je ne crois pas que la Russie désire la guerre. Ce qu'elle désire ce sont les fruits de la guerre et une expansion illimitée de sa puissance et de sa doctrine (...). Les difficultés, les dangers auxquels nous avons à faire face ne disparaîtront pas si nous nous contentons de fermer les yeux (...).

J'ai appris (...) à connaître nos amis et alliés russes, et je suis convaincu qu'il n'y a rien au monde qu'ils admirent autant que la force, et rien qu'ils ne respectent moins que la faiblesse militaire.

The Dynamics of World Power. Op. cit. Vol. II, Part 1, New York, 1983, pp. 211, 214, 215 et 216 (Trad. M. DUMOULIN).

23. *Couverture d'une brochure communiste contre le Plan Marshall,* 1947.

II. LA NAISSANCE DES DEUX BLOCS

Entre 1946 et 1948, **la guerre froide s'affirme**. Schématiquement, l'année 1946 est celle du renversement de conjoncture dans les relations internationales, l'année 1947, celle du tournant et 1948, celle de la confirmation de la guerre froide. Perceptible en Europe, cette évolution rapide et angoissante l'est aussi dans d'autres régions du monde.

1. L'ÉVOLUTION EN EUROPE

L'année 1946

La *conférence de la Paix*, réunie à Paris (juillet-octobre) regroupe les pays qui furent en guerre contre l'Axe. Leur but est d'élaborer les traités avec les pays satellites de l'Allemagne nazie. En revanche, le sort de celle-ci et accessoirement celui de l'Autriche ne sont pas réglés. Ils sont au coeur d'une **tension croissante entre Américains et Soviétiques**. Cette tension est renforcée par la situation qui règne en Europe centrale où les manoeuvres de Staline visent à faire basculer les pays bordant l'URSS dans le camp de celle-ci.

Dans ce contexte de dissolution de l'alliance des temps de guerre entre Anglo-Américains et Soviétiques, Winston Churchill prononce son célèbre discours consacré au « *rideau de fer* ». Il traduit ce qui fait désormais partie du paysage mental des Européens de l'Ouest : la *crainte* de subir ce que les pays de l'Europe centrale et orientale connaissent les uns après les autres. Après la botte nazie, celle de Staline va-t-elle écraser la démocratie ?

Une **partie de bras de fer idéologique** s'engage. Elle est relayée par des mesures politiques et économiques.

Sur le plan idéologique, la consigne est à la solidarité entre forces et pays démocratiques. Les communistes doivent donc être exclus des appareils de décision nationaux. Une véritable *paranoïa anticommuniste* s'empare de l'Occident. La croyance en l'existence de « cinquièmes colonnes communistes » prêtes à prendre le pouvoir à Paris ou à Rome est monnaie courante.

L'année 1947

Le climat s'envenime. **Le sort de l'Allemagne divise les vainqueurs** qui ne parviennent pas à trouver un compromis (conférence de Moscou, mars-avril 1947).

Les **Soviétiques**, qui ont eu à endurer d'énormes souffrances, ne peuvent pardonner. Ils exigent un châtiment exemplaire passant par le prélèvement de *réparations* non seulement dans leur zone d'occupation mais aussi dans les zones anglaise, américaine et française. Ils exigent en outre la constitution d'un *gouvernement fortement centralisé* sous le contrôle des quatre occupants.

Les **alliés occidentaux**, de leur côté, penchent pour un *gouvernement fédéral*. Mais surtout, les Américains et les Anglais, qui accordent déjà de grosses subventions à leurs zones respectives, refusent les exigences soviétiques en matière de réparations. Ils insistent au contraire sur la nécessité d'un *relèvement* rapide du niveau de la production industrielle allemande.

Or, tandis que le sort de l'Allemagne divise gravement les Occidentaux et les Soviétiques, la **guerre civile en Grèce** (voir p. 95) est à un tournant. Les Britanniques, qui y maintiennent un corps expéditionnaire important depuis la libération, annoncent leur retrait et pressent les Américains de prendre le relais. La réponse de ceux-ci n'épouse pas la forme d'une intervention armée mais bien d'une assistance économique. Formulée au moment où débute la conférence de Moscou, elle annonce la naissance de la *politique de* *l'endiguement (containment),* également connue sous le nom de **doctrine Truman**, président des États-Unis de 1945 à 1952.

Le Plan Marshall

Conformément à cette doctrine, les États-Unis viennent en aide à la Turquie avant de proposer un **Programme de relèvement pour l'Europe** *(European Recovery Program)* en juin 1947. S'exprimant par la voix du secrétaire d'État, le général George Marshall, les États-Unis suggèrent une *aide financière* à très large échelle. Mais pour pouvoir en bénéficier, les Européens doivent s'engager à *coopérer*, d'une part, pour établir la liste exacte de leurs ressources et besoins, et, d'autre part, pour gérer, dans le cadre d'une organisation *transnationale **, l'aide accordée.

La proposition ayant été adressée à toute l'Europe, l'Allemagne occupée pourrait en profiter. L'URSS refuse cette idée, de même que celle d'une organisation qui porterait atteinte, selon elle, à la souveraineté des États. Le **refus soviétique** entraîne celui des autres pays de l'Est, à l'exception de la Tchécoslovaquie. Celle-ci, dont le premier ministre est communiste, fait l'objet de fortes pressions russes qui la dissuadent de rejoindre le camp occidental.

En définitive, seize pays, qualifiés de « valets de l'impérialisme américain » par Moscou, répondent à l'appel. La partie occidentale de l'Allemagne bénéficie aussi des crédits ERP. L'institution mise en place (avril 1948) pour gérer l'aide américaine est baptisée **Organisation Européenne de Coopération Économique (OECE)**.

Les Occidentaux sont donc engagés dans la constitution d'**un bloc économique** destiné à favoriser au maximum les échanges et, à terme, à renouer avec la prospérité. Afin d'encourager cette politique, les États-Unis agissent en vue d'inscrire cette réalisation dans un cadre mondial de libéralisation du commerce : c'est l'**Accord Général sur le Commerce et les Tarifs douaniers (GATT)**, signé à Genève en octobre 1947.

Au-delà du Plan Marshall

Aux yeux des Américains et de certains de leurs alliés, le levier économique n'était toutefois pas suffisant pour contenir la menace soviétique, d'autant plus que **Staline avait radicalisé ses positions**. La création du *Kominform ** (conférence secrète de Slarska Poreba, septembre 1947) va dans ce sens. Les partis communistes sont désormais tenus « de prendre en main le drapeau de la défense de l'indépendance nationale et de la souveraineté de leurs pays ».

Un nouveau degré est atteint dans l'escalade. Les Américains pressent les Européens d'entrer dans la voie de la **coopération politique**, antichambre de la **coopération militaire**. Autrement dit, la question de la *construction européenne* est posée. Sa matérialisation repose à la fois sur l'action des gouvernements mais aussi, et peut-être surtout, dans un premier temps, sur celle de mouvements privés.

L'année 1948 : Début de la construction européenne

Réunis au sein du *Mouvement Européen* (M.E.), des organisations transnationales *(Union Européenne des Fédéralistes, Nouvelles Équipes Internationales* d'inspiration sociale-chrétienne, *Mouvement pour les États-Unis Socialistes d'Europe)*, expriment des vues fort divergentes sur la nature de l'union européenne. Ils partagent cependant la volonté de rebâtir l'Europe. Canalisant un mouvement d'opinion inquiet devant le danger d'un nouveau conflit, le M.E. joue un rôle important sur le plan politique. L'importance de ce rôle doit être comprise à la lumière de la situation qui prévaut au sujet du **statut de l'Allemagne**.

---

24. QU'EST-CE QUE LA GUERRE FROIDE ?

La « guerre froide » est un conflit dans lequel les parties s'abstiennent de recourir aux armes l'une contre l'autre. (...)
Dans chaque cas, les belligérants cherchent à marquer le maximum de points en employant toutes les ressources de l'intimidation, de la propagande, de la subversion, voire de la guerre locale, mais en étant bien déterminés à éviter de se trouver impliqués dans des opérations armées les mettant directement aux prises. Quand le désir de ne pas se laisser entraîner dans une confrontation militaire prend le pas sur celui de l'emporter, la « coexistence pacifique » se substitue à la guerre froide.

André FONTAINE, article *Guerre froide* dans *Encyclopaedia Universalis*, vol. 8, Paris, 1968, p. 112.

---

25. LA DOCTRINE TRUMAN

Les États-Unis ont reçu du Gouvernement grec un urgent appel à l'aide financière et économique (...). Je ne pense pas que le peuple américain et le Congrès souhaitent rester sourds à cet appel (...). La Grèce n'est pas un pays riche (...). Une minorité militante, exploitant les nécessités et la misère humaines, a été capable de créer un chaos politique qui, jusqu'à présent a rendu impossible tout redressement économique (...).

Au moment présent dans l'histoire du monde, presque toutes les nations doivent choisir entre deux modes de vie. Ce choix est trop souvent un choix qui n'est pas libre (...).

Je crois que ce doit être la politique des États-Unis de soutenir les peuples libres qui résistent à la tentative de soumission de la part de minorités armées ou de pressions extérieures.

Je crois que notre aide devrait être fondamentalement économique et financière car elle est indispensable à la stabilité économique et au bon fonctionnement des mécanismes politiques.

The Dynamics of World Power. Op. cit. Vol. II, Part 1, New York, 1983, pp. 309-310 et 312 (Trad. M. DUMOULIN).

26. LE DISCOURS DU PC ITALIEN APRÈS LA CRÉATION DU KOMINFORM

Il est désormais reconnu et accepté que, dans les conditions créées par la chute du fascisme, grâce à l'appui décisif donné aux démocraties par l'Union soviétique et les masses populaires européennes, de nouvelles voies se sont ouvertes à la lutte des travailleurs et des peuples pour leur liberté. Aux côtés du Pays du Socialisme, des régimes de démocratie nouvelle, populaire (...) représentent le grand pas en avant que, dans le moment présent, les peuples d'Europe accomplissent sur le chemin de la libération de l'esclavage du capitalisme réactionnaire. (...) Le peuple italien (....) doit l'emprunter résolument (....) s'il veut éviter de devenir l'instrument d'une politique impérialiste de provocation à une nouvelle guerre, s'il veut dans le même temps sauver sa propre indépendance et liberté et contribuer à la victoire de la cause de la paix dans le monde entier.

Notre Congrès, dans *Rinascita*, mensuel du Parti Communiste Italien (Rome), 4e année, n° 11-12, novembre-décembre 1947, p. 315 (Trad. M. DUMOULIN).

27. RÉACTION ANGLAISE AU BLOCUS DE BERLIN

Sir Kirkpatrick (Haut-Commissaire britannique en Allemagne) m'a confirmé (...) que son gouvernement était résolu à rester à Berlin (...). Si l'on cède à Berlin, les Russes seront convaincus que l'on cède partout et notre situation, à tous points de vue, et plus particulièrement en vue d'éviter une guerre, sera plus mauvaise qu'auparavant. D'ailleurs l'opinion britannique comprend que l'on se montre ferme à Berlin. Elle comprendrait moins aisément qu'après avoir cédé à Berlin, on se voit contraint de résister à la pression autre part (...). Il s'est montré ennuyé du fait que les événements de Palestine créaient (...) tant de difficultés (...). Il y voit une manoeuvre russe en vue de se couvrir les flancs en éloignant les Arabes des puissances anglo-saxonnes. Il lui semble étonnant que les Américains ne paraissent établir aucune corrélation entre les événements de Palestine et ce qui se passe actuellement à Berlin.

Télégramme de l'Ambassadeur de Belgique à Londres à P.-H. Spaak, 16 juillet 1948. Archives du Ministère des Affaires étrangères de Belgique, dossier 12 865.

Devant l'incapacité de parvenir à un accord avec les Soviétiques, les trois puissances occidentales qui occupent l'Allemagne décident d'une conférence sans les Russes. Elle se tient à Londres (février-mars et avril-juin 1948) avec les pays du Benelux. Il y est pratiquement décidé de créer un *nouvel État allemand occidental* tandis que le contrôle du potentiel industriel de la Ruhr sera exercé par une Autorité Internationale (AIR) dont les Soviétiques sont exclus.

Dans le même temps, les Soviétiques réalisent le ***« coup de Prague »***, un coup d'État qui leur permet de faire main basse sur la Tchécoslovaquie (25 février 1948). Écoeuré, le communiste *Tito*, en Yougoslavie, *rompt avec Moscou* . Il entre dans la voie, qui fera école, du non-alignement sur l'URSS ou les États-Unis.

Alors que la **tension s'intensifie**, cinq pays (France, Grande-Bretagne, membres du Benelux) signent à Bruxelles *un pacte prévoyant une assistance immédiate en cas d'agression* contre un des signataires. Un conseil consultatif des ministres est également mis en place. Il jouera bientôt un rôle clé en vue de relayer les propositions du Mouvement Européen.

Réuni à La Haye en mai, le M.E. esquisse les grandes lignes d'un conseil de l'Europe, sorte d'équivalent politique de l'OECE. Transmis au conseil du Pacte de Bruxelles, ce projet fait l'objet de la mise en route d'une négociation internationale qui aboutit, en 1949, à la création du **Conseil de l'Europe**.

Les leviers *économique et politique* de la constitution d'un bloc européen sont actionnés. La question de Berlin met en branle le levier militaire.

Le Blocus de Berlin

En juin 1948, les Occidentaux communiquent aux Russes les décisions finales de la conférence de Londres. Ils annoncent aussi l'introduction à Berlin, située en plein coeur de la zone d'occupation soviétique, d'une nouvelle monnaie, le *mark.* Furieuse contre ce qu'elle considère comme la politique du fait accompli, l'URSS met en place le blocus (juin 1948 - mai 1949) de l'ancienne capitale allemande. La situation devient vite intenable. Les Occidentaux organisent alors un pont aérien pour ravitailler la population des zones contrôlées par eux. La **nouvelle bataille de Berlin** est engagée. Le monde s'interroge sur l'issue de ce conflit d'un nouveau genre.

En décembre 1948, tandis que le blocus se poursuit, des négociations préliminaires à la conclusion d'un *pacte atlantique d'alliance militaire* (OTAN) entre les États-Unis et les Occidentaux, s'ouvrent à Washington. **L'ère des blocs est ouverte**.

2. LES BOULEVERSEMENTS AILLEURS DANS LE MONDE

La fin de la guerre déclenche ou contribue à accélérer, hors d'Europe, un **processus révolutionnaire** dirigé, comme en Chine, contre un adversaire intérieur, ou contre les puissances coloniales.

En Extrême-Orient, la défaite du **Japon**, soumis, pratiquement, au *contrôle exclusif* des États-Unis, est synonyme de misère pour lui mais aussi pour les régions qu'il a occupées. Comme en Europe, les États-Unis s'emploient à venir en aide aux sociétés asiatiques sinistrées. Ils s'évertuent aussi à mettre de l'ordre dans un paysage politique très complexe. Mais leur tâche est compliquée du fait que les puissances coloniales, leurs alliées, entendent veiller seules sur leurs intérêts.

Atlas, 60 D ⇐
44 E-G
45

En **Chine**, la guerre a provoqué une pause dans la *lutte opposant les communistes et les nationalistes* (voir p. 57). La paix la relance. Tandis que les Soviétiques occupent la Mandchourie du Nord bientôt transférée à un gouvernement communiste autonome (avril 1946), les campagnes, minées par la misère, épousent les mots d'ordre révolutionnaires de **Mao Tse-toung**. Les États-Unis, craignant les effets d'un recours à la force, mènent une politique hésitante alors que le camp nationaliste se décompose sous l'effet d'une situation économique catastrophique, d'une corruption sans précédent et d'une répression aveugle qui en éloigne beaucoup de ses partisans. En 1948, l'armée populaire de libération passe à l'offensive générale. Le 1er octobre 1949, Mao proclame, à Pékin, la *République Populaire de Chine*. **Tchang Kaï-Chek** se replie à Formose (Taïwan) sous la protection de la VIIe Flotte américaine.

L'ébullition constatée en Chine se retrouve ailleurs, sauf aux **Philippines** qui, malgré l'indépendance qui leur est accordée en juillet 1946, restent sous le contrôle vigilant des États-Unis.

Les colonies britanniques sont émancipées non sans difficultés (voir p. 127). La *division de l'Empire des Indes* (1947) entre le **Pakistan** (musulman) et l'**Inde** provoque d'énormes déplacements de populations, des massacres et enfin une guerre à propos du Cachemire.

Au **Vietnam**, la France réplique à l'insurrection armée du *Viêt-minh* * au Tonkin et en Cochinchine (décembre 1946) par la force. La *guerre d'Indochine* commence. Son enjeu est la victoire de l'Occident ou du communisme dans toute la péninsule indochinoise (voir p. 127).

Des mouvements révolutionnaires gagnent également en 1948 l'**Indonésie** (colonie néerlandaise), la **Birmanie** et la **Malaisie** (colonies britanniques).

Le Proche-Orient connaît lui aussi des bouleversements. En **Palestine**, la coexistence entre Arabes et Juifs est de plus en plus difficile. Ces derniers jouissent, dans l'opinion internationale, d'un préjugé favorable à cause du martyre de leur peuple. Par ailleurs, leur *lobby* *, en Europe comme aux États-Unis, fait pression sur les décideurs politiques en vue d'obtenir la création d'un État juif indépendant.

Après l'échec de plusieurs projets refusés par la *Ligue Arabe* (fondée en 1945) et, dans un climat de violence, entretenu notamment par les extrémistes juifs *(Irgoun, groupe Stern)*, l'ONU vote (novembre 1947), le **plan de partage** prévoyant la création d'un État juif, d'un État arabe et l'internationalisation de Jérusalem. À la date fixée pour le retrait de la Grande-Bretagne, puissance mandataire, l'**indépendance d'Israël est proclamée** (15 mai 1948). Aussitôt, les troupes arabes entrent en Palestine. Si Israël triomphe, la Transjordanie profite du conflit pour annexer ce qui aurait dû devenir l'État arabe de Palestine. Jérusalem, loin d'être internationalisée, est partagée de fait entre Juifs et Transjordaniens.

À voir : Les problèmes et l'atmosphère de l'après-guerre, en Italie : Vittorio DE SICA, *Sciuscià*, Italie, 1945, N & B; °Idem, *Le voleur de bicyclettes*, Italie, 1948, N & B; **en Allemagne :** Roberto ROSSELLINI, *Allemagne, année zéro*, Italie-France, 1947, N & B; Jacques TOURNEUR, *Berlin Express*, USA, 1948, N & B; **en Autriche :** Carol REED, *Le troisième homme*, Grande-Bretagne, 1949, N & B; °Léopold LINDTBERG, *Quatre dans une jeep*, Suisse, 1948, N & B; **en Angleterre :** David LEAN, *Brève rencontre*, Grande-Bretagne, 1948, N & B; **en France :** André CAYATTE - Marcel-Georges CLOUZOT - Jean DRÉVILLE - Georges LAMPIN, *Retour à la vie*, France, 1948, N & B; Pierre BOUTRON, *Les années sandwiches*, France, 1988, coul.; Claude BERRI, *Uranus*, France, 1990, coul.; **au Japon :** Akira KUROSAWA, *L'ange ivre*, Japon, 1948, N & B; **en Belgique :** *Christian MESNIL, *La question royale*, Belgique, 1975, N & B. **La fin du mandat britannique en Palestine :** °Otto PREMINGER, *Exodus*, États-Unis, 1960, coul.

État-providence : conception de l'État assignant à celui-ci le devoir d'assurer le bien-être à chacun des citoyens « du berceau à la tombe » pour reprendre l'expression des Travaillistes anglais qui sont à l'origine (1945) de ce programme.

Kominform : bureau d'information des partis communistes créé à la fin de la réunion, à Slarska Poreba, près de Varsovie, du 22 au 27 septembre 1947, des représentants de neuf partis communistes : soviétique, yougoslave, bulgare, roumain, hongrois, polonais, tchécoslovaque, italien et français. D'abord installé à Belgrade, le bureau veille à l'orthodoxie des positions des partis communistes par rapport aux vues de Moscou.

Lobby : communauté, groupement, association ou organisation qui exercent une pression sur les pouvoirs publics afin de faire triompher leurs intérêts particuliers.

Parité : voir p. 31.

Transnational : se dit à l'origine de contacts, coalitions et associations entre des individus ou des groupes sociaux, par delà les frontières étatiques, et qui ne sont pas contrôlés par les gouvernements. Depuis 1945, cette notion s'est étendue aux États eux-mêmes à propos d'un secteur comme l'économie.

Viêt-minh : abréviation de *Viêt-nam Doc Lap Dông Minh* (Ligue pour l'indépendance du Viêt-nam) fondée en 1941 pour regrouper les communistes et nationalistes vietnamiens luttant contre l'occupant japonais et réclamant l'indépendance à la France.

Troisième partie : DES IDÉOLOGIES AU PRAGMATISME
(1949-1989)

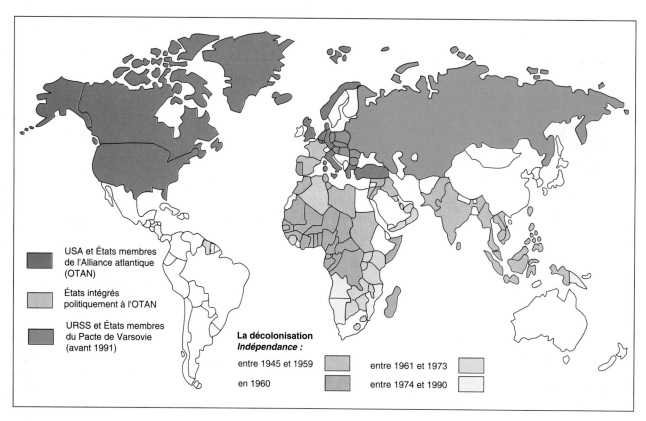

Légende de la carte 1 :

USA et États membres de l'Alliance atlantique (OTAN)

États intégrés politiquement à l'OTAN

URSS et États membres du Pacte de Varsovie (avant 1991)

La décolonisation
Indépendance :

entre 1945 et 1959   entre 1961 et 1973

en 1960   entre 1974 et 1990

1. *La décolonisation.*

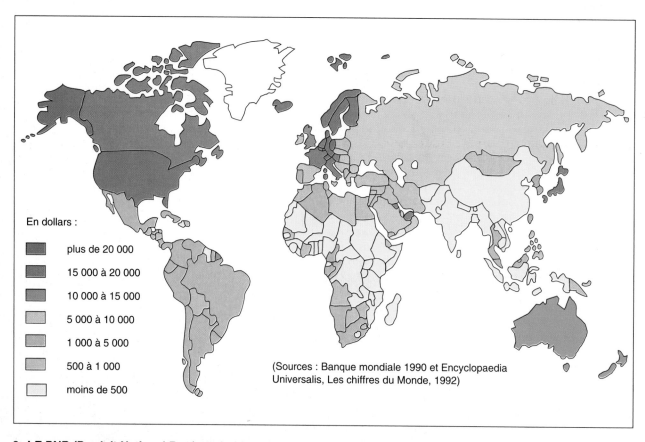

En dollars :

plus de 20 000

15 000 à 20 000

10 000 à 15 000

5 000 à 10 000

1 000 à 5 000

500 à 1 000

moins de 500

(Sources : Banque mondiale 1990 et Encyclopaedia Universalis, Les chiffres du Monde, 1992)

2. *LE PNB (Produit National Brut) par habitant en 1990.*

David HOCKNEY, *A Bigger Splash,* 1967. Acrylique sur toile, 243,8 x 243,8 cm (Londres, Tate Gallery). Une image des *Golden Sixties* et de l'*American way of life* ? Et qu'annonce le plongeon ?

CHAPITRE 1 : L'ÉTAT DU MONDE

La planète connaît une explosion démographique au XXe siècle. Mais la répartition des populations est très inégale entre le Nord industrialisé et le Sud en voie de développement. Y a-t-il des solutions à ce déséquilibre ?

Comment évoluent les grandes puissances ? Les États-Unis sont devenus un mythe. Mais quelle réalité se cache derrière le « rêve américain » ? Après des phases successives de tensions, d'ouverture, de stagnation, l'URSS se remet en question. Avec quelles conséquences pour son propre avenir et celui de ses pays satellites ? La Chine, qui doit gérer un pays immense, cherche une voie originale aux prix d'expériences souvent douloureuses. Le Japon réalise une foudroyante percée économique mais grâce à un modèle social à la fois convoité et contesté.

⇒ **Atlas,** 61 C
    65 B-C
    68 C-E

---

1. DIX MILLIARDS DE TERRIENS EN 2050 ?

Si rien n'est fait pour enrayer l'évolution démographique, la Terre n'aura bientôt plus suffisamment de ressources pour nourrir ses milliards et ses milliards de bouches. C'est la conclusion inquiétante du tout dernier rapport des Nations unies sur l'état de la population mondiale.

Le Soir, 30 avril-1er mai 1992.

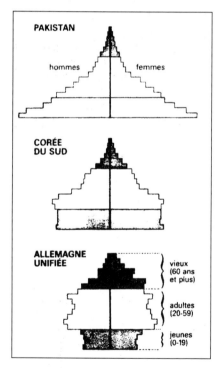

2. *Pyramides des âges, 1990* (D'après J.-C. CHESNAIS, *La population du monde. De l'Antiquité à 2050,* Paris, 1991, p. 63).

Pendant la transition démographique, la pyramide des âges tend à s'inverser progressivement; la raréfaction des jeunes et la montée du troisième âge lui donnent une forme rectangulaire : la situation coréenne traduit déjà l'amorce de cette évolution; elle est l'intermédiaire entre la répartition par âge traditionnelle (Pakistan) et la répartition moderne (Allemagne).

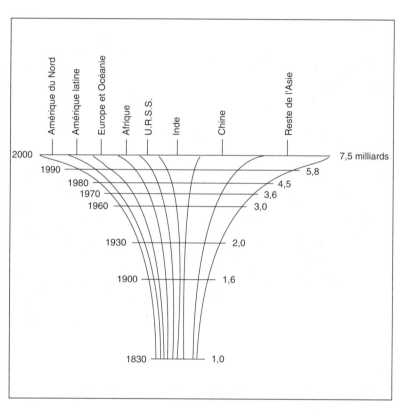

3. *La bombe « P ».* Prévision de la croissance de la population d'ici l'an 2000 faite par le département d'État US en 1970 (D'après *Environmental quality,* US Government Printing Office, Washington, 1970, p. 150).

5. *Contraste à Moscou (1991).* La « queue » pour des produits de première nécessité à côté d'une publicité des parfums Nina Ricci...

6. *Chine : une certaine image de l'Occident.*

4. QUELLE SOCIÉTÉ AUX ÉTATS-UNIS ?

(...) N'en déplaise à l'idéologie dominante qui proclame sa foi en l'égalité des chances, tout le monde n'a pas accès à une bonne éducation, élément nécessaire dans la course aux bons emplois, et les différences de couleur de peau permettent presque à coup sûr d'évaluer les chances d'accès aux catégories socio-professionnelles favorisées.

Un fait est certain : les revenus moyens des grands groupes ethniques sont extrêmement différents. Les Américains d'origine asiatique (...) avaient un revenu médian supérieur à celui des Blancs (...) dès 1980 (...). Cette tendance s'est affirmée depuis : en 1991, le revenu moyen des Asiatiques, (...) était de 38 450 dollars, alors que celui des Blancs était de 31 231 dollars, celui des Noirs de 18 676 dollars et celui des Hispaniques de 22 230 dollars. L'inégalité persistante des revenus (...) est extrêmement préoccupante parce qu'elle est à la base des émeutes raciales qui risquent de créer une situation sociale intolérable.

(...) De bien des manières, la société américaine continue à vivre à deux vitesses. (...) L'inégalité profonde qui règne actuellement ne saurait se prolonger sans endommager l'image de « modèle de démocratie » que ce pays veut donner au monde.

F. BURGESS, *L'inégalité en Amérique* dans *Études* (Paris), t. 377, n° 3, octobre 1992,

7. *Gymnastique matinale dans une usine de Hokkaido au Japon.*

Année	É.U.	Tiers Monde
1980	909	456
1981	994	501
1982	1137	626
1983	1371	843
1984	1564	895
1985	1817	915
1986	2120	1095
1987	2346	1137
1988	2601	1121
1989	2866	1143
1990	3113	1190

8. *Dette publique des États-Unis et, par comparaison, du Tiers Monde en milliards de dollars* (D'après *Le bilan du XXe siècle*, Bruxelles, 1992, pp. 205 et 424).

Continent	Superficie (milliers de km²)	Population 1990 (millions)	Densité (hab/km²)
Afrique	30 388	642	21
Amérique	42 081	724	17
Asie	27 580	3 113	113
Europe	4 937	498	102
Océanie	8 510	26,5	3
URSS	22 402	289	13
Monde	135 898 (1)	5 292,5	39

(1) 149 574, continent Antarctique inclus (environ 13 millions de km²)

9. *Densité de population* (D'après J.-C. CHESNAIS, *op.cit.,* Paris, 1991, p. 17)

Région	1700	1800	1900	1950	1990
Europe	95	146	295	392	498
URSS	30	49	127	180	289
Amérique du Nord	2	5	90	166	276
Amérique latine	10	19	75	166	448
Asie	433	631	903	1 377	3 113
Afrique	107	102	138	222	642
Océanie	3	2	6	13	26
Total	680	954	1 634	2 516	5 292

10. *Évolution de la population mondiale* (D'après J.-C. CHESNAIS, *op. cit.,* p.15)

	1965-70	1970-75	1975-80	1980-85	1985-90	2005-10 (3)
Monde	2,06	1,96	1,73	1,74	1,74	1,33
Afrique	2,64	2,66	2,88	2,94	2,99	2,74
Amér.latine	2,60	2,48	2,29	2,17	2,06	1,49
Amér. Nord (1)	1,13	1,06	1,07	1,00	0,82	0,54
Asie	2,44	2,27	1,86	1,86	1,87	1,23
Europe (2)	0,66	0,59	0,45	0,32	0,25	0,08
Océanie	1,97	1,81	1,49	1,51	1,48	1,03
URSS	1,00	0,94	0,85	0, 88	0,78	0,57

(1) Mexique non compris
(2) URSS non comprise
(3) Projection

11. *Taux de croissance de la population* (en % annuel)
(Adapté d'après *L'État du monde 1992, Annuaire économique et géopolitique mondial,* Paris, 1991, p. 542).

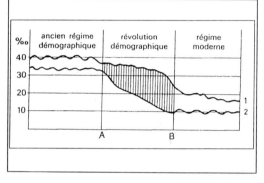

12. *La transition démographique.* (Adapté de J. A. LESOURD et C. GÉRARD, *Nouvelle histoire économique,* I, Paris, 1976, p. 13).

Étapes de la baisse de la mortalité	Étapes de la baisse de la fécondité	Régimes démographiques dans les années 1980
Avant 1914 Europe occidentale Espagne, Italie Scandinavie États-Unis, Canada Australie, Nouvelle-Zélande Argentine, Uruguay Japon	Europe occidentale Espagne, Italie Scandinavie États-Unis, Canada Australie, Nouvelle-Zélande Argentine, Uruguay	*Stagnation ou dépopulation* Allemagne, Belgique Danemark, Hongrie
1919-1939 Portugal Yougoslavie, Grèce Hongrie, Roumanie, Bulgarie Amérique Latine Extrême-Orient (Corée, Thaïlande, Hong Kong, Malaisie, Philippines,...) Afrique du Sud, Liban	Portugal Yougoslavie, Grèce Bulgarie, Roumanie, URSS Quelques États latino-américains Japon Palestine	*Taux d'accroissement annuels de moins de 1 %* Canada, États-Unis, Europe Japon, Uruguay, Cuba *Taux d'accroissement annuels entre 1 et 2%* Extrême-Orient, Chine Argentine, Chili, Australie
1940 1960 Égypte Afrique du Nord Ghana, Kenya, Ouganda, Zimbabue (Rhodésie) Brésil Turquie Chine Inde	Jusque vers 1970 Amérique Latine Extrême-Orient	*Taux d'accroissement annuels entre 2 et 3 %* Amérique latine Inde Indonésie Turquie Afrique du Nord, Afrique du Sud
Après 1960 Afrique noire Afghanistan	Après 1970 Chine, Inde Afrique du Nord et du Sud, Kenya	*Taux d'accroissement annuels de plus de 3 %* Afrique Quelques États d'Amérique Latine, Proche-Orient

13. *Croissance et déséquilibre Nord-Sud* (Adapté de J.-C. CHESNAIS, *op. cit.* , pp. 25, 27, 37).

I. SITUATION DÉMOGRAPHIQUE

1. CROISSANCE ET DÉSÉQUILIBRE NORD-SUD

Évaluée à un demi-milliard au milieu du XVIIe siècle, la population mondiale se met à croître résolument dans le courant du XVIIIe et atteint un milliard vers 1850. Cinquante ans plus tard, elle dépasse déjà le milliard et demi. Après la seconde guerre mondiale, la courbe s'emballe. En 1950, la population franchit le cap des 2 milliards. Dans la seconde moitié des années 60, le rythme de la croissance se ralentit, mais la tendance reste globalement à la hausse. La planète comprend 5,3 milliards d'hommes en 1990 et, selon toute probabilité, dépassera les 6 milliards en l'an 2000. Cette **explosion démographique mondiale** démarre en Europe nord-occidentale vers le milieu du XVIIIe siècle. Ces États entament alors un processus de *transition démographique* qui les fait passer de l'ancien régime à la situation actuelle. Il se caractérise par une diminution conjointe du *taux de mortalité* * et du *taux de natalité* *, le premier diminuant plus vite que le second. En conséquence, le *taux d'accroissement naturel* * s'élève irrésistiblement. Cette croissance de la population européenne atteint son apogée vers 1900. À cette époque, le poids démographique du Vieux Continent (la Russie exclue) est évalué à presque 20 % par rapport au reste du monde : deux hommes sur 10 sont européens. Vers 1990 par contre, alors que la population totale de la planète n'a pas cessé d'augmenter, ce poids n'est plus que de 9 %. Que s'est-il passé ?

Dans les pays en voie de développement

Au courant des années 1940, le *taux de mortalité* * chute en Asie et dans quelques pays africains. Le phénomène s'accélère après 1960. Mais la *baisse de natalité* ne se manifeste que lentement et plus tard, après 1970, en Asie. Elle s'esquisse seulement au début des années 90 en Afrique. La **croissance démographique** sur ces deux continents atteint ainsi des proportions inconnues jusqu'alors : entre 100 et 300 % en Afrique entre 1950 et 1990, entre 100 et 200 % en Asie durant la même période. Dans le même temps la population latino-américaine augmente d'un peu plus de 50 %. Des géants démographiques apparaissent : la Chine et l'Inde représentent 37,5 % de la population mondiale. Le Brésil et le Mexique renferment la moitié des habitants de toute l'Amérique latine. Le Nigeria, l'Égypte et l'Éthiopie réunissent le tiers de la population africaine.

Dans le monde industrialisé

Parallèlement à cette explosion démographique dans les pays en voie de développement, la croissance de la population européenne s'arrête. Entamée par les États d'Europe nord-occidentale et d'Amérique du Nord à la fin du XVIIIe et au début du XIXe siècle, suivis, durant l'entre-deux-guerres, par la Russie, l'Europe du Sud et de l'Est et le Japon, la **baisse de la fécondité** s'approfondit après le *baby-boom* * passager d'après 1945. Entre 1965 et 1985, l'*indicateur conjoncturel de fécondité* * des pays de la Communauté Européenne est passé de 2,6 à 1,6 enfants par femme. Cette baisse de la fécondité brise la croissance démographique dans les pays industrialisés et provoque un **vieillissement de la population.** C'est le *papy boom*. Les États de la Communauté Européenne ont ainsi atteint, au début des années 1990, une fécondité inférieure au seuil de remplacement des générations. Ainsi l'Allemagne, avec un *taux d'accroissement naturel* * annuel de - 0,1 %, alors que l'Afrique conserve un taux de plus de 3 %. Désormais, un homme sur dix est européen.

---

14. COEXISTENCE DE GÉNÉRATIONS

Si l'on admet que le vieillissement démographique, défini (...) comme l'augmentation de la proportion de personnes âgées par rapport à la population totale, n'est finalement que la manifestation éclatante du succès des techniques de maîtrise de la vie et de la mort, les inquiétudes, parfois excessives, exprimées à ce propos, paraissent plutôt paradoxales. Cette attitude pessimiste est peut-être enracinée dans l'idée négative que se font les individus de leur propre vieillissement — un processus inévitable dont l'aboutissement est la mort. L'individu ne peut arrêter le cours du temps, et rajeunir n'est pour lui qu'une métaphore. Mais les populations n'entretiennent pas avec le temps les mêmes rapports : elles peuvent, elles, réellement rajeunir, vieillir, garder des structures par âge stables au gré des mouvements de la fécondité et de la mortalité.(...)

Dans les pays industriels, l'amenuisement des générations nouvelles, le poids démographique des générations anciennes, l'allongement de la durée de la vie contribuent à redessiner des configurations démographiques familiales nouvelles. Au début de la révolution industrielle, la moitié des individus atteignaient leur 20e anniversaire; aujourd'hui près de la moitié dépassent leur 75e anniversaire. Aussi la famille à deux ou trois générations fait-elle place aux familles à quatre générations (...). (...) Nos sociétés se peuplent de plus en plus de non-contemporains.

J.-C. CHASTELAND, *La montée du troisième âge* dans *Le Courrier de l'Unesco*, janvier 1992, pp. 40, 44.

	1900	1950	1990	2025
Allemagne (1)	2,6	6,7	11,6	16,5
États-Unis	3,1	12,3	31,4	59,5
France	3,2	4,8	7,8	12,6
Inde	5,7	11,8	38,4	118,2
Italie	2,0	3,9	8,2	12,1
Roy.-Uni	1,7	5,4	8,8	11,6
(1) territoire actuel unifié.				

15. *Le papy-boom.* Évolution observée et attendue des plus de 65 ans (en millions), dans quelques pays. (D'après J.-C. CHESNAIS, *op. cit.,* p. 67).

16. INDE ET DÉSIR D'ENFANTS

En Inde, presque toutes les jeunes femmes se marient, et généralement assez jeunes. Lors de son mariage, une jeune épouse ne peut guère envisager de limiter le nombre des enfants qu'elle mettra au monde (...). Aux yeux de l'immense majorité de la population, le destin d'une femme se trouve principalement dans la procréation. La marque de son succès comme personne est d'avoir des enfants vivants et vigoureux (...).

Un homme ressent aussi fortement que sa femme le désir d'avoir des enfants (...). Il ne peut guère atteindre pleinement sa condition et sa dignité d'homme sans avoir des enfants. Il pense aussi au soutien pour ses vieux jours, mais de plus il a un urgent besoin pratique d'avoir des fils pendant ses années d'âge mûr. S'il est fermier, il souhaite sans doute de l'aide pour le travail quotidien (...). Il sait que ce que coûte d'élever un enfant est peu en comparaison de l'aide concrète, et plus généralement des avantages qu'apporte un jeune garçon. Les artisans ont le même point de vue au sujet des fils; les salariés savent que même un jeune enfant peut apporter un salaire susceptible d'améliorer considérablement la vie à la maison. Ce besoin d'avoir des enfants est redoublé et renforcé par la religion. Les textes hindouistes enseignent qu'un homme a une dette envers ses ancêtres jusqu'à ce qu'il ait un fils. C'est ce fils qui peut sauver l'âme de son père d'un terrible destin dans l'au-delà, en accomplissant les rites commémoratifs (...).

Un acte de moindre importance que d'élever un fils, mais encore de grande valeur religieuse, est de donner une fille en mariage.

D.G. MENDELBAUM, *Human fertility in India,* Los Angeles, 1974 (D'après *La Documentation Photographique* (Paris), n° 6041, juin 1979, pp. 25-26).

19. DES ENFANTS « NOIRS » EN CHINE

Compte tenu du caractère prioritaire du planning familial et des contraintes pesant aussi bien sur les familles (amendes, pression morale) que sur les responsables locaux, nombre de naissances ne sont pas comptabilisées : ce sont les enfants « noirs », qui échappent à la statistique. Leur nombre pourrait, selon certaines évaluations, représenter jusqu'à 1/3 du chiffre officiel.

J.-C. CHESNAIS, *La population du monde. De l'Antiquité à 2050,* Paris, 1991, p. 83.

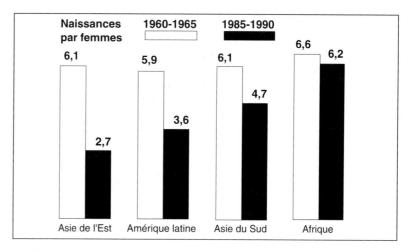

17. **Évolution de la fécondité dans les pays en voie de développement** [Source : Nations Unies, 1990] (D'après R. URZUA, *L'enjeu démographique,* dans *Le Courrier de l'Unesco,* janvier 1992, p. 16).

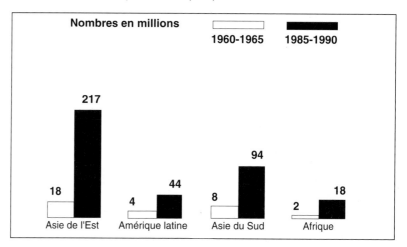

18. **Évolution du nombre d'utilisateurs de contraceptifs dans les pays en voie de développement** [Source : Nations Unies, 1990] (D'après R. URZUA, *op.cit.,* p. 17).

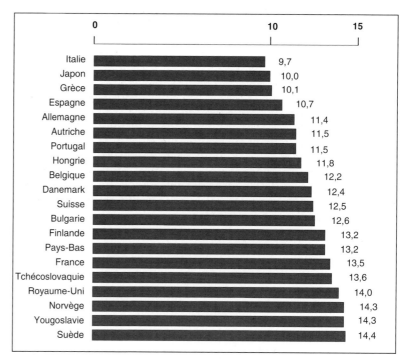

20. **Les pays ayant le taux de natalité le moins élevé, 1990** [taux pour 1000 habitants] (D'après *Encyclopaedia Universalis. Symposium. Les chiffres du monde,* Paris, 1992, p. 512).

2. DES EXPLICATIONS ?

La *baisse de la mortalité* s'explique par les **progrès de l'hygiène et de la médecine,** particulièrement la découverte des vaccins et des antibiotiques. Longtemps réservés aux pays industrialisés où ils ont vu le jour au XIXe et au début du XXe siècle, ces progrès se diffusent en Asie, en Afrique et en Amérique latine dans la première moitié du XXe siècle.

Dans les pays industrialisés, la chute du *taux de natalité* * s'explique surtout par **l'évolution des mentalités.** Longtemps limitée aux tâches de mère et de ménagère, la femme a conquis le droit de mener, comme l'homme, une vie professionnelle peu conciliable avec l'éducation de nombreux enfants. D'autre part, la contraception est admise par de très larges couches de l'opinion. La famille restreinte s'est alors imposée comme le modèle à suivre dans une société qui incite à la consommation. À l'inverse, les pays du Tiers Monde résistent à la réduction des naissances. En cause, les **habitudes socio-culturelles.** Le mariage demeure très précoce. La famille nombreuse reste la meilleure garantie contre un avenir incertain : la mortalité infantile atteint encore, dans les régions les plus défavorisées, près de 180 °/°°, contre moins de 15 °/°° en Europe. Les populations touchées par ce fléau réagissent par une forte natalité qui leur assure une descendance. De plus l'enfant constitue par son travail, une source de revenus complémentaires.

3. ENJEUX ET SOLUTIONS

Les experts des Nations-Unies et de la Banque Mondiale estiment que la population devrait se stabiliser autour de 10 à 12 milliards vers 2030-2035. Mais, l'âge moyen de la population étant très bas, la croissance se poursuivrait encore, à un rythme plus lent, jusque vers 2100. La croissance et les déséquilibres démographiques de la planète constituent donc l'un des défis majeurs pour le siècle à venir. Les pays industrialisés, dont le poids démographique diminue mais qui conservent l'essentiel de la richesse mondiale, accepteront-ils de revoir un système économique qui deviendra de plus en plus inacceptable pour les régions du Sud ? La montée des géants démographiques ne peut qu'entraîner des bouleversements et des revendications politiques. Les risques de conflits Sud-Sud et Nord-Sud sont importants.

Pour les pays du Sud, le problème démographique est étroitement lié à celui du sous-développement (voir pp. 133-135 et 155). Comment parviendront-ils à satisfaire leurs besoins sans cesse croissants ? Certains ont tenté de réagir en lançant des campagnes de limitation des naissances allant parfois jusqu'à la stérilisation (Chine). Mais les mentalités traditionnelles résistent. Les sociétés occidentales quant à elles hésitent à ouvrir grandes leurs frontières aux *immigrés économiques* (voir pp. 166-167). D'autre part, le vieillissement de la population pose plusieurs problèmes, comme la réduction des actifs et l'augmentation des charges consécutives au poids des pensions, des frais médicaux et sociaux. Les États industrialisés ont mis au point des politiques *natalistes* *. Sans beaucoup de succès. La solution ultime paraît passer par un réel développement du Sud et une meilleure répartition de la richesse mondiale. Utopie ?

Taux de mortalité infantile (pour 1 000 nouveau-nés)		
	Pays développés	Inde
1950-1955	56	190
1955-1960	41	173
1960-1965	32	157
1965-1970	26	145
1970-1975	22	135
1975-1980	19	126
1980-1985	16	110
1985-1990	15	99

21. *Mortalité infantile* (Adapté d'après J.-C. CHESNAIS, *op. cit.*, p. 32).

22. *Inde : campagne d'information en faveur de la limitation des naissances.*

23. *France : campagne de sensibilisation au problème de la natalité*, 1982

24. L'AMÉRIQUE VUE PAR UNE FRANÇAISE EN 1947

Ça signifiait tant de choses l'Amérique ! Et d'abord l'inaccessible; jazz, cinéma, littérature, elle avait nourri notre jeunesse mais aussi elle avait été un grand mythe : un mythe ne se laisse pas toucher. (...) L'Amérique c'était aussi la terre d'où nous était venue la délivrance; c'était l'avenir en marche; c'était l'abondance et l'infini des horizons; c'était un tohu-bohu d'images légendaires : à penser qu'on pouvait les voir de ses yeux, on avait la tête tournée. (...) La luxuriance américaine me bouleversa : les rues, les vitrines, les voitures, (...) les bars, les drug-stores, le ruissellement du néon, les distances dévorées en avion, en train, en auto (...) et tous les gens de tant d'espèces avec qui je parlai à longueur de jours et de nuits; (...) J'étais prête à aimer l'Amérique; c'était la patrie du capitalisme, oui; mais elle avait contribué à sauver l'Europe du fascisme; la bombe atomique lui assurait le leadership du monde et la dispensait de rien craindre (...).

Simone de BEAUVOIR, *La force des choses*, vol. 1, Paris, (1963) 1992, pp. 32, 174.

25. « LA RÉVOLUTION PAR LE ROCK »

En apparence, le monde des années 50 avait la bonne placidité d'Eisenhower. Satisfait et béat comme un grand reportage sur les « Fans d'Ike », papa-gâteau.
Par en dessous, la masse silencieuse des opprimés avait saisi ses chaînes à deux mains. (...)
L'Amérikkke * était coincée dans ses contradictions.
Papa regardait avec fierté sa maison et sa voiture, sa pelouse taillée au ciseau à ongles. Tous ces biens qui justifiaient sa vie. Il essayait de nous donner une bonne éducation : il voulait nous apprendre à marcher droit sur la route de la Réussite.

Travaille ne joue pas
étudie ne traîne pas
obéis ne pose pas de questions
intègre-toi ne te fais pas remarquer
sois sérieux ne te drogue pas
fais de l'argent ne fais pas d'histoires (...)

On ne savait plus où on en était. Comment arriver à comprendre qu'il fallait bosser dur pour acheter des baraques toujours plus hautes ? des bagnoles toujours plus longues ? des pelouses taillées au ciseau toujours plus grandes ?
On en devenait fous. On ne pouvait plus tenir.
Elvis bousilla l'image papa-gâteau d'Eisenhower en secouant à mort nos jeunes corps emmaillotés. L'énergie sauvage du rock gicla en nous, toute bouillante, et le rythme libéra nos passions refoulées.
De la musique pour libérer l'esprit.
De la musique pour nous *unir*.

Jerry RUBIN, *Do it*, Paris, (1970) 1971, pp. 17-18.
* *AmeriKKKe*, comme Ku-Klux-Klan. Nouvelle orthographe des révolutionnaires américains (J. RUBIN).

1932-1936	F. ROOSEVELT	démocrate
1936-1940	F. ROOSEVELT	
1940-1944	F. ROOSEVELT	
1944-1945 (décès)	F. ROOSEVELT	
1945-1948	H. TRUMAN	
1948-1952	H. TRUMAN	démocrate
1952-1956	D. EISENHOWER	républicain
1956-1960	D. EISENHOWER	
1960-1963 (assassinat)	J. F. KENNEDY	démocrate
1963-1964	L. JOHNSON	démocrate
1964-1968	L. JOHNSON	
1968-1972	R. NIXON	républicain
1972-1974 (démission)	R. NIXON	
1974-1976	G. FORD	républicain
1976-1980	J. CARTER	démocrate
1980-1984	R. REAGAN	républicain
1984-1988	R. REAGAN	
1988-1992	G. BUSH	républicain
1992-	B. CLINTON	démocrate

26. *La succession des présidents américains.*

United States of AmeriKKK

27. **United States of AmeriKKK.** Dessin de LEFFEL, *Dictionnaire du Canard enchaîné*, 1969.

28. *Manifestation à Washington, 19 septembre 1981.*

II. ÉVOLUTION DES GRANDES PUISSANCES

1. LES ÉTATS-UNIS

Le développement de la guerre froide va de pair avec une véritable phobie du communisme poussée au paroxysme, à partir de 1947, par le sénateur *républicain* * McCarthy. Le *maccarthysme* voit partout des sympathisants communistes ou des espions à la solde de l'URSS. Beaucoup sont victimes de cette « chasse aux sorcières » qui crée un climat de délation dans tous les milieux (exil de Charlie Chaplin, exécution des époux Rosenberg). La tension diminue avec l'arrivée au pouvoir, en 1952, du républicain Dwight **Eisenhower**. Il est le président de l'expansion économique du milieu des années cinquante et du « rêve américain » *(American way of life)*. Mais, sur le plan social, le pasteur Martin Luther King (assassiné en 1968) exprime avec force les revendications de la communauté noire toujours victime de *ségrégation* *. Elle obtient peu à peu la reconnaissance d'une égalité légale (droit de vote notamment) qu'elle devra encore gagner dans la vie quotidienne.

Le ralentissement de la croissance économique porte au pouvoir, en 1960, le jeune *démocrate* * John Fitzgerald **Kennedy** et son programme de la « Nouvelle Frontière » (relance économique, lutte contre la pauvreté, progrès technologique...). C'est la naissance d'un mythe, qu'accentuera encore son assassinat, jamais élucidé, le 22 novembre 1963. Le bilan du mandat est toutefois plus mitigé qu'on a pu le dire. Beaucoup de points de son programme, bloqués par le Congrès, sont restés à l'état de projet. Mais la fermeté de Kennedy dans l'affaire de Cuba aurait sans doute assuré sa réélection. Son vice-président Lyndon **Johnson** lui succède. Il introduit des réformes sociales et développe l'intégration raciale. Les mesures prises n'apportent pas de solution à la misère structurelle dans laquelle se débattent particulièrement les Noirs : bas salaires, chômage, délinquance, criminalité... Entre 65 et 68, les émeutes se multiplient dans les ghettos des grandes villes. Des révoltes atteignent aussi les autres minorités raciales (Indiens...).

1968 est l'année des **contestations.** Johnson a entraîné l'Amérique dans la spirale de la guerre au Vietnam. Si une grande part de l'opinion publique soutient cette intervention, des jeunes, des intellectuels, des artistes remettent en question cette politique et, en même temps, le modèle matérialiste américain (développement du mouvement *hippie*). Dans la foulée des revendications, les féministes font valoir leurs droits dans cette société très conservatrice. La campagne électorale se déroule dans ce contexte de crise. Richard **Nixon,** républicain, axe son programme sur le retour à l'ordre (répression des manifestations pacifiques). L'approche d'une solution à la guerre du Vietnam entraîne sa réélection. Mais le scandale du *Watergate* * le contraint à démissionner en 1974.

L'Amérique est plongée dans une crise de confiance. Jimmy **Carter,** associé à l'humiliation nationale dans l'affaire des otages américains à Téhéran, à l'inflation, au chômage ne redresse pas l'image présidentielle. Ronald **Reagan**, républicain, relance en 1980 un programme ultra libéral et promet de relever le prestige des États-Unis. Mais ses deux mandats coïncident aussi avec l'accentuation de l'endettement, l'aggravation des inégalités sociales, le développement inquiétant de la violence, de la drogue, du sida.

⇒ **Atlas,** 44 C-D et G
57 H

---

29. LE MYTHE KENNEDY

Kennedy n'est pas le héros de notre siècle. Il ne mérite pas non plus d'être traîné dans la boue. Son héritage est ambigu. Il a renforcé le potentiel militaire et économique des États-Unis, gagné la course aux armements nucléaires, surmonté la récession, mais ses victoires sont fragiles et trouveront leurs limites dans les jungles du Vietnam. Il a donné de l'Amérique une image généreuse, ouverte sur les nations nouvelles, mais les États-Unis sont du même coup contraints d'intervenir davantage dans les affaires de tous. Il a souhaité la disparition des inégalités sociales qui semblaient les plus détestables, mais il a rendu plus insupportables encore celles qui subsistaient. Il s'est fait le champion de la démocratie, mais les sommes énormes qu'il a investies dans les campagnes électorales, la manipulation des (...) foules à laquelle il s'est livré ont sans doute contribué à provoquer les dérives du système politique.

André KASPI, *La légende noire de J.F. Kennedy* dans *L'Histoire*, n° 161, décembre 1992, p. 44.

---

30. ÊTRE NOIR EN AMÉRIQUE

La couleur, c'est la première chose dont les Noirs prennent conscience en Amérique. Vous êtes né dans un monde qui a donné une signification à la couleur et celle-ci devient à elle seule le facteur le plus déterminant de votre existence. C'est elle qui décide où vous vivrez, comment vous vivrez et, dans certains cas, si vous vivrez. Elle décide de vos amis, de votre instruction, du métier de votre père et de votre mère, de l'endroit où vous jouerez, de ce à quoi vous jouerez et, ce qui est plus important, de ce que vous penserez de vous-même. En elle et par elle-même, la couleur n'a pas de signification mais le monde blanc lui en a donné une. Politique, sociale, économique, historique, physiologique et philosophique. Une fois que l'on a donné une signification à la couleur, on a du même coup instauré un ordre. Si vous êtes né Noir en Amérique, vous êtes le dernier dans cet ordre. Tout gosses, nous apprenions la formule de la structure de la société américaine :

> Si t'es blanc
> Tout va bien.
> Si t'es brun,
> Tiens-toi bien.
> Mais si t'es noir,
> Va te faire voir.

H. RAP BROWN, *Crève, sale nègre, crève*, Paris, 1970 (D'après *Amériques*, Liège, 1982, p. 28).

2. L'URSS

Les dernières années de Staline

La guerre a fait de l'URSS une puissance mondiale. Mais le pays est gravement détruit. Staline, qui gouverne seul, lance la reconstruction économique (4e plan quinquennal 1946-1950). Le développement de l'**industrie lourde** reste prioritaire, au détriment des biens de consommation . La population est une fois encore victime dans sa vie quotidienne d'un redressement extrêmement rapide. En **agriculture,** le retour à la **collectivisation *** après le relâchement pendant la guerre est mal accueilli, surtout par les populations récemment annexées. Sur le plan **idéologique et culturel,** la reprise en main est ferme après un moment de relative détente. Ceux qui manifestent leur opposition sont massivement déportés et viennent grossir la population des camps (5 à 15 millions de personnes), réserve inépuisable de main-d'oeuvre pour l'industrie. Staline, obsédé par l'idée de complots dirigés contre lui, multiplie les arrestations et exécutions parmi ses plus proches collaborateurs. Le **culte de la personnalité** atteint un paroxysme. Le 5 mars 1953, sa mort met un terme à cette nouvelle vague de terreur.

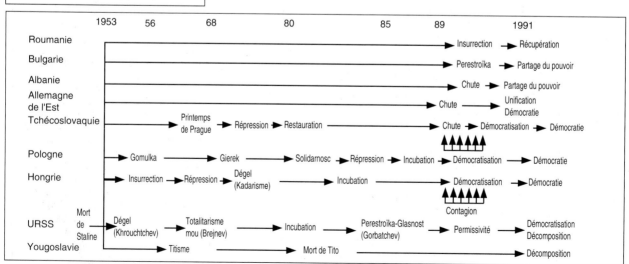

33. *Évolution interne comparée de l'URSS et des démocraties populaires* (D'après R. REZSOHAZY, *L'Europe centrale et orientale : passé, présent et... avenir*, dans *L'entreprise et l'homme*, 1991, n° 6, p. 205).

La déstalinisation

En URSS, la disparition de Staline est ressenti avec soulagement, mais aussi avec une certaine inquiétude quant à l'avenir. En Occident, elle apparaît comme le signal possible d'une détente. Nikita **Khrouchtchev** devient secrétaire général du P.C.U.S. Lors du XXe Congrès du Parti (1956), il lance, dans un **rapport** censé resté **secret,** un réquisitoire contre Staline qu'il rend personnellement responsable d'une série d'erreurs et de « crimes ». Mais la concrétisation d'une nouvelle voie piétine. Même si Khrouchtchev cumule en 1958 la direction du Parti et celle du gouvernement, son pouvoir est fragile. Pris entre sa volonté de réforme et le conservatisme de la haute hiérarchie du Parti, il manque de continuité dans l'action. Vis-à-vis des intellectuels, il oscille entre tolérance et rappels à l'ordre. De nouvelles mesures économiques introduisent un timide retour à des méthodes plus libérales, confirment la croissance de l'industrie mais donnent de médiocres résultats en agriculture, et sont abandonnées. Il envisage une restructuration du Parti, limite les effectifs de l'armée, supprime des privilèges et perd de ce fait des appuis indispensables pour asseoir ses réformes. En fin de compte, il mécontente tout le monde à l'intérieur. Sur le plan international, les concessions faites lors de la crise de Cuba et la rupture des relations sino-soviétiques jouent aussi contre lui. Le 14 octobre 1963, il est contraint de démissionner, officiellement pour raisons de santé. L. **Brejnev** le remplace au secrétariat général et A. **Kossyguine** au gouvernement. C'est le retour à la **collégialité** et le triomphe de la **nomenklatura ***.

L'ère Brejnev

La nouvelle direction, préoccupée par la stabilité et le maintien des privilèges des cadres du Parti, annule la plupart des réformes de Khrouchtchev. Elle ne renoue pas pour autant avec les méthodes staliniennes mais ne prend pas d'initiatives. Cette voie médiane condamne le pays à l'**immobilisme.** Le pouvoir poursuit la répression contre les *dissidents* * mais, sensible aux répercussions négatives qu'elle pourrait avoir sur ses relations avec l'Ouest, il recourt à des solutions moins radicales qu'autrefois (par exemple l'exil de Soljenitsyne en 1974). Le bilan industriel et agricole est médiocre. L'URSS doit recourir à la fin des années 70 à l'importation de céréales. La population ne se mobilise plus pour redresser l'économie. Un fossé s'est creusé entre la société soviétique et le Parti qui a « confisqué » le pouvoir.

De la transition au tournant

À la mort de Brejnev, le 10 novembre 1982, Iouri **Andropov** (chef du *KGB)* lui succède. Il s'attaque à la corruption et à l'absentéisme, mais n'a pas le temps de concrétiser ses projets : il disparaît le 11 février 1984. Le pouvoir passe au candidat de la vieille garde brejnevienne, Constantin **Tchernenko** qui meurt le 9 mars 1985. Il devenait urgent d'en finir avec la *gérontocratie.* Mikhaïl **Gorbatchev,** 54 ans, qui a réalisé une ascension rapide et brillante au sein du Parti, est désigné secrétaire général le 11 mars 1985. Premier haut responsable à ne plus avoir fait son expérience politique dans le contexte du stalinisme, il allait provoquer un changement de taille. Conscient du retard pris par son pays dans une série de domaines, Gorbatchev veut briser avec la stagnation de la période précédente et restructurer la société soviétique dans la ligne d'un socialisme renouvelé : c'est la *perestroïka*. Il remanie et rajeunit les cadres du Parti mais affermit parallèlement son autorité en cumulant les fonctions de secrétaire général et de chef de l'État. La *glasnost* ou transparence permet une réelle liberté d'expression qui se manifeste dans la rue et dans les médias. La voie s'ouvre au multipartisme. Mais le projet de Gorbatchev est menacé. La nomenklatura s'inquiète de voir l'infaillibilité du parti et ses propres privilèges remis en question. D'autre part, des tensions nationales croissantes font craindre l'explosion de l'Union soviétique.

34. *Soljenitsyne.* Dessin de David LEVINE dans *Le Nouvel Observateur,* 1er décembre 1969 (D'après *Les dessins de l'actualité 1886-1986,* 1987, p. 79).

---

35. PERESTROÏKA

Le Parti communiste a procédé à une analyse critique de la situation qui s'est développée au milieu des années quatre-vingt, et a formulé la politique de perestroïka — ou restructuration — une politique qui a pour but d'activer les progrès sociaux et économiques du pays et de créer un renouveau dans toutes les sphères de la vie. (...) C'est toute la société que la perestroïka a mis en mouvement. Certes, notre pays est gigantesque, les problèmes s'y sont accumulés en grand nombre, et il ne sera pas facile de les résoudre; mais les changements ont commencé et la société ne peut revenir en arrière. (...) Perestroïka, cela signifie surmonter le processus de stagnation, rompre le mécanisme de freinage, créer des systèmes fiables et efficaces pour accélérer le progrès social et économique et lui donner un plus grand dynamisme. (...) C'est le développement complet de la démocratie, l'autonomie socialiste, (..) c'est aussi (...) davantage de transparence, la critique et l'autocritique dans tous les domaines de notre société. (...)
La perestroïka signifie-t-elle que nous abandonnons le socialisme, ou du moins certains de ses fondements ? (...) Pour mettre un terme à ces rumeurs (...) qui se multiplient à l'Ouest, j'aimerais (...) faire remarquer que nous conduisons toutes nos réformes en conformité avec la voie socialiste. C'est dans le cadre du socialisme, et non pas à l'extérieur, que nous cherchons les réponses à toutes les questions qui se posent.

Mikhaïl GORBATCHEV, *Perestroïka, Vues neuves sur notre pays et le monde,* Paris, 1987, pp. 9, 43-46.

36. LOI SUR LE MARIAGE (1er mai 1950)

Art. 1 - Le mariage féodal arbitraire et obligatoire, qui est basé sur la supériorité de l'homme sur la femme et qui ignore les intérêts des enfants, est aboli. Le mariage de Nouvelle Démocratie, qui est basé sur le libre choix des partenaires, sur la monogamie, sur les droits égaux pour les deux sexes et sur la protection des intérêts légaux des femmes et des enfants, doit être mis en pratique.

D'après J. CHESNEAUX, *Histoire de la Chine,* t. 4, 1977.

37. CAMPAGNE DES CENT FLEURS

Je comprends très bien (...) le sens de ce « Laissons fleurir cent fleurs ». Cela veut dire : laissons se développer diverses tendances de l'art et de la culture. Mais il est clair aujourd'hui que ce slogan avait été conçu comme une provocation. Il s'agissait d'encourager les gens à s'exprimer plus ouvertement afin de pouvoir mieux couper ou traîner dans la boue les fleurs qui s'épanouiraient ainsi et qui n'auraient pas la bonne couleur ou le bon parfum.

N. KHROUCHTCHEV, *Souvenirs,* Paris, 1971, p. 445.

40. CAMPAGNE DE RECTIFICATION

L'accusé se tient au milieu de l'assemblée, blême, la tête basse. C'est un professeur d'Université. La réunion est un meeting d'accusation : elle se tient dans le grand hall de conférences du collège de Changaï où naguère il donnait ses cours. L'accusé en est à sa confession publique.
« Je reconnais que je cachais en moi des pensées anti-orthodoxes héritées de mes origines bourgeoises, dit-il. Interprétant de façon incorrecte les idées du Président Mao sur la discussion et la rectification, j'ai porté subjectivement des critiques de caractère négatif qui ont ... » Des clameurs l'interrompent, des injures et des sarcasmes s'élèvent... » Dans mes conversations privées, reprend-il, j'ai préconisé...« Nouveaux cris : « Avec qui ?...Tu n'en dis pas assez ! ... Bourgeois ! » Parmi ceux qui accusent figurent certains collègues de l'inculpé, et une partie des élèves qui suivaient ses leçons. Il a été en effet comme on dit en Chine « remis à ses amis », et ceux-ci sont en train de l'« aider à se réformer».

R. GUILLAIN, *La crise de la « rectification » à Pékin,* dans *Le Monde,* 10 août 1957.

38. ***Pionniers chinois avec le petit Livre Rouge pendant la révolution culturelle*** (1965-1969).

39. LA RÉVOLUTION CULTURELLE : UN TÉMOIGNAGE

L'école n'était pas éloignée de notre maison (...) Professeur Yang nous apprenait à chanter une chanson : « L'Orient est rouge, le soleil se lève, la Chine a fait naître un Mao Zedong. Il se dévoue pour son peuple, il est la grande étoile salvatrice ».
Le samedi, devant l'effigie de Mao, le professeur de gymnastique nous faisait répéter des pas de danse qui signifiaient « fidélité ». Quant au professeur de dessin, il nous enseignait comment peindre un grand soleil rouge aux gigantesques rayons dorés en-dessous duquel nous nous appliquions à tracer « Vive Mao ». (...)
Bien sûr j'en voulais à la Révolution culturelle, synonyme pour moi des réunions de critique, des coups, des insultes, de la faim et du froid, du départ de mes parents, de l'assassinat de mon grand-père et des larmes de ma grand-mère, de la passion sanguinaire dont nous étions les victimes. Mais tant de gens avait l'air de participer avec un tel enthousiasme à ce grand mouvement ! Partout ce n'étaient qu'affiches de propagande tapissant les ruelles, drapeaux rouges en nuées, mots d'ordre à la volée, hymnes à la gloire du sage suprême, Mao qui, lui, avait miraculeusement trouvé le moyen de se faire aimer. (...)
(Le jour de la mort de Mao) Le bruit des pleurs faisait trembler la terre et le ciel. Et dans cette atmosphère macabre, je me suis mise aussi à mouiller mes paupières. Toute mon éducation avait été centrée autour de Mao; je ne connaissais rien de plus haut que lui. Il était bon, il était le fondateur de la Chine nouvelle et sans lui notre existence aurait été nulle. Il représentait tout : le soleil, le père, l'étoile salvatrice. En pleurant sur son triste sort, je regrettais amèrement que mes parents aient commis des fautes envers lui et j'étais déçue de n'avoir pas eu le temps d'accomplir ma rééducation pour devenir un des bons enfants (...) de Mao. (...) À mon retour à la maison, ma grand-mère ne comprit pas pourquoi j'avais pleuré; j'étais moi-même étonnée de m'apercevoir qu'elle n'avait pas les yeux rouges. Alors je lui ai annoncé la funeste nouvelle, qu'elle connaissait déjà. Quand elle voulut savoir pourquoi j'avais pleuré, je lui ai répondu que j'avais fait comme tout le monde. Mamie paraissait outrée, mais se contint.

NIU-NIU, *Pas de larmes pour Mao,* Paris, (1989) 1990, pp. 80-81, 84, 163-164. L'auteur est née en 1966, première année de la Révolution culturelle.

3. LA CHINE

Au terme d'une interminable guerre civile entre nationalistes et communistes qui a épuisé le pays (voir p. 57), Mao Tsé-toung proclame la **République populaire de Chine** en 1949 (voir p. 101). Comment organiser cet immense territoire dévasté et introduire des changements dans une société encore très traditionnelle ?

Entre 1949 et 1952, le nouveau pouvoir communiste entreprend progressivement des **réformes agraires** (abolition du régime féodal de la terre, partage sans indemnités au profit de la petite et moyenne paysannerie), et des **nationalisations,** tout en maintenant quelques aspects libéraux. Il s'attache à créer un **nouvel ordre social** où la femme, sans droits dans la société patriarcale, accéderait à son émancipation (loi sur le mariage). Cette transformation profonde de la Chine s'impose au prix d'une **répression** policière qui fera des millions de morts dans l'opposition.

Les années 1953-1957 sont celles de l'alignement sur le **modèle soviétique.** Un premier plan donne la primauté à l'industrie lourde et lance une *collectivisation* * accélérée des campagnes, quasi achevée en 1957. Encourageants sur le plan industriel, les résultats sont mauvais dans l'agriculture. Suite au malaise de bon nombre d'intellectuels opposés au nouveau régime, la *Campagne des Cent Fleurs* (mai 1956) lance un appel à la **libre expression** dans le domaine culturel. Geste sincère ou volonté de récupération ? Moins d'un an plus tard (février 1957), Mao ouvre la voie à une *Campagne de rectification* qui se termine par une **épuration** dans l'administration, le parti, les intellectuels. Des millions de personnes sont envoyées en « rééducation » dans les campagnes. Le Parti sort renforcée de cette phase. C'est le moment où Mao décide de prendre ses distances par rapport au modèle soviétique. Il en conteste la déstalinisation, la coexistence pacifique, la politique économique et engage la Chine dans une voie originale vers le socialisme qui pourrait séduire le tiers-monde naissant : utiliser la main-d'oeuvre rurale sous-employée (grands travaux, intensification de la production agricole) et financer ainsi le développement du secteur industriel. C'est le *Grand Bond en avant (1958)* qui introduit les *communes populaires* * et s'appuie sur une intense propagande. L'URSS réagit violemment à cette manifestation d'indépendance, rompt ses liens diplomatiques avec la Chine en 1960 et suspend son aide financière et technologique. Le plan, malgré un démarrage encourageant, s'avère après trois ans une catastrophe économique. C'est le retour aux investissements prioritaires dans l'agriculture, le rétablissement du lopin de terre individuel, la réduction des cadences.

Entre 1962 et 1965, des **conflits internes** opposent alors maoïstes fidèles à l'esprit du *Grand Bond* et conservateurs, plus réalistes (Liu Shaoqi, Deng Xiaoping). Les tensions culminent avec la *révolution culturelle* qui éclate en 1965. Le mouvement veut lutter contre les tendances bourgeoises et les anciennes coutumes toujours prêtes à refaire surface. Mené par Mao qui fait l'objet d'un véritable culte, accentué par la diffusion massive du **Petit Livre Rouge,** il s'appuie sur la jeunesse organisée en **Gardes Rouges.** Les intellectuels soupçonnés de conservatisme sont injuriés, humiliés, battus, assassinés... Mais, récupérée par l'extrême-gauche du parti, la révolution échappe à ceux qui l'ont lancée et sombre dans des excès ou des règlements de compte. Il faudra le recours à l'armée pour ramener un semblant de calme. Les pertes humaines, jamais clairement précisées, sont très lourdes.

⇒ **Atlas,** 60 D-I

	Part du PNB consacrée à l'agriculture	Part du PNB consacrée à l'industrie
1936	64,5 %	11,49 %
1952	59,2 %	21 %
1956	48,1 %	32 %

41. *Chine, développement économique* (D'après *Encyclopaedia Universalis,* vol. 4, Paris, 1976, p. 390).

---

42. MAO AJUSTE LES PRIORITÉS (1959)

Dans le passé, nous avons établi notre planification économique sur l'ordre de priorité suivant : industrie lourde, industrie légère, agriculture. À l'avenir, je crains fort que l'ordre ne doive être renversé. Ne faut-il pas dire maintenant : agriculture, industrie légère, industrie lourde ? (...) Il faut commencer par réaliser les Cinq signes « habillement, alimentation, logement, objets usuels et moyens de transport » car c'est en rapport très étroit avec la question de savoir si l'existence de six cent cinquante millions d'individus peut être orientée vers des voies paisibles. Une fois ces Cinq signes réalisés, la vie sera agréable pour tous.

MAO TSE TOUNG, *Le grand livre rouge, Écrits, discours et entretiens,* 1949-1971, Paris, 1975, p. 248.

43. *Des Dazibao.*

Mao meurt le 9 septembre 1976. La succession provoque des conflits entre les tenants d'un maoïsme radical (la Bande des Quatre dont Jiang Qing, veuve de Mao) et ceux qui misent sur la modernisation du pays. La population manifeste par des *dazibao* (journaux muraux) son hostilité aux thèses gauchistes (extrêmes) de la *révolution culturelle* et sa volonté de démocratie politique. Deng Xiaoping s'est imposé à la tête du pouvoir et opte pour une **démaoïsation** progressive et prudente. Il introduit des mesures économiques plus libérales, indispensables à l'accession de la Chine au niveau de grande puissance mais ne tolère pas de libéralisation générale. Résultat de cette politique ? Un accroissement certain de la production agricole lié à une décollectivisation des campagnes, mais de nouvelles inégalités sociales. Sur le plan industriel, le recours à la décentralisation, l'ouverture aux capitaux privés ont provoqué une croissance incontrôlée, le chômage, l'inflation, la corruption. Sur le plan idéologique, la jeunesse rejette et le communisme et la tradition, et regarde vers l'Occident. Cette situation complexe a débouché sur les grandes manifestations du printemps 89 à Pékin, sévèrement réprimées par le pouvoir (2-3 juin : *place Tian Anmen).*

46. **Le printemps de Pékin.** Caricature de PLANTU (D'après *Le Monde, sélection hebdomadaire,* du jeudi 1er au mercredi 7 juin 1989, p. 3).

4. LE JAPON

En 1951, le Japon retrouve son indépendance après six années d'occupation américaine (voir p. 100), mais garde des relations privilégiées avec les États-Unis qui maintiennent ainsi un « bastion » en Asie en pleine extension de la guerre froide.

La **vie politique** se caractérise par la **continuité**. Le *Parti Libéral Démocrate* (PLD) est au pouvoir depuis 1955. Son programme : une économie libérale, le développement de l'exportation, le maintien de l'alliance avec les États-Unis, l'anticommunisme, la modernisation accélérée du pays tout en respectant les traditions. L'opposition de gauche reste trop divisée pour s'imposer et les Japonais semblent craindre qu'une alternative remette en question l'expansion économique du pays, aujourd'hui deuxième « grand » après les États-Unis.

La cohésion de la **société,** facteur important de ce « miracle nippon » s'explique par la tradition mais dépend aussi du système éducatif qui poursuit un double objectif : pédagogique et social. Dès le lycée, l'école est axée sur la préparation aux concours d'admission aux universités. Cette pratique installe une ambiance de concurrence et de compétitivité. Beaucoup d'élèves, surtout les plus favorisés dans le domaine socio-culturel, suivent des cours supplémentaires pour multiplier leurs chances de réussite. Revers de cette habitude : le principe démocratique, érigé au départ comme la base du système, n'est plus respecté et les jeunes souffrent très souvent de surmenage et de stress. Parallèlement à cette formation théorique, l'école veut faire de ces étudiants ce que la société en attend : des éléments soumis à la hiérarchie et à la discipline. Les entreprises poursuivent d'ailleurs cette mission. Elles mettent tout en oeuvre pour donner aux employés un esprit de total dévouement aux intérêts de leur « seconde famille ».

Mais aujourd'hui la société japonaise change. Les **femmes** arrivent sur le marché du travail et ne sont plus disposées à jouer le rôle traditionnel de l'épouse soumise. Les **jeunes** commencent à contester le système d'éducation. Réussiront-ils à provoquer une réelle remise en question d'un modèle assimilé à la réussite économique, au rattrapage et même au dépassement des pays occidentaux ?

À voir :
L'urbanisation du tiers monde : Mira NAIR, *Bonjour Bombay,* Inde, 1988, coul.
Les États-Unis : Alan PARKER, *Mississipi Burning,* USA, 1988, coul. (le Sud des USA en 1964, à l'époque des émeutes raciales); Alan J. PAKULA, *Les hommes du président (All the President's Men),* USA, 1976, coul. (le Watergate).
L'URSS et l'Europe de l'Est : Vassili PITCHOUL, *La petite Véra,* URSS, 1989, coul.; Pavel LOUNGUINE, *Taxi Blues,* France-URSS, 1990, coul.; Agnieszka HOLLAND, *Le complot,* France, 1988, coul. (l'affaire Popieluszko, Pologne, 1984). Voir aussi p. 135.

À lire : Simone de BEAUVOIR, *La force des choses,* 1963; CHOW CHING LIE, *Le palanquin des larmes,* 1975; NIU-NIU, *Pas de larmes pour Mao,* 1989; YA-DING, *Le sorgho rouge,* 1987.

VOCABULAIRE

Baby-boom : accroissement soudain du nombre de naissances. Le terme est souvent utilisé pour désigner l'explosion démographique qui s'est manifestée en Europe et aux États-Unis immédiatement après la seconde guerre mondiale.

Collectivisation : suppression de la propriété individuelle pour mettre les moyens de production entre les mains de la collectivité.

Communes populaires : structures assumant des fonctions économiques, éducatives et administratives pour libérer le temps nécessaire aux travaux d'utilité collective et créer une socialisation complète de la vie quotidienne.

Démocrate : aux É.-U., parti plutôt libéral qui représente les classes moyennes.

Dissident : personne qui cesse d'adhérer à une communauté, une idéologie, un système politique à cause d'une divergence d'opinion.

Indicateur conjoncturel de fécondité : nombre moyen d'enfants par femme en âge de procréer.

Nomenklatura : classe de nouveaux privilégiés disposant de nombreux avantages au sein de l'État soviétique.

Politique nataliste : qui cherche à favoriser la natalité.

Républicain : aux É.-U., parti plutôt conservateur qui représente les milieux aisés.

Ségrégation (raciale) : séparation organisée et réglementée de la population de couleur d'avec les blancs.

Taux d'accroissement naturel : différence entre le taux de natalité et le taux de mortalité d'une population déterminée.

Taux de mortalité : rapport du nombre de décès d'une année à la population moyenne de cette année.

Taux de natalité : rapport du nombre de naissances vivantes d'une année à la population moyenne de cette année.

Watergate : à Washington, quartier général du parti démocrate cambriolé en 1972 au profit du parti républicain. Impliqué dans cette affaire, le président Nixon a dû démissionner en 1974. Nom donné à ce scandale politique.

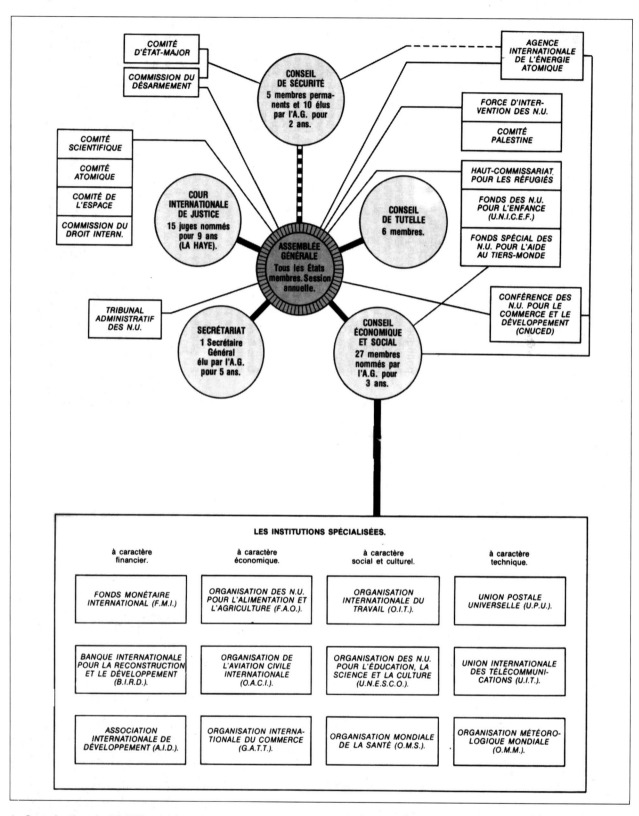

1. **Organisation de l'O.N.U.** : schéma simplifié (D'après J. LEFÈVRE et J. GEORGES, *Trente-cinq années de notre monde. Les temps contemporains, 1945-1980*, Tournai, 1982, pp. 200-201).

La complexité de ce tableau, pourtant simplifié, est à l'image de celle des Nations-Unies. Des dizaines de commissions, sous-commissions, comités et agences travaillent à toutes les questions internationales imaginables. Coiffant le tout, six organismes plus importants. À l'origine, la Charte des Nations-Unies avait prévu que le rôle le plus important serait dévolu au Conseil de Sécurité qui, comme son nom l'indique, doit veiller à toutes les questions intéressant la paix mondiale. Les circonstances ont cependant diminué le rôle de ce Conseil et gonflé celui de l'Assemblée Générale, du moins jusqu'à la fin des années 80. Le Conseil de Tutelle a vu réduire son poids avec la fin de la décolonisation. Quant au Secrétariat, son action n'a cessé de grandir au point de faire du Secrétaire Général un homme politique de tout premier plan.

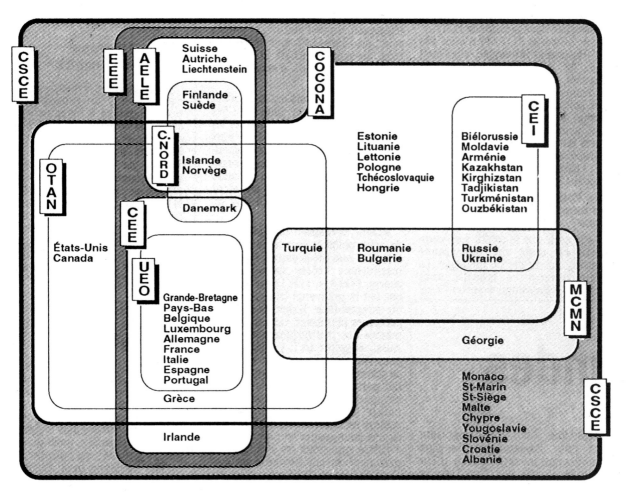

2. *La théorie des ensembles appliquée à l'Europe* (D'après *Le Monde*, 23 juin 1992, p. 9).

Signification des sigles :

CSCE :	Conférence sur la sécurité et la coopération en Europe.
COCONA :	Conseil de coopération nord-atlantique.
OTAN :	Organisation du traité de l'Atlantique-Nord.
EEE :	Espace économique européen.
AELE :	Association européenne de libre-échange.
CEE :	Communauté économique européenne.
UEO :	Union de l'Europe occidentale.
C. NORD :	Conseil nordique.
CEI :	Communauté des États indépendants.
MCMN :	Marché commun de la mer Noire.

LES SECRÉTAIRES GÉNÉRAUX DE L'ONU	LES PRÉSIDENTS DE LA CEEA
Trygve Lie, Norvège, 1946-1952 Dag Hammarskjöld, Suède, 1953-1961 U Thant, Birmanie, 1961-1971 K. Waldheim, Autriche, 1971-1982 Javier Pérez de Cuellar, Pérou, 1982-1991 Boutros Boutros-Ghali, Égypte, 1992-...	Louis Armand, France, 1958-1959 Étienne Hirsch, France, 1959-1962 Pierre Chastenet, France, 1962-1967 PRÉSIDENT DE LA CEE Walter Hallstein, Allemagne, 1958-1966
LES PRÉSIDENTS DE LA HAUTE AUTORITÉ DE LA CECA	PRÉSIDENTS DE LA COMMISSION UNIQUE DES COMMUNAUTÉS
Jean Monnet, France, 1952-1954 Rena Mayer, France, 1955-1957 Paul Finet, Belgique, 1958-1959 Piero Malvestiti, Italie, 1959-1963 Pier Del Bo, Italie, 1963-1967 Albert Coppé, Belgique, 1967	Jean Rey, Belgique, 1967-1970 Franco Maria Malfatti, Italie, 1970-1972 Sicco Mansholt, Pays-Bas, 1972 François-Xavier Ortoli, France, 1973-1977 Roy Jenkins, Royaume-Uni, 1977-1981 Gaston Thorn, Luxembourg, 1981-1985 Jacques Delors, France, 1985-

VIGILANCE the price of **LIBERTY**

3. *L'OTAN.* Couverture d'une brochure de l'OTAN, fin des années 50.

2. **Modèle d'abri atomique aux États-Unis :** « Ils peuvent survivre. Protégez votre famille. » Avril 1951.

Quarante années de guerre froide vont faire suite au deuxième conflit mondial. La partition de l'Europe ouvre l'ère des relations Est-Ouest. Celles-ci s'établissent entre les deux blocs au fil de tensions parfois extrêmes mais aussi de détentes et d'amorces de dialogue. La chute du Mur de Berlin en 1989 présage de nouveaux et difficiles équilibres. L'instabilité et la fragilité du Tiers Monde interpellent en cette fin de siècle. L'avenir planétaire et les grands enjeux de demain se négocieront-ils à l'occasion d'un véritable dialogue Nord-Sud ?

1. POLITIQUE DU *CONTAINMENT* ?

(...) Dans les conditions actuelles, l'extension au Sud-Est asiatique, par quelque moyen que ce soit, du système politique de la Russie communiste et de son allié chinois présenterait un grand danger pour toute la communauté libre. Les États-Unis (...) estiment que la possibilité d'une telle extension ne doit pas être acceptée passivement, mais qu'il convient de lui faire face au moyen d'une action unifiée. Cela peut comporter des risques graves. Mais ces risques seraient pourtant bien moins graves que ceux auxquels nous aurions à faire face dans quelques années si nous n'osions pas nous montrer résolus aujourd'hui.

John Foster DULLES, Discours du 29 mars 1954 devant l'Overseas Press Club dans *Le Monde,* 31 mars 1954 (D'après A. FONTAINE, *Histoire de la guerre froide,* t. 2, Paris, 1983, p. 109).

3. QUELLES RELATIONS ENTRE ÉTATS ?

Votre voisin peut vous plaire ou ne pas vous plaire. Vous n'êtes pas obligé de vous lier d'amitié avec lui ni d'aller en visite chez lui. Mais vous vivez côte à côte, et que faire si ni vous ni lui ne voulez quitter le lieu auquel vous êtes habitués pour vous rendre dans une autre ville ? À plus forte raison il en est ainsi dans les relations entre les États (...). Il n'y a que deux issues : ou bien la guerre, et il faut bien dire que la guerre, au siècle des missiles et de la bombe à hydrogène, est grosse des conséquences les plus graves pour tous les peuples, ou bien la coexistence pacifique. Que ton voisin te plaise ou non, il n'y a rien d'autre à faire qu'à trouver un terrain d'entente avec lui, car nous n'avons qu'une seule planète.

Nikita KHROUCHTCHEV, *Ce que je pense de la coexistence pacifique,* 6 juillet 1959 (D'après C. DELMAS, *Histoire politique de la bombe atomique,* Paris, 1967, p. 219).

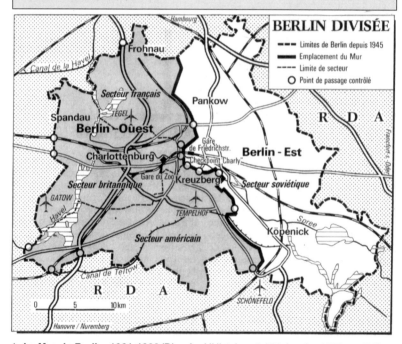

4. **Le Mur de Berlin, 1961-1989** (D'après *L'Histoire*, n° 151, janvier 1992, p. 106).

5. DISCOURS SUR LA PAIX DE J.F. KENNEDY (10 JUIN 1963)

J'ai choisi ce moment et cet endroit (...) pour discuter un sujet à propos duquel l'ignorance abonde trop souvent, et la vérité est trop rarement perçue — et c'est le sujet le plus important du monde : la paix. Quel genre de paix ai-je en vue, et quel genre de paix cherchons-nous ? Non pas une *pax americana* imposée au monde par les armes de guerre américaines. Non pas la paix de la tombe ou la sécurité de l'esclave. Je parle de la paix véritable — pas seulement de la paix pour les Américains mais la paix pour tous les hommes et toutes les femmes —, pas seulement la paix pour notre temps mais la paix pour tous les temps...

Discours prononcé à l'Université de Washington, dans *New York Times,* 11 juin 1963 (D'après A. FONTAINE, *Histoire de la guerre froide,* t. 2, Paris, 1983, pp. 525-526).

6. **«*Nos pinceaux sont l'arme de la résistance*».** Les étudiants à Prague, août 1968.

8. *Taudis et immeubles d'habitation à Bombay.*

7. COMMUNIQUÉ FINAL DE LA CONFÉRENCE AFRO-ASIATIQUE DE BANDOENG (24 AVRIL 1955)

La conférence afro-asiatique s'est penchée anxieusement sur la question de la paix mondiale et de la coopération. Elle a pris note avec une profonde inquiétude de l'état de tension internationale et du danger de guerre atomique mondiale. (...) tous les pays devraient coopérer, particulièrement par le truchement des Nations-Unies, pour amener une réduction des armements et l'élimination des armes nucléaires sous un contrôle international efficace. C'est de cette manière que la paix internationale peut être assurée et l'énergie nucléaire utilisée exclusivement à des fins pacifiques. Cela contribuerait à répondre aux besoins particuliers de l'Afrique et de l'Asie, car elles ont un besoin urgent de progrès social et d'un meilleur niveau de vie, ainsi que d'une plus grande liberté. Liberté et paix sont interdépendantes. Le droit à disposer de soi doit être accordé à tous les peuples, et la liberté et l'indépendance doivent être accordées dans les délais les plus courts possibles à ceux qui sont encore soumis.
En vérité, toutes les nations devraient avoir le droit de choisir librement leurs propres systèmes politiques et économiques et leur propre mode de vie, conformément aux principes et aux buts des Nations Unies.

(D'après Arthur CONTE, *Bandung tournant de l'histoire*, Paris, 1965, p. 315).

9. DISCOURS DE FRANÇOIS MITTERRAND À MEXICO

Il n'y a pas de stabilité politique sans justice sociale et quand les inégalités, les injustices, les retards d'une société dépassent la mesure, il n'y a pas d'ordre établi, pour répressif qu'il soit, qui puisse résister au soulèvement de la vie.

20 octobre 1981, deux jours avant la Conférence Nord-Sud de Cancun (D'après *La marche du temps, Universalia 1982, Paris,* p. 80).

10. *Destruction du mur de Berlin, novembre 1989.*

Annnée	1980	85	87	88	89	90
Transfert net (1)	37,0	-7,4	-16,8	-9,5	-1,0	9,3

(1) Différence entre les ressources nettes reçues par les pays en développement et les intérêts et profits versés au titre du service de la dette. Une quantité négative signifie que les PVD versent plus qu'ils ne reçoivent.

11. *Transfert net de ressources vers le Tiers Monde* [Milliards de dollars] (D'après *L'État du monde 1992, Annuaire économique et géopolitique mondial,* Paris, 1991, p. 512).

12. IMPACT DU NUCLÉAIRE

Du jour où l'éclair d'Hiroshima a marqué l'avènement de l'ère nucléaire, l'angoisse mais aussi l'espérance se sont échappées de la boîte de Pandore. Toutes les spéculations sur l'avenir prévisible de l'humanité portent cette double empreinte. Perspectives de développement quasi sans limites, mais aussi survie de l'espèce, tels sont les deux volets d'une mutation sans précédent dans l'histoire humaine. La course aux armements nucléaires a traduit ce souci constant de maintenir un équilibre suffisant pour éviter le risque d'annihilation afin de conserver une capacité résiduelle de représailles destinée à prévenir le déclenchement d'un holocauste réciproque.

Général R. CLOSE, *L'Europe sans défense ?,* Bruxelles, 1976, pp. 57-58.

I. LES RELATIONS EST-OUEST

1. QUARANTE ANNÉES DE GUERRE FROIDE

L'expression « *guerre froide* » (voir p. 99, doc. 24) désigne la situation particulière dans laquelle se trouvent les États-Unis et l'URSS : disposant l'un et l'autre de l'**arme nucléaire** et craignant de ce fait le pire pour eux-mêmes, ils ne tenteront pas de faire prévaloir leurs ambitions au travers d'une guerre ouverte et laisseront s'installer un **équilibre** précaire dont le seul garde-fou sera la **peur.**

Cet armistice armé divise l'Europe en deux (voir p. 100) : face à face, deux blocs qui se gardent d'entrer en conflit ouvert. Mais ailleurs de par le monde, se déclenchent de nombreuses guerres locales qui sont autant de manifestations du **choc des idéologies communiste et capitaliste.** La tension se déplace ainsi de l'Europe au continent asiatique, puis à l'Afrique et à l'Amérique latine.

Si les observateurs politiques et les historiens se sont rapidement entendus pour définir la « guerre froide », ils ne s'accorderont sur le terme de celle-ci qu'en 1989, avec la chute du mur de Berlin. Cet événement majeur mettra symboliquement fin à la bipolarisation Est-Ouest et ouvrira une ère nouvelle, où les antagonistes d'hier devront vivre « *l'un sans l'autre* » (André Fontaine, du journal *Le Monde*) et prendre en compte ce qui sera peut-être le véritable enjeu de la dernière décennie du XXe siècle : les **relations Nord-Sud.**

14. ... ET DANS SES MÉMOIRES

Nous étions certains que les Américains ne se résigneraient jamais à l'existence d'un Cuba castriste. Ils redoutaient, autant que nous l'espérions nous-mêmes, que Cuba ne devienne un pôle d'attraction et attire vers le socialisme d'autres pays d'Amérique latine. Devant la menace d'intervention permanente que faisaient peser les Américains sur les Caraïbes, quelle politique devions-nous adopter ? (...) Affronter l'Amérique en paroles n'était pas suffisant, il nous fallait trouver autre chose. Il nous fallait un barrage tangible et efficace devant sa volonté manifeste d'intervenir dans les Caraïbes. Mais comment ? La réponse logique à cette question était : avec des fusées. (...) J'eus l'idée d'installer des fusées à tête nucléaire à Cuba et de le faire clandestinement afin que les Américains l'apprennent trop tard pour faire quoi que ce soit. Je devais d'abord, pensai-je, en parler avec Castro et lui exposer notre stratégie afin d'agir avec l'accord du gouvernement cubain. Mon raisonnement était le suivant : si nous installions des fusées secrètement et si nous faisions en sorte que les Américains ignorent leur existence jusqu'au moment où elles seront opérationnelles, ils y réfléchiraient à deux fois avant d'essayer d'anéantir militairement nos installations. Je savais que les États-Unis avaient les moyens de les détruire en partie, mais en partie seulement : qu'un quart de nos fusées leur échappe, ou un dixième, ou simplement un ou deux gros missiles, et ce serait assez pour réduire New-York à sa plus simple expression. Je ne dis pas que tous les habitants de New-York auraient été tués, bien sûr, mais il est certain qu'un grand nombre de gens pouvaient être rayés de la surface de la terre. (...) L'essentiel pour moi, c'était cette idée que la présence de fusées soviétiques à Cuba dissuaderait les Américains de lancer une attaque-surprise contre Cuba pour abattre Fidel Castro et son régime. En outre, tout en protégeant Cuba, nos fusées rétabliraient ce que les Occidentaux se plaisent à appeler « l'équilibre des forces ». Les Américains avaient entouré notre pays de bases militaires; ils nous tenaient en permanence sous la menace de leurs armes nucléaires. Ils allaient savoir ce qu'on ressent quand on sait que des fusées ennemies sont pointées sur vous; nous ne faisions jamais que leur rendre — en plus petit — la politesse.

Nikita KHROUCHTCHEV, *Souvenirs,* Paris, 1971, pp. 467-469.

13. DES MISSILES À CUBA : KHROUCHTCHEV LES JUSTIFIE « À CHAUD »...

Nous sommes prêts à retirer de Cuba les armes que vous considérez comme offensives. Nous sommes prêts à prendre cette obligation devant l'ONU. Vos représentants feront une déclaration aux termes de laquelle les États-Unis, prenant en considération les inquiétudes du gouvernement soviétique retireraient pour leur part de Turquie les armes correspondantes. Entendons-nous donc sur les détails nécessaires. (...)

Les armes qui sont installées à Cuba et qui, dites-vous, vous inquiètent, se trouvent entre les mains d'officiers soviétiques. C'est pourquoi leur utilisation fortuite au préjudice des États-Unis est exclue. Ces armes sont disposées à Cuba à la demande du gouvernement de La Havane et uniquement dans un but de défense. Pour cette raison, s'il n'y a pas d'agression contre Cuba ou d'attaque contre l'URSS et ses autres alliés, ces armes, il va de soi, ne menaceront personne.

Message de KHROUCHTCHEV à Kennedy, 26 octobre 1962 (D'après *L'affaire de Cuba, Notes et études documentaires,* n° 2975 du 22 mars 1963, *La documentation française,* Paris, 1963).

2. TENSIONS INTERNATIONALES ET CONFLITS LOCAUX

Pour se prémunir de la menace soviétique, les États-Unis accélèrent la reconstruction du Japon, installent de très nombreuses bases tactiques et stratégiques et signent plusieurs *traités d'alliance* : l'OEA (1948), l'OTAN (1949), l'OTASE (1954) et le CENTO (1959). L'URSS prend l'initiative de la signature du *Pacte de Varsovie* (1955), alliance militaire qui lui lie les démocraties populaires de l'Est européen. C'est au nom de cet accord que les troupes soviétiques mettent fin aux velléités d'autonomie de la **Révolution hongroise** (1956) et du **Printemps de Prague** (1968).

Avec l'arrivée au pouvoir des communistes en Chine en 1949 (voir p. 101), la guerre froide trouve un terrain d'expression privilégié en Asie. Elle éclate en conflit ouvert à l'occasion de la **guerre de Corée** en 1950. Dès sa libération (août 1945), la péninsule coréenne est coupée en deux zones d'occupation militaire selon un accord américano-soviétique qui prévoit le désarmement des Japonais au nord du *38e parallèle* par l'URSS, au sud par les Américains. Cette division, provisoire au moment des négociations, devait déboucher sur la mise en place d'un gouvernement unique et démocratique. En 1947, l'ONU, saisie par les Américains, propose d'organiser des élections sur l'ensemble du territoire. Le Nord refuse et, en 1948, deux républiques séparées se mettent en place. L'hostilité entre les deux gouvernements est ouverte et, aux menaces du Sud de réunifier le pays si besoin par un coup de force, le Nord — équipé militairement par les Soviétiques — répond en juin 1950 par une invasion armée. Le Conseil de sécurité constitue un corps expéditionnaire sous la bannière de l'ONU et le commandement du Général Mac Arthur. Une fois le terrain sud-coréen reconquis, les troupes poursuivent leur avance et atteignent le Yalou (frontière sino-coréenne) à la fin d'octobre 1950. Confronté à l'intervention de « volontaires » chinois, MacArthur devra rétrocéder le terrain gagné pour établir une ligne de front correspondant approximativement à l'ancienne ligne de démarcation. Il faudra deux ans de pourparlers, la mort de Staline et l'élection d'Eisenhower pour aboutir à un cessez-le-feu et à un accord qui fige jusqu'aujourd'hui la **partition de la Corée** en deux États. Les conflits gagnent alors l'Asie du Sud-Est : après *Dien-Bien-Phu* (1954) qui consacre la défaite et le retrait des Français, et la division du **Vietnam,** une nouvelle guerre (1961-1975) oppose le Nord communiste et le Sud bientôt soutenu par les Américains; elle se clôt pour ceux-ci par la première défaite militaire de leur histoire. La **guerre du Cambodge** qui éclate en 1970, entre Khmers rouges et Sud-Vietnamiens aidés par les Américains, prolonge les tensions dans cette partie du monde.

Les années soixante sont marquées par deux moments de très grande tension internationale : l'**érection du mur de Berlin** et la **crise de Cuba.** Le départ de nombreux ressortissants de la R.D.A. vers la R.F.A. via Berlin amène les autorités d'Allemagne de l'Est à construire un mur de béton enfermant Berlin-Ouest d'une ceinture infranchissable aux candidats transfuges (13 août 1961). Kennedy rencontre Khrouchtchev à Vienne sans résultat. Un rapprochement entre les deux Allemagnes s'amorce au cours de la décennie suivante, mais sans que jamais aucun observateur ose imaginer que le « *mur de la honte* » s'effondrerait en novembre 1989. À Cuba, Fidel Castro a établi depuis 1959 un régime indépendant des USA, qui se caractérise par l'originalité de sa vision du marxisme-léninisme. Cette île, la plus grande des Caraïbes, revêt pour les Américains un intérêt économique et stratégique non négligeable.

⇒ **Atlas,** 44 A-G

---

15. COMMUNIQUÉ DE L'AGENCE TASS (21 août 1968)

Des hommes d'État et du parti communiste tchécoslovaque ont demandé à l'URSS et aux autres États alliés de venir en aide au peuple tchécoslovaque frère en lui apportant une aide militaire. Cet appel a été suscité par la menace de la part des forces contre-révolutionnaires agissant en accord avec des forces ennemies du socialisme contre le régime socialiste existant en Tchécoslovaquie, instauré par la Constitution. (...) Des militaires soviétiques accompagnés d'unités des pays alliés cités sont entrés le 21 août en territoire tchécoslovaque.

Cité par Michel SALOMON, *Prague, la Révolution étranglée* (D'après *Mémorables du XXe siècle*, Paris, 1989, pp. 358-359).

16. LE « PRINTEMPS DE PRAGUE »

On interprète le « Printemps de Prague » comme un affrontement de deux groupes au niveau du pouvoir : les uns voulant préserver le système tel qu'il était, les autres voulant le réformer. Cependant on oublie souvent que cet affrontement ne fut que l'acte final et l'aboutissement d'un long drame. Quelque part, à l'origine de ce drame qui s'était joué dans les esprits, se trouvaient des individualités capables de vivre « dans la vérité » même aux temps les plus sombres. Ces individus ne disposaient d'aucun pouvoir et n'y aspiraient guère (...), ils étaient poètes, peintres, musiciens, ou bien, sans même être créateurs, de simples citoyens, ayant réussi à sauvegarder leur dignité humaine. Il apparaît naturellement difficile de chercher quand et par quels chemins invisibles et tortueux, tel acte véridique ou telle prise de position a agi dans un milieu donné et de quelle manière le virus de la vérité se répandait progressivement et rongeait le tissu de « la vie dans le mensonge ». Un fait reste indéniable : la réforme politique n'avait pas été la cause de l'éveil de la société, mais sa conséquence finale.

Vaclav HAVEL, *Audience, Vernissage, Pétition* (D'après *Mémorables du XXe siècle*, Paris, 1989, p. 358).

17. Yasser ARAFAT À L'ONU

En ma qualité officielle de président de l'OLP et de chef de la révolution palestinienne, je vous engage à soutenir la lutte de notre peuple pour son droit à l'autodétermination. Il s'agit là d'un droit consacré par la Charte des Nations Unies (...). Je vous invite à aider notre peuple à réintégrer la patrie dont il a été exilé par la force des armes, la tyrannie et l'oppression, afin que nous puissions recouvrer nos biens, notre terre et vivre dans notre patrie, libres et souverains, jouissant de tous les droits attachés à l'indépendance nationale. (...)

Je suis venu tenant d'une main un rameau d'olivier et de l'autre un fusil de combattant de la liberté. Ne laissez pas le rameau d'olivier tomber de ma main.

La guerre embrase la Palestine, mais c'est aussi en Palestine que la paix renaîtra.

Discours prononcé par Yasser ARAFAT devant l'Assemblée générale des Nations Unies le 13 novembre 1974. (D'après J.P. VOGELS, *Le monde depuis 1940*, Bruxelles, 1987, p. 172).

18. ... UN POINT DE VUE ISRAÉLIEN

Nous avons un pays (...) et nous devons protéger notre pays et nos concitoyens. Si la Cisjordanie s'étend jusqu'au centre d'Israël, alors Israël ne survivra pas et nous serons rejetés à la mer comme le souhaitent les Arabes. (...) Nous voulons vivre en paix mais si on vous tue, c'est tuer ou être tué. (...)

Un jeune Israélien à Jérusalem. Témoignage dans *C'est à voir : Israël, la confrontation* (RTBF, 14 novembre 1990).

19. *250 000 personnes manifestent à Tel-Aviv*, 25 septembre 1982 (après les massacres dans les camps palestiniens de Sabra et Chatila).

⇒ **Atlas,** 45 A-H

Les USA y détenaient en effet le quasi monopole de la transformation de la canne à sucre, ressource majeure du pays. L'île est en outre située à quelques centaines de kilomètres seulement des côtes de Floride, plaçant ainsi les États-Unis à portée de missiles et même de bombardiers à moyen rayon d'action. Durant l'été 1962, les Soviétiques y établissent des **rampes de lancement de fusées,** défensives à leur point de vue. Elles sont considérées, dès leur détection en octobre par les Américains, comme offensives. Kennedy exige leur retrait de l'île et risque le blocus de Cuba. Khrouchtchev s'incline. Mais ces quelques jours de l'automne 1962 font prendre toute la mesure du **fragile équilibre Est-Ouest.**

Le *Proche-Orient* se révèle lui aussi un des épicentres de la guerre froide. Dès après 1945, l'augmentation de l'immigration juive vers la Palestine cause une inquiétude croissante dans les États arabes. La création de l'**État d'Israël** (1948) accélère les tensions dans la région. Une *première guerre israélo-arabe* éclate en 1948-1949. L'année 1956 est marquée par deux conflits : la *crise de Suez* qui aboutit à la nationalisation du canal et la *guerre du Sinaï* qui débouche sur la débâcle de l'armée égyptienne et l'occupation de la région par les Israéliens. En 1957, Eisenhower fait voter au Congrès américain les axes de sa doctrine sur le Proche-Orient : chacun des pays de cette région qui serait menacé par l'URSS recevrait, à sa demande, l'aide militaire américaine. Les USA soutiennent Israël tandis que l'URSS se trouve au côté du monde arabe. En 1967, la *Guerre des six jours* permet à Israël de « libérer » Jérusalem et une partie de la Cisjordanie. La *guerre* dite *du Kippour,* quatrième conflit arabo-israélien, éclate en 1973 : victoires et défaites s'équilibrent. Pour contraindre l'Occident à revoir ses positions, le monde arabe déclenche la « *guerre du pétrole* » (voir p. 151). Petit à petit l'antagonisme israélo-arabe se mue en un conflit israélo-palestinien. En 1974, le sommet de Rabat reconnaît l'**OLP** comme seul représentant légitime du peuple palestinien à l'ONU. Le président égyptien Anouar el-Sadate lance une tentative de paix spectaculaire : son discours du 20 novembre 1977 à la Knesset (parlement israélien) aboutit aux *accords de Camp David* signés en 1978 avec le soutien du président américain, Carter. Ces éléments provoquent un rapprochement israélo-égyptien sans résoudre la question. En 1982, l'opération « *Paix en Galilée* » n'a pour ambition que d'assurer la sécurité des frontières israélo-libanaises et d'anéantir la résistance des Palestiniens qui mènent de nombreux raids depuis le territoire libanais. À l'occasion des massacres de *Sabra et Chatila* (septembre 1982) s'amorce une évolution de l'opinion israélienne et internationale face à la question palestinienne. Dans ces années 80 se développe le projet d'établissement d'un État palestinien en Cisjordanie. Deux événements de portée considérable viennent renouveler les données du problèmes : l'*Intifada* (guerre des pierres) à partir de 1987 et la décision historique de l'OLP en mai 1988 d'accepter clairement la **coexistence de deux États,** l'un palestinien et l'autre israélien. Cette décision rend possible le démarrage de négociations entre les deux protagonistes.

3. DE DÉGELS EN DÉTENTES : VERS LA FIN DE LA GUERRE FROIDE

La **première détente** date de 1953 : la mort de Staline facilite les armistices coréens et indochinois et la reconnaissance réciproque de la RFA et de l'URSS. L'intervention soviétique en Hongrie en 1956 et l'affaire de Suez la même année marquent cependant l'arrêt de ce premier dégel.

En septembre 1959, un **nouveau rapprochement** s'amorce à l'occasion du voyage de Khrouchtchev aux États-Unis. Mais le refus d'Eisenhower de présenter à l'URSS des excuses, suite à l'affaire de l'avion américain U2 intercepté en pleine mission d'espionnage, mène Khrouchtchev à claquer la porte de la conférence de Paris (mai 1960). Dès lors les événements se précipitent dans une tension jamais égalée : le mur de Berlin est érigé (1961) et la crise de Cuba éclate (1962).

À partir de 1962, le monde semble toutefois entrer dans une ère sinon de détente définitive, au moins de **coexistence pacifique :** le souffle de la peur aurait-il été salutaire ? Dès 1963, le « *télépho-ne rouge* » relie en permanence Washington et Moscou. La même année, Kennedy prononce son fameux « *discours sur la paix* » et Khrouchtchev propose un engagement général de non-recours à la force pour le règlement des litiges territoriaux.

En 1964, les hommes changent : l'assassinat du président Kennedy (novembre 1963) porte Johnson au pouvoir et le limogeage de Khrouchtchev (octobre 1964) permet à Brejnev d'accéder à la tête du gouvernement soviétique. L'un et l'autre prolongent la détente. En octobre 1966, Johnson prononce son discours sur la détente entre l'Est et l'Ouest; peu de temps après, la *guerre des six jours,* il rencontre Kossyguine (juin 1967) ; le blocus du Nord-Vietnam par les USA n'empêche pas la signature des accords SALT I à Moscou en mai 1972. Le président Nixon (1968-1974) poursuit la politique de son prédécesseur. Après la rupture idéologique entre Pékin et Moscou, consommée dès 1963, Nixon procède à un **rapproche-ment sino-américain** spectaculaire par son voyage à Pékin en 1972. La signature de l'Acte final de la Conférence pour la sécurité et la coopération en Europe (CSCE) à Helsinki en 1975 prolonge cet « âge d'or » de la détente du début des années septante. Mais la même année est marquée par l'extension du communisme à l'ensemble de la péninsule indochinoise.

La fin des années 60 et les années 70 sont marquées aussi par la **dégradation des grandes alliances.** Le général de Gaulle veut affirmer l'éminence de la France dans le monde et la doter des moyens d'assurer l'indépendance de sa défense. L'ambition de construire une Europe unie économiquement laisse présager une distanciation probable de celle-ci par rapport à son grand partenaire d'outre-Atlantique.

À la césure des années 70 et 80, l'Union soviétique marque des points en Afrique. Les deux super-grands poursuivent leur **compétition stratégique.** L'Amérique fixe son anticommunisme sur des conflits latino-américains et l'URSS déclenche, avec la guerre afghane, sa première intervention militaire en-dehors du Pacte de Varsovie, tandis que, cette même fin d'année 79, l'OTAN déclenche la bataille des Euromissiles. **L'arrivée de Reagan** à la Maison blanche en 1981 n'arrange rien : dénonçant plus que jamais le communisme, il veut une Amérique forte qui impose à nouveau le respect. Il obtient les crédits nécessaires au lancement du *programme d'Initiative de défense stratégique* (IDS), mieux connu sous le nom de « guerre des étoiles », et soutient la lutte contre les guerilas au Salvador, au Honduras et au Guatémala.

L'avènement de Gorbatchev au Kremlin, en 1985, donne une impulsion nouvelle et déterminante : le dialogue•entre les deux grandes puissances reprend à un rythme soutenu et mène à un processus de désarmement inédit. La *perestroïka* et la *glasnost* en URSS provoquent une vague de changements qui s'étend petit à petit à tous ses pays satellites jusqu'à la chute imprévisible du mur de Berlin qui précipite la fin de la guerre froide (voir p. 189).

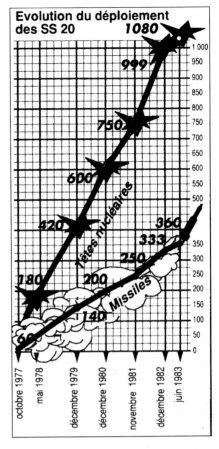

20. *Évolution du déploiement des SS 20.*
(D'après *Cahiers du Vif/L'Express*, n° 6 bis, 9 février 1990, p. 53).

21. *Pour la paix et le désarmement.*
Affiche, Madrid, 15 novembre 1981.

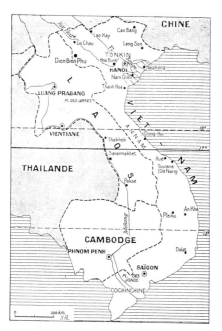

23. **L'Indochine** (D'après A. FONTAINE, *Histoire de la guerre froide,* t. 2, Paris, 1983, p. 99).

25. **Guerre du Vietnam.** Dessin de Tim (D'après R. SEARLE et all., *La caricature. Art et manifeste,* Genève, 1974, p. 260).

26. « **Les envahisseurs américains sur le Mécong** ». Caricature de PHU DUE VUONG distribuée par le Vietminh en 1967 (D'après A. TOYNBEE [dir.], *L'autre moitié du monde,* Paris-Bruxelles, 1976, p. 376).

22. LE RÉGIME DE SAIGON

Dans le cadre d'une lutte mondiale contre l'extension de la puissance communiste et pour sauvegarder le droit des Sud-Vietnamiens à disposer d'eux-mêmes, nous nous sommes engagés à soutenir le gouvernement de Saïgon. Aujourd'hui encore, la raison essentielle de notre appui à ce pays est la défense des intérêts de la population et non pas du tout de ses dirigeants.

Mais, au cours de notre action, nous en sommes arrivés à nous allier à un régime et à une classe qui, malgré les nombreuses occasions qui leur ont été données de modifier leur attitude, n'ont eu ni la volonté ni la capacité de satisfaire aux besoins de leur propre peuple. Notre espoir et notre objectif constants ont été d'inciter ce gouvernement à effectuer les réformes nécessaires et de l'aider à le faire. Nos efforts se fondaient non seulement sur la conviction réaliste que, sinon, la lutte était vouée à l'échec, mais aussi sur la nature de notre engagement- contracté envers le peuple vietnamien dans son ensemble plutôt qu'envers un élément étroitement circonscrit de la société. Malheureusement l'obstination des dirigeants s'est exercée au détriment du peuple, à l'avantage des communistes et aux dépens de vies américaines.

Robert KENNEDY, *Vers un monde nouveau,* Paris, 1967.

24. UN AVIS À PROPOS DE LA GUERRE DU VIETNAM

Les États-Unis — gorgés de puissance et d'un formidable potentiel militaire, lentement et inexorablement poussés par les généraux et politiciens à renoncer à la « défense » au profit de l'agression — considéraient comme dépassée la phase dite « expéditionnaire » et déclenchaient les colossales opérations d'un conflit majeur. Qu'il eût été facile pour les Marines à ce stade, se dit-on, de boucler leurs sacs et de repartir, laissant nos frères asiatiques régler leurs querelles selon la volonté du destin. (...)

Beaucoup de ceux qui combattirent au Viêt-nam étaient braves, et beaucoup accomplirent de vaillants faits d'armes, mais la guerre elle-même a déshonoré jusqu'au mot de vaillance. (...) Transmis de génération en génération, le courage des hommes ne s'éteint jamais tout à fait; mais quelle épouvantable épreuve que nous ne puissions, malgré tous nos efforts, sincèrement rendre hommage au courage gaspillé au service d'une cause ignoble.

William STYRON, *Cette paisible poussière* (D'après *Mémorables du 20e siècle,* Paris, 1989, p. 380).

27. **Des Américains contre la guerre du Vietnam.** Philadelphie, avril 1971.

II. LES RELATIONS NORD-SUD

L'entre-deux-guerres avait déjà été le théâtre de la montée des nationalismes dans certaines colonies. Le deuxième conflit mondial sert d'accélérateur et rend la décolonisation inévitable. Le *droit des peuples à disposer d'eux-mêmes* professé par l'ONU soulève des espoirs qui seront relayés par les conférences de **Bandoeng** (1955) et d'**Accra** (1958). Les deux grands vainqueurs de la guerre sont favorables au mouvement d'émancipation : l'URSS pour des raisons idéologiques, les États-Unis pour des motifs historiques, convaincus l'un et l'autre qu'ils en tireraient de toute façon parti.

Face à ces impérialismes, de nouvelles nations tentent de se grouper et de préserver leur indépendance : c'est le début du mouvement des « **non-alignés** ».

1. LA DÉCOLONISATION

Cinq métropoles (Royaume-Uni, France, Belgique, Pays-Bas, Portugal) se partagent encore l'**Asie** et l'**Afrique** en 1945. La première parvient à éviter les guerres prolongées en accordant contractuellement l'autonomie. Si, dans ses *mandats* * et ses *protectorats* *, la France sait négocier les indépendances (Maroc et Tunisie), en Indochine et en Algérie, elle s'enlise dans des guerres coloniales au terme desquelles elle doit, bon gré mal gré, octroyer l'autodétermination. En même temps que douze autres pays africains, le Congo belge accède à l'indépendance en 1960 dans un contexte difficile. Le mouvement se terminera par la disparition de l'empire colonial portugais, après l'effondrement, en avril 1974, du régime autoritaire de Salazar et de son successeur, Caetano. En un quart de siècle, plus d'un milliard d'hommes conquièrent ainsi leur indépendance.

L'Inde

En 1941, Churchill offre à l'Inde le statut de *dominion* * et la mise en place d'une assemblée constituante (voir p. 101). Ghandi y oppose le fameux *« Quit India »* (Quittez l'Inde). Son emprisonnement entraîne violence et répression. Au lendemain de la guerre, l'Angleterre affaiblie accorde l'autonomie en 1947 : elle met en place **deux États indépendants,** l'Inde (à majorité hindouiste) et le Pakistan (musulman).

L'Indochine française

Le 2 septembre 1945, Ho Chi Minh avait proclamé unilatéralement l'indépendance de la **République démocratique du Vietnam** de tendance marxiste. En mars 1946, la France conclut avec son mouvement, le *Vietminh,* un accord qui confère au Vietnam un statut d'État partiellement autonome au sein de l'*Union française* *.

Mais dès la fin de l'année, Ho Chi Minh lance ses unités contre les troupes françaises (voir p. 101). Le général Jean de Lattre de Tassigny, qui s'était distingué pendant la seconde guerre mondiale, arrive à Saïgon en décembre 1950 investi des fonctions de Haut-commissaire et Commandant en chef en Indochine. Il redynamise le Corps expéditionnaire et transforme la guerre coloniale en croisade anti-communiste. Il contribue aussi à convaincre l'Amérique d'accorder une aide financière urgente. Celle-ci devient effective dès septembre 1951. En 1952, la classe politique française est acquise à l'idée que la guerre est devenue « ingagnable ».

▷ **Atlas,** 44 F-G

1945	Ho Chi Minh proclame l'indépendance de la République démocratique du Vietnam (marxiste)
	La France veut reprendre pied en Indochine
1946	Début de l'insurrection indochinoise
1951	Aide financière des Américains pour contrer le communisme
1954	Chute de Dien-Bien-Phu
	Accords de Genève
	Division du Vietnam : Nord communiste, Sud pro-américain
1960	Création du Front National de Libération (FNL) au Vietnam du Sud
1964	Raids du Sud contre le Vietnam du Nord
1965	Débarquement des premières troupes américaines combattantes (180 000 hommes)
1968	550 000 militaires américains au Vietnam (offensive du Têt)
	Aux États-Unis, développement du mouvement hippie contre la guerre
	Amorce de négociations entre Hanoï et Washington à Paris
1969	Premier rapatriement des troupes américaines remplacées par des forces sud-vietnamiennes
1972	Reprise des raids aériens américains sur Hanoï et Haiphong
1973	Accords de Paris
	Cessez-le-feu, non respecté
1975	Offensive de l'armée populaire vietnamienne. **Réunification du Vietnam** sous le régime communiste

28. *Chronologie de la guerre du Vietnam.*

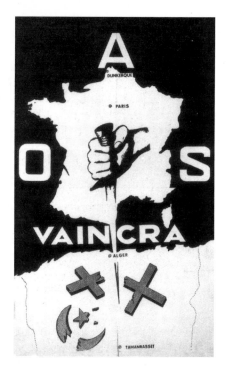

30. **Organisation de l'Armée Secrète.**
Tract, 1961. Un poignard brise la croix de Lorraine et le croissant de l'Islam.

29. LE GÉNÉRAL DE GAULE ET L'ALGÉRIE

(...) Résoudre la question algérienne n'est pas seulement rétablir l'ordre ou donner aux gens le droit de disposer d'eux-mêmes. C'est aussi, c'est surtout, traiter un problème humain. Là végètent des populations qui, doublant tous les trente-cinq ans sur une terre en grande partie inculte et dépourvue de mines, d'usines, de sources puissantes d'énergie, sont pour les trois quarts plongés dans une misère qui est comme leur nature. Il s'agit que les Algériens aient de quoi vivre en travaillant, que leurs élites se dégagent et se forment, que leur sol et leur sous-sol produisent bien plus et bien mieux. Cela implique un vaste effort de mise en valeur économique et de développement social. Or cet effort est en cours.

Grâce au progrès de la pacification, au progrès démocratique, au progrès social, on peut maintenant envisager le jour où les hommes et les femmes qui habitent l'Algérie seront en mesure de décider de leur destin, une fois pour toutes, librement, en connaissance de cause. Compte tenu de toutes les données : algériennes, nationales et internationales, je considère comme nécessaire que ce recours à l'autodétermination soit dès aujourd'hui proclamé. Au nom de la France et de la République, en vertu du pouvoir que m'attribue la Constitution de consulter les citoyens, pourvu que Dieu me prête vie et que le peuple m'écoute, je m'engage à demander d'une part aux Algériens, dans leurs douze départements, ce qu'ils veulent être en définitive et d'autre part à tous les Français d'entériner ce que sera ce choix.

Discours du général de Gaulle, 16 septembre 1959 (D'après O. VOILLARD, G. CABOURDIN, F. DREYFUS, R. MARX, *Documents d'histoire contemporaine*, t. II, 1851-1971, 1971, pp. 217-219).

31. RETOUR DES PIEDS-NOIRS

Cet exode massif n'était ni prévu, ni vu d'un oeil favorable. Officiellement on affecte de croire à un afflux de vacanciers. Voilà qu'ayant franchi l'obstacle des jours d'attente à la belle étoile, en plein soleil ou dans un campement installé par l'armée et trop vite exigu, ces « estivants » arrivent mal coiffés, le visage creusé par l'angoisse, chargés de couffins et de paquets hétéroclites maintenus par des ficelles. Il faut bien admettre la réalité et y faire face en improvisant un accueil dont la qualité est variable. (...) Leur exode désordonné perturbe l'euphorie des congés et la quiétude estivale. Aussi, ne leur sont épargnées ni les répliques acerbes, ni les jugements méprisants. Une telle atmosphère de défiance n'est pas faite pour faciliter la réconciliation des pieds-noirs avec leur mère patrie, ni leur adaptation à la France.

Joëlle HUREAU, *La mémoire des Pieds-Noirs,* Paris, 1987, pp. 74-77, dans *L'Histoire*, n° 102, juillet août 1987, p. 107.

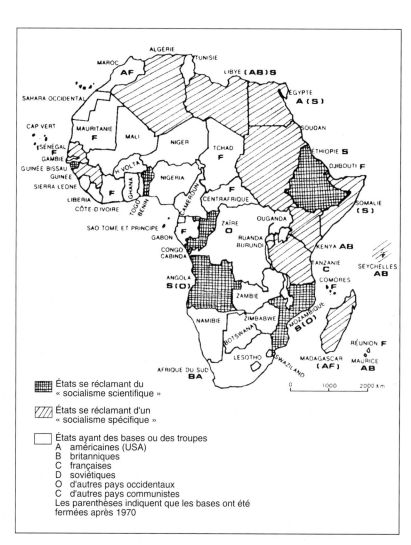

États se réclamant du « socialisme scientifique »

États se réclamant d'un « socialisme spécifique »

États ayant des bases ou des troupes
A   américaines (USA)
B   britanniques
C   françaises
D   soviétiques
O   d'autres pays occidentaux
C   d'autres pays communistes
Les parenthèses indiquent que les bases ont été fermées après 1970

32. **L'Afrique et les influences étrangères en 1985** (D'après E. M'BOKOLO, *L'Afrique au XXe siècle. Le continent convoité,* Paris, 1985, p. 370).

Au Laos du Nord, région très accidentée de plateaux et de montagnes, une défense classique réalisée par des opérations mobiles s'avère impossible. Reste la solution d'un point de fixation des forces adverses par la création d'une base aéroterrestre : ce sera la cuvette de **Dien-Bien-Phu.** Du 30 mars au 7 mai 1954, les forces Vietminh font le siège du camp retranché jusqu'à la reddition française. La défaite est cuisante et la guerre est perdue. Les *accords de Genève (*1954) mettent un terme à la présence française en Asie. La question indochinoise n'est pas pour autant close, elle débouchera sur la guerre du Vietnam (voir p. 127) .

La guerre d'Algérie

Dans les départements français d'Algérie les « **Pieds-noirs** » * s'opposent systématiquement aux revendications des Algériens : « *l'Algérie est ma patrie, l'arabe est ma langue, l'Islam est ma religion* ». Le 1er novembre 1954, des attentats sont organisés sur l'ensemble du territoire algérien par le **FLN** (Front de Libération Nationale). C'est le début de la « guerre d'Algérie », guerre révolutionnaire où *fellaghas* * et armée française se livrent à une guérilla sans merci qui se traduira par plus d'un million de victimes musulmanes et l'exode de 900 000 Français. Après l'insurrection du 13 mai 1958 à Alger, le président de la République, R. Coty, fait appel au général **de Gaulle.** Ce dernier impose une nouvelle constitution qui renforce les pouvoirs présidentiels. Elu à la présidence de la Ve République en décembre 1958, il relance l'idée d'« **Algérie française** » et offre au FLN une reddition honorable, la « *Paix des braves* ». Sans succès. En septembre 1959, il reconnaît à l'Algérie le droit à l'**autodétermination,** principe largement approuvé par référendum en janvier 1961. Malgré l'échec du « *Putsch des généraux* » (Alger, avril 1961) et les actions terroristes de l'OAS *(Organisation de l'Armée secrète)* décidée à poursuivre la lutte à tout prix, les **Accords d'Évian** accordent le 18 mars 1962 l'indépendance à l'Algérie.

Le cas du Congo belge

En 1955, ni les milieux politiques ni l'opinion publique belges n'imaginent une décolonisation à court ou moyen terme. Le voyage royal au Congo cette année là est un triomphe et le *plan* du professeur *Van Bilsen* qui proposait un désengagement dans un délai de trente ans soulève l'indignation chez les Belges. Du côté congolais pourtant le *Manifeste de Conscience Africaine* répond au projet Van Bilsen en évoquant la possibilité d'une émancipation politique en une génération. Des partis politiques se forment, dont le MNC *(Mouvement National Congolais)* unitariste de **Patrice Lumumba** et l'*Abako* de **Joseph Kasavubu** qui s'appuyait sur l'ethnie des *Bakongo.* L'un et l'autre réclament l'indépendance. En 1958, des délégués congolais participent à la *Conférence d'Accra :* réunie à l'initiative de N'Krumah, président du Ghana indépendant depuis 1957, elle affirme la solidarité des pays africains face aux puissances occidentales et leur volonté de lutter contre toute ingérence politique et économique. Le 28 décembre 1958, Lumumba déclare en meeting public : « *Nous voulons l'indépendance pour 1960* ». De graves **émeutes** éclatent à Léopoldville les 4 et 5 janvier 1959 : elles font 49 morts et 290 blessés. Le 13 janvier le roi Baudouin fait part d'un programme d'accession progressive à l'indépendance. Les événements se précipitent et les Belges, craignant une guerre à l'algérienne, ne résistent pas aux pressions des représentants congolais à la *Table Ronde* de Bruxelles destinée à mettre en place les Assemblées législatives du futur État.

Le Parlement vote le 19 mai 1960 la loi accordant l'**indépendance** au **Congo** pour le 30 juin suivant.

35. UN DISCOURS INATTENDU

Congolais et Congolaises, Combattants de l'indépendance aujourd'hui victorieux, je vous salue au nom du gouvernement congolais. (...)

Ce que fut notre sort en quatre-vingts ans de régime colonialiste, nos blessures sont trop fraîches et trop douloureuses encore pour que nous puissions les chasser de notre mémoire. (...)

Nous avons connu les ironies, les insultes, les coups que nous devions subir matin, midi et soir, parce que nous étions des nègres. Qui oubliera qu'à un noir on disait « tu », non certes comme à un ami, mais parce que le « vous » honorable était réservé aux seuls blancs ? (...) Nous avons connu que la loi n'était jamais la même selon qu'il s'agissait d'un blanc ou d'un noir : accommodante pour les uns, cruelle et inhumaine pour les autres. (...)

Nous avons connu (...) qu'un noir n'était admis ni dans les cinémas, ni dans les restaurants, ni dans les magasins dits européens; qu'un noir voyageait à même la coque des péniches, aux pieds du blanc dans sa cabine de luxe. (...)

Tout cela, mes frères, nous en avons profondément souffert. (...) tout cela est désormais fini (...). Nous allons montrer au monde ce que peut faire l'homme noir quand il travaille dans la liberté, et nous allons faire du Congo le centre de rayonnement de l'Afrique toute entière.

Discours de Patrice LUMUMBA, 30 juin 1960 (D'après J. GÉRARD-LIBOIS et J. HEINEN, op.cit., pp. 146-148).

36. MOBILES D'UNE DÉCOLONISATION

L'indépendance fut promise pour le 30 juin 1960. (...) Les décisions étant prises, le roi convoqua un Conseil de la Couronne. (...)
Il ne restait qu'à s'incliner devant le fait accompli et à souhaiter bonne chance à ceux qui avaient agi. Leurs mobiles étaient complexes. Les uns étaient parfaitement honorables, les autres l'étaient moins. Pour les expliquer, il faut tenir compte des éléments suivants, s'ajoutant les uns aux autres: le courant de décolonisation, la guerre d'Algérie qui paraissait un exemple à éviter à tout prix, le fait que la grande majorité des Belges ne voulait donner ni un sou, ni un homme pour défendre la colonie.

Une certaine philosophie politique généreuse animait ceux qui croyaient marcher avec leur temps et même le devancer en accordant l'indépendance au Congo dans des conditions plus favorables que ne l'avaient fait la France ou la Grande-Bretagne pour certaines de leurs colonies. Mais il y avait aussi les malins qui espéraient tout garder en faisant mine de tout céder. (...) Le réveil brutal fut à la mesure des illusions entretenues. Les cérémonies de l'indépendance furent rendues pénibles par un insolent discours de Lumumba, prononcé en présence du roi.

Paul-Henri SPAAK, *Combats inachevés,* t. 2, *De l'espoir aux déceptions,* Paris, 1969, pp. 238-239.

37. 1964 : CONTESTATION DES ÉTUDIANTS DE LOVANIUM

Lorsque, le 30 juin 1960, la Belgique abandonne le Congo à son destin, le jeune pays indépendant ne compte pas vingt diplômés d'Université. Dans un tract diffusé quatre ans plus tard, en 1964, à l'occasion du dixième anniversaire de Lovanium, la plus prestigieuse et la plus ancienne des trois universités congolaises de l'époque, des étudiants de Lovanium font le procès du système hérité de la colonisation :
« (...) Dix ans d'existence, même pas mille étudiants ! Dix ans : 172 diplômés ! dont 43 médecins stagiaires venus de Louvain pour se spécialiser en médecine tropicale, soit 25 %; 32 Européens, soit 18 %; 28 Africains non Congolais, soit 16 %; 63 Congolais, soit 37 %, parmi lesquels bon nombre de gradués et de théologiens. On appelle cela une Université africaine et surtout congolaise. 43 % des diplômés ne sont pas Africains, et cela pour une Université installée en plein cœur du Congo, centre de l'Afrique. Pour qui et pour quoi travaille-t-elle ? ».

V.Y. MUDIMBE, *La culture* dans *Du Congo au Zaïre 1960-1980. Essai de bilan.* sous la direction de J. VANDERLINDEN, Bruxelles, s. d., p. 379.

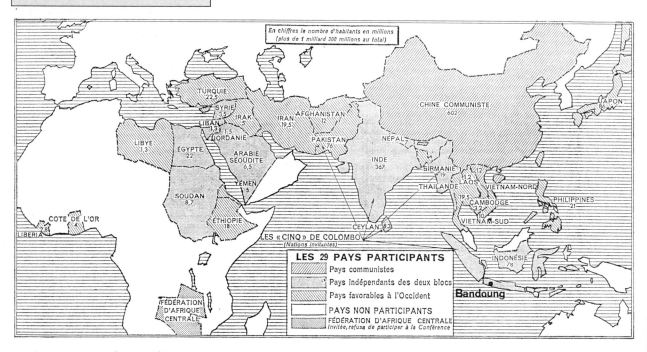

38. ***Pays participant à la conférence de Bandoeng, 1955.*** (D'après A. CONTE, *Bandoung tournant de l'histoire*, Paris, 1965, pp. 8-9).

Dès lors on imagine qu'il suffit de partager les postes clefs du pouvoir entre le Président Kasavubu et le premier Ministre Lumumba et de laisser à la Force Publique la charge du maintien de l'ordre sous commandement d'officiers blancs pour assurer une transition sans problèmes. C'est compter sans l'immensité et la diversité du pays et les déclarations incendiaires de Lumumba lors des Fêtes de l'Indépendance : au Roi Baudouin, il exprime ce qu'aucun Congolais n'a jamais osé imaginer dire à aucun Belge. Les propos du Général Janssens, chef de la Force publique, servent de détonateur à ce qui devient, dès le lendemain de l'indépendance, la **question congolaise** : il déclare en substance que, pour les militaires, l'indépendance ne change rien et que la discipline et l'obéissance aux officiers blancs prévalent.

2. LE TIERS MONDE

Émergence

Le Tiers-Monde naît à la première conférence afro-asiatique de **Bandoeng**, en 1955 dans le contexte de la décolonisation. Il peut être compris comme l'espace recouvert par les trois continents du sous-développement, l'Asie, l'Afrique et l'Amérique latine. Ou, c'est une autre vision, comme le Sud confronté à l'Est et à l'Ouest (A. Sauvy). Le **non-alignement** procède aussi de l'esprit de Bandoeng : si l'afro-asiatisme exprime la **solidarité**, le non-alignement est à la recherche de la paix internationale par la **condamnation de la politique des blocs Est-Ouest**. Les pères fondateurs en sont le Yougoslave Tito, l'Indien Nehru et l'Égyptien Nasser qui en définissent les principes à Belgrade en 1961. La difficulté à concilier les vues et les itinéraires contrastés des quelques 75 délégations émoussent le mouvement (Conférence de La Havane, 1979).

Difficultés des pays décolonisés

Les gouvernements des pays nouvellement décolonisés sont confrontés à de multiples tâches. La priorité est accordée à l'**industrialisation**. Ils adoptent pour ce faire des politiques interventionnistes qui donnent à l'État le premier rôle et s'appuient sur l'aide internationale. Ainsi se tissent de nouveaux liens, le plus souvent avec les anciens colonisateurs, et se créent, sous le couvert de la coopération, de nouvelles et étroites **dépendances**. La situation se complique d'une *démographie galopante*, d'un *déficit alimentaire* chronique et, dans bien des cas, de *querelles ethniques*. Sur le plan politique, c'est l'échec de l'adaptation aux mécanismes démocratiques et une dérive généralisée vers des *régimes autoritaires* à parti unique.

À ces divers titres, l'évolution du **Zaïre** est exemplaire. Au lendemain de l'indépendance, la toute jeune République du Congo se trouve déchirée par des querelles tribales et ses gouvernants s'avèrent incapables à la fois d'affirmer leur autonomie et de maintenir l'ordre et la sécurité intérieure. Mal préparés par une colonisation paternaliste, manquant dramatiquement de cadres et trop rapidement autodéterminés, les Congolais sont plongés dans la **guerre civile** et contraints de faire appel à l'arbitrage de l'ONU. Celui-ci n'évite ni la sécession katangaise ni la rébellion généralisée. Lumumba est assassiné le 17 janvier 1961 et le gouvernement de Cyrille Adoula cherche vainement à résoudre la crise. En novembre 1964, il faut l'intervention de mercenaires et des parachutistes belges pour arracher Stanleyville aux rebelles. On se trouve alors à un an du **coup d'État militaire** de **Mobutu** qui installe la IIe République et son pouvoir personnel le 24 novembre 1965.

39. QUELS SYSTÈMES POLITIQUES EN AFRIQUE ?

(...) Le principe démocratique n'a germé que récemment sur le continent africain. Certes, les sociétés africaines anciennes fonctionnaient fréquemment selon un mode de régulation politique privilégiant le dialogue (la « palabre »). Toutefois, derrière le consensus s'ordonnaient des systèmes complexes d'inégalités et de domination : le pouvoir des chefs était limité mais réel, et, surtout, la soumission des femmes aux hommes et des cadets aux aînés ne se discutait pas. On ne saurait donc qualifier ces sociétés de démocratiques.

En réalité, l'Afrique n'a expérimenté la démocratie que durant le court intermède séparant, dans les années cinquante, les premières élections libres, organisées sous l'égide de l'administration coloniale européenne, de l'accession des colonies à l'indépendance. L'État postcolonial mis en place à partir du début des années soixante a été doté des principaux attributs de l'État démocratique occidental : Constitution libérale, Parlement, séparation des pouvoirs etc. Gage supplémentaire, pensait-on, de réussite de cette « greffe », sa gestion a été confiée à des élites occidentalisées acquises aux idéaux démocratiques.

Très éphémère a cependant été la vie de cet État. En quelques années, du Sahara aux côtes orientales du continent, qu'ils fussent d'orientation capitaliste ou « socialiste », francophones ou anglophones, dirigés par des civils ou des militaires, tous les pays africains se constituèrent en régimes de parti unique, caractérisés par un degré plus ou moins accentué d'autoritarisme (...).

René OTAYEK, *La difficile démocratisation des systèmes politiques africains* dans *Universalia 1992*, Paris, 1992, p. 116.

Atlas, 51 D ⇐

40. PROBLÈMES DU TIERS MONDE

Je sais que notre monde — et je parle en particulier du tiers monde — recouvre une énorme variété de conceptions, d'idéologies, de croyances et d'approches, fort éloignées les unes des autres. (...) Mais ce que partagent (...) les pays sous-développés, ce sont leurs intérêts économiques nationaux, les problèmes écrasants de la misère et du retard accumulés, une dette extérieure énorme dont la plupart ne peuvent s'acquitter, un échange inégal toujours plus brutal, le terrible danger de la guerre nucléaire qui pèse sur tous les peuples, à quoi viennent s'ajouter le gaspillage fabuleux qu'entraîne la plus absurde course aux armements, l'épouvantable fardeau de l'exploitation qu'on impose à nos nations et qui prend les formes les plus diverses, l'horrible héritage historique qu'ont laissé dans la patrie de chacun de nous des siècles de pillage colonialiste et néo-colonialiste, pour arriver à la situation actuelle où cette exploitation s'est faite plus raffinée, plus impitoyable et plus cruelle que jamais dans l'histoire. Ce que partagent aussi les pays sous-développés, c'est l'amère sensation d'impuissance que ressentent maints gouvernements face à de tels problèmes, ainsi que la préoccupation de tous les hommes d'État devant l'instabilité politique qui en découle.

Fidel CASTRO, *La crise économique et mondiale* (rapport au VIIe sommet des pays non-alignés), La Havane, 1983, p. 6.

41. *Amérique du nord, Amérique latine.* Caricature de Tan ORAL (D'après le catalogue du *1er Festival international du dessin politique*, Bruxelles, 1986, p. 42).

S'ensuit une décennie de réelle stabilité politique (1965-1974) qui n'est toutefois pas mise à profit pour assurer le décollage économique. Au contraire, la crise agricole aggravée par le démantèlement des moyens de communication et une gestion catastrophique accélèrent la paupérisation des masses. De 1976 à 1978 un complot au moins est dénoncé par an et le régime n'est sauvé que grâce à l'intervention directe des puissances étrangères. Malgré un contrôle plus strict des États occidentaux, la dette du Zaïre ne cesse de s'approfondir et l'Église catholique, seul organisme structuré face à l'appareil de l'État, continue à exiger des réformes profondes.

Problèmes de l'Amérique latine

La **politique intérieure** des différentes républiques d'Amérique latine est marquée par une très grande *instabilité* et d'importantes difficultés à garantir l'ancrage démocratique. Coups d'État par dizaines (90 entre 1920 et 1975; 5 soulèvements militaires déstabilisent la Bolivie rien qu'en 1981), *juntas **, enlèvements, arrestations arbitraires, tortures, assassinats, interdiction des partis politiques, proclamation de l'*État de siège **, élections entachées de fraude sont autant de moyens que militaires ou civils utilisent sans scrupule pour imposer leur pouvoir personnel : Trujillo en République Dominicaine (1931-1961), les Somoza au Nicaragua (1935-1956 et 1967-1979), les Duvalier à Haïti (1957-1985).

42. *L'Amérique latine. Accords internationaux pour faciliter les échanges commerciaux et les opérations financières* (D'après *Encyclopaedia Universalis, Symposium. Les chiffres du monde*, Paris, 1992, p. 574).

À côté de ces sanglants dictateurs, quelques figures emblématiques marquent leur pays d'une volonté de réformes : le démocrate Allende et son socialisme chilien (1970-1973) devront s'incliner face au dictateur Pinochet et le « *justicialisme* » * de J.D. Perón en Argentine (1946-1955 et 1973-1974) puis de son épouse, Isabel Martinez (1974-1976), n'évitera pas les errements du totalitarisme. D'autres encore étonnent par la durée de leurs mandats : Stroessner au Paraguay, après 35 ans de pouvoir autoritaire, est renversé en 1989 et l'indéboulonnable et charismatique Fidel Castro se maintient au pouvoir à Cuba, depuis 1959, en dépit du détricotage du communisme international.

Dans les **domaines socio-économiques,** l'évolution de l'Amérique latine est marquée, dès le début du siècle, par des transformations profondes. Les mutations sociales prennent des dimensions telles qu'elles échappent à toute maîtrise : accroissement démographique explosif, phénomènes migratoires et urbanisation tentaculaire, écarts profonds entre les niveaux de vie. L'économie aussi reste éminemment problématique : méthodes périmées d'une *monoculture* souvent traditionnelle restée aux mains d'une minorité de grands propriétaires et retard d'une industrialisation dépourvue de capitaux et de main d'œuvre qualifiée.

L'**interventionnisme des États-Unis,** déjà présent sur le plan économique depuis longtemps, se complète, après 1945, d'une politique franchement impérialiste : il s'agit d'asseoir leur leadership, de tisser autour d'eux les liens d'une solidarité continentale et d'élever partout un rempart au communisme. L'OEA *(Organisation des États Américains)* sera l'instrument de cette politique. Ainsi, de 1962 à 1975, exclut-elle Cuba en la condamnant à la « quarantaine ». Au-delà même de ces menées diplomatiques, les États-Unis n'hésitent pas à soutenir financièrement les régimes en proie aux guérillas se réclamant du marxisme ou du castrisme (Salvador), ou au contraire les rebellions s'en prenant aux régimes socialistes (*contras* au Nicaragua). Ils accordent leur assistance militaire (Haïti, 1958; exilés cubains, 1961) et vont jusqu'à engager leurs *Marines* sur plusieurs théâtres d'opération : en République Dominicaine (1965), au Salvador et à Grenade (1983).

L'aube des années 90 voit l'Amérique latine prête à relever plusieurs grands défis. La **démocratisation** déjà mise en route à la fin des années 70 (Équateur 1979) s'est confirmée. De plus en plus de dirigeants ont été légitimés par des scrutins démocratiquement organisés. Dans le domaine de la pacification et du désarmement, la concertation entre États s'est installée de même que la négociation avec les opposants à l'intérieur. Sans doute les problèmes économiques contribuent-ils à cette évolution : l'**endettement** est en effet considérable (voir pp. 154-155) et nécessite toutes les énergies mais le développement reste enrayé par la prolifération d'activités indifférentes à l'intérêt national et d'une nuisance dépassant toutes les frontières : le commerce de la drogue (Bolivie, Colombie et Pérou) et la déforestation (Amazonie).

3. LE DIFFICILE DIALOGUE NORD-SUD

C'est en 1964 qu'est mise sur pied la *Conférence des Nations Unies pour le commerce et le développement* (CNUCED) au sein de laquelle les pays en voie de développement forment le « groupe des 77 ». Les années 70 seront celles de la tentative d'un difficile dialogue Nord-Sud. En 1974, le président algérien Boumedienne affirme aux Nations Unies que « *l'ordre économique mondial que nous vivons aujourd'hui est aussi périmé que l'ordre colonial duquel il tire sa substance* » et en 1975 les *non-alignés* réclament clairement l'établissement d'un **nouvel ordre économique international** (NOEI).

---

43. UNE CULTURE DE LA MISÈRE

En 1980, le gouvernement péruvien décide (...) d'implanter un développement agricole en forêt tropicale. Il promet des prêts bancaires à tous ceux qui descendraient de leurs montagnes andines pour défricher et cultiver du terrain. (...) Depuis cette époque, l'Indien quechua arrive (...) avec femme et enfants. Courageusement, il commence à défricher une parcelle de jungle. Au bout de deux mois de travail acharné, il part (...) afin de déclarer son labeur et recevoir son titre de propriété. L'administration lui conseille alors de continuer sa plantation et de revenir dans quelques temps. (...) Deux années passent, environ. Rien n'a bougé. Tous les Quechuas se meurent dans la moiteur de la saison des pluies. (...) Dans cette atmosphère de désespoir surgit soudain un « homme providentiel »... (...) C'est un Colombien (...) Avec ses hommes, il fait le tour de toutes les chacras (plantations) (...). Il rend visite à chacun de ces pauvres cultivateurs bouffés par la maladie et la misère. Il les réconforte, distribue généreusement médicaments et nourriture. Tout en les mettant en confiance, il leur glisse subtilement de cultiver un peu plus de ces petites plantes de coca que le Quechua utilise naturellement pour sa consommation personnelle. (...) il leur confie un peu d'un mélange tout préparé, expliquant (...) comment il suffit de laisser macérer les feuilles et qu'il passerait dans deux mois exactement, (...) afin de récupérer la poudre blanche qui reste au fond du bocal. Les remerciant de ce service, il ne manquera pas de leur donner un peu d'argent...Histoire de les aider. Ces paysans, au bout du rouleau, font ce qu'on leur suggère et le jour dit, (...) le type est là. Décontracté, sous des yeux à la fois effrayés et incrédules, il pose sans compter une liasse de dollars sur la table (...). Alors, d'un ton un peu plus ferme, il demande que le planteur double sa production. (...) La fabrication de la « base », d'où l'on extrait la cocaïne, est amorcée. Convaincu par ce troc miracle, le paysan quechua laisse tomber son café et ses oranges. Il y a des mois qu'il se tue en vain pour un objectif qu'il ne pourra jamais atteindre. C'est ainsi que les Colombiens prennent le monopole de cette culture clandestine (...).

Jéronime PASTEUR, *Chaveta. L'arche d'or des Incas,* Paris, 1988, pp. 168-170.

44. QUELQUES VILLES « GÉANTES » EN AMÉRIQUE LATINE

	1970	1985	2000
Mexico	9,12	17,30	25,82
Sao Paulo	8,22	15,88	23,97
Buenos Aires	8,55	10,88	13,18
Rio de Janeiro	7,17	10,37	13,26
Lima-Callao	2,92	5,68	9,14

Population en millions d'habitants [Source : Nations unies, 1987] (D'après M. DOGAN, *Les villes géantes* dans *Encyclopaedia universalis, Universalia 1990*, Paris, 1990, p. 131).

46. LA DÉFORESTATION

L'Amérique latine a le plus fort taux mondial de déforestation, avec un rythme annuel de 1,3 %, selon un rapport établi par le World Resources Institute (W.R.I.) et les Nations Unies. (...) les pays latino-américains — qui abritent 57 % des forêts tropicales de la planète — empruntent la même voie que ceux d'Asie et d'Afrique où « de nombreux pays ont déjà détruit la majorité de leurs forêts » (...). Le rapport souligne qu'en 1980, plus de 11 millions d'hectares de forêts ont été détruits à travers le monde et que la déforestation devrait atteindre 17 millions d'hectares en 1990 avec, pour conséquence, la désertification, la diminution des précipitations et la raréfaction des terres arables.

Dimension 3, Périodique bimensuel du Service Information de l'Administration Générale de la Coopération au Développement, Bruxelles, août-septembre 1991, n° 4, p. 5.

47. Nouvel ordre mondial. Caricature de STEN dans *Greenpeace*, mars-avril-mai 1993, Bruxelles, p. 8.

45. À LA RECHERCHE DE NOUVEAUX CONCEPTS POUR UN NOUVEAU MONDE...

Les changements dramatiques qui ont marqué les relations internationales et les institutions politiques, qui semblaient encore inébranlables il y a quelques années à peine, ne demandent pas seulement une nouvelle approche politique. Ils ont aussi créé le besoin d'une terminologie adaptée, en lieu et place de l'ancien outillage conceptuel qui a ponctué tout débat politique au cours de la précédente décennie.

Prenons par exemple le « Tiers Monde », terme très en vogue à la fin des années 60 suite à un article du démographe français Alfred Sauvy paru dans *Le Monde*. Sauvy y proclamait l'existence de trois mondes : deux mondes industrialisés – le monde communiste et le monde capitaliste – et un « tiers monde » non industrialisé. Cette locution fut aussitôt reprise, avec des acceptations sensiblement différentes de celles que lui avait donné Sauvy. Ainsi, le «Tiers Monde» finit par désigner cette énorme part de la population mondiale qui restait frustrée de la prospérité. C'était un monde matériellement pauvre, caractérisé par une profonde misère, (...) une rapide croissance démographique et nombre d'autres atrocités, à peine soupçonnées par le « Premier Monde ».

Ce premier monde était bien sûr le riche monde capitaliste. Le « Deuxième monde », quant à lui, était une notion assez vague, qui avait pour principal mérite de creuser une distance entre le premier et le tiers monde, auquel personne, à l'exception des pauvres, ne voulait penser.

Mais aujourd'hui que le Deuxième Monde a disparu de la liste des puissances mondiales (...), la notion de « Tiers Monde » n'a plus de raison d'être.

Un autre concept surpassé est celui du « non alignement ». Ce terme date des années 50, lorsque Jawaharlal Nehru, premier ministre d'Inde, désignait par « troisième puissance » ce groupe de pays qui venaient d'être décolonisés et qui avaient besoin de temps et d'espace afin de se trouver une place au sein de la communauté mondiale, sans être entraînés dans la guerre froide.

(...) En 1955, les chefs d'un certain nombre d'anciennes colonies (...) se sont rencontrés à la Conférence de Bandung. Ils y ont jeté les bases du concept de la « coexistence pacifique » avec les deux grandes puissances. Et le terme de « non alignés » entra dans les mœurs. (...) Le concept du non alignement se trouve (...) dénué de sens maintenant qu'il n'existe plus qu'une grande puissance.

Les nouveaux rapports de force requièrent une approche différente des relations entre les pays industrialisés et les pays en voie de développement. À ce jour de nombreuses questions restent sans réponse.

Comment le Japon réagira-t-il à la tendance croissante au protectionnisme des États-Unis et au développement rapide du château-fort commercial « Europe » ? Que peuvent faire les pays en voie de développement, que ce soit seuls ou d'un commun accord pour faire front à cette tendance ? Il ne suffit plus de réitérer les slogans des années 70, tels que le « nouvel ordre économique ». Une chose est certaine : le monde industrialisé ne se soucie guère d'idées abstraites ou de problèmes moraux, mais est entièrement absorbé par la concurrence impitoyable dans la lutte pour préserver des intérêts majeurs.

De même, le concept autrefois si populaire du « Sud » développé pour faire pendant à celui de « Nord », doit être remis en question et ce, pour deux raisons. La première est que le Nord n'est plus ce qu'il était dans les années 70, lorsque le « Sud » fit son entrée dans les pays en développement en tant que concept intellectuel surtout. La deuxième est que l'hémisphère sud ne constitue pas un ensemble cohérent, ce que l'Occident a toujours parfaitement bien su et ce qui lui a plus d'une fois permis de monter les pays les uns contre les autres.

Varindra Tarzie VITTACHI, Journaliste et auteur srilankais et ancien directeur adjoint de l'UNICEF, dans *Dimension 3*, Périodique bimestriel du Service information et de l'Administration Générale de la Coopération au Développement, Bruxelles, n° 3, mai-juin 1992, p. 15.

Cette idée traduit bien un élan favorable à un changement structurel du développement en faveur du Tiers Monde qui coïncide avec la crise économique mondiale. Simultanément les pays pauvres prennent conscience de la fragilité d'une aide réelle de la part des pays riches et affirment leur volonté d'organiser eux-mêmes leur solidarité économique et financière. Ces idées seront relayées par le groupe des 77 à Manille en 1976.

La proposition d'une *conférence sur la coopération économique internationale* dite aussi « **dialogue Nord-Sud** » trouve son origine notamment dans la crainte de voir les mesures prises par l'OPEP en 1973 dégénérer en affrontements entre pays industrialisés et pays du Tiers Monde. Organisée à Paris en 1976 et 1977 dans le cadre des travaux de la CNUCED, elle ne parvient pas à jeter les bases d'un NOEI. Cet échec démontre bien la fragilité du Tiers Monde face aux pays industrialisés et aussi l'impossibilité pour ceux-ci de continuer à ignorer les implications d'une véritable politique de développement.

La même année 1977 le rapport annuel du *Comité d'aide au développement* (CAD, organe de l'OCDE) constate la diminution de l'intervention des pays riches en faveur des pays pauvres : la moyenne se situe bien au-dessous du 0,7 % des PNB préconisé. Si le projet de NOEI est en panne, c'est assurément à cause de la très grande disparité des régimes politiques et des inégalités de niveaux entre les 130 PVD (pays en voie de développement). Dès l'année suivante apparaît l'idée d'annulation de la dette des pays pauvres et en 1979 (CNUCED à Manille) ces derniers proclament ce que le Président Mitterrand résume de façon lapidaire (conférence de l'UNESCO sur les pays les moins avancés 1981) : « *aider le Tiers Monde c'est s'aider soi-même à sortir de la crise* ». Malgré cette lucidité réciproque, la conférence Nord-Sud de Cancun (1981) restera lettre morte. On assiste alors à l'émergence de l'idée du **dialogue Sud-Sud** qui prendrait le relais du Nord-Sud défaillant : celui-ci risque toutefois de créer simplement de nouvelles relations de dépendance. Certains pays n'ont pas attendu cette impasse pour former des fragments d'intégration géographique de développement (Pacte Andin, UDEAC, CEAO, CEDAO).

Aujourd'hui c'est la **dette** qui devient préoccupante à l'échelle planétaire. En 1987, la septième CNUCED recommande à Genève l'allégement de la dette des pays les plus pauvres et le G7 (groupe des 7 pays les plus riches du monde) lui emboîte le pas à Washington en 1989. Si la question de l'aide aux pays pauvres reste un centre important de préoccupations, elle semble pour l'heure éclipsée par les retombées des mutations politiques de l'Est européen.

Mandat : voir p. 57.

Viêt-minh : voir p. 101.

VOCABULAIRE

Dominion : territoire de la Couronne britannique ayant acquis la souveraineté interne.

État de siège : mesures exceptionnelles prises par l'autorité publique dans une situation de troubles ou d'insécurité et qui suspendent provisoirement un certain nombre de libertés individuelles.

Fellagha : partisan algérien soulevé contre l'autorité française pendant la guerre d'indépendance.

Junte : dans les pays ibériques, conseil politique ou administratif, régulier ou révolutionnaire, civil ou militaire.

Justicialisme : régime instauré en Argentine par Juan D. Peron (1946-1955). Il combine progressisme et fascisme et contribue à une transformation sociale du pays.

Mandat : voir p. 57.

Pied-noir : jusqu'à l'indépendance, Français installé en Algérie.

Protectorat : État soumis au contrôle d'un autre, spécialement en ce qui concerne ses relations extérieures et sa sécurité.

Union française : d'après la constitution française de 1946, ensemble formé par la France métropolitaine, les départements et territoires d'outre-mer, les États associés (anciens protectorats) et les territoires associés (anciens mandats).

Viêt-minh : voir p. 101.

À voir :
Guerre de Corée : Robert ALTMAN, *M.A.S.H.,* États-Unis, 1970, coul.;
Guerre froide : Constantin COSTA-GAVRAS, *L'aveu,* France, 1969, coul.; Stanley KUBRICK, *Docteur Folamour,* Grande-Bretagne, 1963, N & B; Ermin KUSTURICA, *Papa est en voyage d'affaires,* Yougoslavie, 1984, coul.;
Guerre d'Indochine : *Lam-Lê, Poussière d'empire,* France, Vietnam, 1983, coul.; Régis WARGNIER, *Indochine,* France, 1992, coul.;
Vietnam : Robert ALTMAN, *Streamers,* États-Unis, 1983, coul.; Oliver STONE, *Platoon,* États-Unis, 1986, coul.; Michael CIMINO, *Voyage au bout de l'enfer,* États-Unis, 1978, coul.; Barry LEVISON, *Good Morning Vietnam,* États-Unis, 1987, coul.; Francis Ford COPPOLA, *Apocalypse Now,* États-Unis, 1979, coul.;
Prague 68 : Philip KAUFMAN, *L'insoutenable légèreté de l'être,* États-Unis, 1987, coul.;
Cambodge : Roland JOFFÉ, *La déchirure,* États-Unis, 1984, coul.;
Décolonisation : Francis GIROD, *L'État sauvage,* France, 1978, coul.;
Amérique latine : Constantin COSTA-GAVRAS, *Missing,* France, 1982, coul.

La construction européenne débute symboliquement le 9 mai 1950. Elle a débouché sur des réalisations concrètes (CECA, CEE, CEEA, Acte Unique, Traité sur l'Union Européenne). Caractérisée par une suite d'avancées et de reculs, parfois spectaculaires, fruits de la conjoncture, ne pose-t-elle pas la question de l'appartenance des citoyens à une région, à une nation ou à une entité mal définie, l'Europe, différente des institutions de l'Europe des Douze ?

1. LA DÉCLARATION SCHUMAN

Le rassemblement des nations européennes exige que l'opposition séculaire de la France et de l'Allemagne soit éliminée : l'action entreprise doit toucher au premier chef la France et l'Allemagne.

Dans ce but, le gouvernement français propose de porter immédiatement l'action sur un point limité mais décisif :

Le gouvernement français propose de placer l'ensemble de la production franco-allemande de charbon et d'acier, sous une Haute-Autorité commune, dans une organisation ouverte à la participation des autres pays d'Europe.

(...) La mise en commun des productions de charbon et d'acier (...) changera le destin de ces régions longtemps vouées à la fabrication des armes de guerre dont elles ont été les plus constantes victimes (...).

Cette production sera offerte à l'ensemble du monde (...) pour contribuer au relèvement du niveau de vie (...). L'Europe pourra avec des moyens accrus, poursuivre la réalisation de l'une de ses tâches essentielles : le développement du continent africain (...).

Cette proposition réalisera les premières assises concrètes d'une Fédération européenne indispensable à la préservation de la paix

Déclaration de Robert SCHUMAN, Ministre des Affaires Étrangères, faite à Paris le 9 mai 1950, dans *Notes et Études Documentaires* (Paris), n° 1339, 13 juin 1950, p. 3.

2. Cette photo, traditionnellement utilisée pour illustrer la **Déclaration Schuman du 9 mai 1950**, a été prise le 20 juin 1950 car « dans la hâte, on oublia de prévenir les photographes et la radio, si bien que Schuman dut se prêter (...) à une reconstitution de sa conférence pour que la postérité en gardât l'image » (Jean MONNET, *Mémoires*, Paris, 1976, p. 359).

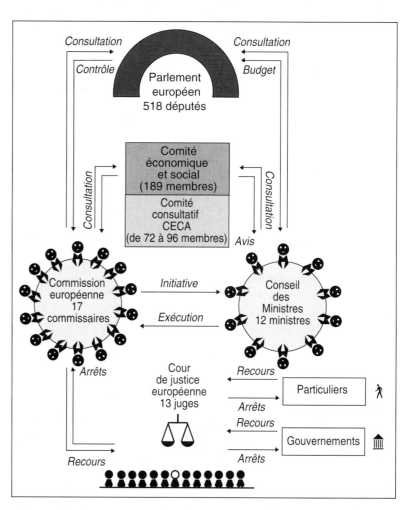

4. **L'Élaboration des actes communautaires** (D'après *Le Monde. Dossiers et documents*, n° hors série, avril 1987, p. 8).

3. **Caricature** de PESSIN dans Commission Européenne, Service du Porte-Parole, *Revue de Presse, Sélection hebdomadaire*, n° 25, 7 juillet 1989.

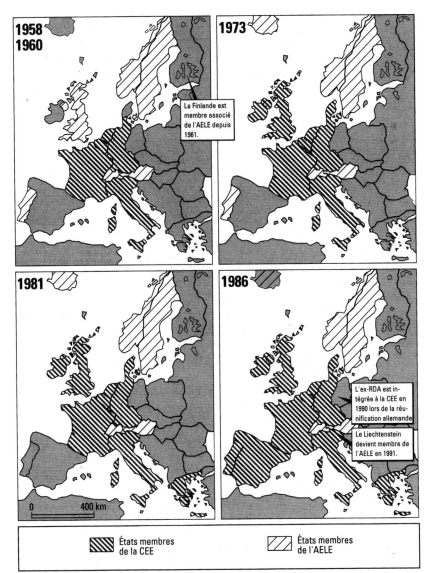

1958 1960

La Finlande est membre associé de l'AELE depuis 1961.

1973

1981

1986

L'ex-RDA est intégrée à la CEE en 1990 lors de la réunification allemande

Le Liechtenstein devient membre de l'AELE en 1991.

0 — 400 km

[hachures] États membres de la CEE

[hachures] États membres de l'AELE

5. QUELLE EUROPE ?

Dans l'esprit de ses promoteurs, la Communauté Européenne est appelée à couvrir un jour toute l'Europe. Toutefois, beaucoup de peuples ne peuvent y adhérer aujourd'hui — ou ne sont disposés à le faire que dans une mesure réduite. Il ne serait pas sage d'attendre le moment où un accord unanime serait en vue. Trop d'événements graves pourraient survenir entre-temps. Les six puissances qui participent à la CECA et à la CED représentent d'ailleurs déjà près de 150 millions d'habitants et une puissance industrielle comparable à celles des autres puissances continentales. Elles peuvent donc aller de l'avant de leur propre force. Si leur entreprise réussit, il est hautement vraisemblable que les autres puissances, situées de ce côté-ci du rideau de fer, solliciteront les unes après les autres l'autorisation d'en faire partie. Quant aux puissances actuellement vassales de l'URSS, il faut espérer qu'elles recouvrent un jour leur liberté. Elles décideront alors librement de leur destinée (...).

La Communauté doit être envisagée comme un achèvement de l'ordre européen (...).

(Étienne de LA VALLÉE POUSSIN), *Rapport de la Commission d'Études Européennes instituée près le Ministère des Affaires Étrangères et du Commerce Extérieur*, Bruxelles, 1953, pp. 11 et 13.

6. *Évolution de la composition de la CEE et de l'AELE entre 1958/1960 et 1986*
(D'après S. BERSTEIN et P. MILZA, *Histoire de l'Europe contemporaine. Le XXe siècle*, Paris, 1992, p. 235). En 1992, les deux organisations ont constitué l'Espace Économique Européen que la Suisse, par votation, a refusé d'intégrer.

7. LES INSTITUTIONS COMMUNAUTAIRES

1) Le **Conseil des ministres** est le principal organe de décision. Il réunit les **ministres nationaux** selon la matière à traiter. Chaque pays exerce la présidence pour six mois. Les décisions sont prises dans la plupart des cas à la majorité qualifiée (les voix sont affectées d'une pondération selon l'importance du pays). L'unanimité est requise pour les matières jugées essentielles. Les décisions, sur la base de propositions émanées de la Commission, sont préparées par le **Comité des représentants permanents** (Coreper). Ces décisions épousent souvent la forme d'un **règlement**, d'une **décision** ou d'une **directive**. Le Conseil possède, avec le Parlement, le **pouvoir budgétaire.**

2) Le **Conseil européen** fonctionne depuis 1974. Inscrit dans l'Acte Unique (1987), il réunit deux fois par an, au moins, les **chefs d'État ou de Gouvernement** avec leurs **ministres des Affaires étrangères**, le **président** et **un vice-président de la Commission.**

3) Le **Parlement européen** compte 518 députés élus au suffrage universel pour cinq ans. Il exerce, avec le Conseil, une **fonction législative et budgétaire.** Le budget, préparé par la Commission, lui est soumis mais il n'a le dernier mot que pour les dépenses non obligatoires. Parmi d'autres pouvoirs, le Parlement possède celui de renverser la Commission.

4) La **Commission** est commune aux trois communautés depuis 1967 (fusion des exécutifs). Elle est dirigée par un **collège** de 17 membres. « **Gardienne des traités** », elle possède le **monopole de l'initiative législative** et veille à la mise en œuvre de la réglementation. Elle peut saisir la Cour de Justice pour la faire appliquer. Elle profite d'une large autonomie dans la conduite des politiques communes dont la gestion lui est confiée.

5) La **Cour de Justice (**13 juges et 6 avocats généraux) veille à la conformité des actes des institutions communautaires et des États avec les traités.Elle se prononce quand elle est saisie par un tribunal national, qui a l'obligation de lui demander cet avis, sur l'interprétation ou la validité du droit communautaire par rapport aux droits nationaux. Depuis 1987, la Cour est assistée d'un **Tribunal de première instance** (contentieux administratifs des institutions et litiges entre la Commission et les entreprises au sujet des règles de la concurrence).

6) La **Cour des comptes** (1975) vérifie la légalité et la régularité des recettes et des dépenses de la Communauté, ainsi que la bonne gestion financière.

7) Le **Comité Économique et Social** (pour la CEE et la CEEA; Comité Consultatif pour la CECA) est formé de 189 membres représentant les milieux économiques et syndicaux. Il **doit être consulté** avant la plupart des décisions.

La cohésion du bloc occidental constitué dans l'après-guerre (voir pp. 98-100) est menacée par la **question franco-allemande**.

La remise de la gestion, qui reste contrôlée par les Anglo-Américains, des mines et de la sidérurgie de *la Ruhr* aux Allemands (1948-1949), inquiète la France. Elle craint que l'Allemagne retrouve rapidement une industrie lourde synonyme de réarmement. Cette crainte est aussi un des principaux motifs de l'intransigeance française au sujet de *la Sarre*, riche en charbon. En union économique avec la France, cette région, politiquement détachée de l'Allemagne, est une grave pomme de discorde entre les deux pays.

1. VERS LA CECA (1949-1951)

L'**Allemagne** fédérale proclamée en 1949, est indispensable au dispositif mis en place par les Occidentaux pour endiguer la menace soviétique. Le *Chancelier* * *Konrad Adenauer* le sait. Par ailleurs, il doit tenir compte de l'opinion publique et du Parlement fédéral (*Bundestag*). Ceux-ci acceptent mal la déchirure de l'ancienne Allemagne et l'amputation territoriale de la Sarre.

Utilisant habilement la place de son pays sur l'échiquier international, le Chancelier pratique, à partir de 1949, des ouvertures vers la **France**. Son principal interlocuteur est *Robert Schuman*, le ministre français des Affaires étrangères. Ce dernier souhaite une réconciliation franco-allemande. Mais le rapprochement ne peut se faire qu'à travers « une solidarité de fait ». *Jean Monnet*, Commissaire au Plan, en France (voir p. 95), élabore un projet. D'accord avec Adenauer, Schuman le rend public le 9 mai 1950.

Le **Plan Schuman** prévoit la *mise en commun* de la production franco-allemande du charbon et de l'acier sous le contrôle d'une Haute Autorité commune. Il est ouvert aux autres nations européennes. La Belgique, le Grand-Duché de Luxembourg, l'Italie et les Pays-Bas répondent à l'invitation. Les négociations aboutissent le 18 avril 1951 à la signature du traité instituant la **Communauté Européenne du Charbon et de l'Acier** (« Petite Europe »).

2. LES PROJETS CED ET CPE (1952-1954)

Dans le climat de la guerre de Corée (voir p. 123), l'enthousiasme suscité par le Plan Schuman encourage l'élaboration de projets plus ambitieux.

La création d'une **Communauté Européenne de Défense** (CED) est proposée par le Français René Pleven. Les Six membres de la CECA signent le traité de Paris du 27 mai 1952. Celui-ci prévoit la création de corps d'armée européens, composés de divisions nationales portant l'uniforme européen, sous commandement commun.

Afin de permettre la participation de l'Allemagne à la CED, les accords de Paris (26 mai 1952) mettent fin au statut d'occupation. *L'Allemagne est autonome* sur le plan intérieur et extérieur. Mais l'exercice de sa souveraineté est fortement limité dans le domaine militaire (12 divisions au service exclusif de la CED, transformation des troupes d'occupation en « forces de sécurité » notamment).

Mais la création de la CED soulève **deux difficultés**.

La première porte sur l'opportunité du *réarmement*, certes limité et contrôlé, *de l'Allemagne*. Les opinions sont très partagées particulièrement en France. En août 1954, l'Assemblée Nationale refuse d'engager le débat sur la *ratification* * du traité que les parlements des cinq autres partenaires ont déjà votée. La CED est morte.

---

8. PRÉAMBULE DU TRAITÉ INSTITUANT LA CECA

Considérant que la paix mondiale ne peut être sauvegardée que par des efforts créateurs à la mesure des dangers qui la menacent;

Convaincus que la contribution qu'une Europe organisée et vivante peut apporter à la civilisation est indispensable au maintien des relations pacifiques;

Conscients que l'Europe ne se construira que par des réalisations concrètes créant d'abord une solidarité de fait, et par l'établissement de bases communes de développement économique;

Soucieux de concourir par l'expansion de leurs productions fondamentales au relèvement du niveau de vie et au progrès des œuvres de paix;

Résolus à substituer aux rivalités séculaires une fusion de leurs intérêts essentiels, à fonder par l'instauration d'une communauté économique les premières assises d'une communauté plus large et plus profonde entre des peuples longtemps opposés par des divisions sanglantes, et à jeter les bases d'institutions capables d'orienter un destin désormais partagé,

Ont décidé de créer une Communauté Européenne du Charbon et de l'Acier (...).

Traités instituant les Communautés Européennes. Edition abrégée, Bruxelles-Luxembourg, 1987, p. 19.

ACIER	Millions de tonnes	%
France et Sarre	11	7
Allemagne occ.	11	7
Belgique et Lux.	7	5
Grande-Bretagne	16	11
Total Europe occ.	*45*	*30*
États-Unis	80	53
URSS	25	17
CHARBON		
France et Sarre	58	5
Allemagne occ.	110	8
Belgique et Lux.	23	2
Grande-Bretagne	220	16
Total Europe occ.	*426*	*31*
USA	600	50
URSS	250	19

9. **L'industrie lourde en 1950**, d'après l'OCDE.

La seconde relève du principe de l'abandon de la souveraineté nationale au profit d'*institutions supranationales* *. Les gouvernements, très sensibles sur tout ce qui touche à la Défense, déclenchent, à partir de 1952, une procédure visant à créer une institution destinée à contrôler la CED. L'idée émerge d'une **Communauté Politique Européenne (CPE)**. Le projet, fortement poussé en avant par le Mouvement Européen (voir p. 99), entend créer une fédération européenne. L'**échec** de la CED entraîne celui de la CPE. Mais celle-ci comportait aussi un important volet économique. Il sert de base à la *relance*.

3. LA RELANCE (1954-1956)

L'échec de la CED a renforcé les positions des adversaires de la délégation de souveraineté dans des domaines sensibles. Il laisse aussi la question du réarmement allemand sans réponse puisque la structure dans laquelle il devait s'inscrire n'existe pas.

Les *accords de Londres* (octobre 1954) encouragent le réarmement allemand. Il est prévu dans le cadre d'une nouvelle institution, l'**Union de l'Europe Occidentale (UEO),** qui associe l'Allemagne et l'Italie aux signataires du Pacte de Bruxelles de 1948 (voir p. 100). Mais l'UEO n'a ni les ambitions ni les compétences de la CED. Elle reste durant plusieurs décennies comme une pierre d'attente en matière de défense européenne commune.

L'échec de la CED a convaincu les partisans de la construction européenne qu'à l'instar du Plan Schuman, il faut élaborer des projets rapidement transposables dans la réalité. Cette conviction fait l'objet de la *Conférence de Messine* en juin 1955. Il y est décidé de relancer la construction européenne en deux temps. Le premier consiste en un examen des problèmes par un large comité d'experts, présidé par P.-H. Spaak, chargé de formuler des propositions (*rapport Spaak*, mai 1956). Les travaux du *Comité Spaak* sont à la base de la deuxième étape : la négociation de traités portant sur les points retenus comme pouvant faire l'objet de réalisations concrètes.

4. LES TRAITÉS DE ROME (25 mars 1957)

Les traités de Rome, signés par les six membres de la CECA, instituent la **Communauté Économique Européenne (CEE)** ou *Marché commun* et la **Communauté Européenne de l'Énergie Atomique (CEEA)** ou *Euratom*. Fruits d'un habile compromis entre les positions du Benelux et de l'Allemagne, d'une part, celles de la France, d'autre part, ils prévoient aussi l'instauration d'une période transitoire de douze ans.

Les premiers, partisans du libre-échange, souhaitent un marché commun. La France, de son côté, doit faire face à de nombreuses difficultés : position non concurrentielle de son économie, poids de son agriculture, coût de la guerre d'Algérie. Si elle est prête à aller de l'avant, surtout après la crise de Suez qui la voit raidir ses positions vis-à-vis des États-Unis, elle entend obtenir des compensations. Elle défend donc l'idée d'Euratom. Elle espère en effet convaincre ses partenaires de construire une usine de séparation isotopique afin de concurrencer les États-Unis. Elle compte aussi sur l'uranium que pourrait fournir le Congo Belge. Enfin, il est permis de penser que, dans l'esprit des Français, la production de cette usine n'était pas uniquement destinée à servir des objectifs civils. Plusieurs motifs, parmi lesquels le moindre n'est pas la méfiance du *général de Gaulle* à l'égard de la construction européenne, peuvent expliquer qu'Euratom déçut les espoirs placés en elle.

11. PRINCIPES DE LA CEE

L'action de la Communauté comporte :

a) l'élimination, entre les États membres, des droits de douane et des restrictions quantitatives à l'entrée et à la sortie des marchandises, ainsi que toutes autres mesures d'effet équivalent,

b) l'établissement d'un tarif douanier commun et d'une politique commerciale commune entre les États tiers,

c) l'abolition entre les États membres, des obstacles à la libre circulation des personnes, des services et des capitaux,

d) l'instauration d'une politique commune dans le domaine de l'agriculture,

e) (...) dans le domaine des transports,

f) l'établissement d'un régime assurant que la concurrence n'est pas faussée dans le marché commun (...),

h) le rapprochement des législations nationales (...),

i) la création d'un Fonds social européen, en vue d'améliorer les possibilités d'emploi des travailleurs et de contribuer au relèvement de leur niveau de vie,

j) l'institution d'une Banque européenne d'investissement destinée à faciliter l'expansion économique de la Communauté par la création de ressources nouvelles,

k) l'association des pays et territoires d'outre-mer, en vue d'accroître et de poursuivre en commun l'effort de développement économique et social.

Article 3 du traité CEE, dans *Traités instituant les Communautés Européennes. Édition abrégée,* Bruxelles-Luxembourg, 1987, pp. 125-126.

12. BUTS DE LA POLITIQUE AGRICOLE COMMUNE

a) accroître la productivité en développant (...) un emploi optimum des facteurs de production, notamment de la main-d'œuvre;

b) assurer (...) un niveau de vie équitable à la population agricole (...);

c) stabiliser les marchés;

d) garantir la sécurité des approvisionnements; (...)

e) assurer des prix raisonnables (...) aux consommateurs (...).

Article 39 du traité CEE, dans *Traités instituant les Communautés Européennes. Édition abrégée*, Bruxelles-Luxembourg, 1987, pp. 155-156.

La mise en place du **Marché commun** le 1er janvier 1959 implique six pays. La Belgique et les Pays-Bas regrettent l'absence de la Grande-Bretagne. Celle-ci ne s'est pas fait faute, depuis 1955, de tenter de faire échec aux projets de la « *Petite Europe* ». Elle a d'abord cherché à convaincre les Six de négocier un traité de Zone Européenne de Libre Échange. Celle-ci n'aurait été qu'une *union douanière* *. Suite à l'échec de leur tentative, les Britanniques créent l'**Association Européenne de Libre Echange** (**AELE**) en 1960.

1. LES ANNÉES 1960 : QUELLE EUROPE ?

Le début des années 1960 est marqué par le *traité* d'amitié et de coopération *franco-allemand* (1962). Les petits pays, dont la Belgique et les Pays-Bas, craignent la formation d'une Europe gouvernée par un axe Paris-Bonn. Ils s'efforcent non seulement de promouvoir une relance de l'Europe politique mais aussi d'y associer la Grande-Bretagne.

Mais le général de Gaulle ne veut pas entendre parler de l'entrée de la Grande-Bretagne dans le Marché Commun. Il le fait savoir de manière tonitruante (1963). L'ère des **crises de la CEE** commence. Parmi d'autres problèmes économiques, elles concernent la *politique agricole commune* (PAC) et, surtout, la **conception** même **de l'Europe**. De Gaulle défend l'idée d'une *Europe des États Nations* (l'*Europe des « patries »*) coopérant sur des points précis. Il refuse donc celle d'une *Europe fédérale*. Bien décidé à faire valoir son point de vue, il pratique, à partir de juillet 1965, la « politique de la chaise vide ». La France ne siège plus au Conseil des Ministres, principale instance de décision de la Communauté. Un compromis et une nouvelle relance sont indispensables. Ils ont lieu en deux temps.

2. DU « COMPROMIS DE LUXEMBOURG » À LA CONFÉRENCE DE LA HAYE (1966-1969)

À Luxembourg (janvier 1966), la France accepte de reprendre sa place au Conseil à condition que la procédure de vote à la majorité soit remplacée par celle du vote à l'unanimité. De Gaulle obtient donc que *la volonté d'un État* puisse s'opposer à celle de ses partenaires. Cette décision est lourde de conséquences car elle favorisera à maintes reprises la **paralysie** en matière de décision communautaire.

Aucun progrès décisif ne peut être atteint aussi longtemps que le général de Gaulle « veille sur le destin de la France ». **Les choses changent en 1969**. De Gaulle, ébranlé par la crise de mai 1968, quitte le pouvoir suite au résultat négatif du référendum qu'il a proposé aux Français sur les régions et la réforme du Sénat. *Georges Pompidou* devient Président de la République. En Allemagne aussi, l'heure de la relève a sonné. Le social-démocrate *Willy Brandt* devient Chancelier. La relance peut avoir lieu (sommet des chefs d'État et de Gouvernements à La Haye, décembre 1969).

La France lève son véto à l'entrée de la Grande-Bretagne dans la Communauté. La période transitoire étant achevée, les Six décident de passer à la *phase définitive de la CEE*. Ils décident aussi que désormais, la Communauté disposera de ressources propres. L'**optimisme** règne en cette fin de décennie. Le moment paraît venu d'une deuxième relance politique et monétaire.

3. LES PROJETS D'UNION POLITIQUE ET MONÉTAIRE (1970-1972)

Jamais depuis le projet de constituer la CPE, l'Europe des Six n'avait connu une telle **volonté d'aller de l'avant** sur le plan politique. Un intense bouillonnement intellectuel accompagne cette volonté. Dès 1970, grâce aux *rapports Werner* (dimension monétaire) *et Davignon* (dimension politique), la Communauté dispose de deux programmes d'action. Mais la **conjoncture** influence *très défavorablement* la suite donnée aux deux rapports.

Le projet de réforme de la politique agricole commune *(Plan Mansholt)* mobilise le monde rural. En mars 1971, 100 000 agriculteurs en colère saccagent littéralement Bruxelles. Cette première difficulté motive, dans certains pays, un raidissement des gouvernements à l'égard de l'Europe pour d'évidents motifs d'intérêt électoral. Le malaise empire suite à la décision américaine de mettre fin au système de Bretton Woods (voir p. 93). Le marché des changes est profondément perturbé. Les Six parviennent, dans un premier temps, à limiter les conséquences du geste américain. Ils créent le Serpent Monétaire Européen (1972) et réaffirment leur intention de fonder une Union européenne. Le **premier choc pétrolier** (voir p. 151) provoque cependant une nouvelle crise européenne.

4. L'EUROPE EN CRISE (1973-1980)

Les Six, devenus **les Neuf** suite à l'entrée de la Grande-Bretagne, du Danemark et de l'Irlande dans la Communauté en 1973, sont confrontés, comme les autres économies occidentales à de graves difficultés. Les réactions sont extrêmement ambiguës.

La **crise de la sidérurgie** et les **problèmes monétaires** sont gérés de manière concertée *(Plan Davignon* et *Système Monétaire Européen)*. Sur le terrain des **relations extérieures**, la Communauté apparaît de plus en plus comme un interlocuteur valable aux yeux des États-Unis, du Japon et de l'URSS. Elle constitue aussi *un recours* pour les pays en voie de développement dans le cadre des *accords de Lomé* (1975) portant sur le commerce des produits de base. **Au plan politique**, la décision de tenir trois fois par an un *conseil européen* (1974), la création d'une coopération intergouvernementale en matière de lutte contre le terrorisme (*groupe Trevi*, 1975), le *rapport Tindemans* (1976) sur l'Union européenne, et les premières élections du Parlement européen au suffrage universel (1979) constituent des progrès. Ils ont cependant été édulcorés par deux grandes **querelles**. La première éclate à cause de la volonté britannique de voir diminuer sa contribution au budget communautaire. La seconde, plus grave encore, relève de l'incapacité des Neuf de s'entendre sur la question cruciale de l'approvisionnement en pétrole. Plus que jamais l'équation **basse conjoncture = crise de la Communauté** se vérifie.

5. ÉLARGISSEMENT DE LA COMMUNAUTÉ ET TROISIÈME RELANCE (1981-1991)

De **Neuf**, la Communauté passe à **Dix** (Grèce, 1981) puis à **Douze** (Espagne et Portugal, 1986). Mais la situation économique générale reste très difficile. L'effort communautaire porte d'abord et avant tout dans ce domaine. Des mesures d'aide aux régions les plus défavorisées sont adoptées. Elles témoignent d'une volonté plus générale de restructurer, moderniser, convertir l'appareil de production des Douze. Elles s'accompagnent dans le même esprit d'un développement de politiques communautaires en recherche/développement *(Brite, Eurêka)*.

13. BILAN DE LA POLITIQUE AGRICOLE COMMUNE (PAC)

Cette politique a (...) favorisé un accroissement spectaculaire de la productivité mais au prix de déséquilibres croissants et à un coût budgétaire relativement élevé. Les producteurs des grandes plaines fertiles ont absorbé l'essentiel des crédits destinés à l'exportation des excédents (...). Le rôle de l'agriculture à l'égard de l'environnement a été négligé. On a (...) laissé se développer des distorsions (...) entre des formes d'agriculture et d'élevage polluantes (...) et d'autres modèles (...). L'autre problème majeur (...) est son adaptation à une situation devenue structurellement excédentaire alors que les États-Unis exercent une pression (...) au sein du GATT en vue de la limitation, voire de la suppression, des aides à l'exportation.

R. TOULEMON, *Agriculture,* dans *L'Europe,* Paris, 1992, p. 13.

14. LE SYSTÈME MONÉTAIRE EUROPÉEN (SME)

Le SME vise à stabiliser les changes (...), à favoriser la convergence des politiques et des performances économiques des pays membres et (...) à constituer la base d'une future unification européenne (...). Une des originalités du SME est (...) une monnaie de réserve (...) admise comme moyen de règlement et de crédit entre les banques centrales des pays membres (...). L'ECU qui signifie European Currency Unit (Unité monétaire européenne) est une monnaie « panier » dont la valeur est la somme pondérée des monnaies des pays membres de la Communauté européenne (...) de manière à ce que la pondération corresponde au poids relatif de chaque pays dans l'économie et le commerce de la CEE (...). Le SME n'a pas introduit des taux de change irrémédiablement fixes. Il a prévu, d'une part, la limitation des fluctuations de change autour de parités négociées, (...) les cours pivots, et d'autre part, la possibilité de revoir (...) ces cours pivots lorsque les divergences de performances économiques (inflation, compétitivité, solde extérieur) l'exigeaient. Ce sont les réajustements ou réalignements du SME.

Robert TRIFFIN, *Conseiller des Princes. Témoignage et documents*, Louvain-la-Neuve, 1990, pp. 44-45.

Inscrire l'économie dans un cadre politique

En 1984, le Parlement européen adopte, sur la proposition d'Altiero Spinelli, un projet de traité sur l'**Union européenne**. Pris en compte par les gouvernements, ce texte est à la base de la négociation de l'**Acte Unique Européen** entré en vigueur en 1987. Celui-ci prévoit notamment la création, le 1er janvier 1993, d'un « *espace sans frontières intérieures* » (**marché unique**). Un énorme effort de communication permet de populariser l'objectif de 1993. Mais, en dépit de l'existence de nombreux autres champs d'application (recherche, environnement, politique étrangère, réforme des institutions communautaires), l'Acte unique débouche essentiellement sur la dimension économique.

L'Europe monétaire

La dimension économique doit, dans l'esprit de plusieurs décideurs importants, être complétée, par la **dimension monétaire**. En effet, les violentes perturbations intervenues en 1987 sur les marchés des changes suite à la dévaluation du dollar démontrent qu'un marché unique exige une monnaie unique. Au printemps de 1989, le Président de la Commission des Communautés, *Jacques Delors*, présente le rapport sur l'union économique et monétaire au Conseil européen. Les Douze conviennent de mettre en route le processus devant conduire à l'**Union Économique et Monétaire** (**UEM**).

Chute du mur de Berlin et Europe politique

La chute du mur de Berlin (voir p. 189) et la réunification de l'Allemagne posent de manière urgente, la question de l'**union politique**. Le *Chancelier * Kohl* souhaite montrer que son pays reste fidèle à la Communauté. Le *Président Mitterrand,* pour sa part, désire une avancée décisive sur le terrain de l'union politique. La rapide évolution de la situation en Europe centrale et orientale pousse aussi les Douze à resserrer leurs liens politiques. Malgré les fortes réticences de plusieurs partenaires parmi lesquels la Grande-Bretagne, deux conférences intergouvernementales s'ouvrent à Rome en 1990. Elles sont chargées d'élaborer le volet économique et monétaire et le volet politique d'un « traité sur l'union européenne ».

6. LE TRAITÉ SUR L'UNION EUROPÉENNE (1992)

Le traité, fusionnant les résultats des travaux des deux conférences de Rome, est signé le 7 février 1992 **à Maastricht**.

Les dispositions du traité élargissent les compétences de la CEE tant dans le *domaine économique et monétaire* (monnaie unique, banque centrale, pour les pays répondant aux conditions fixées), que dans les *secteurs non-économiques* (citoyenneté, santé, culture, éducation). Toutes ces matières sont régies par les procédures de décision en vigueur dans le cadre des institutions de la CEE. En revanche, les deux autres domaines auxquels le traité s'applique font l'objet d'une « coopération ». Il s'agit, d'une part, de la *politique étrangère et de sécurité commune* (PESC) et, d'autre part, de la *justice* et des *affaires intérieures* (asile, immigration, répression du terrorisme, du trafic de la drogue, etc).

Problèmes soulevés par le traité sur l'union européenne

Ce traité a provoqué des **réactions** proches de celles que suscita la CED. Elles ont mis en lumière la crainte des petits États de se voir soumis à la volonté des grands et la peur de ceux-ci de devoir abandonner leur souveraineté dans les secteurs de leurs politiques qu'ils jugent essentiels.

Ces réactions ont aussi révélé le fossé qui existe entre les habitants de l'Europe des Douze et les décideurs et experts élaborant sans réelle assise démocratique l'architecture de son destin. De nombreuses questions se posent. Elles concernent notamment la dimension sociale, l'élargissement et l'ambition de certains de faire de ses citoyens les membres d'une nation.

La dimension sociale, inscrite dans les traités depuis celui de 1951, pose le problème des mesures à prendre afin de gommer les énormes différences qui existent encore entre les régions défavorisées et les régions riches. Au-delà du déséquilibre régional, la question de la *garantie de droits sociaux égaux* pour tous les habitants dans un espace économique où la compétitivité des entreprises serait le seul objectif (« Europe des Marchands ») a conduit à l'adoption, Grande-Bretagne exceptée, de la *Charte Sociale Européenne* (1989).

La réussite économique globale de la Communauté, cimentée par le partage de valeurs communes (démocratie, droits de l'homme) constitue pour les autres pays d'Europe un pôle de référence. Par le biais de procédures d'*association*, de *demandes d'adhésion*, de nombreux pays entendent bénéficier du *processus d'élargissement* tout en s'inspirant, dans certains cas (Marché Commun de la Mer Noire), de la CEE. C'est dans ce contexte que l'**Espace Économique Européen**, regroupant les Douze et l'AELE a été constitué (1992).

Au cœur de la décomposition/recomposition de son espace, de ses valeurs et de ses sociétés, l'Europe est plus que jamais complexe. La construction européenne dont les avancées ont souvent été encouragées par une menace extérieure, politique (guerre froide) ou économique (États-Unis, Japon) devrait déboucher dans le chef de certains, sur la constitution d'une véritable puissance (« *forteresse Europe* »). Puissance économique, les Douze la sont. Mais au-delà, le débat est ouvert, comme il l'était déjà il y a plusieurs décennies, sur la dimension *supranationale* *.

La mutation que connaît l'Europe conduit à la **résurgence des nationalismes** qui sont aussi les témoins de crises d'identité des États-nations. En Belgique, en Italie, en Espagne, comme en Europe centrale et orientale, des communautés culturelles, marquées, dans leur identité, par le poids de l'Histoire, se détournent du modèle de l'État centralisateur hérité de la Révolution française. Elles se tournent, au sein des Douze, vers un modèle confédéral qu'elles appellent de leurs vœux : l'*Europe des Régions*. Celle-ci n'est toutefois pas le seul modèle en gestation. De grands États-Nations subsistent qui rêvent d'une *Europe confédérale* dont ils seraient la « locomotive ».

Dans un cas comme dans l'autre, une question primordiale est posée : celle du rapport de chaque citoyen avec sa région, son pays et l'Europe.

À voir :
*Philippe BRUNET, *Europe, humaine aventure*, France, 1955, N & B (16 mm); °Henri STORK, *Le banquet des fraudeurs*, Belgique, 1951, N & B; *Un certain Robert Schuman*, Communauté Européenne, s.d., N & B (16 mm); CHRISTIAN-JAQUE, *La loi c'est la loi*, France-Italie, 1958, N & B.
À lire :
Jean MONNET, *Mémoires*, Paris, 1976.

Confédération : association permanente d'États souverains *.

Fédération : Forme d'organisation par laquelle des États ou des collectivités politiques se groupent en une entité supérieure pour la défense d'intérêts communs (affaires étrangères, défense, monnaie,...) tout en conservant la gestion autonome de leurs propres affaires.

Libre-échange : système économique dans lequel les marchandises circulent sans acquitter de droits et sans entraves douanières.

Souveraineté : élément juridique établi par le droit international. Il reconnaît que chaque État est libre et indépendant. D'une part, celui-ci établit son système politique, économique, social et juridique comme il l'entend. D'autre part, personne ne peut occuper ou utiliser son territoire. Enfin, il a droit à être traité d'égal à égal par les autres États.

Supranational : placé au dessus des institutions nationales.

17. L'UNION EUROPÉENNE

Les Hautes Parties Contractantes instituent entre elles une Union européenne (qui) (...) marque une nouvelle étape dans le processus créant une union sans cesse plus étroite entre les peuples de l'Europe, dans laquelle les décisions sont prises le plus près possible des citoyens (...). L'Union a pour mission d'organiser de façon cohérente et solidaire les relations entre les États membres et entre leurs peuples.

L'Union se donne pour objectifs :
– de promouvoir un progrès économique et social équilibré et durable (...);
– d'affirmer son identité sur la scène internationale (...);
– de renforcer la protection des droits et des intérêts des ressortissants des États membres par l'instauration d'une citoyenneté de l'Union (...).

L'Union respecte l'identité nationale de ses États membres, dont les systèmes de gouvernement sont fondés sur les principes démocratiques.

Articles A, B et F du traité sur l'Union européenne, dans Journal *officiel des Communautés européennes* (35e année, 31 août 1992), C 224/6 et 7.

Entre 1958 et 1961, la Belgique a été ébranlée par plusieurs secousses qui, à terme, posent la question des structures de l'État.

La Wallonie n'est plus la première région industrielle du pays. Les charbonnages ferment les uns après les autres. D'autres activités industrielles issues de la première révolution industrielle se meurent lentement. La Flandre devient le nouveau pôle de croissance.

La très rapide accession du Congo belge à l'indépendance (30 juin 1960) provoque notamment des difficultés économiques. Dans ce contexte, le « projet de loi unique » (décembre 1960) qui vise à redresser la situation alarmante des finances publiques provoque *la grande grève de l'hiver 1960-1961*. En Wallonie, le chef de file de la contestation est le syndicaliste socialiste liégeois André Renard. Il exprime la défiance de la Wallonie à l'égard de l'État belge unitaire qu'il accuse de l'avoir trahie. Il revendique le droit, pour sa région, d'être maîtresse de son destin. Ce type de revendication, formulée selon d'autres modes et par d'autres milieux, se manifeste aussi en Flandre. Les « marches sur Bruxelles » (octobre 1961 et 1962) du *Taal Aktiecomitee voor Brussel en de Taalgrens* témoignent bien de ce que les « problèmes communautaires » sont désormais à l'ordre du jour.

Traduisant les revendications des communautés linguistiques, puis davantage des régions, les révisions de la constitution de 1831 bouleversent profondément *le paysage institutionnel belge*. Ces révisions sont intervenues en 1970, 1980, par le biais de lois spéciales, 1988 et 1993.

Année	CVP PSC	PVV PLP	BSP PSB	PC	FDF RW	VU
1958	104	21	84	2	-	1
1961*	96	20	84	5	-	5
1965	77	48	64	6	5	12
1968	69	47	59	5	12	20
1971	67	34	61	5	24	21

3. ***Répartition des 212 sièges à la Chambre des Représentants de 1958 à 1971*** (D'après E. WITTE - J. CRAEYBECKX, *La Belgique politique de 1830 à nos jours. Les tensions d'une démocratie bourgeoise*, Bruxelles, 1987, p. 273).

* 2 élus « divers ».

4. L'AFFAIRE DE LOUVAIN VUE PAR JAN VERROKEN

Que pouvait-on faire après une nouvelle offensive francophone prévoyant bel et bien une expansion à Louvain et alors qu'il nous était revenu que les évêques flamands ne voulaient plus, eux, voir se répéter (...) mai 66 ? D'où l'idée d'interpeller le gouvernement mais, évidemment, pas dans le but de le faire tomber (...). Nous ne voulions (...) pas que cela se conclue par une motion de confiance ou de défiance mais par une expression claire et nette du Parlement sur l'avenir universitaire (...). Avec le recul, c'est vrai qu'on peut dire que toute l'évolution institutionnelle a commencé à ce moment-là.

Interview de Jan VERROKEN, dans *Le Soir*, 6 et 7 février 1993, p. 2.

1. LA QUESTION LINGUISTIQUE DANS LES ANNÉES 1960

24 juillet 1961 : suppression des questions relatives à l'usage des langues dans les formulaires du recensement général de la population.
6 avril 1962 : loi relative à l'emploi des langues dans la diplomatie.
8 novembre 1962 : loi fixant le tracé de la frontière linguistique et l'homogénéisation linguistique des provinces (Brabant excepté) par transfert de communes et hameaux. Mouscron et Comines passent de Flandre occidentale vers le Hainaut; les Fourons, de la province de Liège à celle du Limbourg.
30 juillet 1963 : loi relative au régime linguistique dans l'enseignement.
2 août 1963 : loi concernant l'emploi des langues en matière administrative (unilinguisme en Flandre et en Wallonie, bilinguisme à Bruxelles, « facilités » accordées aux francophones dans six communes flamandes de la périphérie bruxelloise).

2. WALEN BUITEN

1962 : Le député Van Haegendoren (Volksunie) dépose une proposition de loi visant à interdire tout enseignement supérieur en français dans la partie flamande de la Belgique. La section française de l'Université catholique de Louvain (UCL) est visée.
1966 : Les évêques prévoient une autonomie renforcée pour les deux sections de l'Université de Louvain. Mais il n'est pas question de la démanteler. Les étudiants flamands manifestent vigoureusement leur opposition et réclament le départ des francophones.
1967 : l'*Overlegcentrum,* organe de coordination du Mouvement flamand, continue de sensibiliser l'opinion flamande à la revendication du transfert de l'UCL.
1968 : En janvier, le quotidien *La Libre Belgique* publie le plan d'expansion, à Louvain, de l'UCL. De graves incidents se déroulent dans la ville universitaire entre étudiants flamands et francophones. En février, l'évêque de Bruges déclare, avant une importante réunion de l'épiscopat, que les évêques ont commis « une gigantesque erreur » en mai 1966. À la Chambre, le député social-chrétien d'Audenaerde, Verroken, interpelle le gouvernement Vanden Boeynants (PSC) - De Clercq (PVV) sur l'« affaire de Louvain ». La réponse du gouvernement n'envisageant pas un transfert immédiat provoque la démission des ministres sociaux-chrétiens flamands. Le gouvernement Eyskens (CVP) - Merlot (PSB) issu des élections du mois de mars veille à la mise en route de la procédure de transfert de l'UCL.

5. UN PARTISAN DU TRANSFERT DE L'UCL

Dès le début des années 60, il était évident que nous ne resterions pas à Louvain. Les Flamands voulaient être maîtres chez eux et ils ne nous laissaient d'autre alternative que l'intégration pure et simple, ce qui était, évidemment, inadmissible. La chasse aux sorcières était partout. Certains professeurs flamands s'étaient mis à traquer les familles d'enseignants dont les enfants parlaient le français. Sur le plan de l'enseignement aussi, rester dans une ville flamande nous désavantageait. Par exemple, les étudiants qui se destinaient à une carrière d'enseignant ne pouvaient, évidemment, passer leur agrégation sur place.

Interview de Léopold GENICOT, dans *Le Soir*, 6 et 7 février 1993, p. 5.

6. 1970 : AUTONOMIE CULTURELLE

Art. 3 ter - La Belgique comprend trois communautés culturelles : française, néerlandaise et allemande. Chaque communauté a les attributions qui lui sont reconnues par la Constitution ou par des lois prises en vertu de celle-ci.

Art. 59 bis - Il y a un conseil culturel pour la communauté culturelle française comprenant les membres du groupe linguistique français des deux Chambres et un conseil culturel pour la communauté culturelle néerlandaise comprenant les membres du groupe linguistique néerlandais des deux Chambres (...). Les conseils culturels, chacun pour ce qui le concerne, règlent par décret : 1°) les matières culturelles; 2°) l'enseignement, à l'exclusion de ce qui a trait à la paix scolaire (...), aux structures de l'enseignement, aux diplômes, aux subsides, aux traitements (...). La loi organise la procédure tendant à prévenir et à régler les conflits entre la loi et le décret, ainsi qu'entre les décrets.

Art. 59 ter - Il y a un conseil de la communauté culturelle allemande. La loi détermine sa composition et sa compétence.

Art. 107 quater - La Belgique comprend trois régions : la région wallonne, la région flamande et la région bruxelloise. La loi attribue aux organes régionaux qu'elle crée et qui sont composés de mandataires élus, la compétence de régler les matières qu'elle détermine (...). Cette loi doit être adoptée à la majorité des suffrages dans chaque groupe linguistique de chacune des Chambres, à la condition que la majorité des membres de chaque groupe se trouve réunie et pour autant que le total des votes positifs émis dans les deux groupes linguistiques atteigne les deux tiers des suffrages exprimés.

Constitution de la Belgique du 7 février 1831 avec les modifications (...), Bruxelles, 1974, pp. 7, 22, 24, 34.

7. 1980 : COMPÉTENCES ÉLARGIES POUR LES RÉGIONS

Pour la Communauté flamande, un seul Conseil sera créé (...). Pour la Communauté française, un Conseil sera créé (...). Il sera créé un Conseil wallon compétent pour les matières régionales en Wallonie (...). Une formule sera élaborée selon laquelle il sera possible de procéder à la fusion de ces deux Conseils (...). En cas de fusion, les élus de la Communauté française à Bruxelles siègent au Conseil, mais ne participent pas aux votes sur les matières régionales (...). Les Conseils (...) éliront leur Exécutif en leur sein (...). Les Conseils règlent par décret (...) les matières pour lesquelles ils sont compétents (...). Les nouvelles entités obtiendront la personnalité juridique et seront financièrement autonomes (...). Les moyens financiers ci-après sont prévus : a) des recettes non fiscales propres, b) un crédit à charge du budget de l'État, c) des ristournes sur certains impôts fixés par la loi, d) une fiscalité propre, e) des emprunts (...).

Pour le règlement des conflits de compétence, il sera créé une Cour d'Arbitrage (donc pas une Cour constitutionnelle) (...).

La Communauté allemande disposera d'un Conseil, composé de membres élus directement. Ce Conseil élira un Exécutif en son sein (...). Il disposera d'une dotation prévue au budget national (...).

Texte de l'accord de gouvernement portant sur la réforme de l'État (14 et 15 mai 1980), dans R. SENELLE, *La réforme de l'État belge*. T. III : *les structures régionales prévues par les lois des 8 et 9 août 1980*, Bruxelles, 1981, pp. 182-183 et 186.

Atlas, 53 A-C ⟸

8. RÉFORMES DE 1988/1989 ET 1993

La révision de 1988 et les lois spéciales de 1989 ont octroyé à la Région bruxelloise des institutions autonomes : Conseil régional bruxellois et Commissions communautaires française (COCOF), néerlandaise (COCON) et commune (COCOC). Elle a également transféré d'importantes compétences nationales vers les Régions (transports, travaux publics, etc) et les Communautés.

La révision de 1993 fait de la Belgique un État fédéral (art. 1) dont les entités qui le composent s'engagent à respecter un pacte de loyauté fédérale (art. 107 ter-bis). Par ailleurs, il compte désormais dix provinces suite à la scission du Brabant en province du Brabant wallon et province du Brabant flamand. Bruxelles-capitale devient une zone hors-province mais conserve un gouverneur, représentant de l'État.

La révision modifie radicalement le système bicaméral de 1831. La Chambre des Représentants dispose de compétences exclusives. Même dans les cas où le Sénat, qui devient davantage une « chambre de réflexion », doit aussi se prononcer, c'est la Chambre qui a toujours le dernier mot.

D'importants changements sont également introduits en ce qui concerne les pouvoirs du Roi de nommer et révoquer les ministres (art. 65 et 71), de relations internationales des Régions et Communautés (art. 68).

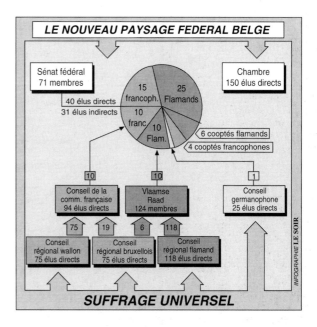

9. **Le nouveau paysage fédéral belge** suite à la révision de la constitution de 1993. (D'après L*a Belgique fédérale, an 1993*. Supplément au journal *Le Soir* du 15 décembre 1992, p. 3).

CHAPITRE 4 : TRIOMPHE DE L'ÉCONOMIE DE MARCHÉ ?

1. *Caricature* de PLANTU dans *Les cours du caoutchouc sont trop élastiques,* Paris, 1982, p. 120.

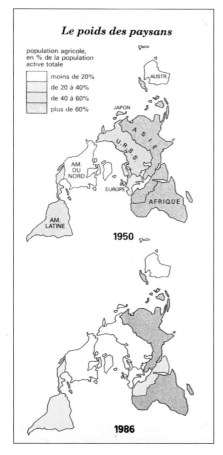

4. *Le poids des paysans*, 1950-1985 (D'après J.-CL. CHESNAIS, *La population du monde de l'Antiquité à 2050*, Paris, 1991, p. 61).

Vers 1950, les 3/4 de la population active étaient occupés dans l'agriculture au lieu de la moitié aujourd'hui. La population agricole ne demeure largement majoritaire (plus de 60 %) qu'en Asie et en Afrique noire. En Afrique du Nord, dans la péninsule arabique et en Amérique latine, elle n'est plus que de l'ordre de 1/3.

Depuis la fin de la seconde guerre mondiale, l'économie a connu une prodigieuse évolution. La croissance a permis à l'Occident et au Japon de connaître un niveau général de richesse jamais atteint. Mais celle-ci est-elle équitablement répartie, à la fois au sein des sociétés occidentales et du monde ? Les pays du Sud ne paient-ils pas très cher le sur-développement du Nord ? Le triomphe de l'économie de marché ne risque-t-il pas de laisser un goût de cendre ?

2. *Publicité* parue dans la presse périodique française au printemps 1967.

3. TÉMOIGNAGE D'UNE CONSEILLÈRE MÉNAGÈRE

Une étude du contenu des programmes des sessions de formation de base et de perfectionnement des conseillères ménagères à EDF (Electricité de France) pourrait être une façon de mettre en évidence, sur une trentaine d'années, l'évolution de la vulgarisation des techniques ménagères. Au cours de mes 22 années de conseillère ménagère, les nouvelles techniques que j'ai eues à présenter en conférences ou en démonstration ont été :

- la machine à laver le linge automatique : 1965
- la congélation en milieu rural et urbain : 1965-1974
- le lave-vaisselle : 1968
- les fours autonettoyants : 1969
- le chauffage électrique intégré : 1972
- la cuisson par micro-ondes : 1972
- l'électronique dans les appareils ménagers : 1973

L.-J. BOIN, *L'utilisation domestique de l'électricité,* dans *L'électricité et ses consommateurs*, Paris, 1987, pp. 275-276.

5. LE GÂTEAU ET LES SOURIS

Certains (...) croient qu'il leur faut s'excuser presque du rôle que joue la publicité dans l'économie et la société. Telle n'est pas notre attitude. Les attaques contre la libre entreprise peuvent être ouvertement d'inspiration marxiste ou de nature plus subtile : c'est-à-dire qu'il s'agit alors de tentatives sournoises d'exploiter les préoccupations légitimes des mouvements de consommateurs, ou d'exploiter des thèses sensibles telles que la publicité destinée aux enfants, afin de s'attaquer au ventre mou de notre économie de marché. Quelle que soit la forme, toute attaque contre la libre entreprise constitue une attaque contre la liberté de parole et la liberté de choix. Perdre une bataille peut représenter pour nous la perte de tout un marché. Nous soutenons et préconisons la publicité, qu'elle soit faite par le gouvernement, par les municipalités, par ceux qui vendent au détail (...), par les professions. Tous contribuent à élargir le gâteau publicitaire, que grignotent les souris marxistes.

Déclaration de responsables de l'Association Européenne des Agences de Publicité (EAAP) citée par A. MATTELART et M. PALMER, *L'Europe sous la pression publicitaire*, dans *Le Monde Diplomatique* (Paris), 37e année, n° 430, janvier 1990, p. 18.

7. POPULORUM PROGRESSIO

Le développement ne se réduit pas à la simple croissance économique. Pour être authentique, il doit être intégral, c'est-à-dire promouvoir tout homme et tout l'homme (...). Nous n'acceptons pas de séparer l'économique de l'humain, le développement des civilisations où il s'inscrit.

Avoir plus, pour les peuples comme pour les personnes, n'est (...) pas le but dernier. Toute croissance est ambivalente. Nécessaire pour permettre à l'homme d'être plus homme, elle l'enferme comme dans une prison dès lors qu'elle devient le bien suprême (...). La recherche exclusive de l'avoir fait dès lors obstacle à la croissance de l'être (...).

Sans abolir le marché de la concurrence, il faut le maintenir dans des limites qui le rendent juste et moral, et donc humain.

PAUL VI, *Encyclique populorum progressio - sur le développement des peuples*, Cité du Vatican, 1967, pp. 8, 12 et 16.

6. LA UNITED FRUIT COMPANY

(...) Et Jéhova partagea le monde
Entre Coca-Cola Inc., la Anaconda,
La Ford-Motors, et quelques autres.
La United Fruit Company
se réserva le plus juteux
La côte centrale de ma terre
La douce ceinture de l'Amérique
Elle rebaptisa ses terres
« Republicas Bananas »
(…)
Elle aliéna les volentés (...)
Établit la dictature des mouches (...)
Parmi les mouches sanguinaires
Voici que débarque la Fruit Company
Qui rafle le café et les fruits. (…)
Pendant ce temps (...)
Des Indiens tombent
Dans la vapeur du matin
Un corps roule
Une chose sans nom,
Un numéro détaché,
Une grappe de fruits morts
Renversés sur le pourrissoir.

Pablo NERUDA, *Canto general,* 1950 (*Chant général,* Paris, 1984, p. 123).

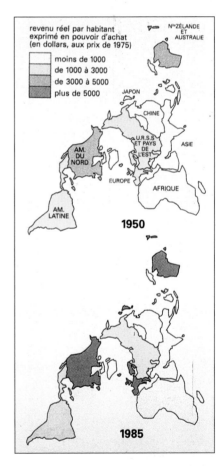

9. *Variations du pouvoir d'achat, 1950-1985* (D'après J.-CL. CHESNAIS, *op. cit.*, Paris, 1991, p. 53).

Plus réaliste, l'évaluation du pouvoir d'achat montre que l'Europe occidentale et le Japon ont rattrapé l'Amérique du Nord, alors que l'Afrique et l'Asie sont restées dans la catégorie pauvre. L'Amérique latine et l'Europe de l'Est ont progressé mais insuffisamment pour quitter la catégorie intermédiaire.

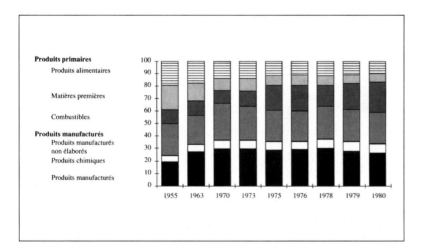

8. *Composition par produits des principaux échanges mondiaux de 1955 à 1980* [Parts en pourcentage des principaux groupes de produits dans les exportations mondiales] (D'après H. VAN DER WEE, *Histoire économique mondiale, 1945-1990*, Louvain-la-Neuve, 1990, p. 220).

	1960	1973
Allemagne Occ.	55,8	115,3
Italie	52,5	118,6
Belgique	64,3	123,8
Pays-Bas	54,9	115,4
France	61,9	116
Royaume-Uni	75,3	113,3
États-Unis	81	106,7
Japon	50,9	129,6

10. **Salaires réels par salarié** [indice 100 = 1970] (D'après H. VAN DER WEE, *Histoire économique mondiale, 1945-1990,* Louvain-la-Neuve, 1990, p. 192).

	1948	1950
Belgique	115	124
France	100	121
Allemagne Occ.	45	64
Italie	92	104
Norvège	122	131
Suède	133	148
Suisse	125	131
Royaume-Uni	106	114
Europe Occ.	87	102
États-Unis	165	179
Japon	63	72
URSS	105	128

12. **Les débuts du rattrapage**. Indice [base 100 = 1938)] du produit national brut (PNB) à prix constants (D'après H. VAN DER WEE, *Histoire économique mondiale, 1945-1990,* Louvain-la-Neuve, 1990, p. 17).

13. ACCUEIL À L'AUTOMATION

On se trouve en présence d'une transformation qui paraît assez soudaine (...). À un moment donné, il se produit une sorte d'explosion; l'opinion publique est mise en éveil et tout le monde commence à en parler (...). L'homme de l'âge atomique serait entièrement différent de celui du passé. Voilà vingt ans que cela dure et on n'a pas l'impression que la bombe (...) ait beaucoup changé à notre vie (...). Puis on a recommencé avec les spoutniks (...). Toutes ces impressions de renouvellement ne sont (...) pas aussi inédites qu'on croit parfois. Cela n'empêche pas l'automation d'avoir une importance. L'automation est (...) un bond en avant du machinisme (...). Le travail humain devient peu à peu inutile (...). L'automation suscite de grands espoirs (...). On doit travailler ensemble à former une communauté heureuse (...) comme à tout ce qui mène à une vie meilleure.

Jacques LECLERCQ, *Accueil à l'automation,* dans *La Revue Nouvelle,* t. XXIII, n° 1, 15 janvier 1961, pp. 18, 25 et 26.

11. Premier engin construit par les hommes à pénétrer dans l'espace, l**e satellite soviétique Spoutnik I - Alpha 2,** lancé le 4 octobre 1957, revient sur terre le 4 janvier 1958. Il constitue un des clous de l'Exposition internationale de Bruxelles de 1958.

14. **Dessin** d'HERBLOCK paru dans le *Washington Post* (Washington) du 24 mai 1961. Le lendemain, le président Kennedy (J.F.K. : « *Faites le plein, je suis engagé dans une course* ») annonce qu'avant la fin des années 1960, les États-Unis enverront l'homme sur la lune. Il peut compter sur l'appui du Congrès des États-Unis (« *Congress* ») pour réaliser le programme spatial accéléré (« *accelerated space program* »).

I. LE CREDO DE LA CROISSANCE (env. 1950-1972)

Jusqu'à son dérèglement intervenu au début des années 1970, sous le double effet de la crise du système de Bretton Woods (1971) et de la première crise pétrolière (1973), l'économie, devenue planétaire, connaît une succession de phases de croissance rapide et de légers ralentissements.

1. LA CROISSANCE

De 1948 à 1971, la production industrielle mondiale augmente de manière spectaculaire au rythme annuel de 5,6 %. Dans le même temps, la répartition de la population active par grands secteurs connaît, dans les pays développés, une évolution qui n'a pas cessé de s'affirmer. La part des services (tertiaire) augmente tandis que l'industrie (secondaire) et, surtout, l'agriculture (primaire) reculent.

Objectifs et stratégie de la croissance

Dans la foulée des États-Unis, qui restent sur la lancée de l'énorme effort économique consenti durant la guerre, l'Europe occidentale et le Japon s'engagent dans un processus de « rattrapage » du terrain perdu. Comment atteindre cet objectif ?

Les besoins de la reconstruction (voir p. 95) stimulent la **production**. Celle-ci est encouragée par les politiques développées en Occident afin de réaliser, dans une perspective keynésienne (voir p. 49), les programmes élaborés durant la guerre (voir pp. 94-95) en matière de **plein emploi**. Celui-ci, accompagné d'une hausse générale des **salaires**, est un facteur déterminant. Il favorise en effet le développement de la consommation et, partant, de la production.

Mais l'augmentation de la production et la recherche du plein emploi exigent notamment des gains de **productivité** de la part des entreprises. Ils sont obtenus par plusieurs moyens développés ci-dessous.

Automatisation et innovation technologique

La mise en oeuvre de technologies nouvelles dans les années 1950-1960 permet d'améliorer la productivité tout en développant l'emploi. Dans ce contexte, l'**automatisation**, qualifiée de *« nouvelle révolution industrielle »,* a servi et a été servie dans plusieurs secteurs fondamentaux (exploration spatiale, électronique, pharmacie, chimie, pétrochimie, instruments de précision) par la *Recherche/Développement.* Celle-ci vise l'application, dans le secteur de la production, des résultats de la recherche fondamentale poursuivie dans les laboratoires publics et privés. Elle suppose notamment de gigantesques investissements et un personnel très qualifié.

Mais le progrès technologique que constitue l'automatisation exige, sur le plan social, que les emplois perdus à cause de celle-ci dans un secteur soient compensés par la création de postes de travail dans les industries qui rendent cette automatisation possible.

Les États-Unis dominent la Recherche/Développement. Plus de 50 % des investissements fédéraux sont réalisés dans les secteurs de la Défense, de l'énergie atomique et de l'exploration de l'espace. D'autres branches industrielles sont également liées à ces secteurs. L'électronique (semi-conducteurs) et l'informatique, notamment, travaillent d'abord pour la Défense (voir p. 87).

15. LA SOCIÉTÉ DE DEMAIN

Comme il s'étend à une grande quantité de biens de consommation, le mouvement d'accroissement du revenu réel par tête ou « production nationale brute par habitant », ne cesse de s'affirmer et de s'amplifier dans les pays qui sont en mesure d'appliquer le progrès scientifique (...). Le sens de ce phénomène d'évolution lente ne fait aucun doute. Il aboutira à une véritable abondance de produits alimentaires et d'objets manufacturés. Par contre, il est prévisible que les biens et services « tertiaires », qui bénéficient moins du progrès technique, restent relativement rares et onéreux (...). Mais surtout la durée du travail tombera à des chiffres très faibles (...) : vers l'an 2050 (...) une quinzaine d'années de travail par vie, à raison de 40 semaines de 30 heures par an !

Que feront nos descendants pendant leurs loisirs immenses ? (...) Seule (...) restera ouverte à la dimension de notre besoin d'agir et de sentir, la vie intellectuelle (...). L'humanité semble d'autant plus acculée à la carrière intellectuelle que sa vie moyenne sera plus longue (...). On commence à connaître le « calendrier démographique » (...). Le taux de croissance du nombre des humains serait un triplement tous les 20 ans (...). Il faudra donc bien que la croissance s'arrête. Mais le phénomène n'est pas de ceux qui se stoppent en quelques années (...). Le rationnement de l'espace apparaîtra (...). La nature « naturelle » reculera devant les paysages artificiels et les objets fabriqués par l'homme. Chacun de nos descendants sera plus riche que Fouquet en glaces et en mets exotiques, mais ils le béniront d'avoir construit ses jardins et ils feront la queue pour visiter son château.

Jean FOURASTIÉ, *La société de demain*, dans *BP Review*, n° 4, décembre 1961, pp. 34 et 36.

	1962	1967
France	285	2 008
Allemagne Occ.	538	2 937
Royaume-Uni	312	2 251
États-Unis	7 305	39 336

16. ***Nombre d'ordinateurs*** installés en 1962 et 1967 (D'après P. BRETON, *Une histoire de l'informatique*, Paris, 1990, pp. 202-203).

Matières premières à bas prix

La croissance en Occident est soutenue aussi par les **investissements** dans les régions peu développées, à salaires beaucoup plus bas que dans les économies développées, qui permettent de disposer de matières premières et de produits alimentaires en grande quantité. Celle-ci contribue à faire baisser les prix. Les salaires étant en hausse, la consommation, en Occident surtout, ne peut que croître.

Il existe *quelques moments d'exception* à ce mouvement général. Ils sont liés pour l'essentiel à des crises politiques internationales. Le premier se situe en 1951-1952 dans le contexte de la guerre de Corée. Le deuxième survient en 1957-1958 suite à l'affaire de Suez. La propension des consommateurs à stocker fait augmenter, dans l'immédiat, les ventes puis les prix. La détente survenant, le consommateur épuise d'abord ses réserves. Il n'achète donc plus. Les prix repartent à la baisse.

Technostructure et organisation des consommateurs

Si d'importantes *multinationales* * existaient dès avant la première guerre mondiale, la mondialisation de l'économie, la recherche de productivité, l'importance des investissements à réaliser ont conduit à la naissance de ce que certains ont appelé la *technostructure* *.

Les entreprises, devenues gigantesques, sont très hiérarchisées. Elles se voient fixer par leurs dirigeants des objectifs à long terme. Ceux-ci visent la croissance régulière. Autrement dit, **la croissance est planifiée**. Dans cette optique, qui demande à être nuancée car la petite et la moyenne entreprise constituent un élément vital du tissu économique, la **publicité** devient le moyen privilégié de faire correspondre la demande à une offre programmée. Le vocabulaire de tous les jours traduit d'ailleurs cette évolution. Le mot *réclame* cède la place au mot **publicité.** L'expression « campagne de publicité » indique l'espoir d'une victoire programmée sur le terrain de la consommation. Il désigne celle-ci comme cible. Les consommateurs ne s'y trompent pas qui s'organisent en groupements de « **défense du consommateur** » aux États-Unis d'abord, en Europe occidentale ensuite. La notion de production de masse, destinée au nombre le plus large possible de consommateurs, entre dans les moeurs.

2. REMISE EN CAUSE DE LA CROISSANCE

La fin des années 1960 correspond à une période très agitée sur le plan économique et social. Tandis que le plein emploi avec de hauts salaires continue d'être l'objectif prioritaire, l'**inflation** tend à se développer. Cette situation sert de toile de fond à plusieurs phénomènes.

Contestation et hausses salariales

La génération née durant les années 1940 met en cause la société de consommation. N'ayant pas vécu les privations dues à la guerre, elle ne connaît que l'abondance. Elle est écœurée par ce qu'elle considère comme le totalitarisme de l'économique. Aux **États-Unis,** la longue guerre du Vietnam encourage la contestation du système. La question de la légitimité d'une guerre impliquant tant de jeunes hommes sacrifiés pour défendre les valeurs du capitalisme se pose. La révolte des *campus universitaires,* le mouvement *hippie*, notamment, expriment le malaise de toute une génération face aux valeurs qui lui sont proposées. Des États-Unis, la contestation gagne l'Europe occidentale.

Les « événements » **de mai 1968 en France** en constituent le sommet. Dans le même temps, la *classe ouvrière* entend partager « les fruits de la croissance ». Elle revendique de manière soudaine et imprévisible, y compris par les organisations syndicales, une amélioration des conditions de travail, la participation à la gestion des entreprises, de fortes hausses salariales. Mais la satisfaction donnée à ces demandes masque le développement de problèmes économiques graves. Parmi ceux-ci, il faut s'arrêter à la composante monétaire.

L'abandon de l'or comme monnaie réelle

La guerre au Vietnam coûte très cher aux États-Unis. La confiance dans le dollar est ébranlée. On le constate au prix de l'or. Plus il faut de dollars pour en acquérir, plus il vaut cher. Mais dans le système de Bretton Woods, la parité du dollar étant fixe, il est obligatoire de maintenir le cours de l'or à 35 dollars l'once en vendant de l'or. Les banques centrales interviennent dans ces opérations de soutien de la monnaie américaine. Elles s'épuisent à ce jeu. Ni les Européens, et plus particulièrement les membres de la CEE, ni les États-Unis n'entendent poursuivre dans cette voie. Un tournant capital de l'histoire se profile : l'abandon de l'or comme monnaie réelle.

Le 15 août 1971, le président Nixon annonce que les États-Unis ont décidé de suspendre la convertibilité du dollar en or. Désormais la monnaie n'est plus qu'un bien comme un autre dont le prix est déterminé par la rencontre de l'offre et de la demande. Symboliquement, cette décision indique aussi un profond changement dans la politique extérieure des États-Unis. Soucieux de détente, pris dans le piège vietnamien, confrontés à des difficultés économiques internes, ils abandonnent leur prétention à être la seule puissance mondiale. Le dollar, tout en conservant une place importante, n'est plus la seule monnaie de référence. Il va bientôt « flotter » et valoir plus ou moins cher sur les marchés en fonction de critères qui n'ont plus rien de commun avec une parité définie par un traité international. En 1974, les principales monnaies occidentales et le yen japonais entrent dans un système de flottement généralisé qui conduit, à terme, les membres de la CEE à chercher à organiser leurs relations monétaires (voir p. 141).

Les perturbations économiques, monétaires et sociales à la charnière des années 1960/1970, s'accompagnent, à l'automne 1973, du début de la crise pétrolière. Celle-ci ouvre la voie à une crise grave et profonde.

II. UNE DÉCENNIE DE CRISE (1973-1983)

1. LES CHOCS PÉTROLIERS

En octobre 1973, la guerre du Kippour tourne à l'avantage d'Israël (voir p. 124). Les pays du Golfe persique producteurs de pétrole décident unitaléralement de relever le prix du baril. Ils décrètent ensuite un embargo total vers les États-Unis et les alliés d'Israël.

Ces mesures spectaculaires ont une motivation politique et économique. Politiquement, il s'agit de soutenir les revendications palestiniennes. Économiquement, il faut combler les pertes financières des pays producteurs. En effet, les prix sont exprimés en dollars. Or, l'inflation fait perdre à celui-ci une partie de sa valeur réelle. Le pouvoir d'achat des pays producteurs se détériore. Pour compenser cette perte, il faut augmenter les prix. La hausse devient vite alarmante pour les Occidentaux. Dès la fin de 1973, ils adoptent de *draconiennes mesures d'économie d'énergie.*

Baril : quantité de référence de la production pétrolière. Il contient 159 litres. La production est calculée en millions de barils/jour. Un million de barils/jour représente 50 millions de tonnes de brut par an.

21. *Publicité en faveur de l'opération caritative 11.11.11* parue dans la presse belge en octobre/novembre 1973.

22. ***Dessin*** de NÉNÉ dans *Journal d'Europe*, n° 7, 13-19 novembre 1973, p. 10.

23. ***Publicité*** parue dans *Le Nouvel Observateur* (Paris), n° 485, 25 février 1974, p. 12.

24. ***Dessin*** de PLANTU dans ***Le Monde Diplomatique,*** juin 1981, p. 20.

Mais loin de faire bloc, chacun s'empresse de s'assurer, par le biais de contrats avec un ou plusieurs producteurs, la fourniture de l'or noir indispensable à son économie.

Les producteurs ont gagné. Les prix ont quadruplé tandis que la débandade règne chez les Occidentaux et au Japon. Celle-ci s'aggrave suite au deuxième choc pétrolier de 1979-1980 déclenché par les nationalisations consécutives à la révolution iranienne.

Caractéristiques de la crise

La crise frappe les esprits par **sa durée** car, depuis la guerre, les dépressions ont été conjoncturelles (voir p. 150). Sa traduction économique est un **net recul de la croissance**. Celle-ci n'atteint plus qu'un taux annuel moyen de 2,3% entre 1974 et 1983. L'effet social est une **aggravation prodigieuse du chômage**. Celui-ci se développe tandis que l'**inflation progresse**. La simultanéité de ces deux derniers phénomènes permet de parler de *stagflation* *. Les plans d'austérité qui sont adoptés, l'onde de choc de la contestation de la fin des années 1960 ajoutent à la dégradation du climat social et politique. La violence terroriste d'extrême-gauche et d'extrême-droite se déchaîne (Italie, Allemagne). Enfin, la hausse des prix du pétrole a provoqué un *déficit croissant* de la *balance des paiements* des pays industrialisés. Certains d'entre eux (Allemagne fédérale, Japon) l'ont comblé partiellement grâce à leurs exportations. Dans d'autres (Grande-Bretagne, Belgique), il s'est accru. Mais ce sont surtout les pays à économie planifiée d'Europe centrale et orientale d'abord, les pays du tiers monde ensuite, qui subissent les effets de la crise.

2. LES PAYS SOCIALISTES

La crise internationale est la cause *conjoncturelle* * d'une détérioration des conditions économiques et sociales due à la crise *structurelle* * du « modèle socialiste ».

Dans les années 1950 et 1960, les **économies planifiées** ont développé, à l'instar des économies occidentales (voir p. 150), un rattrapage de leur retard économique. Planification, forte centralisation de la décision, mise en place, dès 1949, par l'URSS, du Comecon afin de favoriser les échanges entre les pays du bloc oriental, paraissent contribuer à la réalisation des objectifs fixés. Il s'agit de produire toujours plus à des coûts très faibles afin d'exporter contre des devises occidentales. Celles-ci doivent permettre de financer en partie l'investissement intérieur.

Mais la chape de plomb que le système soviétique fait peser sur l'ensemble du camp socialiste encourage l'irresponsabilité, l'inertie et l'incurie en matière économique. Les exportations se ressentent de la mauvaise qualité des produits. En outre la faiblesse des investissements destinés à la modernisation de l'appareil de production renforce la dégradation des performances économiques, celles du commerce extérieur en particulier.

N'atteignant pas leurs objectifs, les pays socialistes espèrent contourner les difficultés en « achetant occidental ». Mais ils ne disposent pas des ressources nécessaires et s'endettent auprès des Occidentaux. L'**échec du système** est patent. La crise le rend dramatique. Elle provoque en effet un regain de *protectionnisme*. La CEE notamment introduit des règles de contingentement à l'importation (sidérurgie, textile). Privées de débouchés essentiels, les économies socialistes, à la relative exception de l'URSS qui dispose notamment d'hydrocarbures, doivent renoncer à l'importation de produits souvent vitaux.

	1973	1974
Canada	9,1	12,4
États-Unis	8,8	12,2
Japon	19,1	21
France	8,5	15,2
Allemagne Occ.	7,8	5,9
Italie	12,5	25,7
Royaume-Uni	10,6	19,5

25. **Hausse des prix à la consommation en 1973 et 1974** (D'après *Perspectives économiques de l'OCDE*, n° 16, décembre 1974 et n° 18, décembre 1975).

26. PROGRAMME LIBÉRAL

La base de la lutte contre la crise et le chômage est l'encouragement de l'entreprise qui est de loin la principale pourvoyeuse d'emplois. Une économie saine est basée sur le travail, la volonté, l'imagination , le goût du risque de milliers de chefs d'entreprises, petites et grandes. Leur effort doit être appuyé et ne pas être rendu plus difficile par des règlements tracassiers de nature fiscale et sociale (...). La relance de la consommation, moyen direct de lutte contre la crise et le chômage, doit s'opérer par un élargissement sélectif du crédit, favorisant les achats dans les secteurs où les capacités de production ne sont pas complètement utilisées, de façon à résorber le chômage sans accroître l'inflation (...). Le Parti Libéral n'accepte pas que la loi soit dictée dans la rue par des groupes de pression irresponsables (...). La tyrannie syndicale est aussi regrettable que celle d'un capitalisme irresponsable (...). Le Parti Libéral rappelle que (...) la fiscalité est une des causes de l'inflation (...). Une réforme de (la politique de santé) est indispensable(...). Elle doit mettre un terme à la surconsommation de médicaments, ainsi qu'aux excès des organisations mutualistes qui suscitent une inutile multiplication des prestations (...).

Programme du Parti Libéral, dans *Les Cahiers du Libéralisme*, n° 2, avril 1977, pp. 36 et 40.

	Milliards de francs	% du PNB
1974	821,4	
1980	1956,8	56,1
1984	4264,9	95,7
1985	4914,6	103,5

27. *Évolution de la dette publique en Belgique* (D'après X. MABILLE, *Histoire politique de la Belgique. Facteurs et acteurs de changement*, Bruxelles, 1986, p. 363).

	Ventes	Achat
Taïwan	31,5	6,2
Corée du sud	33	4
Brésil	52,5	7,6
Singapour	48	18,9
Hong-Kong	18	23,7
Malaisie	37,5	-
Argentine	48	15,2

28. **Part du tiers monde dans le commerce de quelques pays nouvellement industrialisés en 1981** [en % du total des exportations et des importations] (D'après *Le Monde Diplomatique,* mai 1985, p. 34).

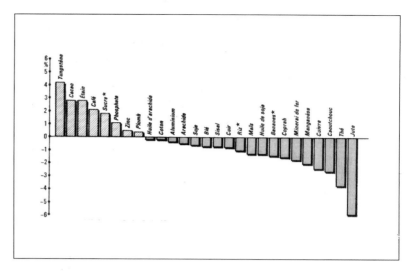

29. **Évolution du pouvoir d'achat des principales matières premières par rapport aux produits manufacturés** (1960-1983) (D'après *Le Monde Diplomatique,* mai 1985, p. 32).

	1980	1984	1986	Évolution en pourcentage (1980 = 100)
Dette				
Dette totale	634	947	1 095	173
Service de la dette	101	142	147	146
dont : intérêts	53	83	74	140
amortissements	48	59	73	152
Exportations				
Biens et services	779	707	654	84
Matières premières	108	102	105	97
Pourcentage du service de la dette				
Par rapport aux :				
– biens et services	20	20	22	
– matières premières	93	140	136	

31. **Évolution de la dette des pays du tiers monde de 1980 à 1986** en milliards de dollars (D'après *Le Monde Diplomatique*, décembre 1987, p. 9).

30. PNB OU IDH ?

Le PNB par habitant, comme indice absolu de prospérité est (...) fort critiqué. Le PNB/habitant donne une moyenne arithmétique de la répartition des richesses d'un pays. Il gomme les disparités régionales et la présence de quelques centres industriels (...) fausse les calculs. Exemple : le Brésil (...). Le calcul du PNB doit se fier aux statistiques économiques officielles. L'économie informelle, faite de petits métiers de rues, d'ateliers non déclarés, de papiers falsifiés (...) échappe à ces calculs. Le critère du PNB focalise l'attention sur un aspect de la vie humaine, la production économique et l'argent (...).

Le Programme des Nations-Unies pour le Développement (PNUD) a construit un (...) Index du Développement Humain (IDH) (qui) tient compte de trois indicateurs sociaux : l'espérance moyenne de vie (78 ans, score moyen maximum atteint par le Japon), reflet de la santé et de l'alimentation, le taux d'alphabétisation chez les adultes; le troisième, peu courant, indique le pouvoir d'achat réel et donc l'accès aux biens et ressources de base (4861 dollars calculés sur la base des pouvoirs d'achat dans 9 pays les plus riches).

Y. DRICOT, *Rapport du PNUD : le développement humain en chiffres,* dans *Dimension 3,* Bruxelles, 1990, n° 4, p. 13.

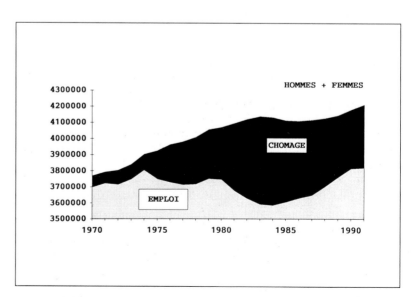

32. **Évolution de la population active, de l'emploi et du chômage en Belgique de 1970 à 1991** (D'après *Revue du Travail,* n° 8-9, octobre 1992-mars 1993, p. 107).

Premiers craquements à l'Est

Le poids de la dette extérieure devient insoutenable faute de ressources permettant de la rembourser. Les prix intérieurs augmentent vu la pénurie qui règne dans de nombreux secteurs. L'inflation qui affecte notamment les produits alimentaires provoque un important mouvement social en **Pologne**. Il se traduit de manière spectaculaire par les grèves aux chantiers navals de Gdansk (1980). Le syndicat libre *Solidarnosc* qui les anime obtient d'être reconnu par le pouvoir tandis qu'il recueille une large adhésion à travers tout le pays. La réaction soviétique consiste à encourager l'instauration de l'état de guerre (décembre 1981-juillet 1983) et, dès lors, le retour de l'opposition dans la clandestinité. Mais l'édifice socialiste est ébranlé.

III. L'ÉCONOMIE À DEUX VITESSES (1984-1989)

Dans les pays développés, la doctrine libérale est censée fournir les remèdes à la crise. Tandis que des pans entiers de l'industrie héritée de la première révolution industrielle continuent de s'effondrer, un grave **chômage structurel** s'installe. Dans le même temps, la réduction de la charge fiscale pesant sur les entreprises et en partie sur les particuliers, la modération salariale accompagnée d'une *dérégulation* * de la législation du travail, permettent une forte réduction des coûts de production. Ce retour à la **compétitivité** des entreprises et donc la relance s'effectuent au prix d'un renforcement des **inégalités sociales**.

L'inégalité est également de mise au plan mondial. L'**écart** entre *pays riches* et *pays pauvres* se creuse toujours davantage. Le contraste est renforcé par l'émergence de Nouveaux Pays Industrialisés (NPI). Les exportations des « quatre dragons » (Taïwan, Corée du Sud, Singapour, Hong-Kong), du Brésil, du Mexique sont en effet constituées pour plus de 50 % par des produits manufacturés. Ceux-ci sont bon marché. Ils trouvent preneurs dans les pays développés mais aussi dans les autres NPI ainsi que dans les pays moins avancés (PMA).

Malgré la composante manufacturière de l'économie de certains pays du Sud, il faut souligner que la production et l'exportation de matières premières restent les sources essentielles de revenus pour le tiers monde. Or, l'Occident, à cause des progrès technologiques, n'en a plus autant besoin, en ce compris les hydrocarbures. Les prix mondiaux baissent en même temps que la part des pays pauvres dans le commerce mondial se contracte.

Cette situation s'aggrave du fait de la **dette**. Durant les années 1970, les Occidentaux croient donner un coup de fouet à leurs économies, réaliser des placements rémunérateurs et favoriser le développement en prêtant aux pays pauvres. Globalement, ceux-ci peuvent assumer leurs engagements jusqu'en 1983. Ensuite, le courant se renverse. Le transfert financier net annuel, c'est-à-dire le montant des nouveaux prêts de l'Occident diminué du service de la dette antérieure (remboursement du capital et intérêt sur celui-ci) devient négatif. La dette fait l'objet d'opérations de rééchelonnement et de réduction (1988-1989). Mais elles profitent surtout aux NPI car la marginalisation des PMA se renforce. Ils sont confrontés à la faim, aux mauvaises conditions sanitaires et de travail, aux migrations (voir p. 166-167) tandis que l'Occident concentre son attention sur ses propres problèmes.

À voir : Stanley Kubrick, *2001 Odyssée de l'espace*, Grande-Bretagne, 1968; Jacques Tati, *Mon oncle*, France, 1958, coul.; Thierry Michel, *Hiver 60*, Bel., 1982, coul.; Nicholas Ray, *La fureur de vivre*, États-Unis, 1955, coul.; Federico Fellini, *La Dolce Vita*, Italie-France, 1960, N & B; Volker Schlöndorff, *L'honneur perdu de Katharina Blum*, Allemagne, 1975, coul.; Andrzej Wajda, *L'homme de fer*, France-Pologne, 1980, coul.

VOCABULAIRE

Balance des paiements : comparaison entre les ressources et les dépenses d'un pays (commerce, dépenses des touristes, services, intérêts des capitaux) en devises étrangères

Conjoncturel : relatif à la situation économique à un moment donné.

Inflation : voir p. 15.

Multinationale : groupe d'entreprises installées dans plusieurs pays mais relevant d'une direction unique.

Nationalisation : transfert à la collectivité nationale de la propriété de certains moyens de production ou de certaines entreprises ou encore de certaines activités (service de santé, par exemple).

Parité : voir p. 31.

Stagflation : situation économique caractérisée par la conjonction d'une tendance à la stagnation ou à la récession et la poursuite de l'inflation.

Structurel : relatif à la manière dont l'interaction entre les éléments économiques, sociaux, culturels, politiques, constitutifs d'un système économique et social, évolue dans la durée.

Technostructure : terme forgé par l'économiste américain J. K. Galbraith pour désigner l'ensemble des détenteurs de savoirs spécialisés qui, dans la gestion d'une entreprise, participent de la prise de décision; le pouvoir passant ainsi des mains des actionnaires dans celles des gestionnaires.

33. *Dessin mettant en présence Wilfried Martens et Jean Gol,* paru dans *Le Vif,* n° 1, 24 février 1983, p. 19.

CHAPITRE 5 : DES SOCIÉTÉS CONTRASTÉES

1. MÉDIAS ET DÉMOCRATIE

Un soupçon demeure, au sujet des médias et de la démocratie, que ni les polémiques (...), ni les colloques divers (...) ne parviennent à dissiper. Sur un terrain largement balisé, un malaise, (...), persiste. (...)

L'éclectisme et la redondance des « explications » dit assez leur vanité. Au bout du compte, une question persiste (...) c'est celle d'un *mensonge* fondamental que chacun pressent mais qu'il n'est pas si aisé de localiser. Ce « mensonge », en définitive, est moins le produit d'une intention que de mécanismes d'autant plus dévastateurs qu'ils sont encore mal élucidés, et rarement contrôlés par ceux-là même qui les mettent en mouvement. À ce stade (...), la question n'est plus médiatique mais devient politique.(...) les médias, qui furent la *condition* de la démocratie, ne seraient-ils pas en train de la détruire ? (...)

Le médiatique, en somme, n'est rien d'autre qu'un redécoupage subjectif de la réalité qui se présente indûment comme un reflet objectif; (...) Chaque présentateur devrait commencer son journal télévisé de 20 heures en disant : « Ce soir j'ai choisi de vous parler de ... ». En réalité, il objective son point de vue, seule manière de le légitimer. Il dit implicitement : telles sont les choses qui sont advenues aujourd'hui et dont je vous rends compte. (...) Et si la question des « valeurs » qui arbitrent ce choix n'est jamais clairement posée, c'est qu'elle est insoluble dans ce contexte étroit. Elle renvoie impérativement à la morale, à l'éthique, au politique. (...)

Face au « tout médiatique » incarné, notamment par la télévision planétaire; devant cette « chose » encore mystérieuse qui échappe largement à l'intelligibilité et au contrôle, nous en sommes tous au stade de l'apprentissage tâtonnant. Et aux deux bouts de la chaîne. À l'apprentissage de la manipulation — qui fera des progrès, n'en doutons pas — s'oppose l'apprentissage des citoyens-téléspectateurs. Ceux-ci apprennent peu à peu à déjouer les mensonges, à décrypter la fausse évidence de l'image, à résister aux « matraquages cathodiques » que, pour l'instant, ils subissent assez passivement. Entre ces deux apprentissages, une course de vitesse est engagée. La démocratie en est l'ultime enjeu.

Jean-Claude GUILLEBAUD, *Les médias contre la démocratie ?* dans *Esprit* (Paris), n° 190, mars-avril 1993, pp. 86-101.

La société des *Golden Sixties* a une confiance euphorique dans l'avenir. En 1968, la contestation étudiante ébranle le modèle matérialiste. La crise des années 70 accentue encore les changements dans le mode de vie.

À l'aube du XXIe siècle, n'est-il pas temps d'envisager de nouvelles valeurs qui ne seraient plus essentiellement dominées par le souci de rentabilité mais proposeraient à l'échelle planétaire une autre conception de la vie et des rapports sociaux ?

2. DES SOCIÉTÉS SANS BOUSSOLE ?

Nous avons conscience de vivre dans des sociétés sans boussole, ayant perdu leurs repères, ne sachant plus relier le futur au passé. Autant dire que les idéologies ne servent plus de référent, qu'il s'agisse du socialisme ou du libéralisme, car les pratiques qui prétendaient les incarner se sont fourvoyées. Certes, d'autres systèmes de pensée se mettent en place, pour prendre la relève; par exemple, les différents intégrismes, ou l'écologie, cette idéologie en voie de formation qui se refuse à se dire telle.

Depuis peu, il est de bon ton d'impliquer et d'accuser les médias, le système audiovisuel en particulier. (...) Tandis que la télévision, la presse écrite, la radio, s'accusent réciproquement de désinformation, les savoirs fondamentaux - recherche, université - ressuscitent le vieux procès sur la manière dont la presse informe ou intoxique l'opinion.

Marc FERRO, *Médias et intelligence du monde* dans *Le Monde diplomatique*, janvier 1993, p. 32.

3. ***Contrastes dans une station de métro parisien,*** fin des années 80.

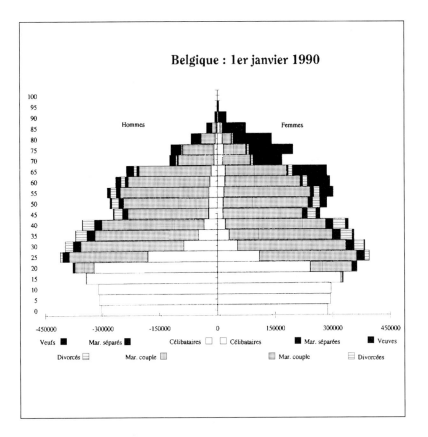

Belgique : 1er janvier 1990

Légende : Veufs ■, Mar. séparés ■, Célibataires □, Célibataires □, Mar. séparées ■, Veuves ■
Divorcés, Mar. couple, Mar. couple, Divorcées

4. Structure par âge et état matrimonial de la population belge au 1er janvier 1990. (D'après J. DUCHÊNE, *La composition des ménages*, dans *La Revue Nouvelle*, XCV, n° 4, avril 1992, p. 47).

	Hommes	Femmes
Célibataires	1 134 135	903 961
Mariés vivant avec conjoint	2 353 494	2 353 494
Mariés vivant sans conjoint	141 690	147 482
Veufs	142 515	610 099
Divorcés	165 504	194 251
Total	3 937 338	4 209 287

5. Répartition chiffrée de l'état matrimonial des plus de 15 ans en Belgique au 1er janvier 1990. (D'après J. DUCHÊNE, *op. cit.*, p. 47).

6. NOUVEAUX PAUVRES

La pauvreté est un état où l'on entre et d'où l'on sort, un état qui n'est pas plus stable que la richesse. En 1980, les États-Unis sont passés du premier rang des pays riches au onzième rang derrière les pays européens. En Europe, des villes entières, anciens bastions de l'industrie (...) s'appauvrissent, des bassins d'emploi se vident, des zones rurales sont abandonnées. Le chômage massif est apparu et atteint des ouvriers et employés qualifiés. Des jeunes sont chômeurs avant d'avoir travaillé.

Les nouveaux pauvres sont ainsi désignés parce qu'ils étaient inconnus auparavant des services sociaux. Ce sont des ménages qui font naufrage, leur ascension sociale, leur promotion se voyant brusquement stoppées par la crise. Consommant largement, souvent endettés par l'accession à la propriété, ils ne peuvent plus faire face à leurs engagements financiers dès que la perte d'un salaire ou d'heures supplémentaires ruine leur budget. La solidarité joue moins à leur endroit aussi bien dans le voisinage qu'en matière d'aide sociale, celle-ci n'étant pas conçue pour eux. Ils ignorent les démarches et les circuits d'assistance et ils ont honte de quémander. Le cas des chômeurs de cinquante ans en fin de droits, trop jeunes pour la retraite, sont dramatiques. (...) Aux États-Unis, on appelle aussi *new poor* des gens qui percevaient un salaire horaire élevé et se retrouvent sans rien; ils sont nourris à midi par les baptistes et le soir par les catholiques, en attendant mieux.

Colette PÉTONNET, *La pauvreté dans les pays riches, Universalia 1987*, Paris, 1987, p. 122.

7. SENS DE LA « MODERNITÉ »

Notre société de consommation s'est profondément modifiée en trente ans, mais elle a surtout changé de point de vue, comme si nous ne regardions plus par la même fenêtre.

Dans les années 60-70, tout semblait s'affronter, l'ancien contre le moderne, la gauche contre la droite, le baba cool contre le jeune cadre dynamique, les femmes contre les hommes, les syndicats contre les patrons, les étudiants contre les mandarins...

Au contraire, après les déstructurations des années 70-85, les années 85-95 semblent préférer les logiques d'alliance, la dialectique, la négociation, l'échange. On y parle de « cohabitation », de « métissage », de « dialogue » et surtout de « communication ». Les jeunes, loin de s'opposer à la société de consommation, cherchent à s'y intégrer et à en profiter. Le spectre du chômage comme les menaces d'exclusions font de l'intégration leur souci premier. On valorise aussi les approches multisensorielles, on réconcilie la rigueur et la créativité, le cerveau gauche et le cerveau droit, les lettres et les sciences... Les entreprises ne jurent plus que par le « partenariat » et les syndicats sont sollicités par un management « participatif ». L'écologie s'allie à l'économie dans un contrat naturel; le gouvernement conduit sa politique sous les auspices du « contrat social ».

La mode est à l'économie « mixte » !...

Et la tendance semble encore plus nette dans la consommation. La publicité quitte le crédo de l'avantage unique pour saluer les avantages cumulés des produits à la fois diététiques *et* gourmands, petits *et* efficaces, de qualité *et* peu onéreux, pratiques *et* beaux...; le tout en s'adressant à des femmes elles-mêmes multifacettes (...).

Ainsi, le « moderne » semble-t-il préférer la curiosité polyvalente à l'engagement monolithique, la réconciliation à la révolte, l'agencement à la rupture : le moderne, ce qui fait modèle, a changé de sens.

Pascale WEIL (Directrice du Planning stratégique et des Recherches de Publicis Conseil (Paris), *À quoi rêvent les années 90*, Paris, 1993, pp. 13-14.

8. « PETIT BILAN DE LA TV » (1958)

Nous sommes au seuil de l'année 1958, et parmi les délassements, de plus en plus recherchés par nos contemporains, la télévision tient une place chaque jour plus importante. Ne parlons pas des millions de récepteurs des U.S.A., mais observons, simplement que, chez nous, on indique que, déjà, nous approchons des 200 000 récepteurs ! (...)

Disons-le tout de suite : les émissions où le téléspectateur « apprend » quelque chose sont assez rares. Les récepteurs de télévision ayant rencontré un succès immédiat plus grand dans les milieux populaires, il est apparu que le téléspectateur moyen demandait davantage le spectacle divertissant. Toujours le client a été roi ! Toutefois, 1958 nous réserve, paraît-il, des reportages documentaires et culturels (...). Acceptons-en la promesse et réjouissons-nous de pouvoir suivre bientôt sur le petit écran des leçons de science, ou encore des visages nouveaux du monde qui nous feront mieux sentir notre temps. (...) Ce tour d'horizon (...) me conduit à une remarque importante. Le législateur belge, après des discussions fort longues, a formulé des dispositions relatives aux obligations des directeurs de salles de cinéma vis-à-vis de la jeunesse. Pour le cinéma, il n'y a plus de problèmes : la loi des moins de seize ans n'est peut-être pas la meilleure qui soit, mais elle existe, et nous nous en félicitons.

Qui donc, alors, aura assez d'imagination pour découvrir le moyen de préserver l'intimité familiale des émissions qui ne lui seraient pas favorables ? Je sais : le problème est délicat, car les droits des adultes et de l'oeuvre d'art et des connaissances de tous genres doivent, eux aussi, être protégés ! Mais je sais aussi que, dans notre pays, l'industrie de la télévision ferait un bond en avant impressionnant si les familles avaient la certitude que leurs soucis légitimes sont également ceux des responsables de la programmation.

La télévision est entrée dans nos moeurs. Elle nous apporte le monde à domicile ! Puisse cette technique nouvelle développer les sentiments de fraternité dont nous avons tant besoin !

Marcel TURINE, *Petit bilan de la T.V.*, dans *Amis du film et de la T.V.*, Bruxelles, n° 34, février 1958, p. 17.

Maintenant, je voudrais vous poser la question que doivent se poser tous les téléspectateurs : comment votre concept onirique, à tendance kafkhaienne, coexiste-t-il avec la vision sublogique que vous vous faites de l'existence intrinsèque ?

9. **Un regard sur la télévision...** (D'après SEMPÉ, *Rien n'est simple*, Paris, 1962).

	F	GB	EU	RFA	Japon
1950					
Nourriture	37,0	30,0	30,0	38,0	53,0
Habillement	14,0	12,0	12,0	14,5	12,0
Logement	13,5	19,0	25,0	16,5	9,0
Santé Hygiène	4,0	6,0	6,0	3,5	4,0
Transports	4,5	6,0	12,0	3,0	2,0
Loisirs	5,0	3,0	5,5	5,5	5,0
1956					
Nourriture	34,0	30,0	28,5	36,0	48,0
Habillement	12,5	11,5	11,5	13,0	12,0
Logement	15,0	19,0	26,5	16,5	9,0
Santé Hygiène	5,5	9,0	8,5	4,5	4,5
Transports	5,5	8,5	14,0	5,0	2,0
Loisirs	6,5	3,5	5,5	5,5	5,5
1962					
Nourriture	31,0	27,0	27,0	32,0	39,0
Habillement	12,0	11,0	11,0	12,0	11,5
Logement	17,0	20,5	27,0	18,0	10,0
Santé Hygiène	8,0	12,0	11,5	5,5	9,0
Transports	8,0	10,0	16,0	9,0	3,0
Loisirs	7,5	4,5	6,0	6,0	6,0
1971					
Nourriture	27,5	26,0	23,0	34,0	31,5
Habillement	11,5	11,0	19,0	15,0	13,0
Logement	9,5	9,5	10,0	10,5	11,0
Santé Hygiène	9,5	8,0	12,0	4,5	6,0
Transports	8,5	5,5	7,5	7,5	7,5
Loisirs	10,5	13,5	14,0	11,5	3,0

10. **Évolution de la consommation.** Chiffres établis d'après les annuaires de l'OCDE 1970 et 1973; pourcentages calculés par rapport au PNB annuel par tête, estimé en dollars constants et à taux de change valeur 1962 (Adapté d'après B. DROZ et A. ROWLEY, *Histoire générale du XXe siècle*, 3, *Expansion et indépendances, 1950-1973*, Paris, 1987, pp. 98 et 362).

I. MÉDIAS ET SOCIÉTÉ

Après 1945, la radio, puis la télévision, ont une influence croissante sur la société. Pourquoi ? Avec quelles conséquences ?

La diffusion du transistor (1948) et la miniaturisation donnent à la **radio** un essor extraordinaire. Les émissions de détente contribuent au développement de la *culture de masse* amorcée au début du siècle. Les informations permettent de suivre d'heure en heure l'« actualité », où que l'on soit. Cette pénétration d'un média dans le quotidien rebondit d'une manière spectaculaire avec la généralisation de la **télévision** à partir de 1950 aux États-Unis, quelques années plus tard en Europe. Tout de suite, elle suscite de multiples débats où s'opposent fanatiques et destructeurs de la présence « à la maison » de cette lucarne sur le monde.

Avec la multiplication des chaînes, le câblage, la transmission par satellites, son impact est aujourd'hui indéniable au Nord comme au Sud, à l'Est comme à l'Ouest. Le volet « **loisirs** » transmet partout des productions très marquées par l'Occident (80 % des programmes mondiaux) et souvent éloignées des cultures nationales. Les **événements du monde** sont transmis en direct, 24 heures sur 24. Déversés en vrac, des plus anodins aux plus dramatiques. Avec quel impact sur les individus ? Le choc émotionnel des images peut avoir un effet de solidarité (*Opération Villages roumains, Causes communes* pour la Yougoslavie). Mais les informations, sous l'influence de l'émotion, sont adoptées telles quelles, s'il n'y a pas d'interrogation critique. Il a fallu des expériences récentes (faux charnier de Timisoara en Roumanie, censures lors de la Guerre du Golfe) pour que les journalistes eux-mêmes prennent conscience des manipulations (voir p. 193). D'autre part, la répétition d'images de guerre, de violence, de famine — diffusées entre deux fictions — entraîne la banalisation de réalités dramatiques.

Reste que la télévision fait aujourd'hui partie intégrante de la vie. Même - paradoxe ? - dans les milieux les plus démunis. Ceux qui veulent faire l'événement l'ont compris et en exploitent les multiples possibilités (campagnes électorales, voyages du pape).

II. DES ILLUSIONS À UNE RÉALITE DUALE

Au début des années 50, le plein emploi que l'on croyait limité à la reconstruction de l'après-guerre se poursuit (pp. 149-151). Certains pays doivent même faire appel à une main d'oeuvre immigrée (voir pp. 166-167). À partir de 1955, l'Europe vit mieux. Elle entre de plein pied dans la **société de consommation** à l'image de l'Amérique qui symbolise l'abondance, malgré ses millions de pauvres. La vente de réfrigérateurs, de machines à laver, d'automobiles... monte en flèche. C'est le début des *Golden sixties.* L'**Amérique du Nord** et l'**Europe de l'Ouest,** gardent confiance en une croissance à long terme où toutes les couches sociales accéderont à la prospérité. Ils ne s'inquiètent pas de la fragilité de la situation et des frustrations qu'elle suscite auprès des oubliés du système.

---

11. IMPACT DE LA T.V. SUR LA VIE QUOTIDIENNE

(En Égypte) la télévision exerce sur les esprits une influence hégémonique, sans partage. Elle est à la fois instrument de loisir, d'information et de – très modeste – culture. Elle n'interdit pas de lire un journal ou un livre, d'aller au cinéma ou au théâtre, de visionner une cassette vidéo – mais toutes ces activités sont le plus souvent intermittentes, irrégulières, secondaires somme toute. La télé, elle, (...) occupe une place centrale dans les conversations, à l'école, au bureau, à la maison, dans la rue, ainsi que dans tous les journaux. (...)

La télévision est sans doute, tout à la fois, effet et cause, reflet et accélérateur, des comportements erratiques d'une société déchirée, en manque de repères crédibles, en pleine mutation. Comme de nombreuses autres sociétés du Sud aujourd'hui. (...) Il y a (...) un objectif fondamental : il faut que la télévision occupe, le plus longtemps possible, le plus grand nombre possible de gens. Et pour cela, que fonctionnent feuilletons et séries ! Il ne me semble avoir noté, dans aucun autre pays, une aussi nette domination de ces genres télévisés – égyptiens certes, mais américains surtout. (...)

Diffusés en Europe, les séries et feuilletons américains suscitent-ils le même engouement ? Je ne le crois pas – et ce, pour une raison à mes yeux évidente : les personnages qu'ils mettent en scène peuvent se rencontrer en Europe, leurs rôles sociaux, leur manière d'être et d'agir sont imaginables en Occident, mais ils sont inconcevables en Égypte. Et c'est ce qui, chez nous, fait leur immense succès. Ils nous emmènent ailleurs. D'où ce paradoxe : les séries et feuilletons américains sont truffés d'images, d'attitudes qu'aucune production égyptienne n'oserait montrer - et que la censure, en tout cas, sanctionnerait aussitôt. Comment se fait-il que ce qui, dans une production américaine est licite, ne l'est plus dans une production égyptienne ? (...) Nombre de jeunes filles et de femmes prennent pour exemple les héroïnes du petit écran américain, imitant leurs manières de se vêtir, aussi bien que de parler, et même de penser. Ainsi les actrices de second rôle deviennent-elles, ici, de véritables idoles. (...)

Samir GHARIB, *Égypte : la vie s'arrête à l'heure du feuilleton*, dans *Le Courrier de l'Unesco*, Paris, octobre 1992, pp. 33-34.

12. **Destruction d'excédents agricoles en France** (1990).

13. **Non à la société de consommation.** Affiche de SEMPÉ qui défend la cause des étudiants parisiens en 1968 (D'après BEVIS HILLIER, *Histoire de l'affiche, Paris,* 1970, p. 285).

15. **Je participe, tu participes...** Affiche de l'atelier populaire des Beaux-Arts, Paris, 1968 (D'après B. HILLIER, *Histoire de l'affiche, Paris,* 1970, p. 285).

	1	2	3	4	5
Enfants au travail	100	1	3	85	130
Prostitution et trafic	7	0,5	0,3	5	14

1. Amérique latine et centrale; 2. Amérique du Nord; 3. CEE; 4. Afrique; 5. Asie

16. **Évaluation des enfants au travail.** Moyenne 1985-1989, en millions (Adapté d'après B. DROZ et A. ROWLEY, *Histoire générale du XXe siècle,* 4, *Crises et mutations de 1973 à nos jours,* Paris, 1992, p. 214).

14. MAI 68... VU EN 68

Hier, chacun parlait de la nécessité de réformer l'université. La gauche accusait le régime gaulliste de n'avoir rien fait depuis dix ans, pour mieux masquer sa propre impuissance. (...) Une partie du corps enseignant ronronnait dans sa paresse intellectuelle, son manque d'imagination, son parti pris de ne rien changer qui eût conduit à bouleverser ses habitudes de pensée et son cadre de travail.

Vinrent les jours de colère. Tout bascula, la fougueuse Nanterre, la Sorbonne exemplaire, le corps entier de l'université bourgeoise. L'ordre établi s'effondra dans les barricades. La révolte déferla sur les usines. L'État semblait se dissoudre. La société craquait.

Un instant terrassé, le général-président se redressa pour défier le « chaos ». (...) Tout rentra dans l'ordre, puisque aussi bien un général est fait pour commander, une opposition pour se diviser, des travailleurs pour travailler et des citoyens pour élire.

Et les étudiants ne sont-ils pas faits pour étudier ? Alors, qu'attendaient-ils pour emboîter le pas ? Pourquoi (...) cette obstination à vouloir bouleverser une société qui s'y refusait ?

Pour eux, les solutions de rechange n'existent pas. L'ordre ancien a vécu. À l'université du moins, nul ne pourra le restaurer. Il faudra bien leur accorder tôt ou tard la réforme totale des structures sur base d'autonomie et de cogestion. Mais puisque l'université n'a plus de frontières, puisqu'elle est en prise directe sur la société, puisque la jonction s'est opérée, vaille que vaille, entre les étudiants et les ouvriers, l'action révolutionnaire ne se confinera pas dans le domaine réservé de l'intelligentsia. Tout le phénomène politique aujourd'hui s'intensifie par les effet de masse et de contagion. Et le procès de la société toute entière est désormais ouvert.

Dès lors la question n'est plus de savoir si la révolution peut s'accomplir et si le plus grand nombre le souhaite, mais quand et sous quelle forme elle s'accomplira. Quelle révolution ? Celle de l'économie d'abord. Libre aux esprits sceptiques de sourire devant cette incroyable naïveté dont témoignent les plus engagés des étudiants à s'attaquer à la citadelle du capitalisme dit évolué, pour se mettre en quête, après tant d'aînés, d'un socialisme véritable. Celle de la vie politique. Toutes les cartes étant truquées, les étudiants refusent le jeu parlementaire assorti de toutes les formes classiques ou modernes de la démocratie. D'ores et déjà s'instaure un nouveau type d'intervention en marge des appareils traditionnels. Celle enfin des relations sociales et culturelles : l'imagination, sans doute, aura fort à faire pour découvrir les moyens de rendre les hommes à la fois plus solidaires et plus libres.

Voilà, schématiquement, le sens d'une crise dont les répercussions s'annoncent immenses : l'élan fou des journées de mai, la spontanéité brutale, l'immense défoulement qui se sont manifestés ne sont pas un jeu, ils signifient l'échec d'une certaine forme de civilisation et appellent une renaissance totale.

Hervé BOURGES, *Avant-Propos* dans J. SAUVAGEOT, A. GEISMAR, D. COHN-BENDIT, J.-P. DUTEUIL, *La révolte étudiante. Les animateurs parlent,* Paris, 1968, pp. 7-9.

La crise des années 70 rompt avec cet optimisme et crée de « **nouveaux pauvres** », victimes d'une société coincée par l'exigence du rendement et les difficultés économiques. Dans les années 80, le **chômage,** atteint partout le seuil de l'intolérable. Des ghettos, se créent dans les grandes villes et les banlieues. La coexistence de *privilégiés,* entraînés dans une spirale de consommation, et d'*exclus* à cause de leur âge, de leur nationalité, de la couleur de leur peau, de leur faible qualification ne se vit pas sans heurts. Les vols, les actes de vandalisme, souvent commis en bandes, expriment la difficile insertion et le mal de vivre des marginaux.

Depuis la chute du Mur de Berlin et la vague de bouleversements vécue par les régimes socialistes, l'**Europe de l'Est** révèle des problèmes similaires. Officiellement le chômage n'existait pas. Aujourd'hui, les difficultés, accentuées par l'ouverture au libéralisme économique, se soldent par une grave crise de l'emploi et une **émigration** vers l'Ouest, la plupart du temps clandestine.

Dans le **Tiers Monde,** l'explosion démographique, la croissance anarchique des villes — mirages pour les plus pauvres —, la répartition inégale des revenus créent un fossé entre une minorité privilégiée et une énorme population vivant en-dessous du seuil de la pauvreté. Au Brésil dans les années 70, « le revenu moyen des plus favorisés représente 190 fois celui des déshérités, ce qui revient à opposer 500 000 riches à 15 millions de pauvres » (B. Droz et A. Rowley). La **misère** apparaît là-bas comme le produit d'une corruption généralisée et de choix politiques où les exigences de prestige l'emportent sur les objectifs sociaux. Premières victimes, les enfants et les jeunes mis au travail, contraints à « la débrouille », entraînés dans la prostitution et le trafic de drogue, non scolarisés et laissés à eux-mêmes.

Des initiatives souvent privées tentent d'inverser le courant et de pallier aux carences des États dans ces domaines qui touchent à la survie : îles de paix, 11.11.11. (voir p. 152) et, plus récemment, destinés au **Quart Monde,** les restaurants du coeur... Les médias sont rapidement devenus des caisses de résonance pour ces opérations entrées dans les moeurs. Mais qui posent la question du « charity business »...

III. QUELLES VALEURS ?

1. CONSOMMATION ET CONTESTATION

Après la guerre, les références sociales et culturelles n'ont pas vraiment changé. C'est la génération du *babyboom* — née dans le confort — qui provoque une remise en question du système. D'abord aux E.-U., dans le contexte du mouvement *hippie,* puis en Europe, la jeunesse critique l'orientation matérialiste de la société, l'autorité ou la hiérarchie érigées en valeur. Elle forme, et c'est une nouveauté, un groupe autonome avec sa mentalité, son code, son mode de vie. Elle refuse le conformisme, réclame la liberté de partager les décisions, de participer aux rouages de la société. Elle revendique l'égalité des sexes, l'amour libre, l'explosion des tabous. C'est la grande vague de l'année 68, qui dépasse de loin le cas de la France (voir pp. 150-151). Au-delà d'une révolution ponctuelle que les pouvoirs en place, chacun à leur manière, ont cru maîtriser et récupérer, le mouvement a fondamentalement modifié les valeurs.

17. QUE RESTE-T-IL DE LA RÉVOLUTION DE MAI 68 ?

Ce qui est fascinant pour un historien, c'est qu'en 68, le subjectif a précédé le politique et l'économique : tout en parlant d'autre chose les « petits cons » d'étudiants parisiens, allemands, américains, ont anticipé le grand renversement du demi-siècle. Qu'est-ce à dire ? De 1945 à 1995 on a vécu une époque de croissance, puis une époque de crise ou de difficulté, le basculement se produisant entre 68 et 74. La perception qu'avaient les jeunes du « rien ne va plus » se condensa dans un discours, qui ne fut pas fort sur le plan analytique, mais prémonitoire. Pour ce qui est du sens de Mai, tout le monde a bien sûr oublié la grève ouvrière, même si, en France, elle déclencha aussi la crise politique. Les événements restent donc surtout comme ceux qui ont marqué l'entrée de la culture dans le politique (...). Depuis lors, que s'est-il passé ? Rien d'une telle ampleur. Des luttes sur l'avortement ou l'environnement, la montée des phénomènes régionalistes ou nationalistes, l'expansion du racisme. Mai 68 marqua, d'autre part, la fin de la croyance inébranlable dans le progrès.

(...) Ces jeunes étaient (...) au sommet de la société industrielle et ils ont cru que l'on pourrait sauter d'un seul coup dans l'ère post industrielle. Ils oublièrent que, pour passer d'une époque à une autre, d'un sommet à un autre, il faut descendre dans la plaine, dans les ronces. (...) Ceux de 68 oublièrent les détours de la route mais ils avaient pour l'essentiel, raison quant à la direction à prendre...

(...) Le changement de siècle s'est opéré avec 68 : l'opinion publique ronge la falaise du monde politique qui s'écroule. Et s'écroulera jusqu'à ce qu'une recomposition s'opère : nos catégories politiques ont un siècle de retard sur une opinion qui ne parle pas le même langage. Dès lors les gens sont devenus indifférents à la politique. Ils pensent que ce n'est pas leur affaire.

Alain TOURAINE, *Un « rien ne va plus » prémonitoire,* propos recueillis par J.-P. STROOBANTS dans *Le Soir,* 27 avril 1993, p. 3.

18. « LA RAGE DU HOOLIGAN »

Nous serions en train de passer d'une société « verticale », marquée par le clivage entre le haut et le bas de la pyramide sociale — soit le conflit industriel entre les détenteurs des moyens de production et les travailleurs salariés — à une société « horizontale », qui certes n'annule pas les conflits liés au travail mais oppose principalement ceux qui sont intégrés au système (les « in ») et ceux qui en sont exclus (les « out ») et relégués à la marge.
(...) Le Hooliganisme peut être vu comme un pur produit de cette dualisation de nos sociétés, conséquence de la crise du modèle industriel. La dérive du supporterisme au hooliganisme est indissociable de la décomposition du monde ouvrier traditionnel et de la crise des appartenances à un milieu de vie stable et intégré. Cette évolution a été surdéterminée, dans le cas précis du football, par la professionnalisation et la spectacularisation effrénées de ce sport. On sait en effet que le supporterisme était pour le jeune d'origine populaire une manière d'affirmer son appartenance de classe en s'identifiant à « ses » joueurs, la plupart étant issus du même milieu social, parfois du même quartier que lui. L'inflation de la valeur marchande des joueurs ainsi que l'internationalisation du commerce des « stars », dans un contexte où les repères de classe traditionnels étaient plus que malmenés, ont brisé cette proximité sociale avec l'équipe supportée.

Jean-Pierre DELCHAMBRE, *Le blasé et le hooligan* dans La *Revue nouvelle* (Bruxelles), n° 7-8, juillet-août 1992, pp. 48-49.

19. *Scènes de violence :* Vaux-en-Velin, France, 1990.

20. HÉROÏNE

Je ne sais pas où je vais
Mais je vais essayer d'aller au Royaume
Si je peux, parce qu'il me fait sentir
Que je suis un homme
Quand je plante une aiguille dans ma veine,
Et je vous dis que les choses ne sont plus tout à fait les mêmes
Quand je m'éclate en pleine montée
Et que je me sens vraiment comme le fils de Jésus
Et je présume que je ne sais pas,
et je présume que je ne sais pas...

(...)

Je voudrais être né il y a un millier d'années
Je voudrais avoir navigué sur les mers assombries,
Dans un grand voilier de fort tonnage,
Allant de cette terre à celle-là
Habillé d'un costume de marin et d'une casquette,
Loin de la grande ville
Où un homme ne peut pas se libérer
De tous les malheurs de cette ville
Et de lui-même et de ceux qui l'entourent.
Oh je présume que je ne sais pas,
Oh je présume que je ne sais pas ...

Héroïne, prends part à ma mort
Héroïne, c'est ma femme et c'est ma vie
Parce qu'une voie essentielle à ma veine
Conduit au centre de ma tête
Et alors je suis mieux en l'air et mort
Parce que lorsque le « cheval » commence à couler
Je m'en fous vraiment
De tous les zinzins de cette ville,
de tous les politiciens faisant des bruits dégueulasses,
Et de chacun foutant l'autre par terre,
Et des cadavres empilés par journées.

Parce que lorsque le « cheval » commence à couler
Alors je m'en fous vraiment.
Oh, quand l'héroïne est dans mon sang
Et le sang dans ma tête,
Et merci mon Dieu que je me sente mort
Et merci mon Dieu que je ne sois plus conscient.
Et merci mon Dieu que je ne sache plus rien
Oh, et je présume que je ne sais pas ...

LOU REED (du Velvet Underground And Nico), traduit par J.-M. VARENNE (D'après J.-M. VARENNE, *Les poètes du Rock,* Paris, 1975, pp. 267-271).

2. UN AUTRE MODE DE VIE

La **femme** occupe une place croissante sur le **marché du travail,** et à tous les échelons. Le **contrôle des naissances** fait son chemin. L'usage de la *pilule contraceptive* se répand dans les années 60, d'abord dans les milieux culturellement favorisés. La plupart des pays d'Europe occidentale, au terme de longs débats, introduisent une législation autorisant dans certaines conditions l'*interruption volontaire de grossesse* (IVG) (France, *loi Veil*, 1974; Belgique, *loi Lallemand*, 1990). Les habitudes de vie et les mentalités ont changé. On continue à vivre en couple, mais on se marie moins et on divorce plus. On a le nombre d'enfants que l'on désire. Avec l'extension du travail de la femme, les tâches éducatives et matérielles sont (parfois) mieux réparties. Les « *nouveaux pères* » jouent un rôle plus actif. Les familles reconstruites ou monoparentales se multiplient. On ne condamne plus les homosexuels. La liberté des moeurs apparaît comme un droit.

La recherche du bonheur et de l'épanouissement passent aussi par les **loisirs.** Certains prévoient, dans l'euphorie de la croissance, un temps de travail de plus en plus court qu'il faudra « occuper » (voir p. 149, doc. 15). Les activités de détente se diversifient et touchent un plus large public même si des différences subsistent, culturelles ou financières. Les *week-end* et les vacances se répandent dans les pays les plus riches. Le rythme de la vie collective s'en trouve modifié.

Avec l'allongement de l'espérance de vie, les « jeunes » retraités constituent une nouvelle catégorie, avec ses disponibilités et ses aspirations. Autrefois oublié, le *troisième âge* est à l'origine d'un tourisme spécifique, de cours (l'université des aînés…) et d' autres activités intégrées au circuit économique et culturel.

3. RUPTURES ET VIOLENCES

C'est au tournant des années 80 que les conséquences de la crise se manifestent sur les mentalités. À partir de ce moment, le chômage et les sombres perspectives économiques suscitent en Occident des réflexes de protection et d'exclusion. **Repli sur soi** *(cocooning),* résurgence de réflexes favorables au développement de thèses extrémistes : les femmes au foyer, les immigrés chez eux. Partout les jeunes, déjà souvent fragilisés par l'éclatement des familles sont les premières victimes de la crise de l'emploi. Sans ressources dans une société qui fait étalage d'une consommation de luxe mais leur propose peu d'alternatives, comment peuvent-ils envisager l'avenir ? Beaucoup répondent par la **violence,** la recherche de « paradis artificiels » dans la **drogue** dont l'usage ne fait que croître. Phénomènes souvent liés, l'un appelant l'autre.

4. SOCIÉTÉ DE MASSE ET ASPIRATIONS INDIVIDUALISTES

L'extension des médias à l'échelle planétaire impose plus que jamais un modèle uniforme de culture et de consommation où domine toujours l'**américanisme,** haï ou adoré. Le « *must* » pour les Moscovites n'est-il pas, même au prix de lourdes privations, de s'offrir un *hamburger* au *Mac Donald ?* Mais les différences sociales, nationales, ethniques, religieuses, se marquent d'autant plus fort et suscitent de véritables **crises d'identité.** L'individu essaye désespérément de retrouver sa place. Souvent au prix de dérapages. Le phénomène des *hooligans* a été partiellement expliqué comme une manifestation de nationalisme, de régionalisme ou davantage encore comme un « règlement de compte » social.

21. ***Couche jetable ou couche tout en coton ?***

22. À PROPOS DE LA LOI SUR L'IVG

(…) nous croyons qu'il existe des problèmes de bio-éthique qu'il importe d'affronter. Nous croyons aussi que toute interruption volontaire de grossesse a des implications humaines et psychologiques importantes. Face à la vie humaine — notamment lors de son début ou de sa fin — et face aux bio-technologies, nous estimons qu'il faut garder à l'esprit la condition tragique de l'existence humaine. Nous croyons qu'il est des décisions qu'il serait grave de banaliser. Mais c'est précisément pour cela que nous refusons une autre banalisation : celle qui prétendait pouvoir baliser la complexité du vécu de ceux et celles qui sont mis devant l'éventualité d'une interruption de grossesse, ou d'autres choix difficiles. Nous croyons qu'il n'est pas nécessaire que les êtres humains se lancent tête baissée dans toutes les possibilités que les techno-sciences leur offrent. Mais nous pensons aussi que la recherche des chemins que nous prendrons, individuellement et collectivement, doit se faire de façon responsable et autonome. Nous estimons aliénante la représentation : « interdit – transgression – culpabilisation – miséricorde ». Et nous ne pouvons croire que le Dieu de Jésus-Christ aurait réglé à la place des humains les questions que nous pensons avoir à régler nous-mêmes. Le Dieu de Jésus-Christ ne nous paraît pas supprimer la responsabilité historique, et, d'une certaine façon, tragique, des libertés et des intelligences autonomes. Au contraire...

Les évêques et les consciences dans *La Revue Nouvelle* (Bruxelles), t. XCII, n° 7-8, juillet-août 1990, p. 56.

La déclaration des évêques de Belgique à propos de la nouvelle loi sur l'interruption de grossesse a suscité de nombreux commentaires. Il s'agit ici d'un texte rédigé par un groupe de chrétiens après un débat qui a réuni sur ce thème des croyants et des non-croyants.

23. « SOMMET DE LA PLANÈTE TERRE » À RIO (JUIN 1992)

Les priorités du Nord en matière d'environnement et de développement ne sont pas celles du Sud. Quand les pays industrialisés mettent en avant des problèmes planétaires, tels l'effet de serre, la couche d'ozone, la biodiversité, les pays pauvres parlent des besoins vitaux, et d'abord du droit de survivre. Si les États du Nord mettent l'accent sur le frein à la croissance démographique et l'arrêt de la déforestation, ceux du Sud entendent que l'on traite prioritairement, à Rio, de l'augmentation de l'aide financière qui n'atteint jamais les 0,7 % du produit national brut que tant de pays industrialisés s'étaient engagés à verser. Et pour les organisations non gouvernementales (ONG) du Sud, la réforme foncière est essentielle.

Priorités différentes, mais responsabilités différentes aussi. L'industrialisation de l'Occident, les modes de consommation et de déplacement qui y ont cours sont largement à la source de la dégradation de l'environnement. Et la croissance démographique dans certains pays du Sud apparaît à beaucoup non comme la cause de bien des crises environnementales mais comme la conséquence d'une détérioration des conditions économiques de l'échange conduisant à un appauvrissement qui entraîne à son tour la destruction de l'environnement (la coupe du bois de feu, par exemple) et la poussée démographique. Il était clair, lors des réunions préparatoires à la Conférence des Nations-Unies sur l'environnement et le développement, que le clivage Est-Ouest a été remplacé par le clivage Nord-Sud.

Raymond VAN ERMEN (Secrétaire général du Bureau européen de l'environnement à Bruxelles), *Intérêts capitalistes et responsabilité planétaire* dans *Le Monde diplomatique,* Paris, mai 1992, p. 8.

24. « ÉCONOMIE ÉCOLOGISTE »

Aujourd'hui, (...) notre imaginaire (...) dépasse l'affrontement radical entre retour à la Nature ou Science : la conscience écologique s'éveille non seulement pour protéger la forêt amazonienne ou la couche d'ozone ... mais pour lutter contre toutes les pollutions quotidiennes. (...)

L'homme semble avoir compris qu'il a la responsabilité d'un capital Terre limité. Hier encore, il célébrait les voyages et les découvertes et avait l'impression que le monde s'ouvrait, infini, trop grand pour être totalement parcouru, suffisamment vaste pour ne pas réfléchir aux déchets en tout genre de la société de consommation. Aujourd'hui, comme le dit Michel Serres, il regarde la Terre moins comme un décor à ses actions que comme un « acteur » et commence à comprendre que «rien ne se crée, rien ne se perd, tout se transforme» et qu'il lui faut prévoir les conséquences de ses productions. Le monde lui semble petit et clos et la planète un univers fini ... depuis Tchernobyl, l'*Amoco Cadiz* et Bhopal !

Ainsi, l'imaginaire d'alliance qui régit l'écologie n'est pas un doux rêve philanthropique ou l'utopie de quelques poètes mais la seule voie possible : l'homme est obligé de tisser avec la Nature un « pacte d'alliance », un « contrat », où il négocie « avec » elle et non plus « contre » elle.

Pascale WEIL, *À quoi rêvent les années 90,* Paris, 1993, pp. 48 et 51.

1960-1970	1985-1995
écologie ou économie	alliance écologie et économie
nature ou capitalisme	éco-capitalisme
préoccupation marginale du ghetto « baba cool »	préoccupation intégrée, état d'esprit partagé
terre : décor passif	acteur
dominer la nature ou la laisser vierge	faire « avec » la nature prévenir surveiller réguler
du viol de la nature…	au « contrat naturel »

25. *Évolution de l'Écologie* (D'après P. WEIL, *op. cit.*, p. 51).

26. SIDA

Le sida va constituer dans les prochaines années un enjeu considérable dans les politiques économiques et sociales, la définition des règles juridiques, pour maintenir la libre circulation des personnes, la non discrimination, l'accès aux soins, les solidarités avec les pays les plus pauvres. Jamais autant n'aura été fait en faveur de la prévention, des soins et de la recherche; pourtant la visibilité de la maladie va se trouver amplifiée par le nombre de personnes antérieurement contaminées et passant au stade du sida, risquant de provoquer un sentiment d'échec et de découragement au moment où la mobilisation sociale est la plus nécessaire. Beaucoup va donc se jouer, dans les années qui viennent, sur la qualité de l'information tant les peurs et les angoisses sont profondes, et les démagogues populistes vont utiliser à fond ce registre. Les médias ont-ils pris conscience de leurs responsabilités en la matière, afin que nos sociétés, pour la première fois dans l'histoire des maladies, répondent de façon démocratique à un phénomène épidémique ?

Jean-Paul JEAN, *Ce que le sida peut apprendre aux sociétés d'abondance* dans *Le Monde diplomatique,* février 1993, p. 27.

5. INQUIÉTUDES ET PROPOSITIONS NOUVELLES

La société de cette fin de siècle — qui se sentait si sûre d'elle-même — bute sur des interpellations et des échecs imprévus. Des catastrophes écologiques (voir p. 185) ont sensibilisé à la fragilité de l'**environnement** et aux menaces que font planer certaines technologies sur l'avenir même de la planète. Des modes de consommation accueillis dans les années 50 comme des progrès sont remis en question. Comment gérer par exemple les déchets produits par le réflexe du « jetable » ou les conséquences d'un trafic automobile croissant ? Depuis 1970, dans les pays riches, les mouvements de protection de la nature font de plus en plus d'adhérents et participent à la vie politique (partis écologistes, les *verts*). Des mesures sont effectivement prises pour lutter contre les pollutions et défendre la qualité de la vie. Mais d'autres pays, talonnés par l'urgence de nourrir une population croissante ou par la nécessité de développer leur industrie ne peuvent se permettre cette réflexion. Avec tous les risques que cela comporte, comme le problème de la fiabilité des centrales nucléaires à l'Est.

La biologie et la médecine ont fait des bonds énormes depuis 1945 et autorisent beaucoup d'espoirs dans de multiples domaines (voir p.184). Mais les manipulations génétiques, les greffes d'organes, l'acharnement thérapeutique... suscitent des **interrogations éthiques.** Et la science reste démunie devant une nouvelle épidémie qu'elle ne parvient pas à maîtriser : le SIDA *(syndrome d'immuno-déficience acquise).* Repéré en 1981, il fait planer l'angoisse et révèle, en cette fin du XXe siècle, une nouvelle interrogation sur les valeurs et de nouveaux conflits entre des positions morales. D'autre part, le combat contre la maladie souligne l'importance du facteur «éducation» et pose une fois encore en terme d'injustices l'équilibre entre pays pauvres et pays riches. L'Organisation Mondiale de la Santé (OMS) prévoit que 90 % des cas surviendront dans le Tiers Monde d'ici à l'an 2000. Or, les pays africains, parmi les plus touchés, ne disposent pas d'un budget santé suffisant pour assumer les traitements préventifs.

Crise des valeurs, effondrement des idéologies de droite et de gauche, éloge de l'individualisme. Tel est l'héritage des années 80. Depuis, au terme d'échecs et de déceptions, on en est venu à la morale : en politique, en sport, dans les affaires. Est-ce une mode dans une société désemparée qui, n'ayant plus de religion, compte sur l'éthique pour se sauver ?

IV. RÉPONSE DES RELIGIONS

1. L'ÉGLISE CATHOLIQUE

L'Église catholique aborde l'après-guerre avec le pape **Pie XII** (1939-1958). Humaniste de formation classique, il insiste, face aux totalitarismes, sur les droits de la personne et sur la loi naturelle. Sous son règne, la centralisation romaine et le gouvernement personnel atteignent leur apogée et l'internationalisation du collège des cardinaux est accélérée. Après une ouverture aux questions nouvelles, les dernières années de sa vie sont marquées par un durcissement qui s'exprime dans l'encyclique *Humani generis* (1950) et les condamnations de théologiens célèbres. **Jean XXIII** (1958-1963), considéré lors de son élection, à 77 ans, comme un pape de transition va provoquer une profonde mutation. Il décide de réunir un **Concile** *(Vatican II)* pour « favoriser la croissance de la foi catholique, (...) renouveler les usages du peuple chrétien et (...) adapter les règles juridiques de l'Église aux besoins et à la pensée de notre temps. » (Encyclique *Ad Petri cathedram,* 29 juin 1959).

27. ***Emballage perdu !*** Publicité de Hervé MORVAN, fin des années 60.

---

28. ÉCOTAXES

Pourquoi des écotaxes ? Assimilées à des accises, elles veulent : éliminer les choix de production et de consommation générateurs de gaspillage de ressources naturelles et de pollutions diverses; favoriser la réutilisation, la récupération et le recyclage de matières premières pour réduire les déchets; introduire des techniques de production non polluantes; et utiliser rationnellement l'énergie.

Martine DUBUISSON, *Sept partis adoptent la taxe biodégradable* dans *Le Soir,* mercredi 18 novembre 1992, p. 1.

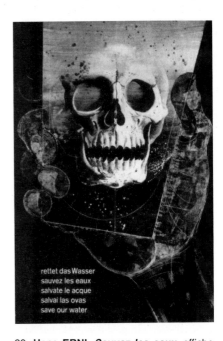

rettet das Wasser
sauvez les eaux
salvate le acque
salvai las ovas
save our water

29. **Hans ERNI,** *Sauvez les eaux*, affiche suisse, 1961.

D'origine essentiellement européenne au XIXe siècle, les migrations impliquent, au XXe siècle, des populations qui ne sont plus uniquement européennes mais aussi africaines, arabes, asiatiques. Les migrations pour raisons économiques se conjuguent à des mouvements dus à des motifs politiques. Quantitativement importantes, les migrations provoquent, dans les pays d'accueil, des réactions de rejet. Pourtant, malgré les difficultés qu'éprouvent certains migrants à s'intégrer, l'immigration est également porteuse de valeurs susceptibles d'enrichir, en la diversifiant, la culture des pays d'accueil.

Nationalité	1947	1961	1970	1989
population étrangère	367 619	453 486	716 237	868 757
Pays limitrophes*	153 629	133 414	170 496	183 153
Italie	84 134	200 086	261 224	241 006
Espagne	3 245	15 787	78 169	52 549
Grèce	1 270	9 797	23 619	20 613
Turquie	590	320	16 261	79 460
Afrique du Nord		867	34 91	152 355

1. **Répartition de la population étrangère en Belgique, selon la provenance, entre 1947 et 1989** (D'après A. MARTENS, *Les immigrés. Flux et reflux d'une main-d'oeuvre d'appoint. La politique belge de l'immigration de 1945 à 1970*, p. 189, et R. ATTAR, *Historique de l'immigration maghrébine en Belgique*, dans A. MORELLI [dir.], *Histoire des étrangers et de l'immigration en Belgique de la préhistoire à nos jours*, Bruxelles, 1992, p. 298).

* Allemagne, France, Grand Duché de Luxembourg, Pays-Bas.

3. **Autocollant** diffusé à la fin des années 1980 par l'association « Vivre ensemble ».

4. DEMANDEUR D'ASILE

Le demandeur d'asile est un *étranger* qui demande le droit d'asile. En Belgique, le terme utilisé est celui de « candidat-réfugié ». Les autorités (Ministère de la Justice, Office des Étrangers, et Commissariat général aux Réfugiés et Apatrides) examinent la recevabilité de la demande du statut de réfugié. La délégation du Haut Commissariat des Nations-Unies pour les Réfugiés (HCR) en Belgique joue aussi un rôle dans cette procédure.

5. RÉFUGIÉ

La convention de Genève de 1951 définit par *réfugié* toute personne dont la crainte d'être poursuivie en raison de sa religion, de sa nationalité, de sa race, de son appartenance à un groupe social déterminé ou de ses convictions politiques, est justifiée et qui, pour ce motif, se trouve en dehors du pays dont il possède la nationalité et dont il ne peut ou ne veut solliciter la protection pour des raisons invoquées plus haut. En 1967, un protocole a été ajouté à la convention. Il prévoit d'étendre la notion de poursuite non plus au seul individu mais à toute une communauté. 108 pays, dont la Belgique, ont ratifié la convention et le protocole.

Une personne qui quitte son pays pour des raisons économiques et se présente aux frontières d'un pays tel que la Belgique n'est pas un réfugié. C'est un *migrant*.

POPULATION RÉFUGIÉE PAR CONTINENT

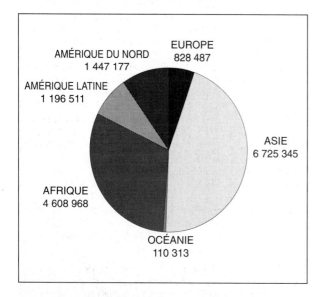

AMÉRIQUE DU NORD 1 447 177
EUROPE 828 487
AMÉRIQUE LATINE 1 196 511
ASIE 6 725 345
AFRIQUE 4 608 968
OCÉANIE 110 313

2. **Population réfugiée par continent en 1990** (D'après *Dimension 3*, n° 6, décembre 1991, p. 5).

6. PROJET DE LA CHARTE DES DROITS DES MIGRANTS

1. Le migrant doit être protégé et aidé afin de faire respecter sa dignité de personne humaine (...). Cette protection et cette aide doivent porter non seulement sur la durée de migration effective, mais s'étendre tant à la période de préparation dans le pays de départ qu'à celle du réétablissement dans le pays d'accueil.

2. Le migrant doit pouvoir émigrer de son propre gré et choisir librement sa destination (...).

3. Le migrant a droit à être renseigné objectivement et complètement sur l'ensemble des conditions pouvant déterminer son libre choix pour une émigration.

4. Le migrant et sa famille ont droit, dans le pays d'accueil, à un traitement qui ne soit pas moins favorable que celui des ressortissants de ce pays, surtout dans toutes les questions d'ordre social, éducatif et religieux.

5. Le migrant a droit à maintenir l'unité de sa famille (...).

7. Le migrant doit bénéficier de mesures de protection particulière, notamment s'il s'agit de jeunes filles.

8. Le migrant obligé de recourir au droit d'asile mérite une protection et une assistance tenant compte de sa condition particulière, les charges devant en être solidairement assumées par tous les États civilisés (...).

Projet présenté à la Conférence des organisations non gouvernementales (ONG) pour la protection des migrants réunie à Genève, au secrétariat européen de l'ONU, du 10 au 16 janvier 1950, par Caritas Internationalis, dans *Archives du Conseil de l'Europe*, Strasbourg, volume *Commission des Affaires sociales*, 1ère session, document classé A 967.

7. LE *VLAAMS BLOK* EST-IL UN PHÉNOMÈNE TRANSITOIRE ?

Je crois que ce n'est pas fini (...). Ce qui m'inquiète le plus, c'est l'attitude d'une classe moyenne braquée sur le maintien de ses droits acquis. Qui ne se sent plus concernée par le monde extérieur et se défend avant même d'être menacée (...). Notre génération a cru que les horreurs de la guerre ne se répéteraient plus et nous n'avons pas transmis le message à nos enfants. Nous ne leur avons pas donné cette indispensable attention pour la démocratie. Et puis en Flandre, il y a évidemment aussi le nationalisme (...). J'espère que cela ne va pas se transmettre à la Wallonie mais je sens tout de même (...) des tensions racistes (...). La Wallonie a jusqu'ici très bien géré le problème de l'immigration par la solidarité des travailleurs, (mais) la crise économique, le chômage, ont modifié les données.

Interview de Paula D'HONDT, commissaire royal à l'immigration de 1989 à 1993, dans *Le Soir,* 27 et 28 février 1993, p. 4.

	1980	1985	1990	1991
Allemagne	107,8	73,8	193,1	256,1
Belgique	2,7	5,3	13,0	15,2
Danemark	0,2	8,7	5,3	4,6
France	18,8	28,8	54,7	50,0
Italie	-	5,4	4,7	27,0
Pays-Bas	1,3	5,6	21,2	21,6
Royaume-Uni	9,9	5,4	30,0	57,7
Suède	-	14,5	29,4	26,5
Suisse	6,1	9,7	35,8	41,6

8. *Entrées de demandeurs d'asile dans certains pays de l'OCDE* [en milliers] (D'après SOPEMI, *Tendances des migrations internationales,* Paris, 1992, p. 138).

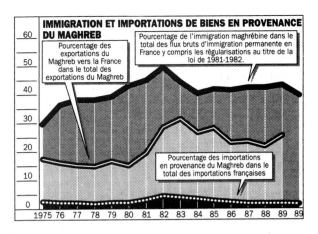

9. *Immigration et importations de biens en provenance du Maghreb en France de 1975 à 1989* (D'après *Libération*, 24 juin 1992, p. 28).

10. COMMUNAUTÉ EUROPÉENNE ET INTÉGRATION

L'intégration trouve sa légitimation sociale dans la solidarité avec les pauvres, qui est l'une des valeurs fondamentales de l'Europe occidentale. Elle trouve sa légitimation politique dans notre principe humanitaire de l'égalité de traitement. Quant à sa légitimation économique, elle réside dans les bénéfices que nos sociétés peuvent retirer d'une population pleinement productive. Les immigrés sont des individus entreprenants et il en va de même de leurs enfants (...). Accessoirement, une politique d'intégration bien menée doit permettre de combattre l'économie souterraine (...).

Les États membres doivent instaurer un contrôle efficace de leurs frontières extérieures (...). Il est plus facile pour les populations nationales d'accepter l'installation d'immigrants si elles ont le sentiment que le gouvernement a la maîtrise des flux (...). Cependant, contrôler l'immigration ne signifie pas que l'on puisse ou que l'on doive y mettre un terme (...). Nous vivons dans des sociétés ouvertes qui ne peuvent se permettre, ni économiquement, ni politiquement, et peut-être même démographiquement, de se replier sur elles-mêmes. L'Europe occidentale ne peut pas non plus surveiller ses frontières, ni contrôler tous ses lieux de travail comme le ferait un État policier : tout engagement dans cette direction finirait tôt ou tard par porter atteinte aux libertés de ses propres citoyens (...). Parce que les problèmes de l'intégration ont un effet sur la construction européenne (...), il se justifie (d') élaborer un socle de principes fondamentaux sur l'intégration des migrants. Ces principes devraient d'abord expliciter des droits fondamentaux, liés aux droits de la personne, qui constitueraient des exigences à la fois pour le contenu des politiques et pour les immigrés eux-mêmes. Ils porteraient notamment sur la liberté d'expression, d'aller et venir, la non-discrimination raciale et religieuse, l'égalité des droits entre l'homme et la femme, les droits de l'enfant, le respect du droit de la défense, etc (...). Une telle démarche serait (...) une occasion pour chacun de mieux comprendre les logiques d'action nationale des autres, de repérer les convergences, d'expliciter les divergences, voire (...) d'imaginer des rapprochements.

Politiques d'immigration et intégration sociale des immigrés dans la Communauté Européenne. Rapport d'experts établi à la demande de la Commission des Communautés Européennes, Bruxelles, 28 septembre 1990, doc. SEC (90) 1813 final, pp. 15, 17 et 41-42.

30. MOUVEMENT ISLAMISTE ET MONDE MODERNE

Les militants sont rarement des mollahs : ce sont des jeunes sortis du système scolaire moderne, et qui, lorsqu'ils ont une formation universitaire, sont plutôt scientifiques que littéraires; ils viennent de familles récemment urbanisées ou des classes moyennes paupérisées. Les islamistes voient dans l'islam autant une religion qu'une « idéologie » (...) Ils ont fait leur formation politique non dans les écoles religieuses mais dans le campus et les écoles normales où ils ont côtoyé les militants marxistes, dont ils ont souvent emprunté le langage conceptuel (...) repeuplé d'une terminologie coranique (...). Pour eux, la prise du pouvoir étatique permettra de réislamiser une société corrompue par les valeurs occidentales tout en s'appropriant les sciences et les techniques. Ils ne préconisent donc pas un « retour » à ce qui était avant, comme les fondamentalistes au sens strict, mais une réappropriation de la société et de la technique moderne à partir du politique. Les foules qui suivent les islamistes ne sont pas non plus « traditionnelles » ou « traditionalistes » : elles vivent dans les valeurs de la ville moderne — consommation et ascension sociale; elle ont quitté, avec le village, les vieilles formes de convivialité, de respect des anciens et du consensus; elles sont fascinées par les valeurs de consommation qu'inculquent les vitrines des grandes métropoles; leur univers est celui des cafés, des jeans, de la vidéo, du football, mais elles vivent dans la précarité des petits métiers , du chômage ou des ghettos de l'immigration, et dans la frustration d'une société de consommation inaccessible. (...) Ainsi l'islamisme, loin d'être le surgissement aberrant d'un archaïsme irrationnel, s'inscrit dans une double continuité. Celle (...) de la revendication fondamentaliste, centrée autour de la charia et aussi vieille que l'islam, (...) : revendication qui dresse sans cesse le réformateur (...) contre la corruption (...) contre l'oubli des textes sacrés, contre l'influence étrangère, l'opportunisme politique et le laxisme des moeurs. Mais il y a une autre continuité plus récente et donc plus obscure : celle de l'anticolonialisme, de l'anti-impérialisme, devenu aujourd'hui anti-occidentalisme tout court.

Olivier ROY, *L'échec de l'islam politique* dans *Esprit*, Paris, août-septembre 1992, pp. 108-109.

Le projet est mené à terme par son successeur, **Paul VI** (1963-1980). Non sans difficultés. Stimulée par un noyau « progressiste », une majorité convaincue de la nécessaire adaptation de l'Église aux réalités se heurte à une minorité attachée d'abord à la stabilité de l'Église. Le concile aboutit cependant à une mutation : ouverture au monde, renouveau de la liturgie et de la vie religieuse, progrès oecuméniques *. Le pape entreprend des voyages à l'étranger pour concrétiser cette nouvelle orientation. Toutefois, l'Encyclique *Humanae Vitae* (1968) qui condamne la contraception et l'avortement apparaît comme un « coup de frein ». C'est le point de départ d'un malaise qui s'est accentué au fil des ans. L'élection de **Jean-Paul II,** un Polonais, en 1980 fait espérer un nouveau dynamisme de l'Église. Soucieux de restaurer l'identité catholique, le pape est méfiant vis-à-vis de la modernité. Il maintient les positions traditionnelles sur les questions les plus brûlantes : régulation des naissances, célibat des prêtres, place des femmes dans l'Église.

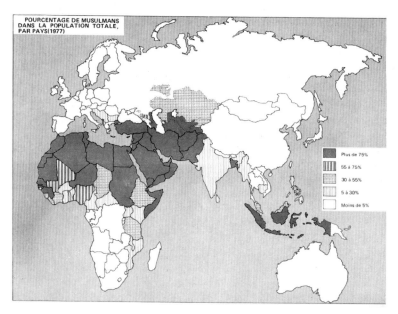

31. **Situation de l'Islam** (D'après *La Documentation Photographique*, Paris, n° 6055, octobre 1981, p. 39).

32. L'ISLAM ET LES FEMMES

La question des femmes représente le point faible de tout le système islamique. À telle enseigne que dans les républiques musulmanes d'Union soviétique, les représentants russes du pouvoir central en avaient tiré parti. L'éducation des femmes était devenue l'une des priorités. (...) Rien d'étonnant que les femmes soient devenues les soutiens du régime soviétique. Le même processus s'est déroulé en Afghanistan. Là encore elles figuraient parmi les derniers défenseurs d'un pouvoir contrôlé par l'URSS. Ce qui est parfaitement compréhensible : pour une femme, l'autorité communiste, fût-elle tyrannique, est encore préférable à celle des ayatollahs !

Faut-il avoir peur de l'Islam ? Entretien avec Bernard LEWIS dans *l'Histoire*, Paris, n° 141, février 1991, p. 49.

Depuis la fin des années soixante, l'Église occidentale est en crise. La pratique religieuse connaît une régression grave, particulièrement en **Europe** et parmi les jeunes (si 80 % des Français se déclarent encore catholiques, 10 à 15 % seulement sont pratiquants). Les vocations sont en chute libre. Des prêtres retournent à l'état laïc. Seuls échappent au mouvement certains pays de l'Est en raison du rôle joué par l'Église dans les « révolutions » de 1989 (Pologne). L'Église semble ne plus être capable de répondre aux attentes des fidèles, conservateurs ou progressistes. Les *intégristes* * critiquent les innovations introduites par le concile et favorisent un retour aux valeurs traditionnelles morales, sociales et politiques. S'il en condamne les excès (suspension de Monseigneur Lefebvre en France), le Saint-Siège soutient les milieux qui veulent renforcer l'autorité dans l'Église (béatification de Don José María Escrivá de Balaguer, fondateur de l'*Opus Dei*). Nés à la fin des années 60, les *mouvements charismatiques* veulent une religion plus affective et plus personnelle et se méfient de l'engagement socio-politique. En Amérique latine, spécialement au Brésil, des « communautés de base » essaient au contraire de libérer les pauvres. Inspirés de l'Evangile mais utilisant souvent l'outil d'analyse marxiste les *théologies de la libération* veulent répondre à l'attente populaire, justifiant parfois la participation des chrétiens, voire des prêtres à des mouvements révolutionnaires.

Malgré les tensions, l'Église, en perte de vitesse dans l'Occident, connaît un dynamisme certain en Asie comme en Afrique. Elle est ainsi confrontée à une « désoccidentalisation » de sa théologie et de ses habitudes.

2. L'ISLAM

Depuis la révolution iranienne de 1978-1979 et la mise en place d'une **République islamique,** le monde musulman montre des signes d'un renouveau qui s'exprime par une condamnation du modèle occidental et un retour à la **tradition** où il puise un modèle politique et social. Cette évolution est ressentie à l'extérieur et, par certains à l'intérieur, comme une montée de l'*intégrisme.* Comment expliquer cette mutation ? Les valeurs nationalistes arabes ont été longtemps, dans le contexte de la colonisation, influencées et dominées par les intérêts économiques et politiques européens, plus tard américains. Aujourd'hui le mouvement islamique, malgré des **différences internes,** est unanime pour protester contre « le double processus de modernisation et de laïcisation » (Bernard Lewis) et entraîne beaucoup de pays dans la reconquête de leur identité.

VOCABULAIRE

Babyboom : voir p. 117.

Œcuménique : favorable à la réunion de toutes les Églises chrétiennes en une seule.

Éthique : voir p. 67.

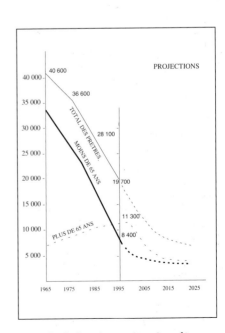

33. *L'évolution du nombre de prêtres en France* (D'après *Hlm périodique trimestriel de l'a.s.b.l. Hors-les-murs,* Bornival, n° 51, février 1993, p. 6).

Après le choc du second conflit mondial, artistes, hommes de lettres et philosophes s'interrogent : où va notre monde ?

Tandis que la société de consommation triomphante semble générer une nouvelle culture de masse, les recherches artistiques de l'entre-deux-guerres débouchent sur une floraison d'expressions nouvelles. Culture d'élites « contre » culture de masse ?

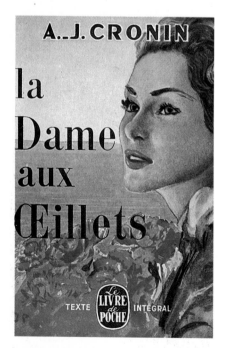

1. **Duane HANSON, *Femme avec son caddie,*** 1969, hauteur 166 cm (Aix-la-Chapelle, Neue Galerie, coll. Ludwig).

2. **Paul DELVAUX, *Les inconnues,*** 1977 (Louvain-la-Neuve, Musée).

4. ***Couverture du Livre de Poche n° 30,*** 1959. À l'image de *Pocket Book* (USA), de *Penguin* (G-B) et de *Marabout* (Belgique), Henri Filipacchi crée, en 1953, le *Livre de Poche* (16,5 x 11 cm) qui contribua à démocratiser la lecture (1er titre paru : *Koenigsmark* de Pierre Benoit).

3. **Luchino VISCONTI, *une image de « La Terre tremble ».*** Film de 1948 dont les acteurs étaient les pêcheurs d'Aci Trezza.

6. **Marie-Jo LAFONTAINE,** *Le métronome de Babel,* 1984-1985 (Collection privée). L'omniprésence de la TV !

5. **Alberto GIACOMETTI,** *Tête sur tige,* 1947. Plâtre peint, hauteur 61 cm (Zurich, Kunsthaus, Fondation Giacometti).

7. **Elvis PRESLEY,** *King Creole.* Couverture du disque, 1958.

8. **Henry MOORE,** *King and Queen,* 1953. Bronze, hauteur 165 cm (Dumfries, Glenkiln Estate. Sir William Keswick Shawhead).

9. **Maurice BÉJART,** *le ballet du XXe siècle,* 1968. L'art chorégraphique est né au XXe siècle avec Isadora Duncan, les « Ballets russes »… Béjart crée l'engouement.

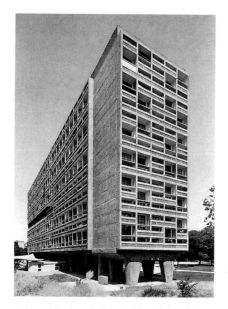

10. **LE CORBUSIER,** *Unité d'habitation à Marseille*, 1947-1952. Façade ouest.

La « Cité radieuse » regroupe en un seul bâtiment, sur 18 niveaux principaux, 337 appartements en duplex de 23 types différents (du studio au logement pour famille nombreuse). Chacun s'ouvre en façade par une profonde loggia formant brise-soleil. Au milieu du bâtiment se situe un centre commercial.

11. **TALLER (atelier) et Ricardo BOFILL,** *« Arc de triomphe »* et *« Théâtre »* *(le Palais d'Abraxas).* Ensemble d'habitations bon marché, à Marne-la-Vallée.

12. *Lever Building.* Bâtiment administratif de la *Lever Brothers Company,* Park Avenue, New York, 1951-1952 (**SKIDMORE, OWINGS et MERRILL; Gordon BUNSHAFT,** architecte).

G. Bunshaft combine le bâtiment de plainpied et l'immeuble étroit de 21 étages. La façade-rideau en verre calorifuge vert et aux fins profilés en acier inoxydable enferme le squelette d'acier sans porte-à-faux.

13. **CZWG,** *« Cascades »,* 1986-1988. Appartements dans l'*île aux chiens,* Londres E 14.

I. L'ARCHITECTURE

1. DES « CAISSES À SAVON » AUX « VERSAILLES POUR LE PEUPLE »

Les ruines de la guerre imposent l'urgence. Et par réaction contre la prolifération désordonnée symbolisée par le « pavillon-chien dangereux » et le bloc « R + 3 » (1950), sont nés les **grands ensembles** où l'on est si peu « ensemble ». Ils découpent des volumes simples et permettent pour la première fois au prolétariat d'accéder à un minimum de confort. Mais ils deviennent vite des *conservatoires du mal-vivre*. L'application des principes de la *Charte d'Athènes* (1933) conduit à un espace fonctionnel si bien policé qu'il en devient contraignant et déshumanisant, corps étranger mitoyen des agglomérations existantes. Dans le même temps, l'urbanisme projette à l'extérieur des périmètres urbains les lieux de travail (zones industrielles, bureaux), dissociés ainsi des quartiers d'habitations. Rares sont les réussites des « ensembles » : à Marseille, l'*Unité d'habitation* de Le Corbusier (1947-1952); au plateau du Heysel à Bruxelles, la *Cité Modèle* de R. Bream (1956-1974), type de « cité-parc » demeurée inachevée. Les dégâts au paysage urbain et péri-urbain sont irréparables (on parle de *bruxellisation*).

Vient le temps de la **réévaluation**. Les architectes déclarent la guerre aux « *barres* ». Tout leur semble alors possible : logements à gradins, plans cassés, accumulation d'escaliers, de passerelles, ondoyance des courbes, jeux de couleurs, intégration à la nature. De grands architectes s'y consacrent. Ricardo Bofill travaille à Cergy-Pontoise et à Marne-la-Vallée (le *Palais d'Abraxas*); le groupe AUSIA aux *Venelles* à Woluwe-Saint-Pierre; le CZWG à Londres où il réalise, sur les bords de la Tamise, les *Cascades*.

2. DES IMAGES DE MARQUE POUR LES MULTINATIONALES

Le style international

Les conceptions du *Bauhaus* (voir p. 64), dont les membres éminents ont fui aux États-Unis, greffées sur le building américain de la première moitié du siècle, donnent naissance au **style international**. On le reconnaît à son insistance sur le volume, la régularité des structures, l'emploi du mur-rideau léger, l'élégance des matériaux, la perfection technique et le refus de l'ornement. Son manifeste : *Park Avenue* à New York, à l'ombre du *Pan Am building*, des architectes E. Roth et fils, P. Belluschi et W. Gropius (1963). Skidmore, Owings et Merril, pour l'*Union Carbide* et pour les *frères Lever* (1952), Mies van der Rohe et Ph. Johnson pour la *Distillers Corporation Seagram Limited* (1958), s'y exercent et y réussissent. Ils assurent aux grandes compagnies une image de marque moderne qui contribue à leur promotion et facilite ainsi la diffusion de leur style de par le monde.

La prospérité et la course au profit des *Golden Sixties* accentuent le gigantisme et les audaces de la **deuxième génération de « tours »**. En témoignent les deux immeubles de 110 étages du *World Trade Center* (1975) à New York ou la *Tour Fiat* (1974), haute de 180 m et dressée sur la dalle de *La Défense* à Paris. Leurs architectes combattent la monotonie banale du parallélépipède par le jeu des couleurs et des matériaux, par les courbes et les arrondis. La crise des années 70 et le mal des bureaux, causé par l'immensité des vastes bureaux-paysagers, leur éclairage artificiel et un air conditionné mal maîtrisé, appellent une **troisième génération** de tours. Sans sacrifier à la rentabilité — elles sont hautes —, on construit des immeubles aux formes nouvelles, aux façades fractionnées, étirées, creusées, comme la *Tour Elf* (1985) de R. Saubot et F. Jullien à *La Défense*, à Paris.

---

14. CHARTE D'ATHÈNES

Rédigée en conclusion du congrès du C.I.A.M. (Congrès international d'Architecture moderne) en 1933, cette charte ne sera d'application qu'après 1945.

Éthique.
La ville doit assurer, sur les plans spirituel et matériel, la liberté individuelle et le bénéfice de l'action collective.

Hiérarchie.
L'habitation (le logis) peut être considérée comme le point central des préoccupations urbanistiques.

Synthèse.
Vitalisation des phénomènes urbains par l'emploi des éléments existants et préparation des événements futurs :
- destruction des résidus,
- mise en valeur de l'héritage culturel,
- création des éléments urbains assurant la vie contemporaine. Prévisions permettant de poursuivre le développement des fonctions urbaines.

Échelle humaine.
Les besoins humains et l'échelle humaine sont la clef de toutes les dispositions à prendre.
Le point de départ est une cellule d'habitation (le logis) et son groupement en une « unité » de grandeur efficace. (…)

Administration.
La ville comme le village doivent être étudiés dans l'ensemble économique de leur région d'influence. Un plan de région doit remplacer le simple plan municipal.

Mobilisation du sol.
Urgence de la libre disposition du sol pour la réalisation des travaux d'intérêt collectif. La mobilisation du sol est seule capable de permettre la réorganisation des fonctions urbaines : habitation, loisirs, travail, circulation.

Habitation.
Les quartiers d'habitation occupent dans l'espace urbain l'emplacement le meilleur.
Chaque pièce d'habitation doit bénéficier d'un minimum d'heures d'ensoleillement.
Interdiction d'aligner les bâtiments d'habitation au long des voies de circulation.
Emploi des techniques modernes pour la réalisation de constructions hautes, libérant le sol en faveur des surfaces vertes. (…)

(D'après J. CASSOU, *Panorama des arts plastiques contemporains*, Paris, 1960, pp. 370-372).

15. *Centre administratif de la Banque de Hongkong et de Shanghai, à Hongkong,* 1979-1986 (**Norman FOSTER**, architecte). Vue générale.

Cette tour de 178 m de haut, qui a coûté la bagatelle de 6 milliards de francs, est considérée comme un chef-d'œuvre de rationalisme en matière d'occupation de l'espace. L'architecte renonce ici au modèle classique du noyau central et du revêtement gaine de façade. Huit mâts composés de quatre tuyaux chacun soutiennent le bâtiment. À cinq niveaux, celui-ci est divisé par des cadres de renforcement. Les étages sont suspendus à ces cadres. Les ascenseurs et escaliers, les toilettes et les installations techniques sont placés à l'extérieur du bâtiment, sur le côté, de façon à disposer d'un maximum d'espace intérieur pour les 37 000 employés qui y travaillent.

16. *Banque de Hongkong et de Shanghai à Hongkong.* Vue de l'intérieur.

La salle haute et étroite est alimentée en lumière du jour à l'aide d'un miroir commandé par ordinateur et des réflecteurs. Un toit suspendu en verre sert de barrière de climatisation au rez-de-chaussée ouvert. D'énormes entretoises diagonales « freinent » la verticalité de l'ensemble. Là où elles recoupent des salles de travail, elles semblent menacer les « petits hommes » qui se trouvent sous elles.

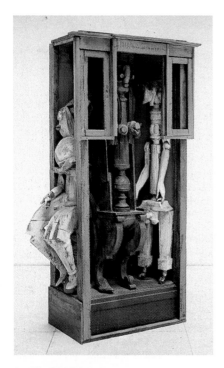

17. Vic GENTILS, *Rua de Amor,* 1969 (Bruxelles, Musées royaux des Beaux-Arts).

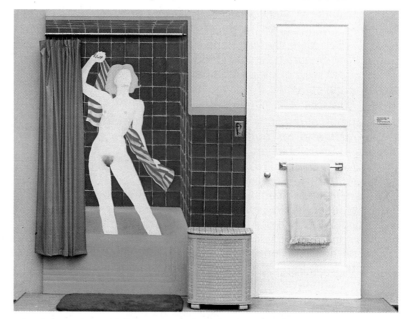

18. Tom WESSELMANN, *Collage de baignoire n° 3,* 1963, 213 x 270 x 45 cm (Cologne, Wallraf-Richartz Museum, collection Ludwig).

Le mouvement post-moderne

Fonctionnaliste à visage humain, ce mouvement entend habiller la « *caisse à savon* ». Il ne renie pas les acquis des techniques modernes de construction (fer, verre, voile de béton, béton moulé...), mais recourt à l'**ornement :** baroque (R. Bofill), classique (R. Venturi) ou art Déco, voire à la polychromie (*Extension du Sénat*, à Madrid).

Une architecture « High Tech »

Plus audacieuse, éprise de vérité, inspirée par la raffinerie de pétrole et jouant avec des métaphores « *machiniques* », elle développe des **bâtiments-machines**, rejetant à l'extérieur la structure porteuse et les « *entrailles* ». Ainsi, par exemple, à Paris, le *Centre Pompidou* (1977) de R. Rogers et R. Piano, ou, à Hongkong, la *Banque de Hongkong et Shanghai* (1986) de N. Foster.

Et demain ?

« *L'architecture est une morale construite* » (P. Chemetov). Elle n'est pas neutre. Elle devrait participer activement à une vie en société où l'on est bien soi et où l'autre a aussi sa place. Il est certain que notre société urbaine doit répondre de façon urgente aux questions : quelle ville ? Quelles politiques urbaines ? Quelles architectures ?

II. LES ARTS PLASTIQUES

Confronté à la production contemporaine, le public s'étonne : « **est-ce encore de l'art ?** ». Ici on empile des chaises, là on expose une casserole de moules. M. Duchamp déjà répondait : « *l'Art, c'est n'importe quoi* », en exposant, en 1917, une pissotière, objet manufacturé et doté d'un titre : *Fontaine*. Ainsi la modernité se définit par la déstabilisation de toutes les catégories traditionnelles qui permettaient l'identification de l'œuvre d'art : créativité, originalité, beauté. Or, les *ready-made* * de Duchamp se présentent et ne représentent pas. Après les journaux collés, ils ne reflètent rien. Ils sont, bruts. L'œuvre est cependant dépourvue de fonction, hors d'usage et exposée. Arrachée à son lieu naturel, elle produit un effet d'art, lui restituant sa dignité d'objet perçu, « *à voir* » dans un lieu spécial : galerie ou musée. Son entrée dans ces lieux le baptise *art*. Oui, l'art c'est n'importe quoi... à condition que le collectionneur choisisse d'acheter. Le marché décide si c'est de l'art : « *ce sont les regardeurs qui font les tableaux* » (Duchamp). La valeur est conférée par l'**Institution**. Ainsi l'œuvre d'art est un objet *inquiétant* parce qu'on ne sait si c'est un vrai objet d'art ou non. « *Peut-on observer un fait esthétique en dehors des conditions d'observation qui, a priori, nous le feront paraître comme tel ?* » (Duchamp). D'où le rôle important, surtout dans les années 60, de la **publicité** : galeries, expositions, musées, magazines, critiques d'art.

Les *ready-made* * auront une longue postérité, tel l'**Art minimal :** des œuvres qui semblent fonder leur propre valeur artistique sur une absence paradoxale de contenu artistique. Le **Pop'Art** est aussi leur héritier. Empruntant ses motifs et/ou ses techniques aux arts commerciaux et populaires (affiches, photographies, B.D.), il expose la banalité de la société consommatrice. De même l'**Hyperréalisme** dénonce l'*american way of life*, ses illustrations, son grotesque et son inhumanité. La consommation est aussi *emballage*, suscitant l'énigme du contenu (Christo), déchets, poubelles. Si Arman accumule, détruit, César comprime, dénonçant avec réalisme la prolifération des rebuts de notre société. On peut ainsi *ré-utiliser* l'objet que le temps a défait pour qu'il prenne forme nouvelle. Ainsi Vic Gentils démonte un vieux piano pour lui faire interpréter une symphonie visuelle ou, avec de vieilles chaises et des balustres, recrée de redoutables divinités dont les yeux sont des tenons.

19. **Hugh A. STUBBINS avec W. DUTT-MANN et F. MOCKEN** (arch.) et **F. SEVE-RUD** (ing.), *Benjamin-Franklin-Halle à Berlin*, 1957.

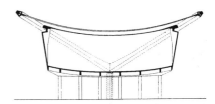

20. *Coupe de la Benjamin-Franklin-Halle* après sa reconstruction en 1987 (D'après P. GÖSSEL et G. LEUTHÄUSER, *L'architecture du XXe siècle*, p. 255).

21. **Pol BURY,** *Fontaine,* novembre 1984. Acier inoxydable.

TENDANCES ET MOUVEMENTS DANS

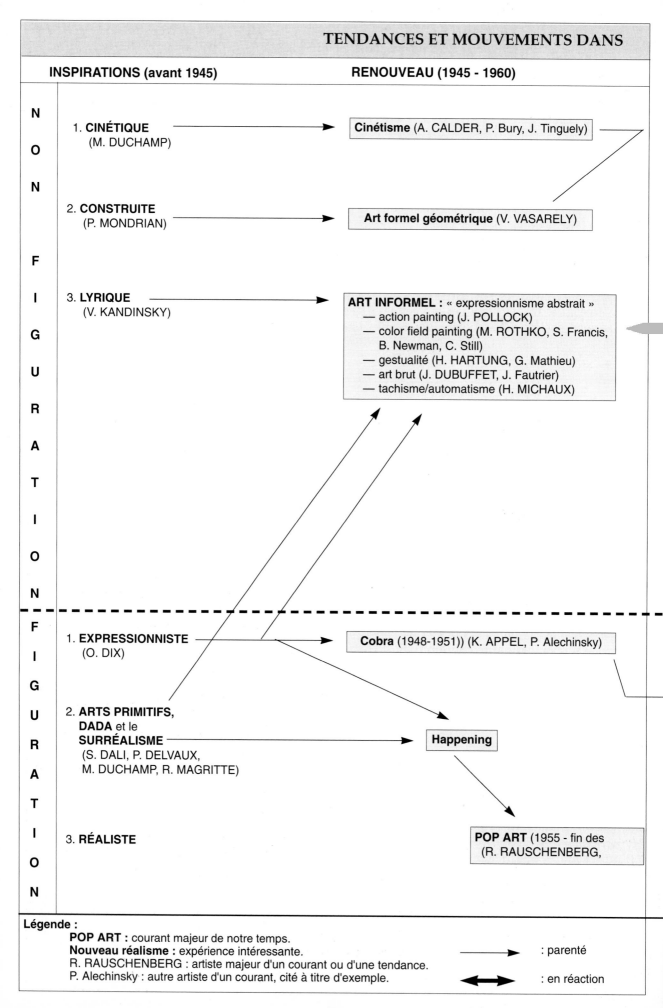

INSPIRATIONS (avant 1945)   **RENOUVEAU (1945 - 1960)**

N O N   F I G U R A T I O N

1. **CINÉTIQUE**
   (M. DUCHAMP) ⟶ **Cinétisme** (A. CALDER, P. Bury, J. Tinguely)

2. **CONSTRUITE**
   (P. MONDRIAN) ⟶ **Art formel géométrique** (V. VASARELY)

3. **LYRIQUE**
   (V. KANDINSKY) ⟶ **ART INFORMEL :** « expressionnisme abstrait »
   — action painting (J. POLLOCK)
   — color field painting (M. ROTHKO, S. Francis, B. Newman, C. Still)
   — gestualité (H. HARTUNG, G. Mathieu)
   — art brut (J. DUBUFFET, J. Fautrier)
   — tachisme/automatisme (H. MICHAUX)

F I G U R A T I O N

1. **EXPRESSIONNISTE**
   (O. DIX) ⟶ **Cobra** (1948-1951)) (K. APPEL, P. Alechinsky)

2. **ARTS PRIMITIFS,**
   DADA et le
   SURRÉALISME ⟶ **Happening**
   (S. DALI, P. DELVAUX,
   M. DUCHAMP, R. MAGRITTE)

3. **RÉALISTE**   **POP ART** (1955 - fin des
                          (R. RAUSCHENBERG,

Légende :
   POP ART : courant majeur de notre temps.
   Nouveau réalisme : expérience intéressante.
   R. RAUSCHENBERG : artiste majeur d'un courant ou d'une tendance.
   P. Alechinsky : autre artiste d'un courant, cité à titre d'exemple.

   ⟶ : parenté

   ⟷ : en réaction

LES ARTS PLASTIQUES DE 1945 À NOS JOURS

AU PLAISIR DES AVANT-GARDES (1960 - 1977)   ANYTHING GOES (1977 - ...)

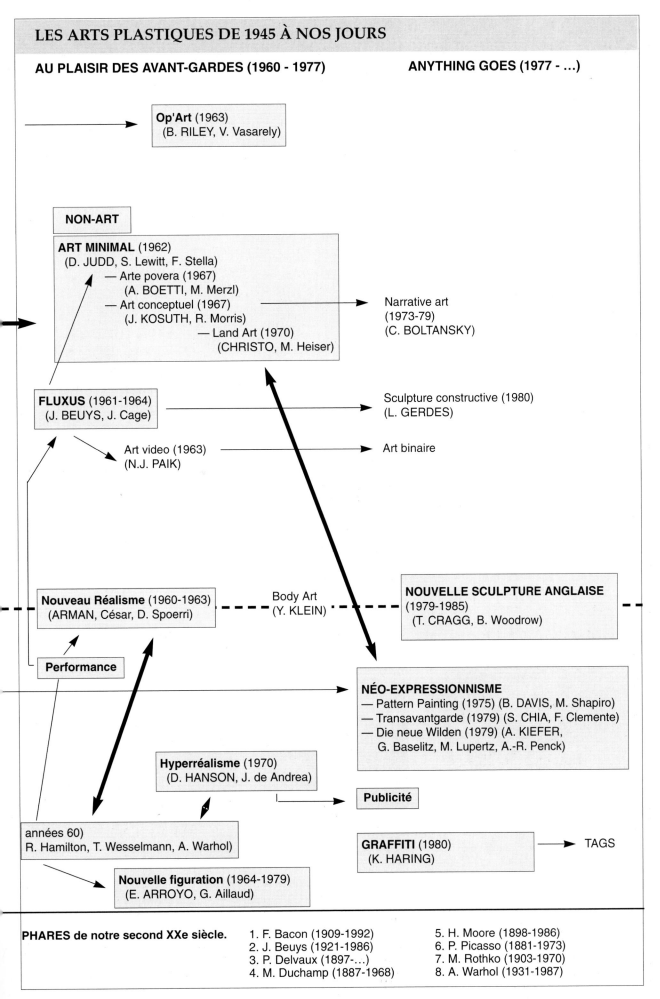

Op'Art (1963)
(B. RILEY, V. Vasarely)

NON-ART

ART MINIMAL (1962)
(D. JUDD, S. Lewitt, F. Stella)
— Arte povera (1967)
   (A. BOETTI, M. Merzl)
— Art conceptuel (1967)
   (J. KOSUTH, R. Morris)
      — Land Art (1970)
      (CHRISTO, M. Heiser)

Narrative art
(1973-79)
(C. BOLTANSKY)

FLUXUS (1961-1964)
(J. BEUYS, J. Cage)

Sculpture constructive (1980)
(L. GERDES)

Art video (1963)
(N.J. PAIK)

Art binaire

Nouveau Réalisme (1960-1963)
(ARMAN, César, D. Spoerri)

Body Art
(Y. KLEIN)

NOUVELLE SCULPTURE ANGLAISE
(1979-1985)
   (T. CRAGG, B. Woodrow)

Performance

NÉO-EXPRESSIONNISME
— Pattern Painting (1975) (B. DAVIS, M. Shapiro)
— Transavantgarde (1979) (S. CHIA, F. Clemente)
— Die neue Wilden (1979) (A. KIEFER,
   G. Baselitz, M. Lupertz, A.-R. Penck)

Hyperréalisme (1970)
(D. HANSON, J. de Andrea)

Publicité

années 60)
R. Hamilton, T. Wesselmann, A. Warhol)

GRAFFITI (1980)
(K. HARING)   TAGS

Nouvelle figuration (1964-1979)
(E. ARROYO, G. Aillaud)

PHARES de notre second XXe siècle.

1. F. Bacon (1909-1992)
2. J. Beuys (1921-1986)
3. P. Delvaux (1897-...)
4. M. Duchamp (1887-1968)

5. H. Moore (1898-1986)
6. P. Picasso (1881-1973)
7. M. Rothko (1903-1970)
8. A. Warhol (1931-1987)

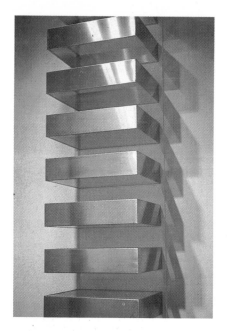

22. **Donald JUDD, *Sans titre*** (détail), 1968, 23 x 102 x 79 cm (Los Angeles, County Museum of Art).

23. **Francis BACON, *Le pape aux hiboux,*** 1958. Huile sur toile, 198 x 142 cm (Bruxelles, Musées royaux des Beaux-Arts).

24. **Georg BASELITZ, *Nez rouge,*** 1987, 250 x 200 cm (Bonn, Städtisches Kunstmuseum).

25. **Mark ROTHKO, *vue générale de la salle qui lui est consacrée à la Tate Gallery de Londres.*** Ces peintures (1958-1959) étaient d'abord destinées au restaurant « Les Quatre Saisons » du *Seagram Building* à New York.

L'artiste témoigne de l'« *Oubli de l'Être* » (Kundera) avec réalisme, voire dérision, ou l'exprime par la **figuration expressionniste**. Ainsi F. Bacon, dans son *Pape aux hiboux* (1958), évoque l'angoisse de la Guerre froide et l'effroi face à la barbarie inhumaine. Ce tableau classique suscite l'inquiétude. Se souvenant du portrait du pape Innocent X de Vélasquez, il pense à la majesté de Pie XII, aux fines lunettes, en ce moment tragique du monde. Mais le pape détourne la tête, bizarrement déformée; ses mains inquiètes ne bénissent ni ne prient. La figure se découpe sur l'obscurité du fond noir, assise sur un trône décoré de hiboux, oiseaux de malheur ou emblèmes de sagesse, qui voient dans la nuit; elle est habillée d'une soutane violacée et non rouge. Bacon peint le tourment profond et la solitude du Vicaire du Christ, séparé du monde par le tracé discret d'un cube, comme une cage de verre. Mais cette cage évoque celle dans laquelle Eichmann était placé à son procès en Israël pour le protéger de la colère de la foule, rappelant ainsi les tortures morales et physiques que l'homme peut infliger et endurer. Dans la même veine, R. Somville se veut le porteur d'un message social dans une forme violente aux couleurs agressives.

Tout aussi expressif, mais dans la ligne de l'**Art brut** (Dubuffet) et de l'alliance surréaliste du rêve et de la réalité, le **groupe Cobra** (Copenhague, Bruxelles, Amsterdam) veut retourner à la spontanéité naïve de l'enfance, indemne de toutes cultures, tirant tout de son *impulsion inconsciente*.

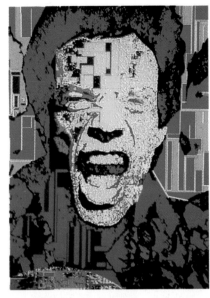

26. **Léo SCALPEL, *portrait du chanteur Mick Jagger*.** Estampe faite sur ordinateur (fin des années 80).

Une part importante de l'inventivité des artistes s'est consacrée à la découverte, à l'utilisation, à l'exploitation systématique d'un aspect de la création. Ainsi l'**action painting** laisse libre cours au *geste* pictural. Pollock danse sur le ring de sa toile étendue sur le sol, maltraitée par des égouttages, par exemple d'un pinceau trop trempé. Le geste peut être violent, griffe, rature, tache. Il peut aussi être lent. De cette façon, Rothko privilégie davantage le champ coloré, lumière ou ténèbres, et lui donne un pouvoir méditatif susceptible d'évoquer la transcendance. Cet *art informel*, communément appelé **expressionnisme abstrait** se caractérise par la grande taille des toiles, la simplification des couleurs pour que l'effet soit plus éloquent. La peinture, ici, est essentiellement traits, couleurs, sans rien « *représenter* » d'autre. Pour peindre, on utilisait le pinceau, le couteau ou les doigts, et pourquoi pas un *pinceau humain* (Y. Klein). Il faut aussi de la *couleur*. Le même effet peut être atteint avec des tubes fluorescents, engageant ainsi le tableau vers la sculpture : mélange des genres. Il faut aussi un *support* : toile, mais aussi mur (graffiti, peinture murale qui ramènent l'art dans la rue), ou sol, désert, montagne (**Land Art**), mettant en cause en même temps le concept de la pérennité de l'œuvre d'art.

27. ***L'art de la rue : graffiti au pochoir*** sous le Pont-Neuf à Paris.

L'art contemporain est donc très « *réflexif* » : il se penche sur sa pratique, sans cadre normatif, et il dénonce, souvent avec violence, la « barbarie à visage humain » de la société du XXe siècle, techno-économique, cynique et opportuniste.

Un grand avantage des années 80, après la fatigue des *avant-gardes*, est que le public n'est plus tenu de croire que « *plus c'est nouveau, plus c'est beau* ». Par ailleurs, les images sont susceptibles d'éveiller en chacun toutes sortes de sentiments, du plaisir au dégoût, de la colère à l'émerveillement. Ainsi, dans le monde des images, des couleurs et des formes du « *n'importe quoi* », l'homme a le droit de **choisir** ce qui lui plaît et de fabriquer **son musée imaginaire personnel**.

28. ***Peinture murale du Quartier Nord à Saint-Josse,*** Bruxelles, dans les années 70.

29. *Le corps peint :* Yves KLEIN préparant son modèle pour l'anthropométrie ANT 15. Photographie, 1960.

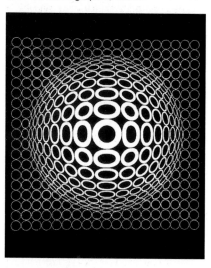

30. **VASARELY,** *Vega-Tuz-IV,* 1972-1973, 120 x 120 cm.

31. *Jacques Brel sur scène ,* dans les années 60.

III. HEURS ET MALHEURS DES PRATIQUES CULTURELLES DE MASSE

1. LA BANDE DESSINÉE

Dès 1950, par son réalisme et la précision du décor, l'**école franco-belge** rivalise avec les **B.D. américaines** sur le terrain de la comédie dramatique (Hergé et son héros *Tintin*), dans le comique pur *(Gaston la Gaffe)* ou la parodie *(Lucky Luke, Astérix* et autres *Schtroumpfs).* Malgré son succès, le genre reste perçu assez négativement : on dénonce le sadisme et l'irréalisme des B.D. américaines; on croit la B.D. franco-belge destinée aux seuls enfants, même si Tintin s'adresse aux *« jeunes de 7 à 77 ans ».*

L'après mai 68 voit paraître une **B.D. adulte,** pour les adultes. Le genre en devient majeur avec l'*Écho des Savanes, Fluide glacial* ou *Métal Hurlant,* qui véhiculent parfois un message politique.

Après 1982, c'est le **reflux** : crise des revues *(Spirou,* par exemple, tombe à moins de 50 000 exemplaires/semaine en 1986); débâcle des maisons d'éditions *(Dupuis* contrôlé par *Hachette).* Les plagiats, le manque d'imagination des auteurs ou leur conformisme, les aventures au premier degré, le refus de l'école de considérer la B.D. comme un genre artistique majeur font le reste. Pourtant des *souffles nouveaux* se lèvent en Italie, en Espagne et en Belgique avec Yann et Conrad, Hardy ou Berovici pour ne citer qu'eux.

2. LE CINÉMA

Après la guerre, le cinéma connaît son **âge d'or** (1945-1965) dans tous les pays occidentaux. Le cinéma italien, pour ne parler que de lui, est représentatif de l'évolution du *7ème art.* Il sort de la guerre anéanti : les Américains ont fermé les studios mussoliniens de Cinecittà. Il renaît pourtant très vite. Avec des moyens dérisoires, les **films néo-réalistes** dénoncent la misère et l'exploitation des pauvres. Dans *La terre tremble* (1948), L. Visconti exprime le drame du Mezzogiorno, « une société en décomposition et un marché colonial exploité par la classe dirigeante du Nord ». Ses interprètes sont des pêcheurs, son décor est naturel, son équipe et son matériel, réduits. R. Rossellini, V. De Sica et F. Fellini suivent cette voie qui nourrit leur œuvre jusque bien avant dans les années 60. De 1970 à 1975, le cinéma italien est *à l'apogée,* ses réalisateurs sont nombreux et en pleine possession de leurs moyens (M. Antonioni, F. Rossi, P.-P. Pasolini, ...). L. Visconti évolue et met en scène, à grand renfort de moyens, « des libertés qui se choisissent dans des situations » (Sartre) ou des héros en quête d'absolu, qui s'arrachent à un univers de conventions *(Ludwig,* 1973), quitte à le payer de la folie et de la mort.

Partout, les ciné-clubs et les revues spécialisées reflètent l'engouement pour le 7ème art. Mais, dès les années 60, la TV concurrence le cinéma. La **crise** économique sinistre le cinéma italien, la *Nouvelle Vague* française et le cinéma engagé d'un Costa Gavras, par exemple *(Z,* 1969). Les États-Unis se sauvent en montant des **films-catastrophes,** comme *La Tour infernale* ou *Les dents de la mer,* et en attirant les jeunes par des **films d'aventures à grand spectacle** qui multiplient les effets spéciaux *(La guerre des étoiles,* 1977). *Apocalypse Now* (1979) de F.F. Coppola échappe au genre par « sa peinture grandiose et horrifiée du bellicisme ». Le **redressement** viendra-t-il d'un retour à la simplicité des moyens, à l'évocation de la vie quotidienne et de ses problèmes, et du financement apporté aux réalisations cinématographiques par les télévisions privées ou publiques comme ce fut le cas pour Le *Maître de Musique* en Belgique ou *My Beautiful Laundrette* en Angleterre ? Il semble en tous cas que le cinéma ne soit plus l'art populaire qu'il fut. Reste la **télévision**. Pourra-t-elle assumer le questionnement social qu'a rempli avec panache le cinéma en son âge d'or, quand l'une, publique, est à court de moyens et l'autre, privée, à but commercial, contrainte de plaire ?

3. LA MUSIQUE ET LA CHANSON

La musique « sérieuse »

Si la grande musique classique se popularise grâce au disque 33 tours (1947), stéréophonique (1955) et au CD (1979), le *sérialisme intégral* d'un K. Stockhausen ou d'un P. Boulez accentue le fossé entre le public et la musique savante. Aux États-Unis, un rapprochement s'opère dans les jeux esthétiques de J. Cage ou les opéras-portraits de P. Class, tandis qu'en Europe le *post-modernisme* de G. Bergamin rend à la musique « l'intelligibilité, l'audibilité et l'expression ».

La musique populaire

Né aux États-Unis, le **rock** est le phénomène majeur de la musique populaire d'après 1955. Le **blues** lui impose sa simplicité harmonique, son rythme binaire et répétitif, ses instruments, sa composition, ses thèmes et son sens du spectacle. À l'instar du blues, le rock **rompt avec la tradition** musicale classique de l'Occident. D'un coté, la route, la formation sur le tas, l'improvisation, une musique d'ambiance volontiers contestatrice, une langue argotique, voire pornographique, un moyen de « faire du fric », un public bruyant, dansant, qui veut *s'éclater :* les « meetings » du temps présent, de *Woodstock* à *Wembley* en passant par *Bercy* ou *Forest National*. De l'autre, un lieu privilégié, une technique élevée, la discipline de l'orchestre, l'écriture, une œuvre d'art conformiste dans sa présentation et son contenu, un public silencieux, assis, attentif et désireux d'accroître son capital-culture.

La *musique populaire noire* ne cesse pas, depuis 40 ans, d'influencer le rock blanc. La **music soul** inspire la contre-culture américaine, les *Rolling Stones*, les *Beatles* et la musique *pop* des années 60. Quand les années 70 exténuent le rock sous les dollars et la nullité, après le salutaire *no future* des Punks anglais, l'**électro-funk** de Stevie Wonder donne des idées à M. Jackson et à Prince, donc à la *New Wave* des années 80. Le **reggae**, le *rock du pauvre*, rappelle au rock blanc l'existence d'un tiers et d'un quart-monde : en sortent les concerts en faveur des affamés ou contre l'apartheid, qui confèrent au rock respectabilité et valeurs humanistes. L'**afro-rock** le ramène en Afrique, sa vraie patrie, et le régénère en y injectant de nouveaux rythmes dansants. Ainsi, dans leurs successives révoltes contre l'ordre établi (55-58, 64-69, 77-80), les jeunes d'Occident et plus récemment de l'Est dansent « sur une musique binaire, fortement rythmée, structurée par un nombre limité d'accords, liée à l'Afrique » (P. Paraire).

La Chanson française

La chanson populaire française adopte le **rock**, l'adapte, l'imite et l'édulcore dans l'indigence du mouvement *yéyé*. Émergent l'opportuniste J. Hallyday qui sera de toutes les vagues *(yéyé, twist, madison, pop* et *psychédélisme,* voire *hard-rock),* le fidèle E. Mitchell et les très professionnels C. François et M. Polnareff.

La **poésie** n'a pas quitté la chanson française. Cette force lui permet de contenir le rock, à la suite de Ch. Trenet ou depuis les caves de Saint-Germain des Prés, immortalisées dans l'immédiate après-guerre par Boris Vian et J. Gréco, et grâce aux talents de ces auteurs-interprètes que sont Barbara, G. Brassens, L. Ferré, J. Ferrat, C. Nougaro, le Canadien F. Leclerc ou le Belge J. Brel et, plus récemment, M. Le Forestier, Renaud, B. Lavilliers… Cette **chanson à textes** séduit par la variété d'inspiration, ses engagements, ses écarts de langage et ses qualités musicales. La fantaisie d'une A. Cordy, d'un P. Perret ou d'un J. Dutronc, ou encore le sentimentalisme mélodramatique d'une É. Piaf concourent aussi à l'originalité de la chanson française. Mais en 1990, sous le règne du Top 50,… *« Où sont les neiges d'antan »* ? chantées par S. Reggiani.

33. *Publicité pour le « Club Méditerranée »,* années 80.

35. **Alberto GIACOMETTI**, *Homme qui marche II*, 1960. Bronze, hauteur 1,87 m.

34. LE « VISAGE » ET L'EXPÉRIENCE MORALE

Le visage n'est pas l'assemblage d'un nez, d'un front, d'yeux, etc.., il est tout cela certes, mais prend la signification d'un visage par la dimension nouvelle qu'il ouvre dans la perception d'un être. Par le visage, l'être n'est pas seulement enfermé dans sa forme et offert à la main – il est ouvert, s'installe en profondeur, et dans cette ouverture, se présente en quelque manière personnellement. (…) Les choses, c'est ce qui ne se présente jamais personnellement et, en fin de compte, n'a pas d'identité. À la chose s'applique la violence. Elle en dispose, elle la saisit. Les choses donnent prise, elles n'offrent pas de visage. (...). Le visage lui est inviolable; ces yeux absolument sans protection, partie la plus nue du corps humain, offrent cependant une résistance absolue à la possession, résistance absolue où s'inscrit la tentation du meurtre : la tentation d'une négation absolue (...). Voir un visage, c'est déjà entendre : « Tu ne tueras point », c'est entendre « Justice sociale » (...) Le violent ne sort pas de soi. Il prend, il possède. La possession nie l'existence indépendante. Avoir, c'est refuser l'être. La violence est souveraineté mais solitude. (...) Connaître c'est percevoir, *saisir* un objet – et fût-il homme ou groupe – saisir une chose (...). Seule la vision du visage où s'articule le « Tu ne tueras point » ne se laisse pas retourner en satisfaction (...). Le regard moral mesure, dans le visage, l'infini infranchissable où s'aventure et sombre l'intention meurtrière. C'est pourquoi précisément il nous conduit ailleurs que toute expérience et tout regard. L'infini n'est donné qu'au regard moral : il n'est pas *connu*, il est en *société* avec nous. Le commerce avec les êtres qui commence avec le « Tu ne tueras point » n'est pas conforme au schéma de nos relations habituelles avec le monde : sujet connaissant ou absorbant son objet comme une nourriture, besoin qui se satisfait (…), se muant en contentement, en jouissance de soi, en connaissance de soi. Il inaugure la démarche spirituelle de l'homme.

E. LEVINAS, *Difficile liberté*, Paris, 1963, pp. 20-23.

36. LA MORT DE L'« HOMME »

Une chose en tout cas est certaine, c'est que l'homme n'est pas le plus vieux problème ni le plus constant qui se soit posé au savoir humain. En prenant une chronologie relativement courte et un découpage géographique restreint – la culture européenne depuis le XVIe siècle – on peut être sûr que l'homme y est une invention récente. Ce n'est pas autour de lui et de ses secrets que, longtemps, obscurément, le savoir a rôdé. En fait, parmi toutes les mutations qui ont affecté le savoir des choses et de leur ordre, le savoir des identités, des différences, des caractères, des équivalences, des mots, – bref au milieu de tous les épisodes de cette profonde histoire du *Même* – un seul, celui qui a commencé il y a un siècle et demi et qui peut-être est en train de se clore, a laissé apparaître la figure de l'homme. Et ce n'était point la libération d'une vieille inquiétude, passage à la conscience lumineuse d'un souci millénaire, accès à l'objectivité de ce qui longtemps était resté pris dans des croyances ou dans des philosophies : c'était l'effet d'un changement dans les dispositions fondamentales du savoir. L'homme est une invention dont l'archéologie de notre pensée montre aisément la date récente. Et peut-être la fin prochaine.

Michel FOUCAULT, *Les Mots et les Choses*, Paris, 1969, p. 398.

37. **Roger SOMVILLE**, *La commune de Paris* (détail), 1981. Acrylique sur toile, 202 x 260 cm (Collection de l'artiste).

IV. LA LITTÉRATURE

La littérature européenne a brillé, depuis la guerre, d'un éclat inégal. Dans les années qui suivent le conflit, la France exerce l'influence la plus forte. Sartre envoûte la jeunesse par ses thèmes de *liberté existentielle*, de même que Camus. La tradition classique se maintient avec un Mauriac, par exemple. Après la vague existentialiste, dans laquelle on peut ranger *Bonjour Tristesse* de F. Sagan (1954), se lève le *Nouveau Roman* (A. Robbe-Grillet, N. Sarraute, M. Duras, C. Simon...), jeu de langage et recomposition cubiste du réel. S'en rapprochent, dans le domaine théâtral, J. Genet, E. Ionesco et S. Beckett. En Italie, c'est plutôt une littérature sociale qui triomphe, dénonçant misères et injustices (P.P. Pasolini, I. Calvino...), ce qui n'exclut pas une renaissance du roman psychologique (C. Pavese, A. Moravia). Les deux genres réunis donnent, en 1958, un chef-d'œuvre, *Le Guépard* de G. Tomasso di Lampedusa. En Allemagne, la « littérature des ruines » est imprégnée de désespérance sur la guerre et le vide qui a suivi (H. Böll, E. Wiechert, E. Junger). Depuis, il n'y a plus de tendance dominante quand de grands émergent cependant : M. Yourcenar, A. Cohen, E. Morante, J. Bergamin.

Aux États-Unis, la génération des E. Hemingway, F. Scott Fitzgerald et W. Faulkner qui avaient porté à son apogée le roman américain, se tait. La *Beat Generation* * refuse l'*american way of life* en se marginalisant (drogue, alcool, nomadisme, liberté sexuelle). Son livre-culte : *Sur la route*, de J. Kérouac. Depuis 1970, les nouvelles minimalistes d'A. Carver, d'une grande froideur de surface, disent les choses telles quelles en réponse à l'hyperbole de la publicité et au déclin de l'art de lire et d'écrire. Les *best-sellers* empruntent tout au journalisme et pensent en termes de bons scénarios : vite gagné, vite perdu ! Une littérature qui semble donc menacée.

Dans les années 1980, avec la fin des idéologies totalisantes et le repli sur le fatalisme et l'individualisme, seuls paraissent garder une conscience du tragique humain, les écrivains de plus en plus nombreux que le destin a jetés dans l'« exil », écartelés entre plusieurs langues, plusieurs cultures : M. del Castillo, T. Ben Jelloun, A. Brink... La littérature semble aussi avoir élu domicile au **Japon** (Y. Mishima, Y. Kawabata) ou en **Amérique latine** (G.G. Márquez, J.-L. Borgès, C. Fuentes...).

V. LA PHILOSOPHIE

Au lendemain immédiat du second conflit mondial, l'**engagement** dans le combat politique s'est imposé à beaucoup d'intellectuels, marxistes (R. Garaudy) ou existentialistes (A. Camus, J.-P. Sartre). Les guerres coloniales et les mouvements de libération nationale (Cuba, Vietnam) alimentent une littérature contestant le modèle productiviste et capitaliste et débouchant sur un *anti-américanisme* virulent.

Les années 60 sont certes marquées par les ouvrages de P. Ricœur ou d'E. Levinas, mais le trait fondamental de la pensée de ce temps est son **anti-humanisme**. Les uns dénoncent l'humanisme comme *idéologie petite-bourgeoise* (Althusser, P. Bourdieu), les autres comme l'illusion suprême de la métaphysique occidentale (M. Foucault, J. Lacan, J. Derrida). Pour des motifs différents, tous se retrouvent pour saper le tribunal de la conscience, radicalisant une tendance à l'œuvre de longue date chez les *maîtres du soupçon* : Marx, Nietzsche, Freud.

Mais, dans les années 80, on redécouvre les vertus du **sujet**, qu'il s'agisse du consensus retrouvé autour de la morale des droits de l'homme (M. Gauchet) ou de la revendication d'une autonomie de l'individu ou de la société face à l'État : le culte des « *bonheurs privés* » (G. Lipovetsky).

VOCABULAIRE

Beat generation : contre-culture américaine des années 50-60, de tradition bohème et dont le maître à penser est William Burroughs avec son « *Festin nu* » (1959) et son écriture hallucinogène. Jack Kerouac définit l'œuvre *beat* comme « une création sauvage, sans règle, émergeant des profondeurs de l'être, hallucinée si possible.» Empruntée à l'argot du jazz, l'expression *beat* désigne le battement du rythme, une manière de béatitude et de « déprime » face au réel.

Ready-made : objets manufacturés promus à la dignité d'œuvres d'art par la volonté de l'artiste.

---

38. THÉÂTRE D'AUTEUR ?

Les vrais créateurs dramatiques de ces trente dernières années ne sont pas les auteurs, mais les metteurs en scène... L'histoire du théâtre de ces trente dernières années se centre autour des noms de MM. Copeau, Gémier, Lugné-Poe, Dullin, Baty, Jouvet, Pitoëff, c'est-à-dire des metteurs en scène. Il n'est d'ailleurs pas certain que les années qui viennent nous offrent des poètes de la scène d'une telle authenticité. Nous avons donc vécu une période strictement originale du théâtre, sans point de comparaison dans le passé. Je rappelle que cet état de fait n'est pas une originalité propre au théâtre français contemporain. L'Allemagne avec Rheinhardt; la Russie avec Stanislavsky, Meyerhold, etc; l'Angleterre avec Gordon Craig; la race juive avec les animateurs du théâtre yiddish, illustrent avec peut-être plus d'évidence encore la primauté prise par les metteurs en scène sur les auteurs.

Jean VILAR, *De la tradition théâtrale*, Paris, 1955.

TECHNIQUES ET SCIENCES DANS LE SECOND XXe SIÈCLE

	PHYSIQUE NUCLÉAIRE	AÉRONAUTIQUE ET ESPACE	ÉLECTRONIQUE ET INFORMATIQUE	BIOLOGIE ET MÉDECINE
1940				41 - **facteur Rhésus**
	42 – **1er réacteur nucléaire**			
1945	45 – **1ère bombe A** 46 – **1er accélérateur linéaire de particules**	44 - 1er avion à réaction (Allemagne) 47 - **1er vol supersonique**	44 - « **calculateur** » initial : **Mark I d'IBM** 46 - **1er ordinateur : ENIAC** 47 - semi-conducteurs 48 - **transistor**	45 - **Streptomycine** 47 - traitement oral de la lèpre
1950	49 – *bombe A* 51 – **1ères centrales nucléaires** (+ G-B) 52 – **1ère bombe H** 52 – bombe A (G-B) 53 – *bombe H* 54 – **1er sous-marin nucléaire (Nautilus)**	52 – 1er avion commercial à réaction (G-B) 54 – 1er avion à décollage vertical (G-B)	50 - 1ère génération d'ordinateurs UNIVAC (à lampes)	52 - **pilule contraceptive** 53 - structure de l'ADN (G-B) 54 - **vaccin SALK anti-polio**
1955	57 – bombe H (G-B) 58 – **1er laser**	57 – *1er satellite : SPOUTNIK 1* 58 - **satellite : Explorer 1 (NASA)** 59 - *1ère photo face cachée Lune* 60 - **1ère récupération capsule** 61 - *1er homme dans l'espace : Gagarine* 63 - *1ère femme dans l'espace : V. Terechkova*	56 - circuits électroniques intégrés 58 – 2ème génération d'ordinateurs UNIAC (à transistors et mémoire centrale intégrée)	56 - **nombre de chromosomes** 57 - **1ers antibiotiques synthétiques** 59 – 1ère greffe rénale
1960	60 – bombe A (F)			
1965	64 – bombe A (Chine) 67 – bombe H (Chine) 68 – bombe H (F)	65 – *1ère sortie dans l'espace : Leonov* 66 - *1er alunissage* 68 - *1er avion commercial supersonique* 69 - **1er pas sur la lune : Armstrong et Aldrin** 71 - *1ère station orbitale : Saliout 1*	65 – 3ème génération d'ordinateurs (à circuits intégrés) 65 - langage informatique BASIC 71 - 4e génération d'ordinateurs (systèmes conversationnels et télétraitement)	63 - vaccin anti-rougeole 64 - **1ère greffe du poumon** 67 - 1ère greffe du coeur (Ch. Barnard) 70 - **1ère synthèse d'un gène complet** 73 - commercialisation du scanner (cerveau)
1970				
1975	74 – bombe A (Inde)	75 - **Arrimage d'Apollo** *et de Soyouz 19* 76 - **1ère sonde sur Mars : Viking 1** 79 - 1er tir fusée européenne : Ariane 81 - **1er vol navette Columbia** 84 - **1ère réparation d'une navette en orbite**	75 - Emploi des microprocesseurs 77 - Micro-informatique - **1er ordinateur Apple** 79 - 1ère imprimante laser 80 - **ordinateur CREY I**	78 - 1er bébé-éprouvette; fécondation « in vitro » (G-B) 80 - 1ère manipulation génétique humaine 82 - 1er coeur artificiel 84 - virus du sida isolé
1980				
1985				
1990		88 - *1er vol navette Bourane* 89 - **Sonde Voyager II atteint Neptune** 92 - 1er Belge dans l'espace : Dirk Frimout	89 - Ordinateur portable (écran à cristaux liquides)	

MÉDIAS		CATASTROPHES LIÉES AUX PROGRÈS SCIENTI-FIQUES ET TECHNIQUES
	1940	
	1945	
47 - disque microsillon 33 t.		
48 - **TV par câble/transistor**		
49 - 1er livre « poche » en français : Marabout		
50 - **Polaroïd**	1950	
53 - **TV couleur**		
53 - « Eurovision »		
	1955	
55 - **disque stéréo**		
56 - **magnétoscope**		
60 - 1er réseau télédistribution belge	1960	
62 - **1er satellite de TV :** « mondovision »		
63 - commercialisation enregistreur à cassette (P-B)	1965	
66 - TV couleur en Europe		67 - ▲ « Torrey canyon » (Cornouaille)
		67 - **mort de 3 astronautes**
69 - reportage TV en direct des 1ers pas sur la Lune (21 juillet)	1970	
		71 - *mort de 3 cosmonautes*
72 - vidéo-disque laser		
	1975	
		76 - Seveso (Italie)
		78 - ▲ « Amoco Cadiz » (F)
79 - disque compact		79 - ● **Three mile island**
	1980	
81 - création du Minitel (F)		
84 - TV haute définition		84 - Bhopal (Inde)
	1985	
		86 - ● *Tchernobyl*
		86 - **navette Challenger explose**
		89 - ▲ « Exxon Valdez » (Alaska)
	1990	
		93 - ▲ « Bräer » (Shetland)

ÉTHIQUE ET BIOLOGIE : POSITION DU VATICAN

Les interventions thérapeutiques sur l'embryon sont légitimes si elles en respectent la vie et l'intégrité (...) et visent à sa guérison. Il est par contre illicite de réaliser sur des embryons humains des interventions contraires à leur intégrité et à leur survie individuelle.

(...) L'expérimentation non directement thérapeutique sur les embryons vivants, viables ou non, est illicite. Les cadavres des embryons ou foetus humains doivent être respectés comme les dépouilles des autres êtres humains. (...)

Il est immoral de produire des embryons humains destinés à être exploités comme un « matériau » biologique disponible.(...)

Les tentatives visant à obtenir un être humain sans aucune connexion avec la sexualité (...) sont en contradiction avec la dignité tant de la procréation humaine que de l'union conjugale (...). La congélation des embryons, même si elle est réalisée pour les conserver en vie, constitue une offense au respect dû aux êtres humains. Les manipulations qui visent à la sélection des êtres humains selon le sexe ou d'autres qualités préétablies sont contraires à la dignité personnelle de l'être humain, à son intégrité et à son identité. Ces pratiques ne peuvent en aucune manière être justifiées par d'éventuelles conséquences bénéfiques pour l'humanité future : car tout être humain doit être respecté pour lui-même.

L'instruction romaine sur des questions bioé-thiques, dans *La Libre Belgique*, 11 mars 1987, p. 2.

LOI ALLEMANDE SUR LES EMBRYONS

Le Bundestag (chambre basse du Parlement) a adopté (...) un texte de loi qui fait de l'Allemagne le premier pays du monde à limiter juridiquement l'utilisation des nouvelles techniques médicales de la reproduction et du génie génétique.

(...) il sera notamment désormais interdit aux femmes de prêter leur utérus pour porter l'oeuf produit par la mère génétique. (...) Le texte allemand traduit en réalité un principe général qui veut que le corps humain ne peut être vendu. (...)

La détermination préalable du sexe de l'enfant à naître, qui peut engendrer un risque majeur d'eugénisme, est également interdite, sauf en cas de maladie génétique grave. (...) La loi prohibe aussi la greffe de gênes héréditaires, la fabrication d'êtres humains identiques (clones) ou hybrides avec des animaux (chimères), ainsi que la production d'embryons aux seules fins de la recherche. (...)

Lors des fécondations *in vitro,* les médecins ne devront garder que la quantité d'ovules fécondés qui sera nécessaire pour chaque intervention. (...) La future loi devrait donc empêcher le commerce des ovules tout en rendant possible le don à un autre couple.

Jean-Pierre STROOBANTS, *L'Allemagne pionniè-re : une loi sur les embryons*, dans *Le Soir*, 26 octobre 1990, p. 17.

RACINES DU FUTUR (1989-...)

À la fin des années 1980, l'URSS et l'Europe orientale entrent dans une phase de changements profonds. Les tentatives en vue de réformer le régime communiste mènent à sa dislocation. Le monde qui avait vécu, pendant plus de quarante ans, sous le signe du conflit Est-Ouest en sort complètement bouleversé. La recherche d'un « nouvel ordre mondial » s'accompagne d'espoirs, d'interrogations et est marquée par de nouveaux périls. La planète est engagée dans un tournant. Quels en sont les enjeux ? Qu'en adviendra-t-il ?

1. LE MONDE ARABE

Le monde arabe (...) a pris conscience de la valeur intrinsèque de sa civilisation mais a dû subir, au cours des dernières décennies, une succession de frustrations et de vexations. Les conflits interarabes, l'impossibilité de valoriser, sur le plan politique, les richesses des pays producteurs de pétrole, l'interdépendance croissante, à vrai dire la dépendance de tous ces pays par rapport à la technologie et aux techniques industrielles concentrées dans les pays occidentaux et l'invasion aliénante du mode de vie occidental, ont conduit de larges couches des populations arabes à manifester des phénomènes de rejet collectif. Vouloir nier ce phénomène, de la part des pays occidentaux, ne pourra qu'agrandir le fossé.

Mark EYSKENS, *Affaires étrangères. De la confrontation à la coopération Est-Ouest, 1989-1992,* Knokke, 1992, p. 308.

2. GUERRE DU GOLFE

Il était clair (...) que la guerre éclaterait quand les Américains estimeraient que l'armada formidable qu'ils avaient (...) rassemblée serait prête à combattre, sans risques de pertes, ou presque. C'était une course courue d'avance (...). C'était nécessaire (...) à l'équilibre du monde dans ce secteur, à sa sécurité économique et énergétique, à l'existence d'Israël, à la paix au Proche-Orient (...). Cette guerre était celle du droit, l'ingérence de la démocratie à l'intérieur de la dictature, le refus de l'impérialisme fou de Saddam Hussein, sur fond de danger nucléaire et chimique (...). Nous regardions George Bush se préparer à frapper les trois coups (...) et François Mitterrand (...) lui emboîter le pas, y compris contre ses ministres et son parti. Il a (...) joué pour les Américains un rôle essentiel en apportant à l'Amérique et à l'ONU la caution d'un président socialiste, mondialiste et soucieux du tiers monde comme du monde arabe.

Jean-Paul HUCHON, *Jours tranquilles à Matignon*, Paris, 1993, pp. 71-72.

3. *Frontières politiques de l'Europe en 1993.*

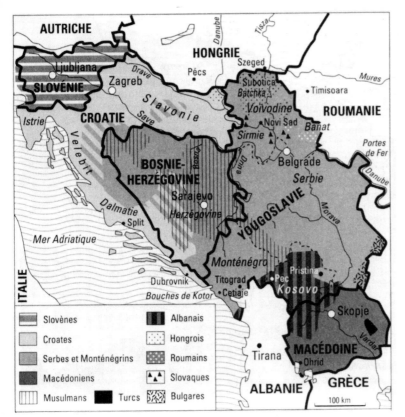

5. *La mosaïque yougoslave* (D'après F. JOYAUX [dir.], *Encyclopédie de l'Europe*, Paris, 1993, p. 364).

19/01. 3e conférence CSCE. Accord est-ouest (Roumanie exceptée) sur le respect des droits de l'homme et des libertés fondamentales.

11/02. Le P.C. hongrois admet le principe d'une transition vers le multipartisme.

15/02. Fin du retrait soviétique d'Afghanistan.

02/05. Début du démantèlement du « rideau de fer » entre la Hongrie et l'Autriche.

25/05. M. Gorbatchev devient chef de l'État en URSS.

03/06. L'armée met brutalement fin au « printemps de Pékin », mouvement porté par les étudiants réclamant plus de libertés et de démocratie.

19/08. Tadeusz Mazowiecki, membre de la direction de « Solidarité » devient le premier premier ministre polonais non communiste depuis 1945.

10/09. La Hongrie ouvre sa frontière avec l'Autriche.

20/09. Le comité central du P.C. soviétique reconnaît le droit à la souveraineté économique des républiques.

27/09. Le Parlement de Slovénie modifie la constitution de la république et se donne le droit à l'autodétermination et à la sécession malgré les mises en garde du pouvoir fédéral.

18/10. La démission d'Erich Honecker, secrétaire général du P.C. depuis 1971, ouvre la voie au « tournant » (*Wende*) pris par la République démocratique allemande.

23/10. Proclamation de la IVe République remplaçant la République populaire de Hongrie instaurée en 1949.

09/11. Ouverture du Mur de Berlin.

10/11. Todor Jikhov, à la tête du P.C. bulgare depuis 1954, est remplacé par Petar Mladenov qui annonce une « restructuration » à l'image de celle en cours en URSS.

15/11. La Hongrie demande son adhésion au Conseil de l'Europe.

17/11. La police réprime si brutalement une manifestation d'étudiants à Prague que la population se mobilise contre le régime.

26/11. Premières élections libres en Hongrie.

29/11. Les députés tchèques votent l'abolition du rôle dirigeant du P.C.

01/12. M. Gorbatchev est reçu par Jean-Paul II au Vatican.

16/12. Incidents à Timisoara (Roumanie) entre manifestants et forces de l'ordre.

21/12. Les manifestations de Timisoara ont fait tache d'huile, à Bucarest notamment.

22/12. Le régime de Ceaucescu, au pouvoir en Roumanie depuis 1965, est renversé.

24/12. Totale liberté de circulation entre les deux Allemagnes.

25/12. Exécution sommaire de Ceaucescu et de sa femme.

29/12. L'écrivain dissident Vaclav Havel est élu président de la République de Tchécoslovaquie par les députés.

6. ***Chronologie des événements dans les pays de l'Est, en 1989.***

4. LA FIN DU MUR

Pourquoi est-ce arrivé ? Et pourquoi aussi rapidement ? En Allemagne de l'Est, personne ne le prévoyait (...). La police politique — la Stasi — paraissait encore toute puissante et, apparemment, la population dans son ensemble n'était pas disposée à risquer sa modeste prospérité. Et, surtout, l'émigration vers la R.F.A. n'avait cessé d'éclaircir les rangs de l'opposition (...). Après coup, il nous est permis d'être un peu plus avisés (...). On peut dresser la liste des facteurs qui ont fait déborder la coupe du mécontentement populaire. Au commencement était le Mur lui-même : le Mur et le système qu'il représentait et préservait tout à la fois. Ce Mur n'encerclait pas l'Allemagne de l'Est, il se trouvait en son centre même. Et il traversait chaque coeur (...). Un médecin de Berlin-Est consacra un livre aux maladies qu'il engendrait (...). Il l'intitula *Le Mal du Mur* (...). Le deuxième facteur causal (...) ce fut Gorbatchev. Si c'est en Allemagne de l'Est que l'« effet Gorbatchev » s'est manifesté avec le plus de force, c'est que la R.D.A. était plus que tout autre État de l'Europe de l'Est tournée vers l'Union soviétique et, en fin de compte, tributaire de celle-ci (...). C'est Gorbatchev en personne qui donna l'ultime coup de pouce — à l'occasion des cérémonies du quarantième anniversaire de la R.D.A., le 7 octobre — en déclarant de manière bien calculée que « la vie elle-même se charge de punir les retardataires », en laissant transpirer qu'il avait dit à Honecker que les troupes soviétiques n'étaient pas là à des fins de répression intérieure et (si l'on en croit des sources ouest-allemandes bien informées) en encourageant directement les compagnons d'Egon Krenz (...) à déposer Honecker. L'exemple de la Pologne et de la Hongrie n'eut pas tant d'importance. Certes, tout le monde en était très largement informé par la télévision ouest-allemande que l'on regardait la nuit (...). Mais, pour le plus clair de la population, la misère économique de la Pologne suffisait amplement à faire oublier l'exemple politique (...). L'exemple hongrois eut (...) peut-être plus d'effet (...), pas par l'exemple de ses réformes intérieures, mais par l'ouverture de sa frontière avec l'Autriche.

Timothy GARTON ASH, *Berlin : la fin du Mur*, dans *La Chaudière. Europe centrale, 1980-1990*, Paris, 1990, pp. 366-368.

7. POINT DE VUE AMÉRICAIN SUR L'URSS (DÉCEMBRE 1990)

Un coup d'État est en cours. De manière feutrée mais inéluctable (...). Gorbatchev (...) est (...) un membre modéré de la nomenklatura. Depuis son accession au pouvoir, son objectif n'a jamais varié : adapter le système pour qu'il survive. Il fallait travailler avec Gorbatchev. Mais il ne fallait pas faire semblant de croire qu'il avait les mêmes conceptions de la démocratie que nous. Le plus grand espoir de réforme de l'URSS réside dans l'émancipation des républiques (...). Une autre erreur - les Européens en sont les principaux responsables - est d'envoyer de l'argent, qui ne peut servir qu'à renflouer un système dépassé (...). Comment voulez-vous (...) que le soviet de la Russie et celui de l'Union soviétique s'entendent ? S'ils veulent se débarrasser de Boris Eltsine, notamment, il faudra revenir à une politique stalinienne (...). La victoire des conservateurs ne sera que temporaire. L'URSS est aujourd'hui dans la situation de la Pologne en 1981 (...). Et comme en Pologne, les réactionnaires ne seront pas capables de résoudre les problèmes endémiques qui se posent dans le pays (...). (Gorbatchev n'a pas le profil d'un dictateur). Il est trop indécis pour cela. Son problème est qu'il a abattu un régime totalitaire et qu'il est impuissant à le remplacer par quoi que ce soit. Il n'a pas les qualités, ou les défauts, d'un homme qui peut gouverner par décrets. Mais il fera ce que ses conseillers conservateurs lui diront de faire.

Déclaration de Richard PIPES à *L'Express* (Paris), 28 décembre 1990, p. 64.

11. **Dessin** paru dans *Krokodil* (Moscou) (D'après *Le Monde Diplomatique*, février 1992, p. 4).

« *Dieu merci ! Voilà l'avion de la Lufthansa* ».

8. TRAITÉ DE MOSCOU (12 SEPTEMBRE 1990)

Article 1 (2) L'Allemagne unie et la République de Pologne confirmeront la frontière existante entre elles par un traité ayant force obligatoire en vertu du droit international. (3) L'Allemagne unie n'a aucune revendication territoriale quelle qu'elle soit et n'en formulera pas à l'avenir.

Article 2. Les gouvernements de la République fédérale d'Allemagne et de la République démocratique allemande réaffirment leurs déclarations selon lesquelles seule la paix émanera de leur sol (...).

Article 3 (2). Le gouvernement de la République fédérale d'Allemagne s'engage à réduire dans un délai de trois à quatre ans le niveau des effectifs en personnels des forces armées de l'Allemagne unie (...).

Article 6. Le droit de l'Allemagne unie d'appartenir à des alliances, avec tous les droits et obligations qui en découlent, n'est pas affecté par le présent traité.

Article 7 (1). Les États-Unis d'Amérique, la République française, le Royaume-Uni d'Angleterre et d'Irlande du Nord et l'Union des Républiques socialistes soviétiques mettent fin (...) à leurs droits et responsabilités relatifs à Berlin et à l'Allemagne dans son ensemble (...). (2). L'Allemagne unie jouira, en conséquence, de la pleine souveraineté sur ses affaires intérieures et extérieures.

Traité portant règlement définitif concernant l'Allemagne, dans *Documentation d'actualité internationale*, Paris, Ministère des Affaires étrangères/La Documentation française, n° 23, 1er décembre 1990, pp. 58-59.

9. **Dessin** d'OLIVER paru dans le *Standard* (Vienne) et reproduit dans *Le Soir*, 9 et 10 janvier 1993, p. 2.

10. LE FANTÔME DU COMMUNISME

Le fantôme du communisme erre à travers l'ancienne Union soviétique... Mais il n'est pas toujours facilement reconnaissable : le bon vieux justicier social intransigeant et maximaliste qu'était le communisme de Marx a pris, à l'époque post-totalitaire, l'image de son bâtard nationaliste qui, souvent, s'inspire volontiers du droit coutumier local plutôt que du marxisme orthodoxe (...). La crise sociale et le mécontentement de la population créent des conditions favorables pour le retour soit de l'ancienne nomenklatura, soit de l'idéologie néo-communiste (...). En Russie, où le national-communisme s'inspire de l'idée de la restauration de l'État russe et de celle du « collectivisme naturel » de la tradition nationale russe, le phénomène néo-communiste risque de déboucher éventuellement sur un *remake* totalitaire aux accents néo-impériaux, messianiques et religieux (...). Le phénomène néo-communiste représente d'ores et déjà pour les réformateurs russes une sérieuse contrainte, voire une menace, dans la mesure où la procédure démocratique des élections législatives pourrait servir (...) aux nationaux-communistes d'instrument légal susceptible de les rendre majoritaires (...). Cela à plus forte raison que le temps semble jouer, en Russie, en faveur de l'idéologie égalitaire dont les partisans deviennent de plus en plus nombreux à mesure que la situation sociale se détériore (...).

Boris TOUMANOV, *Le fantôme du communisme erre d'un bout à l'autre de l'ex-URSS*, dans *La Libre Belgique*, 11 février 1993, p. 2.

La *chute du mur de Berlin* le 9 novembre 1989 symbolise la fin d'une époque et constitue aussi le point focal de l'aboutissement d'une évolution et du départ de nouveaux développements.

I. DE L'URSS À LA CEI

La chute du mur survient dans la foulée de la politique de restructuration *(perestroïka)* puis de transparence *(glasnost)* imposée par **Mikhaïl Gorbatchev** à partir de son accession au poste de secrétaire général du parti communiste soviétique (mars 1985). Tout en restant attaché aux principes du communisme, Gorbatchev souhaite redresser la situation alarmante dans laquelle se trouve l'URSS sur le plan économique notamment. Ce redressement exige des mesures intérieures et extérieures.

Mesures externes

En politique étrangère, l'URSS entre dans la voie du *désarmement concerté* avec les États-Unis. Elle retire ensuite ses troupes d'Afghanistan (1988-1989). Cette politique est destinée à diminuer les dépenses dans le secteur de la défense. Elle vise aussi à montrer un visage de l'URSS susceptible d'encourager l'Occident à l'aider financièrement. C'est dans le même esprit que Moscou laisse se développer dans les « pays satellites » des mouvements *d'ouverture vers plus de démocratie*. La tenue d'élections libres en Pologne puis le début du démantèlement du « rideau de fer » en Hongrie (mai 1989) témoignent de cette orientation générale.

Mesures intérieures

Gorbatchev prône une réforme en profondeur du système soviétique. Mais il doit louvoyer entre les réformateurs de tendance libérale qui exigent des changements toujours plus radicaux et les conservateurs de la « vieille garde ». Ceux-ci n'apprécient ni la nouvelle orientation de la politique extérieure qui va à l'encontre des intérêts du *complexe militaro-industriel *, ni les réformes internes qui menacent leurs pouvoir et privilèges.

Un processus de désintégration

Gorbatchev met en branle un processus qui révèle ou accélère des *mouvements centrifuges* au sein de l'Union. Au point de vue idéologique, la transparence conduit à l'affirmation de points de vue différents de celui du pouvoir. Au plan de la cohérence de l'URSS en tant qu'ensemble de républiques, la diversité idéologique encourage l'expression de *revendications « nationales »* longtemps étouffées par le pouvoir central.

Sous le double effet des bouleversements idéologiques et de la modification des orientations de la politique extérieure, Gorbatchev laisse se développer, voire encourage, la rapide évolution de l'année 1989. Après la chute du mur, la *« révolution de velours »* en Tchécoslovaquie, la disparition de Ceaucescu en Roumanie, précèdent les élections libres en Hongrie et la désignation d'un premier ministre non communiste en Bulgarie.

Si Gorbatchev renonce à l'existence du glacis soviétique, il n'admet pas le développement du mouvement autonomiste des républiques. Mais le *pouvoir central* est *affaibli*. Malgré l'usage de la force (Azerbaïdjan, républiques baltes), la **poussée nationaliste** est **irréversible**. Elle se matérialise sur le terrain institutionnel par l'élection de plusieurs parlements. Parmi ceux-ci, le *parlement de Russie* est le plus important. **Boris Eltsine**, en est élu président (mai 1990). Il reproche à Gorbatchev, élu président de l'URSS en mars 1990, d'être resté attaché au communisme et de trop tenir compte du point de vue des conservateurs.

12. **Caricature** de TIM dans *Le Vif/L'Express*, 13 avril 1990, p. 86.

13. LEÇONS DU PUTSCH MANQUÉ

L'échec du putsch signe définitivement l'épuisement idéologique, organisationnel et même coercitif du communisme. La momie a bougé, mais il s'est vérifié qu'il s'agissait bien d'un cadavre (...). On ignorait l'état de la décommunisation de la société et des institutions centrales. Cette ignorance était partagée par l'ensemble des Soviétiques, Gorbatchev y compris, sinon il ne se serait pas retrouvé prisonnier d'unités du KGB (...). L'URSS affronte simultanément quatre crises majeures (...) : la révolution démocratique, la révolution économique et la décolonisation de l'Empire dans une situation d'urgence qui s'apparente à une après-guerre.

Serge JULY, *Le terminus du communisme*, dans *Libération* (Paris), n° 3188, 22 août 1991, p. 3.

Par ailleurs, Eltsine réclame la *souveraineté* * de la Russie (mai 1990). À partir de ce moment, la mécanique s'emballe. La Géorgie, l'Ukraine, bientôt suivies par d'autres républiques, proclament leur indépendance. Gorbatchev est désormais le chef d'un État en voie de disparition.

La fin de l'URSS

En août 1991, un groupe de conservateurs cherche à prendre le pouvoir dans des conditions qui restent obscures. Le coup d'État échoue. Eltsine, qui a été élu en juin 1991, au suffrage universel, président de la république de Russie, est le principal artisan de la résistance au putsch, et le nouvel homme fort à Moscou. L'interdiction du parti communiste, la dissolution du gouvernement central précèdent de peu la *proclamation de la fin de l'URSS* et l'abandon par Gorbatchev de la présidence de celle-ci (décembre 1991). Le coup d'État manqué a, en fait, contribué à la liquidation de l'ordre ancien et a accentué le mouvement centrifuge.

Naissance de la CEI

Dans les semaines qui suivent le putsch manqué, d'autres républiques proclament leur indépendance (Azerbaïdjan, Ouzbekistan). Devant cette situation, la *Russie,* dont le poids démographique, économique et politique l'encourage à vouloir exercer son hégémonie sur les éléments de l'ancienne URSS, propose (décembre 1991), avec les autres républiques slaves (Biélorussie, Ukraine), de fonder la **Communauté des États Indépendants** (CEI). Les autres républiques sont invitées à y adhérer. Celles-ci, à l'exception de la Géorgie, répondent positivement.

Une situation anarchique

Mais la formation de la CEI est loin de régler les relations entre les républiques et, au sein de celles-ci, entre éléments antagonistes. *Au plan interétatique,* le contentieux le plus sérieux oppose la Russie à l'Ukraine. Celle-ci revendique en effet une partie de l'armement nucléaire déployé sur son territoire sous l'ancien régime. De même, elle considère qu'une partie au moins de la flotte de guerre de Crimée doit lui revenir. *Au sein de certaines républiques,* Russie comprise (Tatarstan, Tchétchénie), des conflits se développent sur la base d'un antagonisme idéologique (Géorgie), ethnique (Moldavie), religieux (Tadjikistan, Haut-Karabakh).

Dans ce contexte, Eltsine, comme l'a fait Gorbatchev, navigue à vue. L'*inflation* * (2 000% en 1992) et l'économie sauvage servent de toile de fonds au conflit entre le président et les conservateurs. Le communisme de ceux-ci s'accompagne d'un fort sentiment nationaliste qui présente Eltsine comme un allié de l'Occident, traître à la Russie. La question est de savoir si cet « argument » décidera l'armée à intervenir contre lui ou à continuer de reconnaître que la situation générale exige une aide extérieure.

Depuis la *perestroïka,* l'aide de l'Occident provient notamment d'Allemagne. Celle-ci, tournée depuis des siècles vers l'Europe orientale, entend saisir l'occasion qui s'offre d'y redéployer ses investissements. Par ailleurs, la chute du mur de Berlin a conduit à négocier et monnayer avec l'URSS d'abord, la Russie ensuite, la réunification allemande.

II. LA RÉUNIFICATION ALLEMANDE

Les élections libres en République Démocratique Allemande ont lieu en mars 1990.

Le 3 octobre 1990, la réunification allemande est proclamée. Cette reconstitution d'une « grande Allemagne » pose des problèmes.

L'Allemagne sur la scène internationale

La mémoire collective des Européens se souvient des deux guerres mondiales. La crainte est exprimée de voir l'Allemagne réunifiée développer de nouvelles visées impérialistes. Elle est vite apaisée. Elément moteur de la construction européenne, l'Allemagne œuvre en faveur du *traité d'union européenne* (voir p. 142). Par ailleurs, elle montre une extrême prudence, malgré la signature du traité de Moscou du 12 septembre 1990 qui la rétablit dans sa pleine *souveraineté* *, à réviser la loi fondamentale de 1949, ce qui lui permettrait d'engager la *Bundeswehr* à l'étranger.

Le traité de Moscou, issu de la conférence dite « 2 + 4 », a mis fin à la situation née de la seconde guerre mondiale. En effet, les deux Allemagnes ont négocié avec leurs quatre vainqueurs de 1945 — la Pologne étant admise en vue de faire valoir son point de vue — le traité de paix qui faisait défaut.

Réunification et aide financière à l'URSS

La réunification, en ce compris les effets du traité de Moscou, coûte cher. En effet, le traité implique que les nombreux effectifs militaires soviétiques stationnés dans les Länder de l'Est soient retirés. Mais l'URSS craint les effets sociaux du retour au pays de centaines de milliers de soldats et de leurs familles. Gorbatchev lie donc le traité de Moscou et le retrait *de facto* de l'Armée rouge à l'octroi d'une aide financière allemande de 15 milliards de deutsche marks. À ce coût extérieur de la réunification s'ajoute un coût intérieur.

Unification monétaire

Pour favoriser la réunification, l'Allemagne fédérale échange les marks orientaux contre des *deutsche marks* dans le rapport de 1 pour 1 à concurrence d'un certain montant et de 2 pour 1 pour l'excédent. Le poids de cette opération est énorme car la valeur du mark oriental est délibérément forcée.

Aider les Länder de l'Est

Une fois passée l'euphorie de la réunification, les Allemands de l'Ouest découvrent l'état déplorable de l'économie des Länder orientaux. Des interventions massives sont indispensables. Elles le sont d'autant plus que, privées de leurs débouchés vers le *Comecon* (voir p. 153), les industries est-allemandes ne peuvent écouler leurs produits à l'Ouest car leur qualité laisse à désirer. Il s'ensuit un chômage de plus en plus préoccupant qui touche bientôt l'Ouest. Le poids de la réunification contraint en effet à l'adoption de mesures draconiennes sur le plan fiscal et monétaire. Inflation, perte de compétitivité, conflits sociaux, y compris dans les services publics, marquent l'Allemagne réunifiée. Ils favorisent aussi une avancée significative de l'extrême-droite, du racisme et de la xénophobie.

Racisme et xénophobie

La réussite économique de l'Allemagne de l'Ouest, la proximité des pays de l'Est de même que les dispositions très libérales de sa législation ont encouragé un nombre sans cesse croissant de personnes à y chercher refuge. Dans les Länder de l'Est notamment, la présence d'étrangers, pris en charge par les autorités publiques, est mal vécue par une population qui se débat dans les difficultés économiques et sociales.

16. ATTENTION À L'ARROGANCE

Un participant à un débat à Dresde a demandé : « comment l'Allemagne unifiée concevra-t-elle et remplira-t-elle son futur rôle de puissance mondiale ? » Qu'un citoyen de la RDA — manifestement ingénu — puisse voir l'Allemagne ressusciter en tant que puissance mondiale m'a effrayé. Mais la question de la compréhension du rôle que nous entendrons jouer n'est pas seulement posée à Dresde, elle l'est aussi dans toute l'Europe (...). Notre peuple a une nouvelle fois, en cette fin d'effroyable 20e siècle, une grande Chance (...). Si nous n'oublions pas que la liberté, l'équité et la solidarité sont liées. Nous ne pouvons pas mettre en danger la grande joie de l'Unité dans la liberté à cause de l'orgueil allemand.

Helmut SCHMIDT, *Deutschlands grosse Chance*, dans *Die Zeit* (Hamburg), 5 octobre 1990, p. 2 (Trad. M. DUMOULIN).

La démocratie en Allemagne est-elle menacée par les groupes radicaux et extrémistes ?

	oui	non
Allemands de l'ouest	47	52
Allemands de l'est	69	30

17. ***Sondage de l'Institut Emnid*** (Bielefeld), dans *Der Spiegel* (Hambourg), 46e année, n° 4, 20 janvier 1992, p. 41 (Trad. M. DUMOULIN).

18. WEIMAR REVISITÉE ?

L'Allemagne est entrée dans une situation d'urgence. La faute en incombe à la classe politique, aussi bien celle qui est au pouvoir que celle qui est dans l'opposition. Pour le moment, nous ne sommes pas à Weimar. La situation n'est pas comparable à celle d'il y a soixante ans. Bonn n'est pas Weimar, et pourtant...(...). La xénophobie se répand, les néo-nazis font des émules. Sommes-nous face à un 68 de la Droite ? La classe politique ne propose pas de valeurs. Elle est quasi anesthésiée par le bien-être sans préoccupations des dernières décennies (...). Elle ne réussit pas à produire des hommes et des idées capables de faire front aux nouveaux défis.

Interview de Günter GRASS à *La Repubblica* (Rome), 15 janvier 1993, p. 16 (Trad. M. DUMOULIN).

19. **Dessin** de Rion HAGEN (Oslo) publié dans *Die Zeit*, n° 3, 15 janvier 1993, p. 8.

20. HUMANITAIRE NEUTRE ET JUSTE

L'action humanitaire est un des signes de notre temps. Il se dessine timidement, frileusement, une méthode humanitaire internationale, née du refus de la barbarie et fondée sur la persévérance (...). L'humanitaire au sens moderne est un catalyseur. On ne pourra sauver des hommes et des femmes (...) qu'en rapprochant plus encore l'humanitaire de la politique et de la diplomatie. Il conviendra aussi d'y inclure les droits de l'homme, sans lesquels l'humanitaire ne serait que le service après-vente des guerres.

Bernard KOUCHNER, *Humanitaire neutre et juste*, dans *Le Monde*, 24 février 1993, p. 3.

21. **Dessin** de PLANTU dans *Le Monde*, 6 janvier 1993, p. 2.

Malgré une révision de la législation dans un sens plus restrictif, les autorités fédérales et une bonne partie de l'opinion publique entendent maintenir le principe de l'accueil des réfugiés et lutter contre les tendances extrémistes. Celles-ci ne sont pas uniquement le fait de l'extrême-droite. La CSU *(Union chrétienne-sociale)* bavaroise développe un discours anti-réfugiés musclé, encouragé par le fait que la Bavière est une région de passage naturelle pour tous ceux qui fuient les Balkans.

III. LES BALKANS

Les années 1980 sont marquées en Yougoslavie par la *montée de revendications* visant à la fois le rôle du parti communiste et le découpage des républiques tel qu'il fut imposé par Tito. L'onde de choc de 1989 atteint rapidement ce pays. Le rôle dirigeant du PC est abandonné et des élections libres sont organisées dès 1990 dans les six républiques. Plusieurs d'entre elles ainsi que les provinces autonomes de Voïvodine et du Kossovo manifestent leur volonté d'indépendance par rapport au gouvernement fédéral de Belgrade dominé par les Serbes.

Indépendance de la Slovénie

La Slovénie est la première république à faire sécession (referendum de décembre 1990). La réaction militaire du gouvernement fédéral se solde par un échec (juillet 1991). Celui-ci est attribué au fait que la Slovénie a bénéficié d'un fort appui international et que la faiblesse de la minorité serbe (2,4 % de la population) rendait impossible une quelconque justification de leur « protection » par la Serbie. L'échec de celle-ci dans la répression de la sécession slovène a joué un rôle essentiel dans l'*engrenage de la violence* dans l'ex-Yougoslavie.

Croatie

Le referendum sur la souveraineté de la Croatie (mai 1991) provoque le soulèvement des Serbes et l'intervention de l'armée fédérale aux côtés des milices. Le cessez-le-feu intervenu en janvier 1992 après de durs combats (siège de Vukovar) fixe momentanément, sous le contrôle de l'ONU, une ligne de démarcation fort fragile.

Bosnie Herzégovine

Dans cette république peuplée de Serbes, de Croates et de Musulmans, la proclamation de l'indépendance (octobre 1991) par la majorité croato-musulmane provoque la création de *trois républiques autonomes serbes*. L'embrasement qui suit ces événements répond à une logique infernale. Il ne s'agit pas d'une guerre entre États mais bien entre *peuples de cultures et de religions différentes*. L'objectif est d'occuper durablement un territoire. Pour les Serbes, le but est de chasser les habitants culturellement non conformes et de s'installer à leur place. La *purification ethnique* et son cortège d'atrocités parmi lesquelles le viol systématique de femmes musulmanes participent de cette stratégie encouragée par le gouvernement de Belgrade.

La situation en ex-Yougoslavie pose plusieurs questions.

La première est celle des conséquences de l'opposition, dans les Balkans, entre **deux « pôles » ethniques et religieux**. Le pôle serbe, orthodoxe, est soutenu par la Grèce, membre de la Communauté européenne, la Roumanie et la Russie. Le second est musulman. Il est soutenu par la Turquie, appuyée tantôt par l'Albanie en ce qui concerne le Kossovo, tantôt par la Bulgarie au sujet de la Macédoine.

La deuxième question concerne les **réactions des pays musulmans** face au martyre de leurs frères de Bosnie. À l'heure où l'intégrisme progresse, l'islamisme ne reste pas indifférent au développement de la situation.

La troisième est celle du **droit d'ingérence**. Au delà de la présence de troupes de l'ONU, de fortes délégations du Haut Commissariat aux Réfugiés (HCR) et du Comité International de la Croix-Rouge (CICR) en Bosnie Herzégovine comme en Croatie, la question est de savoir si les Européens, voire les États-Unis, doivent intervenir militairement comme au Koweït, au risque, s'agissant des Balkans, de mécontenter gravement la Russie.

IV. LES OCCIDENTAUX DANS LE GOLFE

Le 2 août 1990, l'Irak envahit le Koweït pour faire main basse sur les champs pétroliers de ce minuscule État du Golfe persique. Les résolutions du conseil de sécurité de l'ONU exigeant le retrait irakien n'étant pas suivies d'effet, une nouvelle résolution autorise les pays membres de l'ONU à faire usage de la force si les Irakiens n'évacuent pas le Koweït pour le 15 janvier 1991. Aucun changement n'étant intervenu, la guerre est déclenchée par les États-Unis et leurs alliés. Elle se solde par une cuisante défaite pour l'armée du président irakien Saddam Hussein. Celui-ci reste cependant au pouvoir. Il est placé sous la surveillance extérieure des États-Unis et de leurs principaux alliés (France, Grande-Bretagne), qui lui rappellent régulièrement, au besoin par la force (janvier 1993), qu'il est en sursis. Mais celui-ci est indispensable car l'Irak constitue, aux yeux des Occidentaux, un rempart contre l'influence de l'Iran dans cette partie du monde.

Guerre du Golfe et nouvel ordre mondial

La guerre du Golfe permet aux **États-Unis** d'affirmer leur rôle de **chef de file d'un nouvel ordre mondial**. Celui-ci s'élabore dans le cadre de l'ONU dont le rôle se renforce parce que la complexité des problèmes à résoudre par la société internationale exige des solutions globales au plus haut niveau de décision. Mais cette évolution suscite notamment la question de savoir si les citoyens ont le moyen d'influencer, contrôler ou sanctionner les décideurs.

La guerre du Golfe et ses suites ont mis ce problème à l'ordre du jour. En effet, les États-Unis, après avoir défait l'Irak, n'ont guère agi afin d'empêcher Saddam Hussein de massacrer ses opposants chiites et kurdes. Cette attitude a suscité une réaction de l'opinion publique internationale qui, par sa réprobation, a contraint les Alliés à venir en aide aux Kurdes. Le concept d'*humanitarisme*, notamment porté par les organisations non gouvernementales (ONG), s'est fortement développé à cette occasion. Il a été rendu populaire, au même titre que les causes de son développement, par les médias.

Opinion publique et médias

Les médias apparaissent plus que jamais comme agent d'*information/formation* des opinions publiques. La guerre du Golfe et d'autres événements (chute du mur, révolution roumaine, débarquement de l'armée américaine en Somalie) ont fait l'objet d'une médiatisation à outrance, révélant que la couverture de l'information dans l'instant est un enjeu pour notre temps. Mais l'immédiateté de l'image peut-elle remplacer la réflexion et la conceptualisation ? Un minimum de recul n'est-il pas indispensable au même titre qu'une critique attentive des sources et leur recoupement ? La *surinformation* ponctuelle n'a-t-elle pas tendance à noyer ou à ignorer le sens des défis qui sont devant nous ?

---

22. MISSIONS HUMANITAIRES ET ENJEUX STRATÉGIQUES

Les intérêts américains ne dépendent plus de l'obligation (...) de faire face partout à la présence soviétique (...) mais de la défense unilatérale des intérêts américains (...). Trois zones — l'Europe, le Japon et le Golfe — (...) sont dans le premier cercle des intérêts majeurs. Les zones sous-développées appartiennent à deux autres cercles : une zone intermédiaire où certains pays peuvent être cooptés comme « intérêts » mais que les alliés régionaux peuvent prendre en charge, et un troisième cercle où les désordres sont devenus indifférents (Pérou, Afghanistan, Afrique).

Dans ce cadre, la Somalie (...) fait partie de la zone intitulée « Asie du sud-ouest » définie (...) comme la zone de projection de la Force de déploiement rapide (...) qui prévoit en permanence le déploiement éventuel de 200 000 hommes autour du Golfe (...). Les États-Unis (...) visent en fait l'Iran. Puissance « intégriste islamiste » déstabilisante (...), l'Iran est le prochain « méchant » du système mondial. Ses achats d'armes dans la braderie soviétique ou chinoise (...), le soupçon d'une ambition nucléaire, tout le rend « menaçant ». Le déploiement en Somalie peut donc passer, aussi, pour une mesure de précaution dans le cadre de la protection du Golfe (...). Le président Bush (...) a voulu exhiber (...) l'éventail de missions que l'Amérique se donne pour légitimes face au monde « barbare » : à l'expédition « bâton » de la guerre du Golfe, répond l'expédition « carotte » de la Somalie (...). L'humanitarisation générale par les médias exaspère (...) les organisations humanitaires qui en savent assez pour comprendre les politiques en jeu. Elle est la trace d'une sorte d'imposture qui masque les responsabilités et freine les critiques et l'énoncé d'options conflictuelles sur l'avenir du monde (...). On aboutira, sans cette prise de conscience, à un échec irrémédiable de l'ONU, transformée en appendice de l'empire américain, à la survie de l'extrémisme serbe allié demain d'un nationalisme russe bien plus dangereux et à une mise sous tutelle de l'Europe empêchant toute proposition différente pour le développement du tiers monde.

Alain JOXE, *Humanitarisme et empires*, dans *Le Monde Diplomatique*, Paris, janvier 1993, p. 7.

23. DROIT D'INGÉRENCE

Qu'est-ce que le droit d'ingérence ? Pour ses promoteurs, il s'agit d'instaurer un droit d'intervention humanitaire qui permette, au besoin par le recours à la force, de déroger au respect du principe de non-ingérence dans les affaires intérieures d'un État souverain qui se rendrait coupable de violations massives des droits de l'homme (...). Le contenu de cette proposition, les critères et les modalités de sa mise en oeuvre n'ont jamais été définis (...). On se mit à parler tantôt d'un droit, tantôt d'un devoir d'ingérence humanitaire, glissant de l'ordre juridique au plan de l'éthique pour (...) aujourd'hui (...) parler (...) d'un droit ou d'un devoir d'assistance humanitaire qui ferait aux États obligation d'agir (...). Il faut établir (...) une distinction (...) entre le rôle des États et celui des organisations humanitaires impartiales. Il s'agit en effet de deux fonctions distinctes (...) : il y a d'une part le rôle de la police et du juge qui sont chargés du respect de la loi et de la répression de ceux qui la violent et, de l'autre, celui du Bon Samaritain, qui porte secours (...). Vouloir (...) faire fusionner ces deux fonctions distinctes en une seule et unique démarche dont les États (...) assureraient la mise en oeuvre par les moyens de la contrainte ne peut qu'amener l'action humanitaire à une impasse : sa politisation.

Cornelio SOMMARUGA (président du CICR), *Faut-il repenser l'action humanitaire*, dans *Le Monde*, 19 février 1993, p. 2.

24. LA PLANÈTE « MÉDIAS »

La planète médias a subi bien des révolutions. Les unes positives, les autres dangereuses. Quatre transformations doivent être présentes à l'esprit : la domination de l'audiovisuel, les nouvelles conditions du marché, la prolifération des informations, l'ère du « tout-communication » (...).

Nous sommes menacés (...) par le « tout image » (...). Les événements (...) n'accèdent à l'existence que par la force de l'image. On a observé que, d'une certaine manière, les Somaliens avaient eu de la chance dans leur malheur par rapport à d'autres peuples (Sud-Soudan, Sri-Lanka) puisque les tueries qui ensanglantaient leur pays avaient attiré des caméras attirant elles mêmes les troupes du « nouvel ordre mondial ». Chacun peut constater (...) la primauté du fait « filmable » sur ce qui ne se prête pas au spectaculaire (...). Cela donne à la presse écrite une raison supplémentaire d'exister. Plus dominera la confrontation confuse des citoyens avec l'immédiateté du monde, aperçu en gros plan, plus seront nécessaires les analyses, les éclairages, les compléments historiques et les débats approfondis (...).

La situation économique des médias a été bouleversée (...). Compte tenu des moyens nécessaires, surtout pour la télévision, le recours à quelques groupes industriels ou financiers puissants — dont le public ne soupçonne pas toujours l'existence — ne peut guère être évité (...). Il est clair que (...) les vrais pouvoirs savent se manifester, rationaliser, supprimer, fusionner (...). La télévision offre un vaste champ d'observation sur les rapports de l'information et de l'argent, cependant elle n'est pas la seule. L'ambition qui sous-tend beaucoup de créations de journaux n'est pas un projet culturel mais un projet de « produit »(...).

L'ère du « tout-communication » (est) un piège redoutable. Dans une société d'information, tout le monde devient source d'information et apprend les règles du jeu de la « communication » (...). Aucune institution n'est indifférente à son image et à la nécessité de faire savoir, en fonction de ses intérêts, ce qu'il en est de ses activités, de ses résultats, de ses projets (...). La matière première informative circule ainsi, à profusion (...). Mais cette médaille a son revers. Entre la communication sobre et ce qu'on appelait jadis la propagande, il y a la palette des niveaux intermédiaires : sollicitations intéressées, tentatives de séduction, opérations de dissimulation (...), pieux mensonges et vraies arnaques, pressions (...), intoxication, désinformation pure...(...). La manipulation est un exercice auquel s'adonnent les institutions les plus honorables et le (...) « bourrage de crâne » (...) paraît être le rêve inavouable de bien des puissances !

J. LESOURNE et B. FRAPPAT, *Information et déontologie. I. Les révolutions de la planète « médias »*, dans *Le Monde*, 12 février 1993, p. 2.

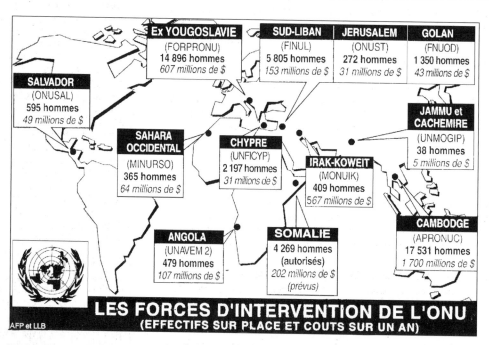

25. **Les forces d'intervention de l'ONU :** effectifs sur place et coûts en 1992, en dollars (D'après *La Libre Belgique*, 13 janvier 1993, p. 2).

V. UN LARGE ÉVENTAIL DE DÉFIS

Le nationalisme

La nationalisme touche souvent à l'irrationnel. Exacerbant les différences, il est ferment d'escalade entre groupes sociaux, culturels, voire ethniques selon des clivages qui sont le plus souvent ceux d'un rapport de force entre une majorité et une ou des *minorités*. Il arrive aussi que celles-ci cherchent dans certains cas (Afrique du Sud) à dicter leur loi à la majorité.

Idéologies du recours

Ce qui est vrai dans le cadre d'un espace national peut l'être aussi sur le plan international. Bien que majoritaire de manière écrasante en termes démographiques, le tiers monde est minoritaire sur le terrain économique, social et culturel par rapport aux pays développés. Le marxisme-léninisme ayant peut-être définitivement perdu son rôle d'idéologie des opprimés, ceux-ci sont à la recherche de messages d'espoir.

Intégrisme islamique

L'intégrisme islamique qui ne connaît pas la nation au sens occidental du terme est un de ces messages. Il progresse indubitablement car en mettant en cause l'État moderne calqué sur le modèle occidental, il répond sans doute aux aspirations de populations pour lesquelles celui-ci est synonyme d'injustice économique et sociale. Les progrès de l'islamisme en Afrique, continent qui a cessé de représenter un enjeu économique et dès lors stratégique, illustrent le phénomène.

L'Extrême-Orient

En Extrême-Orient aussi, les choses évoluent. Véritable mosaïque de cultures, de religions et de mœurs malgré des facteurs de cohésion tels que le bouddhisme et l'influence chinoise, les régions comprises entre le Japon et l'Indonésie connaissent une très forte croissance économique qui soulève la question d'une éventuelle structure régionale destinée à organiser cette partie du monde face aux États-Unis et à l'Europe. Un embryon de coopération existe depuis 1989 par le biais du *Forum de coopération économique Asie-Pacifique* (APEC). Il est renforcé depuis 1993 par la *Zone de libre échange asiatique*. (AFTA). Mais cette coopération balbutiante ne règle en rien toute une série de questions relatives au rôle du Japon et de la Chine (voir p. 116) dans ces régions, aux implications d'une réunification de la Corée ou à l'avenir du Cambodge.

Mieux connaître le passé pour mieux préparer l'avenir

Comme à d'autres moments de *décomposition/recomposition* de son univers, l'Homme de la transition du siècle est plus que jamais acteur et témoin de l'imprévisible. Une meilleure connaissance du passé peut contribuer à lui permettre de mieux préparer son avenir.

À voir :
les médias et plus particulièrement la télévision : Sidney LUMET, *Network*, États-Unis, 1976, coul.; Bertrand TAVERNIER, *La mort en direct*, France, 1980, coul.; °Stephen FREARS; *Héros malgré lui*, États-Unis, 1992, coul.; °Constantin COSTA-GAVRAS, *La petite apocalypse*, France, 1993, coul.
Sur la crise du modèle libéral : °Gérard JUGNOT, *Une époque formidable*, France, 1991, coul.; °Cédric KLAPISCH, *Rien du tout*, France, 1991, coul., à comparer avec Jacques TATI, *Playtime*, France, 1967, coul. °James FOLEY, *Glengarry Glen Ross*, États-Unis, 1991, coul.

À lire : Christopher DONNER, *L'Europe mordue par un chien*, Paris, 1991.

VOCABULAIRE

Complexe militaro-industriel : ensemble d'entreprises militaires et industrielles travaillant dans le secteur de la défense et constituant du fait de leurs étroites relations mutuelles un très puissant *lobby* (voir p. 101).

Inflation : voir p. 15.

Souveraineté : voir p. 143.

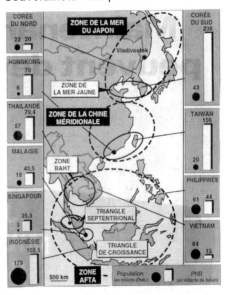

26. **Les sous-ensembles du Sud-Est asiatique** (D'après *Le Monde*, 19 janvier 1993, p. 8).

---

27. LA CHINE

Les dirigeants chinois semblent avoir choisi une séquence de réformes très différentes pour ne pas dire contraires à ce qu'elle fut en Union soviétique. L'introduction de certains mécanismes de l'économie de marché est poursuivie d'une manière prudente (...) alors qu'au plan politique, le totalitarisme du régime est maintenu. Le régime est en outre moins idéologisé qu'en Union soviétique et le communisme chinois a toujours eu un relent de nationalisme ancestral. Cela n'a pas évité ni remous, ni révolte, surtout au sein de la communauté intellectuelle (...). Le drame de la Place Tian Anmen en 1989 en témoigne (...). Mais la considérable augmentation du niveau de vie de la population chinoise, particulièrement dans le sud du pays, semble devoir annoncer l'impossibilité de maintenir très longtemps le monolithisme du communisme et l'homogénéité politique de la République populaire où des divergences et des tensions entre les régions pourraient également se manifester.

Mark EYSKENS, *Affaires étrangères. De la confrontation à la coopération Est-Ouest, 1989-1992*, Knokke, 1992, p. 303.

AMADO, Jorge (1912-...). Écrivain brésilien, membre du parti communiste de son pays, a écrit une oeuvre mettant en scène le prolétariat agricole et urbain.

ARAFAT, Yasser (Jérusalem 1929). Homme politique. Fondateur (1958) et principal dirigeant (1968) du FATHA, organisation qui veut rendre la Palestine à son peuple par la lutte armée. Très populaire, il devient (1969) président de l'OLP et consacre tous ses efforts à obtenir pour les Palestiniens un pouvoir national souverain.

ARP, Jean (ou Hans) (1886-1966). Peintre et sculpteur français, cofondateur de Dada avec Tristan Tzara. Il est attiré par tout ce qui peut faire figure d'anti-art. Mais, dans les années 30, il fonde un groupement Abstraction-Création et livre des marbres et des bronzes aux courbes élégantes, aux volumes purs.

BACON, Francis (1909-1992). Peintre anglais né à Dublin. Autodidacte, il s'inspire d'une iconographie existante et torture la figure humaine dans des attitudes ramassées, douloureuses qui traduisent l'angoisse devant le mal. Voir sa série des *Crucifixions* par exemple.

BASELITZ, Georg (Hans-Georg KERN, dit) (1938-...). Peintre et sculpteur néo-expressionniste allemand. Son oeuvre se veut provocante, d'une rare violence (accrochage à l'envers, taille du bois à la hache). Mais « Chez moi, dit-il à W. Grasskamp en 1984, la question que chacun se pose se conçoit aisément : pourquoi est-il la tête en bas ? On peut répondre à cela. Mais cette question ne mène pas à ce que je fais... ».

BASSOMPIERRE, Albert de (1873-1957). Diplomate belge, directeur général des Affaires politiques au ministère des Affaires étrangères (1917 à 1920), ambassadeur de Belgique au Japon.

BERNANOS, Georges (1888-1948). Écrivain français. Débute dans le journalisme comme militant de l'Action française. Il se livre ensuite à la critique morale de la politique. D'abord favorable aux franquistes, il s'élève ensuite contre eux *(Les grands cimetières sous la lune, 1938)* , puis contre le régime de Vichy, et devient porte-parole de la Résistance.

BERTHOULAT, Georges (1859-1930). Député puis sénateur républicain, journaliste au *Progrès de Lyon,* à *La République Française* et, surtout, à *La Liberté* qu'il dirigea pendant plus de vingt ans.

BEYENS, Eugène baron (Paris 1855-Ixelles 1934). Ministre de Belgique à Berlin. Ambassadeur extraordinaire et plénipotentiaire près le Saint-Siège à Rome (1921-1925). Collabore à différentes revues belges et étrangères.

BLUM, Léon (1872-1950). Homme politique français de tendance socialiste, il fonda le quotidien *Le Populaire.* Président du conseil durant le front populaire, il fut déporté à Buchenwald durant la guerre. Il fut encore président du conseil en 1946/1947.

BLUME, Jean (1915-1988). Journaliste communiste *(La Voix du Peuple, Le Drapeau Rouge),* résistant déporté à Buchenwald, il a laissé un récit autobiographique en deux volumes *(Drôle d'agenda,* 1985-1987).

BOFILL, Ricardo (1939-...). Architecte catalan qui se livre à un curieux travail de distorsion du langage classique. A la tête d'un atelier pluridisciplinaire, dont il se séparera, il réalise l'ensemble *Walden 7* (1972-1975) à San Justo Desvern près de Barcelone. En Belgique, avec C.L. Brodzki, il construit *Gulliver II* à La Hulpe, à l'initiative de la société SWIFT (1986-1989).

BOTTAI, Giuseppe (1895-1959). Fondateur du *fascio* de Rome en 1919, directeur de la revue *Critica fascista,* il est ministre des corporations (1929-1932) après avoir élaboré la *charte du travail* (1927). Ministre de l'éducation (1936-1943), il s'engage ensuite dans la Légion étrangère... Il retourne à Rome en 1948.

BOURGEOIS, Victor (1897-1962). Architecte belge, militant socialiste, il est un des pionniers du mouvement moderne en Belgique et sur le plan international. Pour lui, « le salut de l'architecture, c'est la dèche », espérant un renouvellement par la crise, l'austérité.

BOURGES, Hervé. Commence sa carrière de journaliste comme rédacteur en chef de l'hebdomadaire *Témoignage chrétien.* Partisan de l'indépendance de l'Algérie, il est de 1962 à

1965 conseiller technique du président de la République algérienne et directeur de la Jeunesse et de l'Education populaire. Il dirige ensuite plusieurs instituts de recherche et écoles de journalisme. En 1981, il prend la direction de Radio France Internationale et, en 1983, est nommé président directeur général de la chaîne de télévision publique TF1 jusqu'à sa privatisation en 1987. En 1990, il devient président directeur général des sociétés nationales de télévision publique A2 et FR3. Il est aussi l'auteur de plusieurs ouvrages.

BRANCUSI, Constantin (1876-1957). Sculpteur roumain. Il recherche sa vie durant la forme absolue, primordiale, l'essence de l'art. « La simplicité n'est pas un but dans l'art, mais on arrive à la simplicité malgré soi en s'approchant du sens réel des choses ». Dès 1921, l'influence de l'art africain inspire son oeuvre, dont la *Colonne sans fin* de Bucarest (1937).

BRANDT, (Herbert Frahm dit) Willy (1913-1992). Homme politique allemand. D'abord journaliste en Espagne aux côtés des Républicains, il est déchu de sa nationalité par les Nazis. Devenu norvégien, il travaille comme correspondant de guerre. Après celle-ci, il est successivement député socialiste, bourgmestre de Berlin (1957), ministre des Affaires étrangères (1966) et chancelier (1969-1974). Prix Nobel de la Paix en 1971.

BREUER, Marcel (1902-1981). Élève du Bauhaus, ami de Gropius. Il dessine des sièges en tube d'acier, destinés à être produits industriellement. La conjoncture des années 1930 le pousse vers des modèles en aluminium, moins coûteux. De même après 1945, ses meubles à base de matériaux industriels et bon marché resteront fidèles à la sobriété de ses premières créations.

BURY, Pol (1922-...). Peintre belge proche de l'imagerie surréaliste. Lié à Cobra il devient sculpteur travaillant le bois, puis le métal soigneusement poli. Fontaines et grandes orgues mouvantes peuplent son oeuvre.

CAMUS, Albert (1913-1960). Écrivain français né en Algérie, il gagna la France en 1938. Résistant, fondateur de *Combat,* il est l'auteur d'une oeuvre importante (*L'Étranger,* 1942, *La Peste,* 1947, *La Chute,* 1956) dans laquelle il développe un nouvel humanisme fondé sur les exigences de la conscience. Prix Nobel de littérature en 1957.

CAVANNA, François (1923-...). Fils d'un maçon immigré en France, il est astreint au STO durant la guerre. Journaliste après celle-ci, il a fondé plusieurs publications mariant la satire grinçante et la provocation : *Hara-Kiri* (1960), *L'Hebdo* (1968), *Charlie-Hebdo* (1970).

CHAREAU, Pierre (1883-1950). Architecte français devenu l'un des décorateurs les plus inventifs des années 20. Ses meubles, destinés à un public d'élite, impeccablement exécutés, sont des exemplaires uniques. La guerre le chasse aux États-Unis.

CHARLIER, Gustave (1885-1959). Professeur de littérature à l'Université libre de Bruxelles, il a beaucoup contribué à une meilleure connaissance des écrivains belges.

CHASTELAND, Jean-Claude. Démographe français. Consultant scientifique à l'Institut national d'études démographiques à Paris.

CHURCHILL, Winston Leonard SPENCER (1874-1965). Journaliste britannique, député (libéral puis conservateur), ministre dès avant 1914, il est violemment anti-bolchevik. Éloigné des affaires de 1929 à 1939, il est premier Lord de l'Amirauté (1939) puis premier ministre (1940-1945 et 1951-1955).

COULONDRE, Robert (1885-1959). Diplomate français. Ambassadeur de France à Moscou (1936-1938), à Berlin (1938-1939) et à Berne (1940). En 1950, il publie *De Staline à Hitler,* oeuvre dans laquelle il relate ses deux ambassades.

D'HONDT, Paula (1926-...). Femme politique belge, sénateur CVP d'Alost, ministre à plusieurs reprises, commissaire royal à la politique des immigrés.

DASTOLI, Virgilio. Député européen italien, membre du groupe communiste et apparentés.

DÉAT, Marcel (1894-1955). Homme politique français. Député socialiste (1932), il dérive vers une politique de compromis avec l'Allemagne (1939) avant de créer le Rassemblement national populaire, fascisant et collaborateur.

DELAISI, Francis (1873-1947). Géographe et historien français proche des milieux syndicalistes révolutionnaires de la CGT, il défend dans l'Entre-deux-guerres, le principe d'une Europe pacifiée, du pacifisme et des réformes de structure. Il est condamné en 1946 pour avoir travaillé avec des journaux collaborateurs.

DELVAUX, Paul (1897-...). Peintre, dessinateur et graveur belge à la facture traditionnelle mise au service de scènes de caractère onirique, en général des femmes nues dans un décor d'architecture classique.

DEMANGEON, Albert (1870-1940). Géographe français, collaborateur à la *Géographie universelle* (1927-1948) de Paul Vidal de la Blache, il appartient au courant qui mit en exergue la géographie humaine en tant qu'ensemble de facteurs économiques, sociaux, culturels, etc.

DEMANY, Fernand (1904-1977). Journaliste belge, fondateur du mouvement de résistance Front de l'Indépendance, il fut ministre et député communiste avant de s'éloigner du parti qu'il trouvait trop stalinien.

DESANTI, Dominique. Journaliste, historienne et romancière française. Entrée dans la Résistance dès 1940, elle adhère au parti communiste en 1943. Elle rompt avec le PC en 1956 lors de l'intervention soviétique en Hongrie.

DE SMAELE, Albert (1899-...). Ingénieur et technocrate belge, directeur d'Électrobel, ministre des Affaires économiques puis de la Reconstruction dans le gouvernement Van Acker (1945-1946), représentant de la Belgique à la Haute Autorité de la Ruhr, président du Conseil Central de l'Économie (1957) et initiateur du Bureau de Programmation, futur Bureau du Plan.

DE CLERCQ, Gustaaf (1894-1942). Homme politique nationaliste flamand, député de Bruxelles de 1919 à 1932 et de 1936 à 1942, chef du VNV (Vlaams Nationaal Verbond) en 1933, il collabora activement avec l'autorité militaire allemande en Belgique occupée.

de GAULLE, Charles (1890-1970). Homme d'État et général français. Combattant de la première guerre mondiale, proche collaborateur du maréchal Pétain (1925), il fut un précurseur en matière de stratégie militaire (*Vers l'armée de métier*, 1934). Refusant la défaite de juin 1940, il créa les Forces Françaises Libres en Angleterre et poursuivit la lutte aux côtés des Alliés. Président du gouvernement provisoire (1945/1946), il se retira ensuite de la vie politique officielle non sans avoir fondé le Rassemblement du Peuple français (RPF). En 1958, dans le contexte de l'aggravation du conflit en Algérie, il devient le premier président de la Ve République. Il le reste jusqu'en 1969.

DIAZ, José. Dirigeant du Parti communiste espagnol pendant la guerre civile. Il émigre ensuite en URSS.

DIX, Otto (1891-1969). Peintre, dessinateur et graveur allemand, il passe par l'expressionnisme, le réalisme et le « nouveau réalisme » consistant à déformer l'expression d'un portrait afin de mieux faire ressortir les aspects dramatiques. Classé comme artiste « dégénéré » par les Nazis, il est incarcéré à Dresde avant de s'exiler en Suisse.

DRIEU LA ROCHELLE, Pierre (1893-1945). Écrivain français. Pendant la guerre de 1914-1918 il est blessé au front. C'est alors qu'il écrit ses premiers poèmes. Nostalgique de l'ordre et pénétré du sentiment de la décadence française, il se rallie au fascisme. Après avoir collaboré avec l'occupant allemand, il se suicide en 1945.

DUHAMEL, Georges (1884-1966). Écrivain français, médecin de formation, profondément scandalisé par la « boucherie » de 1914-1918, produit une oeuvre imposante faite de fresques racontant la vie de son temps : *Vie et aventures de Salavin* (1920-1932) et *La Chronique des Pasquiers* (1933-1945). Ses souvenirs (*Lumières sur ma vie*, 1944-1953) constituent un témoignage extrêmement intéressant.

DUJARDIN, Jean (1937-1986). Historien belge. S'intéresse particulièrement à la guerre 40-45 et à la Résistance. Plusieurs travaux sur les réseaux de renseignements.

DULLES, John Foster (1888-1959). Homme politique américain. Nommé secrétaire d'État par le président Eisenhower (1952), il mène la politique du *containement* pour tenter de contenir partout dans le monde la progression du communisme. Il entretient ainsi la guerre froide jusqu'à mener le « monde libre » au bord de la guerre.

ERMALAEV, Ivan. Russe. A participé comme matelot à l'insurrection du Cronstadt en 1921. Auteur de mémoires publiés en Union soviétique (*Le pouvoir aux soviets*, 1991).

ERNI, Hans (1909-...). Peintre et graphiste suisse. Études à Lucerne, Paris, Berlin. Élève de Derain et Braque. Appartient au groupe Abstraction-Création avec Arp, Calder. Il construit ses images avec des traits fins qui se détachent sur des fonds sombres. Travaille pour des « grandes causes » et réalise des affiches pour les partis de gauche.

EYSKENS, Mark (1933-...). Fils de Gaston Eyskens (1905-1988), homme politique social-chrétien, député CVP de Louvain depuis 1977, premier ministre (1981) et ministre à plusieurs reprises (Affaires étrangères, 1989-1992) dans les années 80.

FAURISSON, Robert (1929-...). Professeur de littérature à l'Université de Lyon. Publie en 1978 une série d'articles révisionnistes où il soutient que le « mythe des chambres à gaz » est une escroquerie. A été condamné pour diffamation.

FERJAC, Pol (1900-?). Caricaturiste politique français, membre de l'équipe du *Canard enchaîné*.

FOSTER, Norman (1935-...). Architecte anglais à la tête de Foster Associates. Il propose des bâtiments qui s'adaptent, des mécaniques qui s'affichent. Sa profession de foi : « il ne faut rien exposer, ni rien cacher, mais intégrer ».

FOUCAULT, Michel (1926-1984). Philosophe français. Ses études sur la folie (*Histoire de la folie à l'âge classique*, 1966), sur les sciences humaines (*Les Mots et les Choses*, 1966), l'univers carcéral (*Surveiller et Punir*, 1975) tentent une archéologie du savoir et du pouvoir, Il entend « mettre en question les méthodes, les limites et les thèmes propres à l'histoire des idées ».

FOURASTIÉ, Jean (1907-...). Économiste français qui développa une vision relativement optimiste des effets du progrès technique sur la vie économique et sociale (*Le grand espoir du XXe siècle*, 1949).

GARTON ASH, Timothy. Journaliste anglais spécialiste de l'Europe centrale et orientale, collabore à la *New York Review of Books* et à *The Spectator*.

GENICOT, Léopold (1914-...). Historien belge (UCL), spécialiste du moyen âge, résistant et militant de la cause wallonne.

GÉRIN, Louis (1914-1980). Fils de mineur borain et mineur lui-même, il a été journaliste en Belgique et en France. Il a écrit deux romans miniers : *Une femme dans la mine* (1932) et *Profondeur 1400* (1943).

GHARIB, Samir. Journaliste et critique d'art égyptien. Auteur de nombreux articles et études sur les arts plastiques.

GIACOMETTI, Alberto (1901-1966). Sculpteur et peintre suisse. Après avoir adhéré au surréalisme, il passe par une longue période de recherche qui le mène d'abord à créer des figures toujours plus petites, puis des figures étirées ancrées dans leur socle, traduisant l'aspect transitoire de la destinée humaine.

GOEBBELS, Josef Paul (1897-1945). Homme politique allemand. Rallié dès 1922 au National-Socialisme. Député au Reichstag en 1928. Il devient Ministre de l'Information et de la Propagande et utilise tous les moyens de communication (presse, cinéma, radio...) pour servir la politique et l'idéologie nazies. À partir de 1944, il devient responsable de la guerre totale. Après la mort de Hitler, il se suicide avec toute sa famille.

GOLDSMIDT, Bertrand (1912-...). Physicien français, collaborateur du laboratoire Curie (1934-1940), participe aux travaux sur le plutonium aux États-Unis puis au Canada (1942-1946). Revenu en France, il dirige le Commissariat à l'énergie atomique.

GORBATCHEV, Michaïl Sergueevitch (1931-...). Homme d'État soviétique, membre du Politburo (1979), secrétaire général du PCUS à la mort de Tchernenko (mars 1985), président de l'Union soviétique (1990), il engage son pays dans la voie des réformes internes et du désarmement sur le plan extérieur (Prix Nobel de la paix en 1990). Il est contraint de démissionner en décembre 1991 dans la foulée de la dissolution de l'URSS et de la création de la CEI par Boris Eltsine.

GRANT, Wood (1892-1942). Peintre américain plutôt précisioniste. Il allie un métier traditionnel à une ironie qui échappa à ses contemporains.

GRAPPIN, Pierre. Germaniste français. Effectue plusieurs séjours en Allemagne pendant ses études, entre 1934 et 1938.

GRASS, Günter (1927-...). Écrivain allemand à la plume « tour à tour savoureuse et grossière », auteur de romans dans lesquels il s'en prend violemment à la société allemande.

GRIPPA, Jacques (1913-1991). Résistant belge déporté à Buchenwald, communiste « pur et dur », il fut exclu du parti communiste belge à cause de sa tendance pro-chinoise (1963).

GROPIUS, Walter (1883-1969). Architecte germano-américain, il invente les murs-rideaux de verre, d'acier, la structure porteuse interne de l'édifice (Usine Fagus, 1911). Fondateur et directeur du Bauhaus jusqu'en 1928, il se veut soucieux de préserver la dignité de l'homme, menacée par l'industrie et la mécanisation en proposant des maisons préfabriquées et des « maisons dans la verdure ». Émigré aux États-Unis, il conçoit une agence « The Architects Collaborative » qui travaille tant pour le privé que pour le public.

GUILLAUME, Albert (1873-1942). Dessinateur et caricaturiste français, collabore à *L'Illustration*, *L'Assiette au beurre*, *Le Flambeau*, *Le Petit Journal*, *Le Rire* et *Le Rire rouge*.

GUILLEBAUD, Jean-Claude. Français. Collaborateur du *Sud-Ouest* et du *Nouvel Observateur*. A produit plusieurs émissions pour la télévision : *La guerre en face* (A2 1983 et 1984); *L'Histoire immédiate* (A2 1987- 1990). Président de Reporters sans frontières.

GUTT, Camille (1884-1971). Homme politique libéral, financier, ministre des Finances (1934-1935 et 1939-1945), il sauve la monnaie belge au sortir de la guerre en bloquant les avoirs monétaires afin de couper court à l'inflation potentielle.

HALKIN, Léon-Ernest (1906-...). Historien, spécialiste de la Réforme, professeur à l'Université de Liège, déporté durant la seconde guerre mondiale.

HANSON, Duane (Alexandrie 1925-...). Peintre et sculpteur américain de tendance hyperréaliste. Performance technique et souci du détail renforcent la critique sociale.

HARDY, Georges. Fonctionnaire français, directeur de l'enseignement au Maroc dans les années 1920, auteur de plusieurs ouvrages traitant de la mission colonisatrice de la France.

HAVEL, Vaclav (1936-...). Auteur dramatique tchèque. Il critique dans ses oeuvres les absurdités de la société contemporaine et est condamné à plusieurs reprises, sous le régime communiste, pour délit d'opinion. Après la réforme constitutionnelle abolissant le rôle dirigeant du PCT, il est élu Président de la République (décembre 89).

HERGÉ, (Georges Remy, dit) (1907-1983). Dessinateur belge de bandes dessinées, créateur (1929) de *Tintin* et *Milou* et d'autres séries *(Quick et Flupke; Jo, Zette et Jocko; Popol et Virginie)*.

HERREMANS, Maurice-Pierre (1914-...). Sociologue belge, spécialisé dans la question des langues en Belgique.

IBARRURI, Dolorès dite La Pasionaria (1895-1989). Membre du parti communiste espagnol où elle fait une carrière rapide. Député aux Cortès. Grâce à ses dons d'oratrice, elle joue un rôle important dans la résistance au fascisme pendant la guerre civile. Après la chute de la République elle part à Moscou et revient en Espagne en 1977.

IPPOLITO, Felice (1915-...). Professeur d'université italien, spécialiste des questions énergétiques, membre du Parlement européen, apparenté au groupe communiste depuis 1979.

JDANOV, Andreï Alexandrovitch (1896-1948). Homme politique russe. Il joue un rôle important au niveau du parti communiste. Défenseur du stalinisme, il dirige en 1946 la réaction contre les tendances libérales des années de guerre , particulièrement dans la vie culturelle où il impose des contraintes dans le sens du réalisme socialiste.

JUDD, Donald (1928-...). Sculpteur minimaliste américain dont les « specific objects » exploitent les matériaux usinés aux volumes simples, pour leur valeur propre.

JULY, Serge (1942-...). Journaliste (1973) puis directeur (1961) du quotidien français *Libération*.

KENNEDY, John Fitzgerarld (1917-1963) .Homme d'État américain de tendance démocrate, représentant (1947-1951) puis sénateur (1952-1960), il devient le 35e président des États-Unis en 1960. Il est assassiné à Dallas (Texas) en 1963.

KESSEL, Joseph (1898-1979). Écrivain et journaliste français. Grand reporter, résistant *(L'armée des ombres, 1944)*, parolier avec M. Druon du Chant des partisans. Fait de nombreux voyages *(Le Lion, 1958)*.

KEYNES, John Maynard (1883-1946). Économiste et financier britannique, professeur à l'Université de Cambridge, il est non seulement l'auteur d'ouvrages majeurs au sujet de la théorie économique mais également de plans établis à la demande des autorités publiques de son pays. Il est notamment un des pères du système monétaire international (SMI).

KLEIN, Yves (1928-1962). Peintre français, il acquiert la célébrité avec ses *Monochromes* bleus, ses *femmes pinceaux* et ses happenings comme ce journal d'un seul jour distribué le 27 novembre 1960, dont la une est un photomontage montrant Yves Klein, « le peintre de l'espace », se jetant dans le vide.

LA VALLÉE POUSSIN, Étienne de (1903-...). Homme politique belge, député et sénateur PSC de Bruxelles, fervent partisan de la construction européenne, il fut président du Mouvement européen en Belgique.

LE CORBUSIER, (Charles-Edouard JEANNERET, dit). Architecte français d'origine suisse. Il applique ses principes d'architecture domestique à la villa Savoye (1931), ses principes urbanistiques au plan directeur de la capitale du Penjab (Chendigarh) en 1950. Il réalise la chapelle Notre-Dame du Haut Ronchamp (1953). Son action au sein du CIAM (Congrès internationaux d'architecture moderne) inspira la Charte d'Athènes (1943).

LECLERCQ, Jacques (1891-1971). Prélat belge, considéré comme « l'éveilleur de la jeunesse intellectuelle catholique belge » à travers son enseignement (philosophie morale et droit naturel) aux Facultés universitaires Saint-Louis puis à l'Université catholique de Louvain mais surtout par le biais de *La Cité chrétienne*, (1926 à 1940). Ses disciples fondèrent *La Revue Nouvelle* en 1945.

LÉGER, Alexis (1887-1975). Diplomate français, secrétaire général du ministère français des Affaires étrangères (1933-1940), exilé ensuite aux États-Unis. Poète, sous le nom de Saint-John Perse, il reçoit le Prix Nobel de littérature en 1960.

LÉGER, Fernand (1881-1955). Peintre cubiste français au style massif et dépouillé, il « traite la nature par le cube, la sphère et le cylindre » et la figure humaine d'une façon impersonnelle par la stylisation, le recours aux couleurs primaires, les formes cernées et leur aspect lisse. Sa fascination pour la civilisation industrielle le conduit à intégrer l'homme dans un univers mécanique.

LEVINAS, Emmanuel (1905-...). Philosophe français né en Lituanie. Son oeuvre se situe aux frontières de la philosophie, de la morale et du judaïsme.

LEVINE, David (1926-...). Caricaturiste, américain. Il cherche à mettre en évidence, dans ses personnages qui ont souvent une tête énorme sur un petit corps, la contradiction propre à chacun. Sa technique « au trait » est directement inspirée de la gravure sur bois. Il est également portraitiste et peintre.

LEWIS, Bernard. Orientaliste. Chercheur à l'Institut d'études du Proche-Orient de l'Université de Princeton. A publié de nombreux ouvrages sur l'Islam et ses relations avec l'Occident.

LISSITZKY, Eliezer dit El (1890-1941). Ingénieur, peintre, dessinateur et architecte russe. Il partage les préoccupations sociales et les théories fonctionnelles des constructivistes et en devient un propagandiste actif à l'étranger. Il innove dans le domaine de l'affiche (photomontage, création de compositions abstraites) et contribue à l'expansion de l'art abstrait autour des années 30 en Occident, mais pas en Union soviétique, qui a banni cette orientation.

LOU REED (1942-...). Chanteur et guitariste de rock. Fonde en 1965 le *Velvet Undergrournd* formé de personnalités issues de tous les domaines de l'art et attirées par des expériences extrêmes (vie en communauté, drogue, alcool, musique rock d'avant-garde).

LUMUMBA, Patrice Emery (1925-1961). Leader du MNC, il participe à la Table ronde politique de Bruxelles en janvier 1960. Elu député en mai, il devient Premier Ministre et Ministre de la Défense Nationale dans le premier gouvernement congolais. Révoqué par le Chef de l'État le 5 septembre 1960, il est arrêté et incarcéré. Transféré au Katanga le 17 janvier 1961, il y est assassiné peu après son arrivée.

MAGRITTE, René (1898-1967). Peintre, principal fondateur du surréalisme belge, il piège l'esprit en rapprochant personnages et objets que tout sépare et exprime la liberté et « les magnifiques erreurs » que les songes nous offrent. Provocation d'un chapeau melon bourgeois, occultant les tempêtes qui se déchaînent sous le crâne qui le porte.

MAILLOL, Aristide (1861-1944). Sculpteur, peintre et dessinateur français. Le nu féminin qu'il traite en allégories constitue le thème presque exclusif de sa sculpture. Les formes en sont robustes, épanouies; les détails éliminés par une puissante volonté de synthèse. On voit dans cet artiste un héritier du classicisme méditerranéen.

MALIA, Martin. (1925-...). États-Unis. Spécialiste de la Russie. Interprète militaire en URSS pendant la seconde guerre. Fait ensuite plusieurs séjours dans ce pays.

MAO TSE-TOUNG (1893-1976). Homme d'État chinois, collabore à la fondation du parti communiste chinois. Membre du comité central de celui-ci (1923), il adapte le marxisme aux conditions sociales propres à la Chine en défendant l'idée selon laquelle les paysans ont un rôle décisif à jouer dans la révolution. Il ouvre ainsi la voie à un conflit idéologique avec les marxistes orthodoxes et notamment avec Moscou. Ce conflit éclate dans les années 1960 et divise profondément le camp communiste, y compris en Occident où la révolution culturelle prolétarienne (1965-1968) et le *Petit livre rouge*, la « Bible » du maoïsme, servent de repaires à de nombreux jeunes intellectuels critiquant la société occidentale.

MARAN, René. Fonctionnaire colonial français d'origine antillaise.

MARCEL, Gabriel (1889-1973). Philosophe français. Il représente l'existentialisme chrétien, en refusant de reconnaître l'absurdité de la condition humaine, même s'il l'avoue dramatique. La transcendance et la rencontre de l'homme et de Dieu dans la Foi permettent de retrouver le sens. Il a écrit *Être et Avoir* en 1935 et *Le mystère de l'être* en 1951.

MASCHMANN, Mélita. Allemande née en 1918, elle adhère au parti nazi dont elle fait la critique après 1945. Auteur de plusieurs romans.

MASEREEL, Frans (1889-1972). Dessinateur et graveur belge, il critique dans ses gravures caractérisées par un trait sombre et large et de violents contrastes lumineux, tous les modes d'asservissement imposés par la ville moderne.

MATISSE, Henri (1869-1954). Peintre français, chef de file des Fauves. Il se fixe comme but, dès 1908, un « art d'équilibre, de pureté, de tranquillité » qu'il conquiert « en travaillant sans théorie », passionné par la seule beauté de la couleur, en « simplifiant la peinture » comme le lui avait prédit G. Moreau, son maître. Ce dépouillement culmine en 1951 dans la décoration de la Chapelle de Vence et ses nouveaux accords de couleur, ses formes lovées en ellipse et son trait évocateur.

MELOT, Joseph (1873-1943). Diplomate belge, responsable du bureau belge de la SDN de 1920 à 1935, collaborateur pour la politique internationale de la *Revue Générale*, de *La Vie économique et sociale*, *Hauteclaire* et la *Revue catholique des idées et des faits*.

MERE, Clément (1861-?). Peintre et artisan français. Il redécouvre l'art d'orner le cuir, privilégie les matériaux nobles (or, laque, soie, ébène, bois d'amarante, ivoire) et présente des meubles habillés de cuir repoussé et teinté, aux formes strictes inspirées du style Louis XVI.

MIRO, Juan (1893-1983). Peintre catalan surréaliste. Ses contacts à Paris avec les dadaïstes et les surréalistes l'amènent à l'onirisme systématique du *Carnaval de Venise* en 1924, libéré de toute censure. Allégresse, ingéniosité, sens plastique, grand sens de la couleur, voilà ce qui le caractérise le plus.

MOLITOR, André (1911-...). Fonctionnaire et juriste belge, professeur à l'Université catholique de Louvain, chef de cabinet du roi Baudouin de 1961 à 1977, co-fondateur en 1945 de *La Revue Nouvelle*.

MONNET, Jean (1888-1979). Fonctionnaire français, secrétaire-général adjoint de la SDN (1919-1923), banquier (1923 à 1938) au service de la banque américaine Blair & Co. pour laquelle il effectue de nombreuses missions en Europe centrale dans le cadre des opérations de stabilisation monétaire. Après la guerre, il est commissaire au Plan (1947). Il inspire le plan Schuman de 1950. Président de la Haute-Autorité de la CECA en 1952, il organise (1955) le puissant Comité d'Action pour les États-Unis d'Europe.

MOOR, Dimitri (1883-1946). Affichiste et illustrateur soviétique. Un des créateurs de l'affiche politique. Se spécialise dans la satire politique et illustre des journaux *(les Izvestia, la Pravda)*. Participe à plusieurs expositions (Paris, Berlin, Dantzig).

MOORE, Henry (1898-1986). Sculpteur et dessinateur anglais, centré presque exclusivement sur la figure humaine, dépassant

l'opposition art figuratif - art non figuratif, étudiant sans cesse les rapports pleins/vides. Il privilégiera le thème de la mère et de l'enfant.

MORVAN, Hervé (1917-1980). Affichiste français. Il se consacre d'abord à l'affiche cinématographique et se tourne ensuite vers la publicité.

NERUDA, (Ricardo Naftali Reyes dit) Pablo (1904-1973). Écrivain chilien, diplomate, sénateur communiste partisan de l'Espagne républicaine (*L'Espagne au coeur*, 1938), il a exprimé la révolte des opprimés avec une force verbale exceptionnelle. Prix Nobel de littérature en 1971.

NEURATH, Constantin von (1873-1956). Diplomate allemand, ministre des Affaires étrangères (1932-1938). Non nazi, il est désigné comme Protecteur de Bohême-Moravie en 1939 où il est supplanté en fait par le SS Heydrich.

NICHOLSON, Max (1904-...). Haut fonctionnaire anglais, cofondateur du Political and Economic Planing, il a été un précurseur en matière de défense de protection de la nature.

ORAL, Tan (1937-...) Turquie. Études d'architecture à l'Académie des Beaux-Arts d'Istambul. Il se tourne ensuite vers la caricature et le cinéma. Il a publié plusieurs livres, expose dans différentes villes d'Europe et collabore à quelques revues.

ORTEGA Y GASSET, José (1883-1955). Le plus grand philosophe espagnol du XXe siècle. Il ouvre l'Espagne sur l'Europe. Assez pessimiste, il dénonce dans *La Révolte des masses* « l'étouffante monotonie » de l'« homme masse » standardisé qu'est l'Européen moyen. Préoccupé de l'avenir de l'individu, il assigne l'art, la raison et la morale à se mettre au service de la vie, au service du devenir. Promoteur spirituel de la république espagnole dans les années 30, il est exilé de 1936 à 1945 mais exerce jusqu'à sa mort une grande influence sur les milieux intellectuels de son pays.

OUAZZANI, Mohamed Hassan (1910-1978). Journaliste et homme politique marocain issu d'une des grandes familles de Fès, effectue des études de sciences politiques en France avant de devenir un des artisans de l'indépendance de son pays. Exilé par les Français (1937-1946), il fut aussi un opposant au roi Hassan II.

PESSIN, Denis (1951-...). Dessinateur français. Collaborateur des quotidiens *Le Monde* (1983) et *Libération*.

PICABIA, Francis (1879-1953). Peintre et écrivain français. Il évolue de l'impressionnisme vers l'abstrait et devient un des fervents artisans du mouvement Dada. Il rompt avec celui-ci en 1922 et revient à une peinture plus académique. Ses textes surtout ont connu un grand succès après 1950 dans les milieux du pop'art et de l'art conceptuel.

PIPES, Richard (1923-...). Historien américain (Harvard, 1950). Directeur des affaires soviétiques et d'Europe orientale du Conseil national de sécurité des États-Unis en 1981-1982).

PLANTU, (Plantureux, Jean dit). Dessinateur au quotidien *Le Monde* (1972) et à *Droit de réponse* sur TF 1 (1981-1987).

PRESSAC, Jean-Claude. Pharmacien. Étudie l'histoire des camps d' Auschwitz-Birkenau depuis 1979.

RAUSCHNING, Herman (1887-?). Ancien chef National-Socialiste du Gouvernement de Dantzig.

REED, John (1887-1920). Homme politique et écrivain américain. Socialiste. Auteur de deux grands reportages, *Le Mexique des insurgés (1914), Dix jours qui ébranlèrent le monde (1919)*.

RIEFENSTAHL, (Hélène dite Léni) (1902-...). Actrice et metteur en scène de cinéma dans l'Allemagne nazie. Elle invente des procédés techniques nouveaux qu'elle met au service de la propagande (*Le triomphe de la volonté, 1936; Les dieux du stade, 1936-1938).

RIETVELD, Gerrit (1888-1964). Architecte hollandais représentatif de la revue « De Stijl ». La maison Schröder est traitée « comme un ensemble de relations entre plans rectangulaires, opaques ou transparents, verticaux ou horizontaux, dynamiques et asymétriques, homogènes et tendus » grâce aux techniques nouvelles de construction. Ainsi naît une nouvelle ordonnance spatiale de l'habitat.

ROBERTS, Frank (1907-?). Diplomate britannique entré dans la carrière en 1930, il l'a quittée en 1970 après avoir été notamment secrétaire particulier d'Ernest Bevin (1947-1949) et ambassadeur à Moscou.

ROMAINS, (Louis Farigoule, dit) Jules (1885-1972). Écrivain français, auteur notamment de l'énorme fresque romanesque *Les hommes de bonne volonté* (1932-1947, 27 vol.) illustrant l'histoire de France, et au-delà, entre 1908 et 1933.

ROOSEVELT, Franklin Delano (1882-1945). Homme d'État américain, sénateur démocrate à partir de 1910, gouverneur de New York (1929), il est élu 32e président des États-Unis en 1932 et réélu en 1936, 1940 et 1944.

ROTH, Joseph (1896-1939). Journaliste et écrivain autrichien, émigré à Paris en 1933, est l'auteur de romans tardivement traduits en français : *La marche de Radetzky, La crypte des capucins, La Rébellion.*

ROTHKO, Marc (1903-1970). Peintre américain d'origine russe d'abord expressionniste puis surréaliste. Il deviendra un des maîtres de l'expressionnisme abstrait dans des toiles qui atteignent des dimensions murales. De 1967 à 1969, il réalise les peintures de la chapelle oecuménique de Houston : 14 panneaux monochromes monumentaux, leçons des ténèbres envahies par le pourpre, dernier des oecuménismes ? Dépressif, il se suicide en 1970.

ROUAULT, Georges (1871-1958). Peintre et graveur français. Attiré par les Fauves, il s'en distingue par la facture simple, les tonalités sombres et mêlées, les cernes de ses clowns, prostituées et juges. Après 1929, à l'exception de ses Pierrots, il n'aborde plus que les thèmes évangéliques ou bibliques dans un art qui rappelle celui des imagiers du Moyen-Âge (*La Sainte Face,* 1933 ou les vitraux de la chapelle d'Assy).

ROY, Olivier. Membre du comité de rédaction *Esprit.* Auteur d'un ouvrage sur l'Afghanistan (Seuil) et sur l'échec de l'Islam politique (Seuil).

SARRAUT, Albert (1872-1962). Homme politique français de tendance radicale-socialiste, gouverneur général de l'Indochine, président du conseil et plusieurs fois ministre, notamment des colonies, sous la IIIe République.

SCHILLING, Erich (1885-1945). Il travaille d'abord comme graveur, puis ciseleur d'armes dans l'entreprise familiale. À 18 ans, il commence des études à l'Académie des Beaux-Arts de Berlin et collabore très vite à une revue satirique. Sous la République de Weimar, il est un critique acharné du national-socialisme mais en devient ensuite un adepte. Il se suicide après son effondrement.

SCHMIDT, Helmut (1918-...). Homme d'État allemand, membre du parti socialiste, ministre des finances sous Willy Brandt, chancelier de 1974 à 1982.

SCHUMAN, Robert (1886-1963). Homme politique français de tendance démocrate-chrétienne, né à Luxembourg, de père allemand, député de la Moselle (1919-1940 et 1945-1962), président du conseil, ministre des affaires étrangères après 1945, il présente le 9 mai le plan qui porte son nom. Il compte parmi les principaux artisans de la réconciliation franco-allemande dans le cadre de la construction européenne.

SEMPÉ, Jean-Jacques (1932-...). Se lance dans le dessin humoristique à 19 ans. A collaboré et collabore à de nombreux magazines *(Paris-Match, Punch, L'Express).* Auteur avec Goscinny du *Petit Nicolas* (à partir de 1954).

SENGHOR, Léopold Sédar (1906-...). Homme d'État sénégalais, président de la république du Sénégal (1963-1980), il a étudié en France et a produit une oeuvre poétique importante dans laquelle il chante la négritude et l'espoir d'une réconciliation entre les races.

SERGE, Victor (Bruxelles 1890-1947). Mêlé au milieu des anarchistes, il arrive en Russie en 1919. Chargé des publications et de la propagande de la IIIe Internationale, il est envoyé à Berlin, Prague, Vienne, mais prend rapidement ses distances. Arrêté, déporté, il l'obtient, grâce à sa réputation internationale, de sortir d'URSS. En 1940, il part pour le Mexique où il meurt.

SILVART, Francis (François SCHILLEWAERT, dit) (1905...). Journaliste belge, rédacteur au quotidien *Le Peuple,* il édite à Buenos-Aires pendant la deuxième guerre mondiale la revue *Belgica.*

SOMMARUGA, Cornelio. Haut diplomate suisse né à Rome, juriste et économiste, membre (1986) puis président (1987) – le premier catholique depuis que l'institution existe – du Comité International de la Croix-Rouge.

SOMVILLE, Roger (1923). Peintre belge engagé à gauche, défenseur d'un réalisme social par un art mural à la portée de tous comme dans *Notre Temps* (station Hankar du métro bruxellois) ou *Qu'est-ce qu'un intellectuel ? (1987)* à Louvain-la-Neuve.

SPAAK, Paul-Henri (1899-1972). Homme d'État belge de tendance socialiste, premier ministre (1938, 1946, 1947-1949) et ministre des Affaires étrangères (1936, 1940-1949, 1954-1957, 1961-1966), secrétaire général de l'OTAN (1957-1961), artisan de la construction européenne.

SPEER, Albert (1905-1981). Architecte de Hitler. Il est inscrit au Parti National-Socialiste dès 1931. En 1942, il est nommé Ministre de l'Armement. Il est condamné à vingt ans de prison par le tribunal de Nuremberg. Libéré en 1966, il écrit plusieurs ouvrages.

SPINELLI, Altiero (1907-1986). Adhère très jeune au parti communiste italien (1924). Condamné à vingt ans de réclusion par les autorités fascistes italiennes (1927), il mûrit un projet de mouvement fédéraliste européen qui deviendra une des ailes marchantes du Mouvement européen.

STEINBECK, John (1902-1968). Romancier américain, auteur de romans naturalistes évoquant une grève (*En un combat douteux,* 1936), les effets de la grande dépression dans les campagnes (*Les raisins de la colère,* 1939). Il est également considéré comme un hippie avant la lettre (*Tortilla flat,* 1935; *Rue de la sardine,* 1944). Sa révolte se mue, dans les années 1960, en soutien du conservatisme américain. Prix Nobel de littérature, 1962.

STRAUSS, Franz Josef (1915-1988). Homme politique bavarois de tendance chrétienne-sociale (CSU), député, ministre de la Défense dans le gouvernement fédéral, président du Land de Bavière.

STYRON, William (1925-...). Écrivain américain. Ses nouvelles et ses romans s'attachent à la description d'un monde brutal.

TASCA, Angelo (1892-1960). Homme politique et historien français d'origine italienne. Membre du parti communiste italien dès sa fondation. Il quitte l'Italie et entre au secrétariat de l'Internationale communiste(1928). Exclu en 1929, il s'établit en France et publie des ouvrages d'histoire contemporaine.

TATLINE, Vladimir (1885-1953). Architecte, sculpteur et théoricien russe. Il participe aux débuts du constructivisme dans les années 20.

TCHANG TCHONG-JEN (1907-...). Sculpteur chinois formé à Bruxelles où il rencontre Hergé auquel il explique la Chine (*Le lotus bleu*). Retourné dans son pays, il y vit tous les événements qui en marquent l'histoire contemporaine. En 1986, il se fixe à Paris.

TIM, (Louis MITELBERG dit) (1919-...). Journaliste dessinateur français et illustrateur.

TRIFFIN, Robert (1911-1993). Économiste belge formé à Louvain et aux États-Unis dont il a été citoyen (1943-1980). Professeur à Yale, il est un des grands théoriciens de la monnaie et a joué un rôle fondamental dans les orientations des politiques monétaires conduites entre 1945 et 1980 aux États-Unis et en Europe.

TRUMAN, Harry (1884-1972). Homme d'État américain, sénateur démocrate, vice-président des États-Unis en 1944, il succède à Roosevelt en 1945 et fut réélu en 1948. Durant la guerre de Corée, il releva le général Marshall, qui proposait d'étendre le conflit à la Chine, de son commandement.

UMBO, (Otto UMBEHR dit) (1902-1981). Photographe allemand, auteur de portraits, photos et photomontages diffusés en Europe par l'agence Dephot, dissoute en 1933. La guerre le voit mobilisé, et détruit son studio et ses négatifs. En 1945, il ouvre un studio de photographies de presse et de publicité.

VAN ZEELAND, Paul (1893-1973). Économiste et homme d'État belge, formé à Louvain et aux États-Unis, vice-gouverneur de la Banque nationale, premier ministre (1935-1937) et ministre des Affaires étrangères (1936-1937, 1949-1954), compte, malgré sa personnalité souvent énigmatique parmi les grands hommes politiques de l'histoire de Belgique.

VERROKEN, Jan (1917-...). Député social-chrétien d'Audenaerde, très pointu sur le plan linguistique, il a été le détonateur des événements dans la phase finale de « l'affaire de Louvain » en 1968.

WESSELMAN, Tom (1931-...). Artiste pop américain, célèbre par ses *Grands Nus américains (1960) :* collages aux figures schématiques dénudées, fortement érotisées. Sa palette se réduit aux aplats et couleurs agressives de la publicité.

Table des sigles

Glossaire

Les chiffres renvoient aux pages de la rubrique « **vocabulaire** » en fin de chapitre.

INDEX

L'index mentionne les noms de personnes cités dans le texte continu (chiffres normaux), cités dans les documents écrits, dans les tableaux ou représentés dans les documents iconographiques (chiffres en *italique*) et les auteurs des documents écrits ou iconographiques (chiffres en **gras**). Ces chiffres renvoient aux pages du livre.

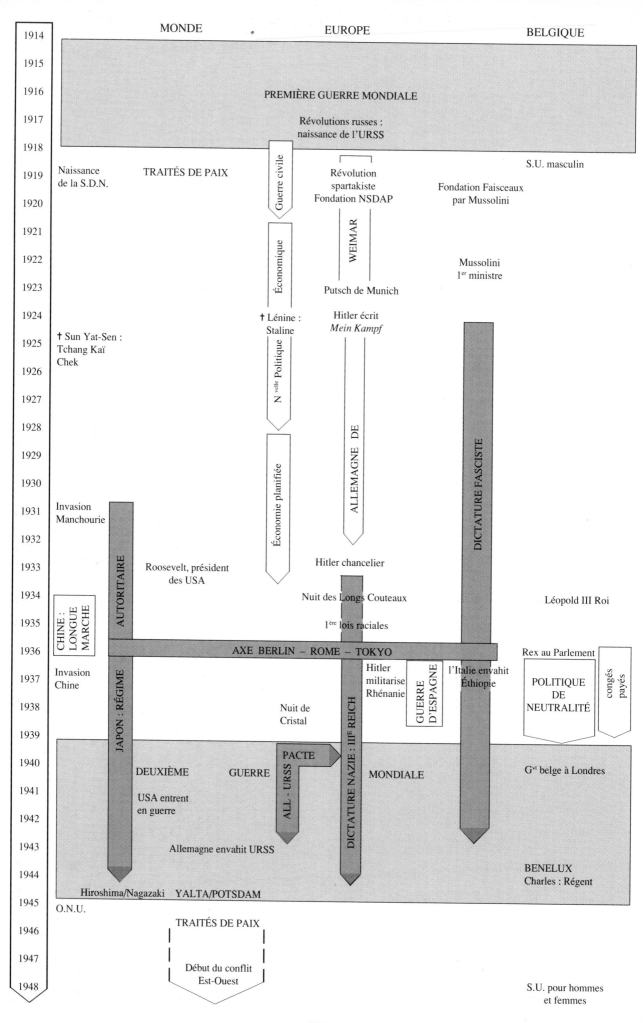

1914	MONDE	EUROPE	BELGIQUE
1915			
1916	PREMIÈRE GUERRE MONDIALE		
1917		Révolutions russes : naissance de l'URSS	
1918			S.U. masculin
1919	Naissance de la S.D.N. TRAITÉS DE PAIX	Guerre civile	Révolution spartakiste Fondation NSDAP
1920			Fondation Faisceaux par Mussolini
1921		Économique	WEIMAR
1922			Mussolini 1er ministre
1923			Putsch de Munich
1924		† Lénine : Staline	Hitler écrit Mein Kampf
1925	† Sun Yat-Sen : Tchang Kaï Chek		
1926		Nvelle Politique	
1927			
1928			ALLEMAGNE DE
1929		Économie planifiée	
1930			DICTATURE FASCISTE
1931	Invasion Manchourie		
1932			
1933	Roosevelt, président des USA		Hitler chancelier
1934	AUTORITAIRE	Nuit des Longs Couteaux	Léopold III Roi
1935	CHINE : LONGUE MARCHE	1ère lois raciales	
1936	AXE BERLIN – ROME – TOKYO		Rex au Parlement congés payés
1937	Invasion Chine	Hitler militarise Rhénanie GUERRE D'ESPAGNE	l'Italie envahit Éthiopie POLITIQUE DE NEUTRALITÉ
1938	JAPON : RÉGIME	Nuit de Cristal	
1939			DICTATURE NAZIE : IIIe REICH
1940	DEUXIÈME GUERRE	PACTE ALL - URSS	MONDIALE Gvt belge à Londres
1941	USA entrent en guerre		
1942			
1943	Allemagne envahit URSS		
1944			BENELUX Charles : Régent
1945	Hiroshima/Nagazaki YALTA/POTSDAM		
1946	O.N.U. TRAITÉS DE PAIX		
1947			
1948	Début du conflit Est-Ouest		S.U. pour hommes et femmes

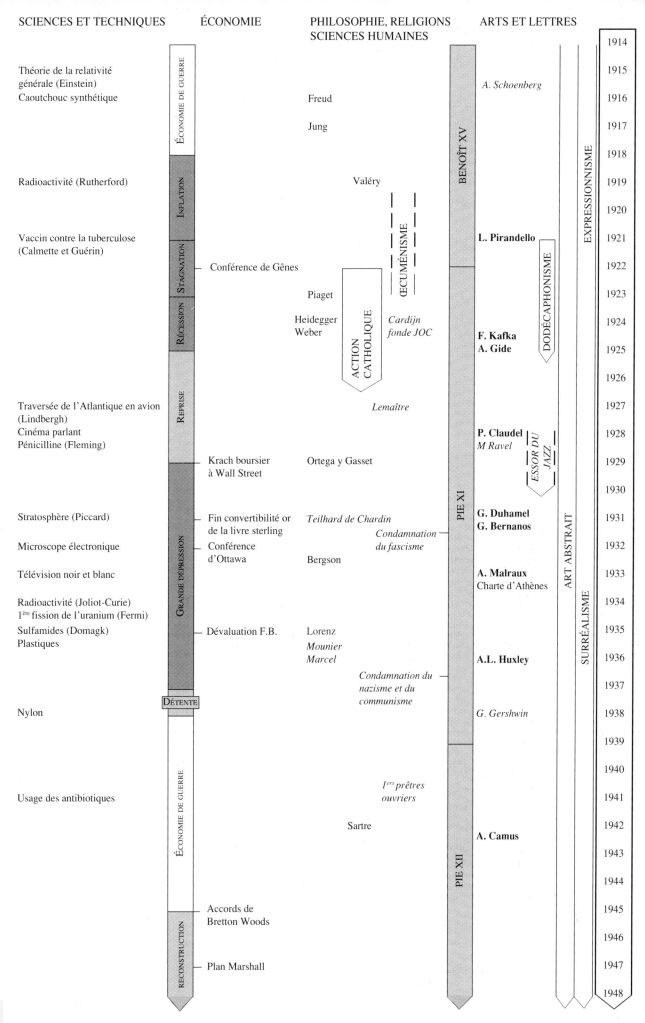

SCIENCES ET TECHNIQUES | ÉCONOMIE | PHILOSOPHIE, RELIGIONS SCIENCES HUMAINES | ARTS ET LETTRES

1914

Théorie de la relativité
générale (Einstein)
Caoutchouc synthétique

ÉCONOMIE DE GUERRE

Freud — 1916

Jung — 1917

BENOÎT XV

A. Schoenberg — 1915

1918

Radioactivité (Rutherford) — 1919

INFLATION

Valéry — 1919

ŒCUMÉNISME

1920

Vaccin contre la tuberculose
(Calmette et Guérin) — 1921

STAGNATION

Conférence de Gênes — 1922

L. Pirandello — 1921

1922

DODÉCAPHONISME

RÉCESSION

Piaget — 1923

Heidegger — 1924
Weber

ACTION CATHOLIQUE

Cardijn
fonde JOC

F. Kafka — 1924
A. Gide

EXPRESSIONNISME

1926

Traversée de l'Atlantique en avion
(Lindbergh)
Cinéma parlant
Pénicilline (Fleming)

REPRISE

Lemaître — 1927

P. Claudel — 1928
M Ravel

ESSOR DU JAZZ

Krach boursier
à Wall Street — 1929

Ortega y Gasset — 1929

Stratosphère (Piccard) — 1931

Fin convertibilité or
de la livre sterling

Teilhard de Chardin

Condamnation
du fascisme

G. Duhamel — 1931
G. Bernanos

PIE XI

Microscope électronique — 1932

Conférence
d'Ottawa

Bergson — 1932

ART ABSTRAIT

Télévision noir et blanc — 1933

A. Malraux — 1933
Charte d'Athènes

Radioactivité (Joliot-Curie)
1ère fission de l'uranium (Fermi) — 1934

GRANDE DÉPRESSION

Sulfamides (Domagk)
Plastiques — 1935

Dévaluation F.B.

Lorenz — 1935
Mounier
Marcel

SURRÉALISME

A.L. Huxley — 1936

Condamnation du
nazisme et du
communisme

Nylon — 1938

DÉTENTE

G. Gershwin — 1938

1939

1940

Usage des antibiotiques — 1941

ÉCONOMIE DE GUERRE

1ers prêtres
ouvriers — 1941

Sartre — 1942

PIE XII

A. Camus — 1942

1943

1944

Accords de
Bretton Woods — 1945

1946

RECONSTRUCTION

Plan Marshall — 1947

1948

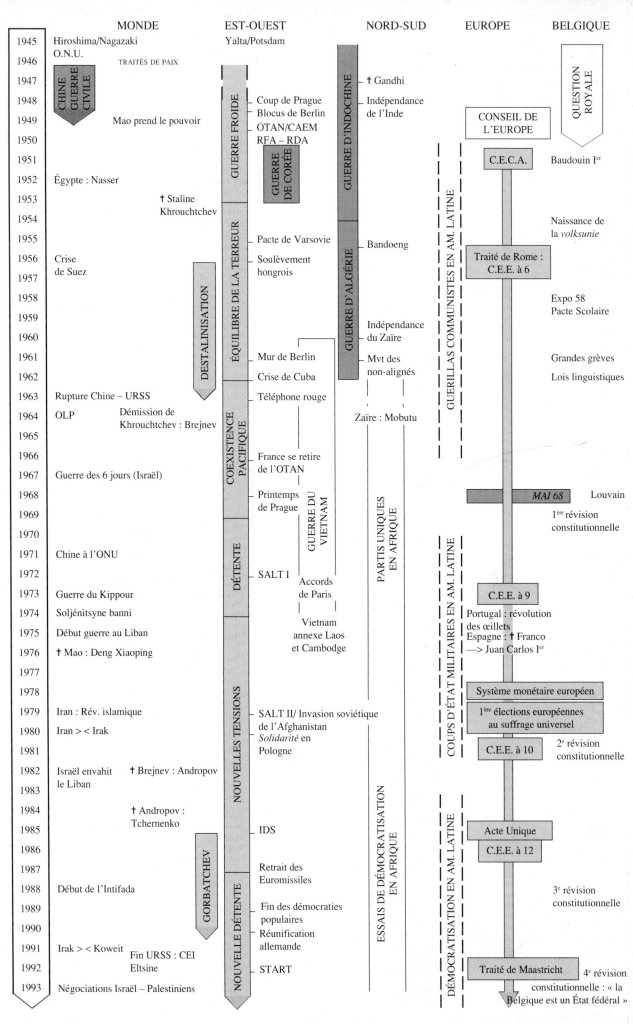

MONDE	EST-OUEST	NORD-SUD	EUROPE	BELGIQUE
1945 Hiroshima/Nagasaki	Yalta/Potsdam			
1946 O.N.U.				
TRAITÉS DE PAIX				
1947		† Gandhi		QUESTION ROYALE
1948 CHINE GUERRE CIVILE	Coup de Prague	Indépendance de l'Inde		
1949 Mao prend le pouvoir	Blocus de Berlin		CONSEIL DE L'EUROPE	
1950	OTAN/CAEM RFA – RDA			
1951	GUERRE FROIDE	GUERRE D'INDOCHINE	C.E.C.A.	Baudouin Iᵉʳ
1952 Égypte : Nasser	GUERRE DE CORÉE			
1953	† Staline Khrouchtchev			
1954				Naissance de la *volksunie*
1955	Pacte de Varsovie	Bandoeng		
1956 Crise de Suez	Soulèvement hongrois		Traité de Rome : C.E.E. à 6	
1957	ÉQUILIBRE DE LA TERREUR	GUERRE D'ALGÉRIE		
1958	DESTALINISATION			Expo 58 Pacte Scolaire
1959		Indépendance du Zaïre		
1960				
1961	Mur de Berlin	Mvt des non-alignés		Grandes grèves
1962	Crise de Cuba			Lois linguistiques
1963 Rupture Chine – URSS	Téléphone rouge		GUERILLAS COMMUNISTES EN AM. LATINE	
1964 OLP Démission de Khrouchtchev : Brejnev		Zaïre : Mobutu		
1965	COEXISTENCE PACIFIQUE			
1966	France se retire de l'OTAN			
1967 Guerre des 6 jours (Israël)				
1968	Printemps de Prague	PARTIS UNIQUES EN AFRIQUE	MAI 68	Louvain
1969	GUERRE DU VIETNAM			1ᵉʳᵉ révision constitutionnelle
1970				
1971 Chine à l'ONU				
1972	SALT I			
1973 Guerre du Kippour	Accords de Paris		C.E.E. à 9	
1974 Soljénitsyne banni	DÉTENTE		Portugal : révolution des œillets	
1975 Début guerre au Liban	Vietnam annexe Laos et Cambodge		Espagne : † Franco —> Juan Carlos Iᵉʳ	
1976 † Mao : Deng Xiaoping				
1977				
1978			Système monétaire européen	
1979 Iran : Rév. islamique	SALT II/ Invasion soviétique de l'Afghanistan		1ᵉʳᵉ élections européennes au suffrage universel	
1980 Iran > < Irak	*Solidarité* en Pologne			
1981	NOUVELLES TENSIONS		C.E.E. à 10	2ᵉ révision constitutionnelle
1982 Israël envahit le Liban	† Brejnev : Andropov			
1983				
1984	† Andropov : Tchernenko			
1985	IDS		Acte Unique	
1986		ESSAIS DE DÉMOCRATISATION EN AFRIQUE	C.E.E. à 12	
1987	Retrait des Euromissiles		COUPS D'ÉTAT MILITAIRES EN AM. LATINE	
1988 Début de l'Intifada	GORBATCHEV			3ᵉ révision constitutionnelle
1989	Fin des démocraties populaires			
1990	Réunification allemande		DÉMOCRATISATION EN AM. LATINE	
1991 Irak > < Koweit Fin URSS : CEI Eltsine				
1992	NOUVELLE DÉTENTE START		Traité de Maastricht	4ᵉ révision constitutionnelle : « la Belgique est un État fédéral »
1993 Négociations Israël – Palestiniens				